LEJOS DEL INFIERNO

Marc Gonsalves,
Keith Stansell
y Tom Howes
con Gary Brozek

LEJOS DEL INFIERNO

Una odisea de 1.967 días en manos de las FARC

 Planeta

Título original: *Out of Captivity* (Morrow, New York, 2009)

Fotografías del cuadernillo: 1-8, 18-24, 33-39 cortesía de los autores; fotografías 11-13, 17 y 26 cortesía de Wade-Chapple; fotografías 25, 32 y 33 de Newt Porter; fotografías 27-31 de Doug Sanders

Traducción de Eduardo Escallón, Ángela García, María Teresa Lara y Juan Carlos Torres, revisada por Juan José Gaviria y Liliana Tafur

Publicado por acuerdo con Morrow,
sello de HarperCollins Publishers

© Marc Gonsalves, Keith Stansell y Tom Howes, 2009
© Editorial Planeta Colombiana S. A., 2009
  Calle 73 No. 7-60, Bogotá

ISBN 13: 978-958-42-2143-8
ISBN 10: 958-42-2143-4

Primera edición: marzo de 2009
Segunda edición: 15 de abril de 2009
Tercera edición: mayo de 2009
Cuarta edición: julio de 2009
Quinta edición: agosto de 2009

Armada electrónica: Editorial Planeta Colombiana S. A.

Impresión y encuadernación: Quebecor World Bogotá S. A.

ÍNDICE

Para Tommy Janis, quien hizo el sacrificio supremo. Tu maestría y tu coraje en la línea de fuego nos salvaron la vida a los tres. Tus acciones te honran a ti, a tu familia y a tu país. Para el sargento Luis Alcides Cruz, que no sobrevivió. Para nuestras familias, que nos esperaron a los que sí sobrevivimos. Para las miles de personas aún cautivas en Colombia y en otras partes del mundo. No las olvidamos.

NOTA DE LOS AUTORES

Esta historia no ha terminado. Ahora mismo, mientras usted lee este libro, existe otro mundo muy adentro de las vastas selvas colombianas. Cientos de cautivos están allí, veintiocho de ellos nuestros compañeros. Encadenados y hambrientos, todo lo que desean es regresar a sus hogares. Que no sean olvidados:

Civiles
* Alan Jara (en cautiverio desde el 15 de julio de 2001)
* Sigifredo López (2 de abril de 2002)

Policías y militares prisioneros
Pablo Emilio Moncayo Cabrera (20 de diciembre de 1997)
Libio José Martínez Estrada (20 de diciembre de 1997)
Luis Arturo García (3 de marzo de 1998)
Luis Alfonso Beltrán (3 de marzo de 1998)
William Donato Gómez (3 de marzo de 1998)
Róbinson Salcedo Guarín (3 de marzo de 1998)
Luis Alfredo Moreno (3 de marzo de 1998)
Arbey Delgado Argote (3 de marzo de 1998)
Luis Herlindo Mendieta (2 de enero de 1998)
Enrique Murillo Sánchez (2 de enero de 1998)
César Augusto Lasso Monsalve (2 de enero de 1998)
Jorge Humberto Romero (10 de junio de 1999)

José Librado Forero (10 de junio de 1999)
Jorge Trujillo Solarte (10 de junio de 1999)
Carlos José Duarte (10 de junio de 1999)
Wilson Rojas Medina (10 de junio de 1999)
Álvaro Moreno (9 de diciembre de 1999)
Elkin Hernández Rivas (14 de octubre de 1998)
Édgar Yezid Duarte Valero (14 de octubre de 1998)
Guillermo Javier Solórzano (4 de junio de 2007)
William Yovani Domínguez Castro (20 de enero de 2007)
Salin Antonio Sanmiguel Valderrama (23 de mayo de 2008)
Juan Fernando Galicio Uribe (9 de junio de 2007)
* José Wálter Lozano (9 de junio de 2007)
* Alexis Torres Zapata (9 de junio de 2007)
Luis Alberto Erazo Maya (9 de diciembre de 1999)

---

* N. del E. Estas cuatro personas fueron liberadas en febrero de 2009.

GUERRILLEROS DE LAS FARC 2003-2008

Columna móvil Teófilo Forero
Sonia
Farid
Uriel
Johnny

Frente 27
Milton
Ferney (el Francés)
Rogelio
El Mono
El Plomero
Eliécer
Cerealito
Dosymedio
Risas
Vanessa
El Cantante
Tatiana
La Mona
Alfonso
El Costeño
Pirinolo

Frente Primero
Enrique
Jair
Moster
Asprilla
LJ
Mario
Tula, el perro

Líderes de las FARC **2003-2008**
Manuel Marulanda
Raúl Reyes
Mono Jojoy
Fabián Ramírez
Burujo
Iván Ríos
Sombra (el Gordo)
Ernesto
Alfredo
César
Alfonso Cano
Joaquín Gómez

PRÓLOGO
UN LUGAR PARA ESTRELLARSE

KEITH

—*Eso*, señor, es una falla mecánica.

Por el tono en que lo dijo Tommy Janis, nuestro piloto, no se sabía si se trataba de un daño serio. Tommy había piloteado toda clase de aeronaves alrededor del mundo. Era un tipo de proporciones épicas con más historias para contar que los pelos que tengo en la cabeza —y mi cabellera es tan gruesa y abundante como la de cualquiera—. En su respuesta no había duda del sarcasmo. Era una ironía tan profunda como perdido era el sitio en el que nos encontrábamos.

El "eso" al que se refería no era propiamente una cosa, sino la ausencia de ella: se trataba del pulso estable y vibrante de la única turbohélice de la aeronave, una Pratt and Whitney de 675 caballos de fuerza que hasta unos segundos antes venía impulsando nuestra avioneta Cessna Grand Caravan. No se necesitaba alguien como yo, que había trabajado en aviónica y en mantenimiento de aeronaves durante toda mi vida, para reconocer que el silencio que había en la cabina no era una buena cosa.

Cerré la biografía del Che Guevara que venía leyendo y miré a mi amigo y colega Marc Gonsalves, que parecía muy ocupado con su cámara y su computador. Podría decir que, por estar tan involucrado en lo que hacía, no se había dado cuenta de lo que nos estaba pasando. El pobre había volado con nosotros sólo en unas cuantas misiones y justo le tocaba el día de una maldita falla mecánica. Yo sabía que Tommy Janis y nuestro copiloto Tom Howes intentarían poner el motor de nuevo en marcha para saber de una vez por todas si íbamos a ser capaces de llevar aquel pájaro por encima de las montañas hasta el aeropuerto de Larandia, donde teníamos programado abastecernos de combustible.

En mis veinte y tantos años de vuelo había tenido todo tipo de entrenamiento en diferentes aeronaves, tanto civiles como militares. Ya había estado en aprietos, y no fue difícil mentalizarme para evitar el pánico.

—Marc —le dije—, haz la llamada de auxilio.

—Soy muy nuevo para hacer una llamada así de importante —dijo Marc—. Mejor hazla tú.

No podía culparlo por no querer hacerla. De inmediato tomé la radio SATCOM para transmitirles nuestra ubicación a los de la base. Lo primero que necesitaba era que el puesto de comando conociera nuestras coordenadas.

—Magic Worker, aquí Mutt 01, ¿me copian?

Esperé, pero no hubo respuesta. Ensayé de nuevo. Silencio.

Magic Worker eran los responsables de nuestro comando y control. Normalmente, respondían al instante nuestras llamadas de rutina. La idea de un posible aterrizaje de emergencia sin que nadie se enterara de nuestra situación agravaba cualquier pronóstico. Hice otra llamada al grupo del Departamento de Defensa con base en la Florida, deno-minado JIATF Este.

—Mutt 01. Aquí JIATF Este. ¿Cuántas almas a bordo?

—JIATF Este, hay cinco—. Hice la lista y deletreé cada nombre: Tom Janis, Tom Howes, Marc Gonsalves, el sargento Luis Alcides Cruz y yo, Keith Stansell.

Les di coordenadas mientras descendíamos desde doce mil pies sobre las escarpadas montañas de la cordillera Oriental en el sur de Colombia. Pocos minutos más tarde logré comunicarme con Ed Tri-nidad, quien formaba parte de nuestro equipo de análisis táctico en la embajada en Bogotá. Trataba de parecer tranquilo, pero yo podía sentir la preocupación en su voz.

Rompiendo el protocolo usual de las transmisiones de radio dije:

—Ed, hermano, estamos buscando un lugar donde estrellarnos. Asegúrate de decirles a todos en nuestras familias que los amamos.

Al pronunciar estas palabras no quise mirar a Marc; así que dirigí la vista a la cabina de mando donde Tommy J. y Tom Howes estaban ocupados buscando la manera de salvar nuestros pellejos o, al menos, de evitar que nuestros cuerpos quedaran dispersos en más de media milla sobre una montaña dejada a la mano de Dios en la selva colombiana.

A través de la ventana pude ver que estábamos alineados para el aterrizaje. Centré mi atención en los dos Tommys. Tommy J. era un hombre bien puesto en su lugar. No mostraba pánico, sólo precisión en cada movimiento. El suelo se nos venía encima. Marc y yo revisamos nuestros cinturones una vez más. Miré brevemente por encima del hombro de Tom y luego tomé de gancho a Marc. Había estado en comunicación con Ed durante los cuatro minutos que duró nuestro descenso, y le dije:

—Ed, voy a tener que colgar. Estamos a punto de estrellarnos.

En ese momento recordé una conversación que había tenido con uno de los supervisores de la compañía. Cuando estuve en el ejército recibí algún entrenamiento básico de supervivencia, pero para volar con Northrop Grumman tenía que tomar el siguiente nivel del curso. Le manifesté al supervisor que no lo haría. Cuando preguntó por qué, todo lo que dije fue: "con este pedazo de mierda de avión en el que me piden que vuele no hay forma de que salga vivo de un choque. Un hombre muerto no necesita saber de supervivencia".

TOM

Cuando oí que el motor dejaba de girar, miré los instrumentos y escruté el terreno en busca de un lugar donde aterrizar. No vi nada que pareciera apropiado, así que tomé el mapa. No me daba cuenta de lo que pasaba en la cabina. Sabía que Keith estaba hablando por la radio, pero el sonido de su voz en mis audífonos y los tres hombres detrás de mí estaban definitivamente en la periferia de mi conciencia. Nuestra altura era un poco más de doce mil pies y necesitaba saber si íbamos a poder planear, pasar las montañas y aterrizar en nuestro lugar de reabastecimiento, Larandia.

Miré los indicadores para averiguar cuál era la velocidad relativa del aire, nuestra altitud y el ritmo de descenso. Deduje, sobre el mapa, cuál era nuestra posición y nuestro destino. Mi instinto me dijo que no íbamos a lograr pasar sobre las crestas para llegar hasta el aeropuerto. Los cálculos que hice simplemente confirmaron mis sospechas.

—Veo un claro —la voz de Tommy apenas cambió de tono.

—También lo veo —respondí.

Caíamos a un valle empinado bordeado por dos filos de montañas. Había un claro menor que el tamaño de un campo de fútbol. No soy una persona espiritual o religiosa, pero cuando calculé las probabilidades de que hubiera un pedazo de tierra sin árboles en las boscosas y espesas cuestas de la cordillera, me pareció que se trataba de un milagro. El lugar no era más grande que una estampilla, pero era nuestra única opción. Si estuviéramos cayendo a un pozo profundo, ese claro equivalía a encontrar una pequeña saliente justo antes de tocar fondo.

Lo primero que hice fue establecer contacto con las autoridades aéreas de dos aeropuertos cercanos: las torres de Florencia y Larandia. Mientras llamaba recordé una conversación que Keith y Marc habían sostenido a propósito de ser ese día 13 de febrero. Keith le había dicho a Marc que, a nuestro regreso, ordenaría unas flores para Shane, su esposa. Pensé en la mía, Mariana, que me esperaba en la Florida. No quise pensar en nuestro hijo Tommy, de cinco años, y lo que mi muerte le significaría.

Para evitar que mis pensamientos se hicieran más tenebrosos, y para asegurarme de explorar cada opinión, le pregunté a Tommy J. si debíamos emplear el procedimiento de reinicio de motor. Contuve la pregunta hasta que las cosas se calmaron un poco. Tommy J. coincidió en que valía la pena intentarlo. Reajusté el control de combustible, las palancas de potencia y propulsión, reduje el flujo eléctrico, revisé la temperatura de la máquina y procedí a reiniciarla. A medida que las revoluciones subían, inyecté combustible, pero el motor dejó de girar.

Tommy J. hizo un trabajo impecable al evitar las copas de los árboles. Yo estaba más preocupado por lo pequeño del espacio para detener el avión que por el hecho de no alcanzar el claro. Cuando nos acercamos vi que nuestra franja de aterrizaje terminaba al borde de un precipicio. Arrastrándonos sobre el terreno, le grité: "¡Detenlo!".

Un minuto después, no supe de mí.

MARC

Lo que más me aterrorizaba era el espeluznante ruido del viento contra la superficie del avión. Era muy parecido al que se oye cuando las ventanas de un carro están a punto de hacer contacto con la parte superior del marco: un silbido agudo, un chirrido.

Keith me pidió que asegurara la mayor cantidad de objetos que pudiera. Cualquier objeto pequeño podría convertirse en un proyectil durante el aterrizaje. Teníamos un par de botellas de agua, las cámaras y los lentes en sus estuches duros, nuestros morrales y el equipo esencial. Los aseguré detrás de la barra de protección. Cuando terminé, volví a sintonizar mi estación y, usando el Sistema de Posicionamiento Global —GPS— para rastrear nuestra ubicación, transmití por radio nuestras coordenadas. Keith revisó que yo estuviera abrochado y lo mismo el sargento Cruz. Me preguntaba qué estaría pensando Cruz. Literalmente no podía saberlo porque él difícilmente hablaba algo de inglés y yo, muy poco español. Por las miradas que intercambiamos, era claro que considerábamos nefastas nuestras perspectivas.

—Vamos sin motor. Estamos buscando un lugar plano para el aterrizaje —respondí por la radio a Ed Trinidad.

Sentí que el avión se inclinaba abruptamente hacia la izquierda. Estábamos girando y mis tripas se retorcían. Me di cuenta de que nos enfilábamos hacia nuestro sitio de aterrizaje y respiré profundamente.

Unos segundos después sonó la alarma de caída. Giramos a la derecha en una maniobra menos drástica. Cerré los ojos y oré. Pedí a Jesús que perdonara mis pecados, hice una vertiginosa promesa de enmienda, y le pedí que protegiera a mi esposa, mis hijos, mi familia. Mi lista fue cortada de repente.

"Aquí vamos", oí que alguien gritaba. Me abracé a mí mismo.

Al primer impacto, abrí los ojos. Vi ráfagas de luz y oscura vegetación, oí los crujidos del metal y sentí un golpe feroz seguido de otro mucho más violento. Seguramente fue cuando el tren de aterrizaje se desprendió y el fuselaje rastrillaba contra el terreno sembrado de rocas. Rodábamos y todo rebotaba frente a mis ojos. Vi que de una hendidura, al frente de la nave, brotaba la luz. La cabina se había abierto como una lata de atún.

No sé cuánto tiempo rodamos, pero al igual que cuando el motor se apagó, quedamos sumidos en el silencio. Por unos segundos sólo pude distinguir sombras y resplandores. El sol entró a raudales e iluminó el polvo que flotaba por todos lados. Alcancé la maleta en la que teníamos las pistolas y luego pude ver a Keith y al sargento Cruz pateando la puerta y empujándola con los hombros. Todos teníamos una sola palabra en mente: ¡fuego! Reuní parte de mi equipo con algunos documentos de trabajo de vital importancia y, luego de unos segundos con el corazón en la boca, oí que la puerta cedía. Keith salió y el sargento Cruz se detuvo a observar ansioso los alrededores.

—Llévale esto a Keith —gesticulé señalando al frente de la aeronave donde supuse que estaba él. Cruz asintió y yo quedé solo en la parte de atrás recogiendo el resto de nuestro armamento, mi chaleco de supervivencia y el morral personal en el que llevaba un valioso informe. Quería asegurarme de entregarlo.

Pude escalar la colina hasta la parte delantera de la nave y me sorprendió encontrar una vaca que me miraba. Busqué la maleta de las pistolas. No la vi y me precipité hacia la nave, deduciendo que Cruz no me había entendido y la había dejado.

Al echar un vistazo a la cabina, pude ver a Tom desplomado sobre la silla del copiloto, con la cabeza torcida de tal manera que pensé que se había roto el cuello. Estaba pegado al plexiglás y se veía como una muestra de tejido sangriento puesta sobre una laminilla de vidrio. Todo a su alrededor estaba cubierto de sangre. Noté que tenía un tajo profundo y sobre su ojo colgaba una tira de piel que parecía moco de pavo. Comencé a golpear el vidrio y a llamarlo, pero no tuve respuesta. Pensé que estaba muerto.

A pesar de mis gritos, pude oír la voz del sargento Cruz y el sonido de una lluvia de disparos que venía de arriba. Entonces entendí que era Cruz vociferando ¡las FARC!, ¡las FARC!, ¡las FARC!

Con el rabillo del ojo vi que Tommy J. levantó la cabeza y luego la dejó caer. Keith corrió a su lado para ayudarlo a salir y terminó sacando también a Tom Howes.

Con Tommy J. y Tom fuera del avión, y con las balas zumbando a nuestro alrededor, no nos tomó mucho tiempo entender que habíamos aterrizado en medio de un frente de las FARC. No podía creerlo. Nos habíamos salvado en la caída sólo para encontrarnos en una situación peor.

Tommy J. y Tom estaban aturdidos a un lado del avión. Tom miró a Keith.

—¿Cómo la ves? —preguntó Tom.

Keiht no lo dudó. Se figuraba que era mejor que, yo, el nuevo oficial de operaciones aún sin estrenar, conociera la realidad.

—Estamos jodidos.

I
RETOS Y DECISIONES

MARC

Las horas previas al amanecer en Bogotá son las más pacíficas de todo el día. Esta ciudad, caótica en cualquier otro momento, está prácticamente desierta. Hay pocos carros y poca gente. Los únicos seres vivos que se ven por ahí son los gatos extraviados y los perros callejeros que deambulan por las calles, pero incluso algunos de ellos saben que estarían mejor durmiendo.

Con tan poco tráfico, acostumbraba volarme los semáforos en rojo camino al trabajo —todos lo hacíamos—. Habíamos instituido una carrera de carros, muy fogosa por cierto, entre Keith, Tom y otros compañeros. Ganara o perdiera, esas competencias matutinas eran una buena forma de comenzar el día. Me daba la oportunidad de prepararme para lo que me esperaba.

A toda velocidad por las calles de Bogotá, en la mañana del accidente, iba pensando en lo que me había perdido por no aceptar una invitación de Keith Stansell, de nuestro piloto Tommy Janis, y de la esposa de Tommy, Judith, para ir a comer. Cuando se vive solo, conseguir buena comida no es fácil, pero por alguna razón no fui a comer con ellos. Lamentaba haber hecho esa elección y daba por descontado que mi magro desayuno no iba a sostenerme durante todo el día. Con el estómago rugiendo, repasé el inventario de las cosas que embutí en el morral esa mañana: un suéter de lana y poliéster, el valioso reporte que debía enviar ese día y las tareas de mi clase de español. Encima de todo eso iban una barra de chocolate y mi fiel lata de atún, la cual llevaba siempre en caso de que Keith no me cubriera la espalda —en este caso el estómago— con uno de sus famosos sándwiches.

Más que nada, pensaba en lo afortunado que era por estar haciendo un trabajo placentero y con gente que me agradaba aquellos veintidós días que aún me quedaban, de los veintiocho que duraba cada rotación en el puesto. No llevaba mucho tiempo en este empleo, pero parte de su atractivo era que me daba dos semanas libres por cada cuatro trabajadas. Esas dos semanas en medio de los viajes al interior de las regiones tenían mucho que ver con la razón por la cual yo había cambiado de empleo. No importaba lo bueno que un trabajo pudiera ser, nada le ganaba a la posibilidad de pasar tiempo con mi esposa, Shane, y mis hijos, en nuestra casa de la Florida.

Bajé la ventana de mi Chevy Rodeo —en realidad, una Isuzu con símbolo de Chevrolet— y entró la brisa limpia, fría, seca. No me importó. Necesitaba estar alerta. Desde que llegué al país había tenido problemas con el sueño. Tom Howes me dijo que lo que me pasaba era típico de la gente que se estaba acomodando a la altura. Yo había pasado de la llanura baja de la Florida a los dos mil seiscientos metros sobre el nivel del mar en Bogotá. Mi cuerpo necesitaría algún tiempo más para ajustarse al cambio. Cansado como estaba, me divertía volando de semáforo en semáforo por las calles vacías. Era una mañana particularmente buena y pensaba que iba a lograr un tiempo imbatible por Keith y Tom.

No estaba de ánimo para reflexionar aquella mañana en la que, literal y figurativamente, andaba volando. Tenía un nuevo empleo en el que me pagaban muy bien. Trabajaba con personas que yo comenzaba a respetar por su servicio a nuestro país, pero que por fortuna no eran demasiado serias. Empezaba a conocer una cultura y un lugar muy diferentes, y un par de veces al mes mis colegas y yo volábamos sobre los paisajes más hermosos que había visto.

En esos vuelos buscábamos principalmente plantaciones de coca y laboratorios de procesamiento de cocaína controlados por el mayor grupo guerrillero de Colombia, las Fuerzas Armadas Revolucionarias de Colombia —FARC—. Esta organización ha actuado en el país por cerca de cuarenta años, en un principio como el ala militar del Partido Comunista Colombiano. Su insurgencia marxista ha fluctuado a lo largo del tiempo en cuanto a números e influencia, pero aunque sus tropas han menguado últimamente, sus tácticas se solidificaron. Sus principales medios para financiar la guerra han sido la extorsión, el secuestro y el negocio de las drogas. Al reunir datos de inteligencia sobre las conexiones de droga de las FARC, yo aportaba a los esfuerzos de Estados Unidos para erradicar los cultivos de coca y la infraestructura del tráfico de drogas en Colombia. En el 2002, seiscientas cincuenta toneladas métricas de cocaína se procesaron en Colombia, y la vasta mayoría de las cuatrocientas noventa y cuatro toneladas métricas que ingresaron a Estados Unidos provenían de allí. Esto significaba una disminución de más del 20% sobre las cifras del 2001, así que cualquiera que fuera el esfuerzo conjunto de Colombia y Estados Unidos, se trataba de un éxito rotundo.

Estaba en aquel trabajo desde noviembre de 2002 y esos cuatro meses eran todavía de luna de miel. Vivía en la histórica y vibrante capital de Colombia. Aunque había unos cuantos norteamericanos en la ciudad —empleados de la embajada, contratistas y personal internacional—, nuestro empleador dispuso que viviéramos en edificios ocupados por colombianos para minimizar el peligro sobre nosotros.

Como norteamericanos se nos consideraba en riesgo de ser secuestrados, y si alguien sospechaba que estábamos haciendo trabajo de inteligencia en nombre del gobierno de Estados Unidos, nuestro valor como plagiados aumentaría. La reputación de Colombia como un lugar donde el secuestro con ánimo de lucro prosperaba era bien merecida. El número de prominentes militares, políticos y civiles secuestrados por varios grupos, principalmente las FARC, era problemático, por decir lo menos. Para el 2003, los secuestros anuales habían disminuido con respecto a los cometidos en el 2000 —tres mil quinientos más o menos—, pero el número de personas aún en cautiverio estaba entre los más altos del mundo.

Yo había contemplado ese riesgo cuando decidí ir a Bogotá y, a pesar de la amenaza, no encontré la ciudad tan insegura una vez que estuve ahí. Nunca caminé girando constantemente la cabeza para ver si había alguien acechando en cada esquina para atracarme. De hecho, no me tomó mucho tiempo apreciar la cultura de la ciudad y el universal trato amistoso de la gente colombiana. Durante esos pocos meses de trabajo, no tenía duda de que había tomado la mejor decisión posible. Siempre me habían dicho que la vida está compuesta de las decisiones que uno toma. Y aunque no creo que alguien escoja estrellarse en un avión y terminar secuestrado por un grupo marxista revolucionario, creía entonces, y lo sigo creyendo más fuertemente ahora, que las cosas pasan por una razón: porque Dios tiene un plan para todos nosotros.

El camino que me llevó a las selvas de Colombia, el 13 de febrero de 2003, comenzó cuando me uní a la Fuerza Aérea apenas terminé el bachillerato. Ocho años más tarde, dejé el servicio activo y comencé a trabajar para un contratista privado en temas de defensa haciendo análisis de inteligencia antinarcóticos. Disfrutaba el trabajo, aunque algunas veces, estar sentado en un escritorio mirando la pantalla de un computador y editando horas de video para convertirlas en una presentación de diez minutos, se puede volver tedioso. El aburrimiento que llegaba a sentir era recompensado en lo personal y lo profesional. Hacía un trabajo que consideraba importante, en una posición crucial de comando en la guerra de Estados Unidos contra las drogas. Con un pago más que bueno y con la posibilidad de brindarles una vida cómoda a Shane y a mis hijos, Cody, Joey y Destiney, aquella oportunidad significaba muchísimo para mí. Vivir y trabajar en Key West, en la Florida, en la Interagencia Conjunta de Destacamentos Especiales —JIATF Este— era mejor que soportar los arduos inviernos de Connecticut, donde vivía antes.

No soy un adicto a la adrenalina, así que cuando se me presentó la oportunidad de cambiar el análisis de inteligencia por la recolección directa de ella en Colombia, tuve que pensarlo. La oferta me la hizo una compañía contratista del gobierno llamada California Microwave, subsidiaria de una más grande de nombre Northrop Grumman. Tendría un aumento significativo en mis ingresos, pero también ciertas ataduras. Lo consulté con Shane. Debería separarme de mi familia por semanas. La última cosa que quería era alejarme, pero mi padre, George, me había inculcado que hay que hacer lo que sea necesario para tener bien a quienes ama. Eso es lo que él había hecho por mi hermano, Mike, y por mí, y eso era lo que yo quería hacer por mi familia. Mis hijos y mi esposa no se estaban muriendo de hambre, pero el alza en los precios y la perspectiva de enormes costos de educación universitaria para tres hijos pesaban en mi mente y en mi cuenta bancaria. Estar lejos sería duro, pero si eso significaba una buena educación para ellos, entonces valía la pena.

Como si la separación no fuera suficiente, este nuevo empleo traía el riesgo de daño físico, lo que me hizo dudar aún más. Mi antiguo trabajo consistía en revisar imágenes y documentos en un computador. Ahora estaría en la parte sustancial del asunto, en medio del proceso de recolección de inteligencia, donde muchas cosas podrían salir mal. California Microwave había sido contratada por el Departamento de Defensa para hacer vigilancia aérea al comercio de drogas en Colombia. El que yo fuera a trabajar para Northtrop me confirmó que aceptar la oferta era la jugada correcta. Varios subcontratistas hacían este tipo de trabajo para el gobierno, pero saber que tendríamos el apoyo de Northtrop me dio la confianza que necesitaba para tomar este trabajo potencialmente peligroso. Northtrop cuidaba a sus empleados y yo sabía que si algo me llegaba a suceder, ellos se harían cargo de mí y de mi familia.

Finalmente, después de evaluar con Shane los riesgos y el incremento salarial, firmé con California Microwave, y en noviembre de 2002, viajé a Colombia para entrenarme en el uso de equipo de vigilancia con sistema infrarrojo de búsqueda, denominado FLIR, por su sigla en inglés. Desde entonces, estaba volando y trabajando allá —cuatro semanas de servicio, dos de descanso— como un reloj.

Cuando llegué al aeropuerto la mañana del 13, mostré mi identificación y pasé por una serie de puestos de requisa hasta llegar a nuestro cuartel de operaciones. El camino a través de los puestos de control era una colección de zigzags, casi como un laberinto, dispuestos así para que uno tuviera que reducir la velocidad y evitar de esa forma que alguien chocara contra las barreras de los centinelas. El último puesto era un apiñamiento de contenedores que un tipo al que llamábamos Eddie el Rápido había convertido en su oficina. Había dividido la estructura y en uno de aquellos espacios estaba la sección administrativa, en la que su hija y su hermano manejaban el papeleo y los teléfonos para sus variadas operaciones.

Eddie no sólo pensaba que había que mantener los negocios en familia, también creía que se debía estar en los negocios y asuntos de los demás de la mejor manera posible. Era lo que llamaríamos un todero, un arreglatodo. Un ciudadano estadounidense nacido en Colombia que había servido en nuestra Fuerza Aérea, Eddie el Rápido era un hombre de negocios consumado, la verdadera conexión entre el Departamento de Estado norteamericano y el gobierno colombiano. Era el hombre preciso, capaz de hacer que todo funcionara con una llamada telefónica. Sus camisas blancas abotonadas hasta arriba y sus mancornas eran el uniforme distintivo de Eddie, quien además tenía un aire que de inmediato te tranquilizaba, pero que a la vez te hacía preocupar. En todo caso, a pesar de lo rápido que era, Eddie no jugaba para ambas partes: se dedicaba a nosotros y a los esfuerzos estadounidenses las veinticuatro horas de los siete días de la semana.

Las jóvenes que hacían el trabajo administrativo para Eddie el Rápido —una de las cuales era su hija Natalie— no habían llegado aún, y pasé de largo hasta el área de recreación, donde la mesa de billar y los sofás estaban vacíos a esa hora de la mañana. Caminé hacia la pista a través de una fila de aviones civiles, la mayoría operados por agencias y compañías norteamericanas. Mi primera responsabilidad era revisar la radio de nuestra aeronave y asegurarme de que funcionara. Después de hacerlo, contacté a los amigos en JIAFT Este para informar de la misión y caminé de vuelta a donde Eddie el Rápido. Allí vi a Keith sentado con Tom y Tommy Janis en una de las mesas del área de recreación.

Keith había sido, indirectamente, parte de las razones por las que había ido a Colombia. Lo conocí cuando fue a Key West con otra aeronave que California Microwave había acondicionado para el trabajo de represión de las drogas. Era una de las personas responsables de hacer los arreglos necesarios para convertir la Cessna Grand Caravan en un avión de vigilancia. Por algunos años, su equipo en California Microwave había proveído a mi compañía con la materia prima de la inteligencia que yo transformaba en reportes. La primera vez que lo vi quedé impresionado con su porte. Con más de uno con ochenta de estatura, medía casi diez centímetros más que yo. Llevaba el corte de pelo típico de los militares en servicio en forma de cepillo, y su voz autoritaria tenía apenas un dejo del acento de la Florida. Su habilidad para combinar una actitud seria con una relajada e informal era impresionante. Tenía toda la experiencia del mundo, había estado en los sitios que eran y había hecho un montón de aquello que debía hacerse, pero sólo hablaba del tema cuando se lo preguntabas.

Desde un principio Keith me agradó y lo respeté, pero a pesar de nuestro primer encuentro, yo sabía más de él por su reputación que por conocimiento de primera mano. Aun así, el respeto debió haber sido mutuo, pues más tarde me diría que él y otro amigo en común me recomendaron para el puesto en California Microwave. Cuando me uní al grupo en Colombia, dijo que había estado esperando que la compañía encontrara a alguien como yo, alguien con experiencia en lo que las diferentes agencias hacían con la información sin procesar y que estas operaciones de campo arrojaban.

De muchas formas, Keith y yo no podíamos ser más diferentes. Yo soy geográfica y temperamentalmente un norteño. Hijo de padres inmigrantes de primera generación, tiendo a ser un poco callado y reservado. Prefiero estar en paz a costa de no expresar mis puntos de vista y mis deseos. Keith no tiene ningún problema en dar a conocer su opinión, y posee el conocimiento y la experiencia para respaldar sus reclamos en cuanto al trabajo que todos hacíamos. Había estado en Colombia por cuatro años, trabajando primero para DynCorp, donde Tom también estuvo. Keith también había trabajado en otras dependencias de la misión en Colombia —con la aduana de Estados Unidos y con la Fuerza Aérea cuando estaba en el ejército— en toda clase de posiciones técnicas de aviación y de mantenimiento de aeronaves a través de la Guardia Nacional y en la industria privada. En nuestro cerrado mundo, él era una persona con muy buena reputación que podía cambiar de labores de mantenimiento a aquellas de operación, y que había estado en misiones de vuelo con California Microwave los últimos dos años.

Tom Howes era tan distinto de Keith como yo. Aunque nunca estuvo en el ejército, en el fondo me recordaba a algunos de mis colegas de la Fuerza Aérea. En apariencia más callado y reservado que Keith, Tom tenía un malicioso sentido del humor del que había que estar muy pendiente. Era como el médico diestro que te aplica una inyección de manera tan experta que tú sólo notas que te ha chuzado cuando ya se ha ido a atender a otro paciente. Tom era varios años mayor que Keith y que yo, y tanto sus gafas como su sonrisa amplia e inteligente ayudaban a que su rápido y agudo ingenio te cogiera con la guardia baja. Además de su sentido del humor era un estudioso de la aviación y poseía un amplio conocimiento de la región, que no dejaba de impresionarme.

Las pasiones de Tom eran comer y volar, y todos nos beneficiábamos de ambas.

Una de las cosas que más he extrañado desde que dejé la Fuerza Aérea es la camaradería. Aunque la mayoría de la gente con la que trabajé antes de llegar a Colombia eran también antiguos militares, había algo con respecto a estar trabajando en el país que elevaba la mentalidad de "todos-estamos-en-esto-juntos". Desde mi llegada, Keith me incluyó en el grupo de personas que lograba que los contratistas volaran desde el aeropuerto internacional de Bogotá. Nadie era exageradamente entusiasta ni fogoso como para llegar hasta el punto de hacernos barra, pero podía decirse que las experiencias compartidas y la dedicación a un mismo ideal formaban una especie de vínculo como el que se da en los vestuarios deportivos. Yo estaba en el ciclo de descanso en casa cuando tomaron una fotografía del grupo, justo un par de semanas antes del estrellón del avión, pero la he visto. Se ve un puñado de felices y buenos compinches. Apenas estaba aprendiendo acerca de las desordenadas y duras experiencias de vida —y lo digo en el mejor sentido— que algunos de ellos habían tenido.

Había volado con Keith y Tom sólo unas pocas veces antes de ese 13 de febrero. Ambos eran, tanto como mi limitada experiencia permite decirlo, verdaderos profesionales que conocían perfectamente los programas de vigilancia y aspersión para la erradicación de cultivos de coca. En esencia, nosotros proporcionábamos la información que permitía a esas unidades de aspersión saber dónde estaban los campos de coca y dábamos a las agencias de inteligencia la ubicación de los laboratorios de producción de cocaína, para que pudieran destruirlos. A donde voláramos, a lo que le tomáramos fotografías o grabáramos en video, el gobierno de Estados Unidos era el que tenía el último control sobre nuestras actividades. En principio, el Departamento de Defensa —DOD— era el que nos daba instrucciones, nos decía a dónde ir y qué buscar. Cualquier cosa que produjéramos, el DOD tenía que compartirla con otras agencias como la DEA, la Oficina para el Alcohol, el Tabaco, Armas de fuego y Explosivos —ATF—, y el FBI. Gozábamos de cierta libertad en nuestros vuelos, pero no mucha. Todo el tiempo teníamos que estar en comunicación radial con el DOD para que pudieran verificar nuestra posición.

Nadie quiere sufrir nunca una falla de motor, un aterrizaje forzoso o un secuestro, pero este momento era particularmente malo para Keith y para Tom. Keith estaba en el tercer día de su rotación y, después de nuestra misión de aquel día, estaba programado para volar de regreso a Estados Unidos y hacerle mantenimiento a otra aeronave que California Microwave había alquilado. Esta iba a ser la única misión de vuelo en la que Keith debía participar durante la rotación.

En cuanto a Tom, tan pronto como despegamos descubrió que iba a poder regresar a casa una semana antes de lo planeado, pues tampoco volaría más misiones en esta rotación. Estaba feliz con la noticia. A fines del 2002, después de varios años como piloto, se había mudado a la casa de sus sueños en Merrit Island, Florida. Desde entonces sólo había estado doce días en ella. Tenía la esperanza de disfrutarla después de haber pasado por el drama de comprar casa y del trasteo.

Cuando vi a Keith, a Tom y a Tommy sentados en el sitio de Eddie el Rápido, supe que el vuelo empezaría pronto. Esa mañana mientras manejaba, y luego, cuando revisaba la radio, Keith había ido a la embajada de Estados Unidos. Él y yo íbamos a ser los ocupantes de las sillas de atrás en esa misión, pero dada la experiencia de Keith en este tipo de trabajo, él sería el comandante. De cierto modo, para mí era una misión de práctica en la que estaría con la cámara y operando el equipo. Keith me había llamado la noche anterior para revisar algunos procedimientos y, con nuestro horario de partida a las 7:00 a.m., supuse que debía estar en la embajada a las 5:00 a.m. para reunirse con nuestro equipo de análisis táctico —TAT—. Allí le dieron el paquete con nuestros objetivos del día —los lugares sobre los que íbamos a volar para fotografiarlos y grabarlos en video—. Esos objetivos venían directamente del Comando Sur, uno de los grupos del Departamento de Defensa que guiaba nuestras misiones. Debido al riesgo de seguridad que implicaba estar en posesión de los objetivos, siempre teníamos que ir al TAT en la mañana, antes de los vuelos.

Yo había hecho todo eso previamente, y cuando Keith y yo volábamos juntos, nos alternábamos la revisión de la radio en el aeropuerto y la ida al TAT en la embajada. Esa mañana había sido el turno de Keith, y cuando lo vi sentado con los dos Tom, tenía una mirada que me era familiar.

—¿Llegaron tarde? —pregunté.

—Sip. No puedo creer que tenga que sentarme a esperarlos. ¿Para qué me apuro desde tan temprano si voy a tener que esperar veinte minutos? ¡Veinte minutos de un sueño reparador que pude haber tomado!

—Te habría servido... —dijo Tom, sonriéndonos a Tommy J. y a mí.

Keith me apuntó con el dedo.

—Ese sombrero no te queda para nada bien, hermano.

Toqué el ala de mi sombrero que conmemoraba el triunfo de los Bucaneros de Tampa en el campeonato de fútbol americano, y sonreí al pensar en el equipo que finalmente ganó tras muchos años de fracasos. Traté de pensar en algo para responder, pero el par de CD que Keith tenía entre su dedo índice me intrigó.

Antes de que pudiera explicar qué música íbamos a escuchar ese día, llegaron un par de colombianos. Nuestro trabajo era posible porque contábamos con la cooperación y la total aprobación del gobierno colombiano. Algunas personas piensan que quienes realizan este tipo de trabajo son como vaqueros que cabalgan por la llanura haciendo lo que se les da la gana. Eso no es verdad. En cada vuelo nos acompañaban representantes, civiles o militares, del gobierno. Son conocidos como "los pasajeros de la nación anfitriona".

Los dos colombianos saludaron y se presentaron. Vestían de civil y uno de ellos dijo ser el sargento Luis Alcides Cruz. Ambos parecían tipos muy agradables. Como la mayoría de los colombianos con los que alguna vez trabajamos y a los que conocemos, estaban ansiosos por causar una buena impresión.

Debido a que no había suficiente espacio en el avión, Keith, como comandante de la misión, les hizo saber que sólo uno de ellos podría ir con nosotros. Tom, que había trabajado mucho en Suramérica y el Caribe, hablaba español y sirvió de intérprete a Keith, al tiempo que nos transmitió que el sargento Cruz había dado un paso al frente permitiendo que su compañero se tomara el día libre. Cruz se sumó a nuestra reunión y con nuestro escaso español, su defectuoso inglés, y la traducción competente de Tom, hablamos de cuáles eran los objetivos del día. Una vez notificado —más por cortesía que por cualquier otra cosa, pues él en realidad no podía decir nada que alterara el plan—, subimos a la nave.

Como era usual, durante el despegue estuvimos muy callados y cada quien en lo suyo. Una vez en el aire y rumbo a nuestro lugar de reabastecimiento, comenzó la charla. Tom difícilmente iba a pasar la primera media hora del vuelo sin probar su almuerzo. Su esposa, Mariana, era toda una leyenda: una peruana que cocinaba maravillosamente. Cada uno de nosotros admitía la necesidad de bajar un par de kilos, aunque sabía que Tom estaba en esas por su presión arterial alta, la cual achacaba más a la deliciosa comida de Mariana que al estrés de su trabajo.

Mientras revisaba mi equipo pude oír a todos comunicándose por sus auriculares y micrófonos. Tommy J. reportó que la comida que me perdí había sido espectacular: "Mamá se gozó la comida. La dejé en el aeropuerto esta mañana cuando venía. Está feliz y dentro de poco voy a estar con ella en la casa". Tommy J. saltaba en su silla con una gran sonrisa en el rostro. El hombre amaba a su esposa y hablaba de ella en los términos más elogiosos. Tenía cincuenta y seis años, pero con el cuerpo de uno de veinticinco. No sé cómo lo había logrado, pero me encantaría llegar a esa edad en tales condiciones.

Entonces, el olor del almuerzo de Tom llegó hasta la parte de atrás del avión —ajo y queso picante— y eso nos puso a Keith y a mí a pasar saliva. Keith me mostró el sándwich de pollo a la parmesana que había ordenado con la comida la noche anterior y de nuevo lamenté no haber ido. Mi triste lata de atún no se comparaba con las delicias que estos tipos traían. Los olores que inundaban la cabina no ayudaban en mi propósito de rebajar los kilitos de más que la buena vida había puesto en mí. No podía evitarlo. Llevaba cuatro horas despierto y no había comido casi nada desde la noche anterior.

—Keith, tendrás que darme tu receta del sándwich de ensalada de atún —le dije.

Tan legendaria como la comida de la esposa de Tom —siempre podíamos saber si ella estaba en Colombia por la calidad de sus almuerzos—, la receta de la ensalada de atún de Keith era famosa en toda la compañía.

Keith rio y dijo:

—No lo puedo hacer, hermano. Te tocó la lata. Mi receta es información clasificada. No tienes la debida autorización.

—Pero lo trajiste, ¿verdad?, ¿trajiste el de atún también?

El hecho de que yo hablara como si fuera un adicto y él un jíbaro no pasó desapercibido para ninguno, pero es que los sándwiches de Keith eran así de buenos.

—Sí, sí traje el de atún también, hermano. Tranquilo. No te preocupes.

KEITH

Hasta antes de que nuestro motor muriera todo estaba bien en nuestra vida, pero para ser honesto, cuando salí de lo que había quedado de nuestro pájaro, no pensaba mucho en lo bueno o lo malo, lo correcto o lo incorrecto. No pensaba en que fuéramos los mejores en el negocio, mejores que la Agencia Nacional de Seguridad, que la CIA, que la Fuerza Aérea. Aunque creía que eso era cierto, no tuve tiempo de considerar que solíamos volar bajo, teníamos una plataforma de bajo presupuesto, cubríamos el mismo territorio tantas veces que adquirimos un conocimiento local superior y sabíamos lo que el cliente necesitaba. Todo esto era evidente.

Ahora sí estábamos de verdad en el nivel bajo —no a cinco mil pies como en las misiones—, sino justo ahí, en el terreno, entre los árboles y en las ásperas pendientes de esas montañas que se veían tan diferentes a través de nuestro equipo FLIR. Marc, Tom y yo podríamos no estar en condiciones de usar el infrarrojo para detectar las señales de calor que arrojan los cuerpos humanos, pero éramos conscientes de estar justo en el centro de un mierdero.

Supe que estábamos en problemas tan pronto como falló el motor. Me alegré de haber llamado a los veinte minutos de nuestra salida para averiguar por mis hijos, Lauren y Keyle, y mi prometida, Malia. He sido padre soltero durante algún tiempo y quería estar seguro de que todos se habían levantado y estaban listos para ir al colegio. Antes de colgar, les dije que los amaba. En medio de la selva, frente a las ruinas del avión, no había nada que hiciera sentir bien, pero yo estaba feliz de haber llamado y de haberles dicho que iban a estar bien si algo me pasaba.

Cuando salí del avión sólo pensé en una cosa: sobrevivir. Aunque no recapacité mucho en ello, en ese momento yo era una persona agradecida. No mucha gente puede contar que ha sobrevivido a dos accidentes aéreos. Ya había estado a bordo de un helicóptero que cayó en Estados Unidos. Salí de ese apuro con vida y ahora parecía que escapaba de este otro sin un rasguño.

Si me dicen que soy dos veces perdedor o un sinvergüenza doblemente suertudo, da lo mismo. En minutos, nos disparaban ráfagas desde todas partes, y tuvimos cosas más importantes en la cabeza que quedarnos parados ante los restos de la Cessna Grand Caravan. Vi unos cuantos guerrilleros trepando el cerro hacia nosotros. Detrás de ellos venía todo un pelotón. Debido a lo empinado del terreno y la distancia que debían atravesar, sólo teníamos un par de minutos para armar un plan.

Cruz me pasó todas nuestras armas y municiones, y las lancé por la pendiente junto al avión hecho pedazos. No era el momento para dárselas de pistolero, sino para tomar las decisiones más oportunas y abordar la situación con sólo un objetivo en mente: llegar al final del día. Sabía que con un par de pistolas y un rifle M-4 los guerrilleros nos superaban muchas veces en hombres y en equipo. La situación era tan caótica que no me di cuenta de que Marc no vio cuando boté nuestras armas. Pensó que aún teníamos más a bordo y se metió a buscarlas por todos lados, por la cabina, bajo las alas y bajo el fuselaje.

Mientras lo hacía, Cruz y yo estábamos frente al avión, de espaldas al despeñadero. El sargento Cruz actuaba desordenadamente y le pedí que se calmara. Yo sabía que esta era una pelea que no podíamos ganar, pero Cruz era un militar colombiano. Si los guerrilleros de las FARC lo descubrían, le iba a ir muy mal. Las FARC son conocidas por secuestrar militares, a quienes consideran fichas clave para un intercambio de prisioneros.

Cuando Cruz me vio botando las armas, cambió de táctica.

—¡Por favor, diga que soy norteamericano! ¡Por favor!

Asentí. Noté que Cruz estaba gravemente herido. Todos estábamos muy golpeados y era difícil caminar en ese tipo de terreno, pero Cruz cojeaba en serio. Lo raro era que a él no parecía dolerle. Lo vi tropezar en la distancia cuando iba a enterrar unos papeles.

Al igual que ocurría con Cruz, la adrenalina que bombeaba por nuestro sistema nervioso evitaba que sintiéramos el dolor de nuestras lesiones. Miré a la cabina y vi que Tom Howes tenía una herida mortal. Marc me contaría más tarde que tenía una mano casi destrozada y yo me había hecho algo en la espalda o el costado. Así pues, decidí que lo mejor era esperar el desarrollo de los acontecimientos sin hacer nada que empeorara la situación.

Marc regresó cuando yo estaba calmando a Cruz.

—No podemos ir a ningún lado sin los pilotos.

Marc tuvo la suficiente claridad mental para recordar por qué habíamos terminado en aquel lugar.

—Nuestro paquete de objetivos. ¡Tengo que ir por él! —dijo.

Nosotros poníamos el grupo de objetivos como un mazo de naipes en un tablero metálico con un clip al que llamábamos la sartén.

—Lo escondí bajo la silla. ¡Cuando requisen lo van a encontrar!

Nuestros objetivos eran laboratorios de droga controlados y operados por las FARC, uno de los cuales sabíamos que estaba bajo el mando del Mono Jojoy, una de las figuras más importantes de ese grupo guerrillero.

Mientras Marc iba a recoger esa sensible y comprometedora evidencia, ayudé a Tommy Janis y a Tom Howes a salir de la nave en ruinas. Tommy J. estaba completamente aturdido, pero no le dije nada al respecto:

—Tommy J., hermano, lo que hiciste fue increíble. ¡Gracias!

Marc regresó sin la sartén, así que supuse que había destruido los papeles. Vi que traía su morral. Tom Howes estaba ahí también. Cruz terminó de romper y botar sus papeles y los cinco nos quedamos en grupo, esperando. Los guerrilleros marchaban hacia nosotros y su llegada era cuestión de minutos.

Cuando estaban a menos de cien metros, levanté los brazos y di un paso adelante gritando con mi mejor voz de clase de español: "¡No armas! ¡No armas!". Los demás hicieron lo mismo. Yo no quería ser el vocero, pero si Cruz hablaba iban a reconocer su acento colombiano, si es que ya no lo habían etiquetado por el color del pelo y de la piel. Tom Howes era el que hablaba mejor español, pero al verlo con aquel pedazo de carne colgando sobre el ojo y la sangre brotando de la herida sobre la cara, entendí que apenas podría sostenerse de pie.

Para entonces vi que eran entre cincuenta y sesenta guerrilleros fuertemente armados. Los miembros de este grupo, del tamaño de un pelotón, era una chusma vestida con el equipo de camuflaje más extraño del mundo, camisetas, pantalón de sudadera y pañoletas, pero yo estaba más interesado en las armas que cargaban. No traían lo último ni lo más grandioso en armas, pero tenían lo suficiente para perforar varios agujeros en cualquiera de nosotros: Galil israelíes, AK 47 y viejos M-14. Peor aún, tenían un lanzagranadas M-70 y una chatarra 308 de fabricación china.

Cuando llegaron, cuatro de ellos se nos acercaron con una cara completamente inexpresiva. Hice un rápido examen de todo el grupo. Ninguno tenía más de veinte años y calculaba que la variación de edad iba hasta los catorce. Apuntándonos a Tom y a mí con los fusiles nos llevaron hacia abajo y lejos del avión. No me gustó la idea de que nos separaran y me pregunté si esa sería el preámbulo para ejecutarnos. Entonces vi que uno de los guerrilleros se quitó la pañoleta que llevaba y se la dio a Tom. Era camuflada por un lado y ajedrezada por el otro, como las de la Organización para la Liberación de Palestina, pero con el tricolor colombiano: amarillo, azul y rojo.

Me sorprendió que el tipo se la diera. La pañoleta era obviamente de alguien del ejército. Muchos de ellos las tenían y eran como trofeos que mostraban que habían matado o capturado a un soldado colombiano de la contraguerrilla. Me pregunté si el gesto hacia Tom era algo bueno o malo. O bien sabía que la iba a recuperar segundos más tarde, luego de dispararnos, o le estaba dando buena atención a un prisionero. En todo caso, Tom se envolvió la cabeza con ella para detener el sangrado. Se inclinó hacia atrás y pude ver que tambaleaba un poco.

Nos sentamos a unos cuarenta metros del avión y observamos mientras una de las líderes del grupo —una mujer que más tarde supimos que se llamaba Sonia— registraba el avión, botando las cosas afuera. Vi también a Marc parado con Tommy J. y Cruz. Separaron a Marc y lo hicieron ir colina abajo en nuestra dirección. Se notaba que no quería venir, pero el guerrillero que le pusieron de guardia le presionaba las costillas con el cañón de su fusil. En un momento dado, Marc se detuvo y volteó a mirar colina arriba. Yo seguí su mirada y vi en la cima a Tommy J. exhausto y malherido. Cojeó hacia el sargento y le echó un brazo sobre los hombros.

Fue la última vez que los vimos.

A Tom y a mí nos hicieron bajar la colina y seguir un poco más lejos. Caminar no era fácil, pero nos las arreglamos para continuar unos trescientos metros hasta una construcción hecha con madera tosca y techo de latas de cinc. Tom y yo estuvimos allí por unos minutos y luego se nos unió Marc. Una joven guerrillera, que no podía tener más de dieciocho años, trajo una olla grande de aluminio. Estaba llena de agua en la que flotaban pepas de limón. Nos pasó a cada uno un vaso con el líquido. Quedé sorprendido de lo dulce que estaba. La limonada de las FARC era tan azucarada como el té helado que bebía en casa. Levanté la vista sobre el borde de mi vaso y todo lo que pude ver eran ojos oscuros enmarcados en bigotes y pelos negros. Estaba boquiabierto con la cantidad de sombreros raros que tenían y la manera tan ridícula en que se los ponían. ¿Qué clase de organización terrorista era esta?

Descendimos más y cuando llevábamos apenas unos pasos, nos detuvimos. A continuación los guerrilleros procedieron a palparme en busca de armas. Nos ordenaron desvestirnos. Extendieron una sábana y Tom, Marc y yo hicimos lo que nos dijeron. Pronto quedamos en ropa interior. Escasamente pude contener la furia ante la hipocresía de los guerrilleros cuando uno de estos "idealistas" comunistas cogió la plata de mi billetera y se la metió al bolsillo. Allí estaba aquella supuesta organización revolucionaria fundada en principios marxistas que, tan pronto entra en contacto con la propiedad privada, salta sobre ella para apropiársela. A cada cual de acuerdo con sus necesidades, supongo. Peor fue el hecho de que me quitaran una pequeña foto de mi hijo que llevaba en la billetera. Cuando la pedí me dijeron que no me lo permitirían. Hicieron lo mismo con Marc y Tom, les quitaron todas sus posesiones, salvo la ropa.

—Supongo que esto es mejor que estar muertos —dijo Tom.

Marc sacudió la cabeza y agregó:

—¿Qué es todo esto? ¡Miren a estos tipos! Qué gente más rara y confusa. Parecen más unos chicos disfrazados para la Noche de las Brujas que un grupo de soldados. Y qué tal esa vaca mugiendo cuando salíamos del avión. Qué cosa más surrealista.

Con todo lo que había pasado, me había olvidado de la vaca que convirtió un escenario caótico en algo realmente extraño. Podían parecer un montón de niños en la Noche de las Brujas, pero estaban disparando armas muy poderosas hacía un rato. Las ráfagas eran reales y nos pudieron haber causado daños graves. Pero las cosas estaban a punto de volverse más absurdas.

Cada uno de nosotros fue registrado de nuevo por un guerrillero, esta vez esculcándonos el pelo, bajo el sobaco y entre los dedos de los pies. Otro miembro de las FARC se separó del grupo, se puso al frente y dijo algo en español con vehemencia. Entendí tan solo dos palabras: "chip" y "mato". Tom nos tradujo:

—Dice que si nos encuentra un microchip encima, nos mata.

No me gustó escuchar esas palabras. Pero me alegró que Tom estuviera recuperando el juicio y la agudeza. El tramacazo en la cabeza podría haber sido muchísimo peor, pero ahora que era capaz de hablar en ambos idiomas y procesar pensamientos de forma más completa, me sentí aliviado. Necesitábamos todos los aportes de Tom, y saber que estaba recuperando sus fuerzas era una gran cosa.

Horas más tarde, cuando tuvimos oportunidad de hablar, comentamos que de todas las cosas extrañas que experimentamos aquel día, el comentario del microchip fue el más intrigante. Esa gente en verdad pensaba que llevábamos microchips implantados en el cuerpo. Se imaginaban que, como norteamericanos, teníamos algún tipo de sistema de rastreo que les permitiera a los nuestros en Estados Unidos, o hasta en Colombia, seguir cada paso que dábamos. Aun cuando habían terminado de requisarnos —debieron quedar satisfechos con que no teníamos esa cosa—, continuaron amenazándonos con matarnos si nos descubrían un chip. Estos desgraciados eran tan jóvenes que podrían pensar que un pedazo de uña encarnada en el dedo del pie era un microchip, y abrir fuego. Nunca en su miserable vida habían visto uno de esos, ¿cómo iban a saber entonces si habían encontrado uno? La situación era muy inestable y la idea de estar entre gente tan alarmantemente a la defensiva y con este tipo de cosas no me tranquilizaba.

Por la misma razón trataron de impedir que habláramos alto, convencidos de que los satélites norteamericanos podían recoger el sonido de nuestra voz. En el curso de los siguientes días, descubrimos que pensaban que cada norteamericano era un comeserpientes y pateaculos como Rambo —uno de nuestros guardias llegó al extremo de preguntarnos sobre la película *Matrix*. Quería saber cómo los norteamericanos hacíamos eso. No cómo la gente en Hollywood creaba efectos especiales, sino cómo nosotros tres éramos capaces de esquivar balas de esa forma.

Después de ponernos la ropa de nuevo, trepamos por el filo opuesto al del sitio del accidente. Sonia, que vestía una chaqueta roja, bien fuera para convertirse en un mejor blanco o para hacer creer que era una especie de rescatista si la veían desde el aire, seguía escarbando entre los despojos. Marc murmuró: "laboratorios" y "objetivos", miró al suelo y sacudió lentamente la cabeza, pero yo no tuve tiempo de responder a sus preocupaciones.

—Helicópteros, lejos de aquí... —dije.

Tom y yo habíamos estado tanto tiempo entre aeronaves que habíamos afinado el oído. Por el distintivo *gup gup* de los rotores, pude decir que eran UH 1S, helicópteros militares colombianos en misión para rescatarnos. Supimos que la cosa se iba a poner peligrosa. Todos nos levantamos sabiendo que era el momento de salir despavoridos de ahí.

TOM

No pude oír los helicópteros a lo lejos, pero cuando Keith los mencionó, fue como si alguien cogiera un trapo y limpiara la niebla que había en mi mente desde la caída. Aunque estaba aún aletargado, supe que la situación era difícil. Estaba contento por haber sobrevivido al accidente, y traté de mantener ese pensamiento presente. Pero con el sonido de los helicópteros que venían y la urgencia con que los guerrilleros respondieron, tomé conciencia de que aunque habíamos salido con vida del estrellón no estábamos ni cerca de estar a salvo.

Estábamos en la ladera opuesta a la del accidente, en un pequeño espacio rodeado de bosque espeso sobre un terreno pendiente y escabroso. Abajo estaba la casucha cerca de la cual nos desvistieron y esculcaron. A nuestra izquierda, bajando por otra cuesta y subiendo a otro pico, había un área abierta y un rancho que parecía salido de la montaña. Había otro claro más pequeño unido al grande por una trocha. Mientras nos movíamos hacia allá, los helicópteros pasaron sobre nosotros. Marc y Keith iban unos cuantos metros delante de mí, escoltados por un par de guerrilleros. Yo no podía moverme así de rápido y pronto la distancia entre nosotros se incrementó. No me gustó separarme de ellos, pero también pensé que ir en grupos más grandes nos hacía un blanco fácil.

El helicóptero se inclinó para girar y luego hizo un círculo sobre nosotros, esta vez abriendo fuego. El ejército colombiano les disparaba a los guerrilleros que se encontraban en el perímetro. Estaba lo suficientemente cerca para oír a Marc gritándole a Keith lo que estaba sucediendo. Keith le decía que el artillero del helicóptero estaba disparando una miniarma. Pude oír las ráfagas a través de los árboles sobre nuestra cabeza. Continué cubriéndome y corriendo, tratando de llegar al sendero que llevaba hasta donde estaba la construcción. El guerrillero que me escoltaba me empujó a un lado de la trocha entre la densa vegetación y los árboles. Keith y Marc estaban allí con sus guardias mientras las colinas que nos rodeaban eran regadas con ráfagas de la miniarma.

Marc le dijo a Keith:

—No me joda, yo me largo de este mierdero. Esta es nuestra oportunidad.

—Esa cosa escupe dos mil tiros por minuto. Tenemos que pensar en otra opción, Marc.

Sabíamos que el mejor momento para escapar era durante los primeros minutos del ataque, antes de que nuestros captores se pudieran organizar completamente. Era una escena bastante caótica y, en ese sentido, una buena oportunidad para volárseles. Pero ahora, con toda esa balacera cayendo justo a donde queríamos ir, era mejor quedarse quietos.

Keith estaba de pie y estiró los brazos para abrazarse al tronco de un árbol. La luz del sol se reflejó en la mica de su reloj y me dio en el ojo. Uno de los guerrilleros cerca de Keith debió notarlo.

—¡Deme su reloj! —dijo el tipo.

Keith lo miró con incredulidad y comenzó a desabrocharse su Seiko especial para buceo.

—Tenga, cójalo —dijo Keith—. Pero larguémonos de aquí antes de que nos maten.

Ese robo fue otra de las cosas absurdas del día. ¿Por qué no lo habían cogido antes? ¿Por qué un guerrillero decidió robarlo en medio de un combate? Finalmente llegaríamos a comprender que los de las FARC no actúan por nada cercano a la lógica o a nuestros valores.

A través del claro grande se veía la pequeña casa campesina a la que los guerrilleros esperaban llevarnos. Por la palabra "claro" me refiero al típico espacio de roza y quema hecho en la selva colombiana. Matas, tocones de árboles y hojarasca desparramada alrededor de unos ciento cincuenta metros. Mientras que el dosel de la selva estaba abierto, el piso era la maraña misma de un campo de obstáculos. Arrancar a correr rápidamente por allí era el equivalente a una combinación de la carrera con vallas mezclada con salto largo, salto alto y salto triple, todo sobre una pendiente abrupta.

Los guerrilleros gesticularon con sus armas para hacernos entender que querían que cruzáramos el claro. Uno de ellos sostuvo el arma en posición de disparar para mostrarnos que aunque íbamos a correr solos, nos estarían apuntando. Lo que también entendimos era que ellos no iban a salir al claro a exponerse al fuego. Finalmente, uno me agarró a mí y otro a Marc y nos empujaron a la roza. Corrimos, saltamos y gambeteamos lo mejor que pudimos. Por fortuna, el helicóptero estaba cuesta arriba de nosotros y pudimos llegar a salvo a un punto a mitad de camino entre la posición de Keith y la construcción. Nos acuclillamos junto a un tocón. Desde mi posición, pude ver a otro guerrillero que desde la casa nos hacía señas para que fuéramos hasta allá.

En ese momento recordé una conversación que había tenido con mi esposa, Mariana, cerca de una semana antes. Hablamos sobre los riesgos de mi trabajo y nos preguntamos si valía la pena. Yo ganaba buena plata y al final decidimos que debía seguir un poco más, al menos terminar lo que quedaba de esa rotación. Es chistoso cómo funciona la mente y la forma en que ese recuerdo me llegó en ese momento. Me preocupé porque ella se sintiera culpable si yo no lograba salir con vida. Quedé preocupado con que ella pudiera pensar que había influido en exceso en mi decisión.

No tuve mucho tiempo para considerar las cosas. Marc me miró y asintió, y corrimos hacia la casa. Era como si estuviéramos jugando una versión mortal de *Frogger*, el videojuego. Oímos los helicópteros venir en nuestra dirección y nos cubrimos con lo que encontramos. Un helicóptero se movió un poco hacia afuera y nosotros corrimos en zigzag hacia otro resguardo improvisado. Después de lo que parecieron veinte minutos, cubrimos los ciento cincuenta metros y logramos llegar al refugio que nos proporcionaba la casa. Giramos y vimos venir los helicópteros de nuevo. Keith estaba a medio camino de donde había parado, y las aspas del rotor levantaban tierra, cenizas y vegetación muerta. Tenía la mano frente a la cara para poder ver con claridad, y los guerrilleros le gritaban para que corriera. El helicóptero no estaba a más de veinticinco metros arriba de Keith. Podíamos ver al artillero en la puerta abierta de la cabina. El piloto dejó suspendido el helicóptero en un movimiento temerario, dado que los guerrilleros tenían lanzagranadas. Era una imagen muy extraña. Keith miraba hacia el helicóptero, desde el que el artillero miraba a Keith. Finalmente, el tipo del helicóptero se encogió de hombros y entonces la aeronave siguió hacia adelante para volar en torno de Keith, entre bandazos.

Un minuto más tarde, Keith llegó a nuestro lado y los guerrilleros nos llevaron a empellones al pequeño espacio que había entre la casa del campesino y la ladera de la colina. Permanecimos allí apretados hasta que los helicópteros dejaron el área. Nuestros guardias nos sacaron del escondite y nos llevaron al frente de la construcción. Una mujer se sentó a llorar en el piso, a la entrada de la casa. Su marido se paró al lado, muy rígido. Tenía los brazos cruzados y se mecía sobre los talones. Nos miraba con miedo y con disgusto. Noté que era más cuidadoso en la manera de mirar a los guerrilleros. Cuando escupía, dejaba expuestos su disgusto y su temor.

Oíamos los ecos de los disparos en las colinas y el chillido de los cerdos de la casa. Uno de los guardias, un jovencito de apenas quince años, llevaba un Galil calibre .30, y tenía la cara desfigurada por una cicatriz diagonal que iba desde la frente hasta el mentón. Tamborileaba con los dedos las cuentas de madera de su collar y nos mostraba una sonrisa ofensiva que hacía pensar que se sentía en medio de la cosa más chévere del mundo.

Momentos después regresaron los helicópteros. Uno estaba directamente encima de la casa, pero los militares colombianos no podían abrir fuego sobre nuestra posición porque nos habrían matado. Los guerrilleros no intentaron disparar para tumbar el helicóptero porque el artillero podía responder el fuego. Así que ahí estábamos, nosotros mirándolos desde abajo y ellos desde arriba suspendidos sobre nuestra cabeza.

Estábamos en cuclillas a lo largo de la casa y pude ver unas pequeñas aberturas cavadas en la pendiente. En el interior de cada una, un par de ojos redondos y brillantes nos miraban. ¡Gallinas! La pareja colombiana dueña de la casa usaba el terraplén como gallinero y nosotros teníamos nuestro propio juego de la gallina justo en ese momento. ¿Quién iba a acobardarse primero?

Los guerrilleros hicieron el siguiente movimiento. Nos empujaron de un extremo de la casa al otro, donde una enredadera desaliñada pendía de una pérgola podrida. Cada uno de nosotros tenía un guardia de las FARC al lado. Nos hicieron salir usándonos como escudos humanos. Después que pasamos la pérgola, entramos a un pedazo de terreno con pequeñas matas de café, como de un metro de altura, donde los guardias nos pusieron de rodillas a la fuerza y luego nos acostaron bocabajo, todavía enganchados a nosotros. Gateamos entre las matas de café hasta que llegamos al bosque. Luego de unos minutos, oímos que los helicópteros se alejaban. Nunca regresaron.

Al volver la calma, pensamos en nuestros seres queridos. Nos preguntamos qué irían a pensar al oír las noticias de nuestro accidente. De repente, muchas cosas parecieron estar más allá de nuestro control. Como piloto con más de trece mil horas de vuelo en toda clase de aparatos, yo necesitaba siempre tener el control. Para mí, esa es una habilidad esencial en cualquier piloto. Hay que estar pendientes de todos los detalles, confiar sólo hasta cierto grado en quienes mantienen, equipan y construyen la aeronave. Con el tiempo, aprendes a delegar un poco, pero eso no significa que tú no sigas todas las revisiones, mantengas todas las posibilidades en mente y seas capaz de decir al instante lo que hay que hacer en caso de emergencia.

Apurados por los guerrilleros, nos adentramos en la selva. Habían pasado sólo cuarenta minutos desde que tocamos suelo colombiano, y apenas unos pocos minutos más desde que nuestro motor se hundió en el silencio. No sabía a dónde nos llevaban, pero sí que había mucho que podía cargar conmigo. Demasiados pensamientos acerca de las decisiones que me llevaron a Colombia, en primer lugar, iban a pesarme mucho y a hacer el camino más difícil. Era como si todavía volara en un avión averiado y tuviera que botar de la cabina algunas cosas para aligerar la carga y ahorrar gasolina. Con suerte pasaría la cima y lograría aterrizar al otro lado de la montaña. Pero para estar seguro, guardé aquellas cosas —recuerdos de mi esposa y de mis hijos— que consideraba más valiosas.

Me di una última oportunidad de mirar atrás antes de echar por la borda el equipaje. En realidad no sé muy bien cómo me enamoré de volar. Nací en Cape Cod, un cabo en Massachusetts, amaba el mar y pasé mucho tiempo de mi infancia pescando. Sin embargo, tomé clases de aviación. Pero después de lo que pasó, creo que debí haber sido marinero. Después de mi primera visita al Caribe, supe que ahí era donde quería estar. Trabajé volando toda clase de naves, y entonces me enamoré de nuevo. Cuando fui al Perú, a mediados de los ochenta, quedé enganchado con el país. Cuando finalmente se me presentó la oportunidad de volar para el Departamento de Estado de mi país a finales de los años ochenta, la aproveché. Eso me llevó a temporadas en Perú, Guatemala, Colombia, Ecuador, Venezuela y Bolivia, y de vuelta a Estados Unidos donde cambié de un trabajo a otro, todos dentro del sector de la aviación, con una esposa, un hijastro y un segundo hijo que me sirvieron de ancla.

Algo especial con respecto a Suramérica parecía arrastrarme. Me sentía atraído por casi todo lo de ahí. Mi español era bueno, si acaso un poquito formal para el tipo de español rústico que la mayoría de los guerrilleros hablaban, pero desde el momento del estrellón probó ser de gran ayuda para nuestra supervivencia. Aún ahora no puedo dejar de preguntarme si el amor por un lugar nos puso a mi familia y a mí en peligro.

Caminando hacia la selva, me preguntaba si sería capaz de resistir lo que vendría. Había volado toda clase de aviones para determinar si eran adecuados para diferentes tareas. Sentí que íbamos a entrar a la escuela superior de las FARC, a una fase de ruptura y reconstrucción de nuestras vidas. No estaba muy seguro de qué tan preparado estaba para superar esto.

Los guerrilleros se reagruparon como a un kilómetro del rancho. Sonia, la mujer que había estado revisando el avión, era claramente la líder del grupo. Marc, Keith y yo íbamos más o menos en medio de la columna, un guardia intercalado entre cada uno de nosotros. Nadie hablaba. Al principio, los únicos ruidos eran los de nuestras pisadas y nuestras caídas al suelo, acompañados del golpe metálico de los machetes contra los bejucos que colgaban como cortinas espesas de las copas de los árboles. Como a los veinte minutos, comencé a sintonizar los otros sonidos del bosque, a oír una orquesta de insectos zumbando en medio del incesante susurro de la vegetación. Fruto del deseo y la necesidad, dirigía la mirada al suelo y directo hacia adelante. Aún sentía los efectos del accidente. Cada vez que echaba la cabeza hacia atrás, el mundo giraba. Normalmente, habría intentado mantener el rastro de la dirección en que nos movíamos, pero el bosque era tan espeso que en ciertas áreas entraba muy poca luz. No sólo la ausencia de sol hacía difícil determinar la dirección en que viajábamos, tampoco podíamos saber qué hora era. No sabía cuánto tiempo llevábamos marchando, pero mi cuerpo me decía que no era poco. Los guerrilleros estaban constantemente encima de nosotros, aupándonos. Querían que hubiera muchos kilómetros entre nosotros y el ejército.

Cuando al fin paramos a descansar de lo que había sido una dura marcha de cinco horas, Marc y Keith hicieron la pregunta que rondaba nuestra mente: ¿dónde están el sargento Cruz y Tommy J.? Nos hicimos la pregunta hasta que los guerrilleros nos callaron. Sonia vino hasta donde estábamos descansando. Keith le preguntó en inglés:

—¿Qué pasó con nuestro piloto? —y luego agregó en español—. ¿Piloto?

Sonia lo miró con cara de ignorante, se rascó la axila y escupió.

Claramente no entendía inglés, así que intervine:

—¿Qué pasó con los otros?

Sonia respondió, con voz inexpresiva:

—¿El gringo? Lo maté yo misma.

Les transmití que ella se atribuía el asesinato de Tommy J. y aseguraba que nos mataría a nosotros también. No sabía si creerle o no.

De nuevo, con una frialdad que perturbaba, dijo:

—Sí, a ustedes los voy a matar también.

No estábamos seguros de si Sonia estaba presumiendo frente a la tropa. Se nos hizo que estaba adoptando falsamente la actitud de macho tan típica en los hombres colombianos. No importaba. Que nos dijera que nos iba a matar era suficiente para que dejáramos de considerar las posibles consecuencias que habíamos pensado desde la caída del avión.

No hubo mucho tiempo para intercambiar opiniones entre nosotros. Un guerrillero se paró en el círculo que había hecho alrededor de Sonia. Tenía el chaleco salvavidas de Marc en las manos y estaba muy agitado. Una a una fue sacando las cosas del chaleco y las sostenía en alto —binoculares, anteojos de visión nocturna, nuestra cámara— antes de arrojarlas al piso.

Al ver todo aquello, Sonia se agitó seriamente. Dijo que mejor le explicáramos qué era todo eso. Cuando encontró nuestro localizador, una pieza de equipo amarillo brillante que podríamos haber usado para enviar señales con nuestra ubicación, nos miramos los unos a los otros. Si el guerrillero se ponía a molestar con eso y lo encendía, nuestra posición iba a ser rastreada por los amigos en la base. Y aun si eso no sucedía, si los guerrilleros pensaban que habíamos enviado señales de emergencia, nos podían ejecutar en el acto. Por fortuna, uno de los guardias, de nombre Farid, le había quitado las pilas al aparato. La reacción fue similar cuando encontraron nuestra radio de supervivencia y lo que llamábamos el PRC, una combinación entre computador y transmisor.

Si los de las FARC estaban asustados porque pensaban que teníamos implantes de chips y que nos estaban rastreando, esto sí que confirmaría sus sospechas. Una serie de emociones y pensamientos contradictorios descendió sobre nosotros como la oscuridad que comenzaba a cubrirnos. La radio, el localizador y el PRC eran nuestros salvavidas. Sin ellos, estábamos completamente aislados. Sonia recalcó esta última posibilidad:

—Si tienen algo más, los mato.

Minutos más tarde nos tenían andando. Vadeamos ríos y quebradas. Nos presionaban, nos decían que teníamos que callarnos o que de lo contrario nos matarían. Sentíamos punzadas en los pies y nos salieron ampollas. La luna se elevó sobre los árboles y la temperatura bajó como una plomada. Tropezábamos en las tinieblas sin una luz que nos guiara. En algún momento, ya bien entrada la noche y al borde del agotamiento, nos detuvimos en una rocosa ribera. El sonido del agua ahogó el de los insectos y demás vida silvestre. Nos sentamos y nos enjuagamos los pies ensangrentados. El agua fría hizo arder la carne viva de nuestras ampollas. Unos cuantos guerrilleros se desvistieron y caminaron por el agua sin preocupación.

Nos invitaron a meternos. Yo seguía cubierto de sangre y uno de ellos se me acercó con una taza de lata llena de agua y comenzó a lavarme ligeramente el pelo y la cara. Ni siquiera la ardiente punzada del agua en el tajo sobre mi ojo superó mi agotamiento. Ninguno de nosotros era capaz de meterse de cuerpo entero, por sus propios medios, en el río. Tras unos minutos, nos llevaron a unos metros del agua. Nos señalaron una suerte de choza que llamaban caleta. Era un techo de paja sin nada a los lados. Improvisaron una cama para nosotros tres.

Era tan fría y tan estrecha que nos acurrucamos juntos y caímos en un profundo sueño colectivo.

Sólo unos minutos más tarde, los guerrilleros nos despertaron.

—¡Nos vamos!, ¡nos vamos!

Seguía completamente oscuro.

—¡Tenemos que salir, vienen los aviones!

Señalaron el cielo. Podíamos oír el ruido de los motores a la distancia. Salimos a trompicones de la caleta y fuimos río abajo. Las nubes taparon la luna. No sabía si ocurrió así, pero me pareció que estaba más oscuro que antes. Trastabillábamos y caíamos a cada paso. Fue nuestra primera lección en la selva. El bosque estaba lleno de cosas que podían morder, picar o perforar nuestra carne. Cada vez que tambaleábamos y alargábamos una mano para sostenernos, agarrábamos un bejuco, un árbol o un matorral lleno de espinas.

Estábamos en territorio enemigo, en todo el sentido de la palabra.

II
CAMBIOS DE ALTURA

14 DE FEBRERO DE 2003 - 24 DE FEBRERO DE 2003

KEITH

Increíble, pero no me sobresaltó demasiado que me despertaran en medio de la oscuridad a las dos de la mañana en las montañas de Colombia. De hecho, había sucedido todo lo contrario durante ese primer corto sueño. La conmoción había pasado. Cuando nos levantaron para reiniciar la marcha, me tomó algún tiempo recuperar por completo la motricidad.

Tenía entumecido todo el lado derecho de la parte baja de la espalda. Cuando respiraba era como si alguien me hubiera puesto un tornillo en el pecho y lo apretara cada vez más fuerte. Podía aguantar el dolor, pero lo que me resultaba insoportable era la idea de tener que caminar por entre las montañas mientras mi respiración se hacía cada vez más difícil. En últimas no importaba si podía o no. Nos levantaron a empellones y nos forzaron a marchar por entre las sombras.

A pesar del dolor, no todo era malo. Siempre llevaba en mis vuelos una chaqueta liviana de fibra sintética que me ponía cuando alcanzábamos cierta altura. Me acordé de sacarla cuando salí del avión, y fue de gran utilidad durante aquella primera marcha nocturna. Sentíamos un frío que helaba los huesos, pero gracias a la chaqueta no sufrí tanto como Marc y Tom, que temblaban todo el tiempo, sobre todo cuando parábamos a descansar.

En medio de una de estas paradas para recobrar el aliento, mientras oíamos los aviones que nos sobrevolaban, me examiné el costado con el pulgar. Apreté los dientes y presioné con fuerza. Sentí que mi segunda y mi tercera costillas cambiaban de lugar. Pequeñas astillas de hueso estaban rasgando el cartílago y el tejido blando que lo cubría, lo que me causaba un intenso dolor cuando trataba de llenar los pulmones de aire.

Uno de los guardias, un tipo rechoncho llamado Uriel, estaba sentado junto a mí con su novia en las rodillas. Ambos me miraban como si fuera un bicho raro. Me molestó su actitud, así que miré hacia otro lado para no descontrolarme. Tom y Marc tiritaban de frío uno junto al otro. En medio de mi dolorosa respiración, no pude dejar de pensar en lo extraño que era todo aquello. La noche se había aclarado y la luna se reflejaba sobre todas las cosas, que brillaban al contacto de su luz. Nosotros, por extraño que fuera, estábamos allí en medio de la noche, apiñados como una manada de micos.

Uriel me dio una palmada en el hombro y señaló a Marc y a Tom. Pensé que iba a decir alguna estupidez sobre la manera en que ellos trataban de calentarse, pues se abrazó a sí mismo como si tuviera frío. No iba a prestarle atención, así que asentí mientras pensaba: "Bravo, Einstein, descubriste que tienen frío". Entonces hizo algo inesperado. Buscó en su morral y sacó una cobija. Marc y Tom parecían zombis y Uriel se las puso encima, como una madre arropando a sus hijos. Al ver aquella escena no supe qué pensar. Estaba en medio del infierno, rodeado de un montón de gente que nos trataba como animales y que sería capaz de matarnos en cualquier momento. De repente, este tipo hacía algo como lo que acababa de hacer. Sin duda, se trataba de una gran contradicción.

Esa parada de descanso resultó ser la de la noche. Pronto todos se durmieron, salvo el guardia de turno y yo. Aunque estaba exhausto, no podía dormir. Trataba de armar un plan mientras reposaba en el piso. Como contratistas civiles, no teníamos reglas estrictas ni teníamos que seguir códigos de guerra o de justicia militar. Si fuéramos soldados en servicio activo, nuestra primera obligación habría sido escapar, pero no éramos militares; éramos civiles. Como tales, nuestro objetivo era sobrevivir. Estar calmados y cooperar parecía nuestro objetivo principal, mientras que un intento de escape podría significar la muerte.

Cerré los ojos y fingí dormir. De vez en cuando abría uno y encontraba al guardia mirándome con una expresión que quería decir: "Ni piense que me voy a quedar dormido". Pronto caí profundo.

Algo debió despertarme. Pestañeé para aclarar la vista y, justo en mi cara, en un pequeño claro de luna, había una flor blanca. Estaba a unos quince centímetros y era tan pequeña que parecía el detalle de una fotografía de Ansel Adams. Al principio pensé que estaba alucinando. Habíamos caminado durante las últimas veinticuatro horas, de las cuales pasé un buen rato mirando al piso. Todo lo que había visto era tierra, piedras y hojas secas. ¿De dónde diablos salía esta flor?

No soy sentimental, pero ver esa flor me produjo algo. Pensé en mi familia y en lo que pasarían sin mí. Me dije que saldría de allí, que no había otra opción. Perdí a mi mamá a los catorce años y sabía lo que significaba perder un padre a temprana edad. No quería que mis hijos sintieran la misma angustia. Esa flor me dio la energía que necesitaba para levantarme. De hecho, sentí tanto alivio que comencé a cuestionar mi estado mental. ¿Qué otra razón tangible, distinta a esta flor, tenía yo para sentir tanta esperanza? Cómo me habría gustado haberla arrancado y llevado conmigo, aunque de cierta forma lo hice. De ahí en adelante, siempre encontré la manera de regresar a ese lugar donde, por un breve instante, supe que sobreviviría.

Una hora más tarde, justo cuando en el cielo empezaba a verse el primer atisbo de luz por el Oriente, volvimos a la marcha. El sur de Colombia es una región montañosa con precipicios y valles cubiertos de bosque tropical. Conozco muy bien aquella geografía, gracias al tiempo que pasé allí y al trabajo de vigilancia aérea que había realizado. Suponía que estábamos en algún lugar entre Neiva, en el lado occidental, y Florencia, en el lado oriental de la cordillera Oriental. Nuestra ubicación no era alentadora, pero podía haber sido ser peor. En Colombia, los Andes se dividen en tres cordilleras —Occidental, Central y Oriental—. Supongo que debíamos estar agradecidos de que nuestros objetivos del 13 de febrero estuvieran en el sur. Si hubiéramos ido más al occidente, sobre la cordillera Central, cuyos picos más altos están por encima de los cinco mil quinientos metros de altura y los pasos más bajos entre ellos a tres mil, aquella endemoniada caminata habría sido aún más difícil.

Dadas nuestras lesiones —Marc bregaba con un problema de espalda y cadera similar al mío, Tom tenía golpes y cortadas en la cabeza, además de unos cuantos dientes rotos—, aun si hubiéramos estado acostumbrados a la altura, la travesía habría sido igualmente complicada. A todo esto hay que agregarle el hambre, la falta de reposo y el enorme estrés. Definitivamente no éramos los niños Von Trapp de *La novicia rebelde*, brincando y cantando por las colinas al son de la música. Por el contrario, nuestra banda sonora estaba constituida por el incesante crujir de nuestros pies contra las piedras, el chapoteo de las botas en el barro y el fuerte jadeo de la propia respiración. Sin duda, no se trataba de un paseo de picnic. También en los descensos las rodillas, los pies y las piernas nos temblaban de dolor.

Como si no fuera suficiente la dificultad del camino, no teníamos equipo adecuado para una travesía como esa. Tom llevaba uno de esos pantalones anchos con bolsillos grandes a los lados, una camiseta y unos tenis sencillos, no propiamente deportivos. Marc y yo vestíamos más o menos lo mismo: pantalones de dril y camisetas con cuello y botones. De día la ropa no era un problema, pero de noche, como lo habíamos descubierto, la temperatura bajaba con rapidez. El hecho de tener sólo una camiseta hacía que nos percatáramos de lo extrema que era la situación.

Además de ropa inadecuada, los zapatos constituían un problema adicional y más grave. Tom calzaba un par de tenis, yo llevaba unos zapatos Timberland para caminar y Marc tenía un par de botas de cuero que no eran precisamente lo que uno llevaría para atravesar la selva. Eran lo que Marc llamaba sus "zapatos para centro comercial". Suelas resbaladizas como moho, sin nada de agarre. Marc era custodiado por Farid, un joven fuerte y de buen estado físico que, en lugar del bigote tipo FARC, tenía una pelusa desganada de adolescente. Era bastante violento. Cada vez que Marc caía, lo agarraba del brazo y le daba un tirón arrastrándolo por el piso mientras trataba de incorporarse.

No importaba qué clase de zapatos teníamos; cada paso era como si nos echaran napalm. A medida que avanzábamos, los pies sudorosos se deslizaban y nos hacían ampollas. Los dedos se estrujaban contra la punta de los zapatos y las uñas se ponían negras.

Los guerrilleros andaban con botas de caucho, una versión en negro de las que tiene la niñita de la etiqueta de la sal Morton. Les llegaban hasta la pantorrilla y ninguno usaba otros zapatos por dentro. El caucho sonaba cuando les golpeaba las piernas y hacía un ruido como de tambor cuando los talones tocaban la suela. Luego de un par de horas de recorrido, habríamos cambiado con gusto nuestro calzado por el de ellos. Sus botas no sólo eran impermeables, sino que se agarraban muy bien al terreno, aun en el barro. No parecían patinar tanto como nosotros. Los guerrilleros se limitaban a mirar cuando rodábamos por la selva. Marchar era suficientemente duro, pero levantarse cada vez que resbalábamos entre los matorrales era todavía más agotador.

Algo que empeoraba las cosas era andar mucho por entre ríos y quebradas. El musgo y la lama eran más resbaladizos que las hojas húmedas de la selva, además las corrientes eran muy fuertes y frías. Ni modo de fantasear con dejarse llevar y huir flotando; estábamos tan exhaustos que nos habríamos ahogado. Incluso si no fuera así, las corrientes llevaban escombros, piedras y troncos que habrían hecho imposible sobrevivir. Además, a veces percibíamos el ruido de lo que parecían cascadas y rápidos que de ningún modo habríamos sorteado. En todo caso, no teníamos idea de dónde estábamos ni dónde podíamos buscar ayuda en caso de lograr escapar de los guerrilleros. Lo más sensato para nosotros era seguir caminando.

No creo que las cosas hubieran sido más fáciles si hubiéramos sabido el lugar de nuestro destino o el tiempo que nos tomaría llegar. Sin embargo, preguntábamos constantemente cuándo íbamos a llegar y dónde quedaba el lugar al que nos llevaban. Sus respuestas típicas eran "un rato más todavía" y "los llevamos a que descansen". Estas respuestas vagas nos enfurecían, aunque pronto aprenderíamos que aquellos guardias eran menos que bestias de carga o esclavos en la jerarquía de las FARC. Estaban en el extremo final de la cadena de información. Si no podían decirnos cuánta distancia faltaba para llegar o a dónde íbamos, era porque ni ellos mismos lo sabían. Incluso, un par de días más tarde, empezamos a dudar de que Sonia, la líder de la columna móvil, supiera con certeza a dónde nos llevaba. De cierta forma, supongo que debía sentirme halagado por ello. Siendo norteamericanos, sabían que habían atrapado peces gordos que debían tratar con cuidado, y esa era la razón por la cual las órdenes debían venir de arriba y no de cualquier soldado.

Durante la marcha Sonia se comunicaba por radio con los niveles superiores. Parecía que no se daban cuenta de que cada vez que encendían el radiotransmisor, podían poner en evidencia nuestra posición. Los guerrilleros sabían que las agencias de inteligencia podían estar escuchándolos, pero no eran suficientemente instruidos para entender las diferentes formas en que éstas podrían hacerlo. Aunque las agencias estadounidenses no tienen un satélite tan potente como para inmiscuirse en las conversaciones, sí tienen cómo interceptar las radiocomunicaciones. La única razón para alejarnos del lugar del accidente era poner distancia entre nosotros y el ejército, pero los militares colombianos podían rastrearnos con este sistema. Cada vez que Sonia encendía su radio para recibir órdenes o para reportar nuestro estado, era como si encendiera llamaradas fluorescentes en el camino.

No obstante, se debe dar a cada quien el crédito que se merece. Por más que parecía que estábamos caminando sin ningún rumbo entre la selva, los guerrilleros sabían muy bien lo que hacían. Todas las quebradas que cruzamos, toda la selva que anduvimos, todo era igual. Sin embargo, ellos continuaban sin detenerse. Aunque soy del tipo *boy scout*, durante esas primeras veinticuatro horas perdí todo sentido de orientación. Lo único que sabía era que ascendíamos cada vez más alto en las montañas.

Nos dábamos cuenta de que los guerrilleros eran verdaderas ratas de jungla expertas en recorrer su propio laberinto, lo que no daba muchas esperanzas de un rescate rápido. Si había tropas siguiendo nuestro rastro, confiaba en que fueran las más sigilosas del ejército colombiano. Si los de las FARC los detectaban, o caíamos en una emboscada, nuestras probabilidades de vivir eran mínimas. Si eran fuerzas especiales de Estados Unidos, el pronóstico mejoraba considerablemente, aunque tampoco gozarían del sentido de ubicación que tenían las FARC. Pensaba en la ventaja que toda operación guerrillera tiene sobre sus enemigos: conocimiento del terreno local y ubicación de escondites.

Durante la marcha oímos varias referencias a alguien cuyo nombre nos produjo escalofríos. Sabía que uno de nuestros objetivos del día del accidente era un laboratorio al que las FARC llevaban las hojas de coca para procesarlas y convertirlas en pasta, que después serían bloques o polvo de cocaína. También sabíamos que ese laboratorio estaba bajo el control de un alto mando de las FARC cuyo alias era el *Mono Jojoy*. Su verdadero nombre era Víctor Julio Suárez Rojas, también conocido como Jorge Briceño Suárez, comandante del Bloque Oriental de las FARC. Todos los miembros de la organización adoptan un alias, además de los apodos que usan entre ellos. Como si fuera poco, durante el secuestro les asignamos nombres en clave para referirnos a ellos. Si no hubiera sido por la naturaleza del trabajo que realizábamos, nunca habríamos sabido el nombre real del Mono Jojoy. De hecho, lo único que supimos de la mayoría de los guerrilleros rasos con los que tuvimos contacto durante nuestro secuestro fue el alias.

El Bloque Oriental es una de las siete grandes estructuras en las que las FARC organizan sus tropas a lo largo del país. El secretariado era su máximo órgano de dirección, conformado por siete miembros, todos bajo la dirección del comandante en jefe, Manuel Marulanda. Como miembro del secretariado, el Mono Jojoy estaba encargado de las operaciones militares. Además de terrorismo, narcotráfico y otro montón de cargos, había sido acusado por Estados Unidos del asesinato de tres norteamericanos en 1999. Se había unido a las FARC a los doce años y ahora que nos tenía en su poder estaba por los cuarenta. En todo ese tiempo debió haber tragado tanta doctrina radical, que seguramente la basura marxista le brotaba del cuerpo.

La idea de que nos estuvieran llevando hacia él, combinada con el hecho de que su nombre aparecía en nuestras hojas de objetivos, nos llenó de pánico. Aunque Marc hizo todo lo posible por destruir nuestros papeles, no había garantía de que los guerrilleros no hubieran encontrado algo. Si nos estaban llevando donde uno de los más altos comandantes de las FARC, las cosas no pintaban para nada bien. Seguramente seríamos interrogados y quién sabe qué métodos de tortura emplearían. El Mono Jojoy ya tenía encima tres muertos norteamericanos, ¿qué tanto eran tres más para alguien que se había pasado la vida escalando puestos en una organización terrorista?

Fuera de pensar en el Mono Jojoy, yo estaba muy preocupado por las preguntas que nos hacían, particularmente aquella de "¿por qué ustedes trabajan contra nosotros?".

Nosotros respondíamos que no era contra ellos, que estábamos trabajando contra las drogas; lo que no era un sofisma. En realidad, no teníamos misiones específicas contra las FARC. Lo que hacíamos era un trabajo de interceptación y obstaculización contra la producción de droga. Nunca emprendimos una acción directa contra ellos.

Cuando les pregunté si estaban involucrados de alguna manera con el tráfico de drogas, algunos respondieron que sí.

—Bueno —les dije yo—, si ustedes están trabajando con drogas, nosotros estamos trabajando contra ustedes. Si no hay drogas, no los tocamos.

Entonces, uno de los más inteligentes, o tal vez uno de los que mejor tendría lavado el cerebro, dijo:

—Nosotros no hacemos nada con drogas. Sólo cobramos impuestos. Se los cobramos a la gente que está en el negocio de las drogas.

Cuanto más nos daban respuestas como éstas, más claro se hacía su nivel de adoctrinamiento. Era como estrellarse contra una tapia. Al menos yo estaba muy agotado para ponerme a rebatir cada una de sus mentiras. Un par de ellos llevaban camisetas con la imagen del Che, y mi mente volvía con frecuencia a la biografía que estaba leyendo en el avión. Para ellos era tan solo una cara estampada en una camiseta, una imagen revolucionaria que respaldaba su causa. Sabían muy poco acerca de quién era y lo que representaba en verdad. Para mí era incomprensible que pudieran creer que portaban los ideales del Che Guevara. Este era un grupo que recurría al tráfico de drogas, ponía minas, reclutaba niños, atacaba y mataba civiles, secuestraba y pedía rescate para conseguir fondos. Un grupo cuyas actividades habían dejado como resultado miles de muertos y desplazados.

La historia de cómo las FARC habían pasado de ser una organización idealista, aunque violenta, a ser un grupo de malvados terroristas me revolvía el estómago. Cuando le pregunté a uno de ellos por qué pensaba que era legal que nos retuvieran, me respondió que por el hecho de haber violado su espacio aéreo. No podía creerlo. Era tal su delirio que pensaban que tenían un estatus de soberanía dentro del territorio colombiano, que tenían fronteras y espacio aéreo.

Sin embargo, era cierto que, en 1998, el entonces presidente Andrés Pastrana les había dado una zona de despeje alrededor de San Vicente del Caguán, un refugio desmilitarizado de poco menos de quince mil kilómetros cuadrados. Por años, las FARC habían insistido en que no hablarían de paz a menos que tuvieran este refugio seguro, y Pastrana se lo entregó de buena fe con la esperanza de llevarlos a la mesa de negociación y lograr un acuerdo de paz. Sin embargo, después de recibir la zona de despeje, entraron en las negociaciones sólo de labios para afuera. En lugar de negociar, la usaron para importar armas, exportar drogas, reclutar más menores y reabastecer sus tropas.

Para febrero de 2002, precisamente un año antes de que fuéramos secuestrados, Pastrana terminó los diálogos y puso fin a la zona desmilitarizada. De hecho, la región en la que nos encontrábamos, y muchos otros lugares en los que las FARC operaban, habían sido fuertemente militarizados. Así que su estatus imaginario de nación con espacio aéreo era ante todo una invención sin fundamento, así no hubiera forma de hacérselo entender. Lo único que yo esperaba era que si tenía la oportunidad de reunirme con el Mono Jojoy, me diera una explicación más razonable de lo que planeaban hacer con nosotros y de cómo justificaban nuestro secuestro.

Mientras tanto, tenía un arduo y largo camino por delante que cada vez se ponía peor. Además de mis lesiones, me estaba enfermando del estómago. No podía comer nada. Tenía náuseas y una persistente y dolorosa diarrea. Tom estaba sufriendo tanto como yo con sus heridas. Marc, el más joven de nosotros y el menos herido, parecía sobrellevar todo de mejor manera. La fila de caminantes se alargaba considerablemente y durante el segundo día casi no vi a Marc. Sabía que estaba adelante de nosotros dos, pero no a qué distancia. Al anochecer de ese segundo día, no sabía cuánto tiempo había pasado desde que lo vimos la última vez.

Marchamos hasta bien entrada la noche, paramos a orillas de una quebrada y nos sentamos en un dique de piedras del tamaño de la cabeza de un bebé. Extendieron un plástico negro y ahí dormimos. A pesar de las piedras que se me clavaban en la espalda, caí de inmediato en un sueño profundo, pero desperté un rato más tarde con el aguacero que caía a cántaros sobre nosotros. Yo había acampado suficiente para saber que la lluvia era parte de la vida a la intemperie, pero que el cielo se desgajara en ese momento no hacía sino confirmar aquello de que "al caído, caerle".

Nos reunimos bajo la lona de un guerrillero para protegernos. Toda la noche, el sonido de la lluvia sobre el plástico y las piedras estuvo acompañado por el de mis tripas, que querían salírseme en medio del vómito y la diarrea. No podía comer. El agua me pasaba derecho o se devolvía, así que, además de tener las costillas rotas y todo lo demás, ahora estaba deshidratándome.

A mitad de la noche le dije a Tom:

—No puedo más, estoy en un punto en el que el cuerpo ya no funciona.

Tom me miró a los ojos y vio que estaba a punto de desfallecer. Ninguno sabía qué hacer. A la mañana siguiente, comenzamos de nuevo. Como lo habíamos hecho antes, marchamos río arriba, luchando contra el agua helada y las rocas resbalosas. A la media hora, trepamos un barranco y llegamos a un camino. Adelante se veía una serie de subidas y bajadas muy pendientes que de inmediato supe que no podría soportar. Sufrí un colapso y caí al piso. Tom llegó a mi lado, tenía una costra de sangre en el ojo. Lo miré y luego a Sonia, quien había retrocedido hasta nosotros para saber la causa de la demora.

Levanté mi mano un poco para señalar hacia ella y con mis labios hinchados y rotos le dije a Tom:

—Dile a esta desgraciada que me dispare. No me importa. No doy más. No me moveré. No puedo. Terminé. Estoy acabado.

Recostado en un montículo, lleno de furia, de agotamiento, de dolor, pensé: "Debí haber arrancado esa maldita flor".

MARC

Odiaba estar tan adelante de Keith y Tom. Me preocupaba que estuvieran apartándome para interrogarme o dispararme. Pensaba en Tommy J. y el sargento Cruz. Los guerrilleros los habían separado de nosotros y Sonia había dicho que ella misma los había matado. ¿Era así como operaban las FARC, poniendo a sus rehenes en pequeños grupos para dispararles cuando ya no estuvieran a la vista de los otros?

Farid me presionaba y me empujaba tan fuertemente que no tenía otra alternativa que moverme y dejar temporalmente esos pensamientos en el camino. Por más que me desagradara la manera tan brusca en que me agarraba y jalaba, lo que yo verdaderamente odiaba era que me hablara todo el tiempo. Yo no entendía mucho español, pero podía reconocer algunas palabras y comprender su intención. Su constante "¡Vamos!" no necesitaba traducción. Venía acompañado de un tirón de la mano o de la muñeca que casi me desprendía el hombro. Eso era intolerable, pero que todo el tiempo estuviera diciendo, una y otra vez, que él y yo éramos los "mejores amigos", era peor que cualquier cosa. Yo asentía y decía "sí, mejores amigos", pero en realidad pensaba que todo eso era un espectáculo estrafalario y decadente en que él era la atracción principal.

Quizás porque sabíamos que estos hombres y mujeres eran llamados "guerrilla", que en inglés suena como "gorila", o tal vez debido a nuestro negro sentido del humor o el exceso de televisión cuando éramos niños, pensamos de inmediato que habíamos caído en *El planeta de los simios*. Y no estaba lejos de esa realidad: había sido atrapado por un grupo de seres cuyo idioma desconocía, una horda de personajes que, aunque de mi estatura, eran mucho más robustos, y que me empujaban y zarandeaban en medio del ambiente menos cortés que jamás haya visto. Quizás lo más inquietante eran las miradas. Muchos de ellos pensaban que yo era la cosa más curiosa que habían visto y, cada vez que parábamos, se amontonaban a mi alrededor para mirarme, para examinarme con sus ojos como si fuera una atracción de circo. Siempre había tenido la mente abierta, pero me sentía arrinconado y temía que salieran a flote mis peores impulsos. Guardaba un odio visceral por los guerrilleros no por ser quienes eran, o por cómo se veían, o por el idioma que hablaban, sino por lo que nos estaban haciendo: quitándonos la libertad porque se les había dado la gana. No sabía si Farid era cruel o ignorante. Siempre que yo no podía seguir y necesitaba descansar, o cuando me caía, él me hostigaba diciendo:

—¿No puede seguir este mariquita? Soy más fuerte que Estados Unidos…

Yo me limitaba a mirarlo, fingiendo que no entendía nada. Parecía que mi dolor y mi debilidad le daban más placer cada vez. Se agarraba la entrepierna y me decía:

—¡Le faltan güevas! —se reía y agregaba—: ¡Vea las mías como son de grandes! —señalándose a sí mismo y actuado como una caricatura de película barata.

Cuando nos distanciamos de los otros, Farid se relajó un poco, no en el paso ni en el abuso, sino en el semblante. Su lenguaje corporal cambió, movía las extremidades con más soltura. Las líneas y las arrugas de preocupación que tenía en la cara se desdibujaron y empezó a verse como el adolescente que yo sospechaba que era. También comenzó a cantar. Al principio yo podía identificar una o dos palabras, pero tras horas de camino con él repitiendo la misma canción una y otra vez, pude juntar algo de la letra: "Queremos la paz. Soy guerrillero porque quiero la paz".

Cuando no me arrastraba o cuando no tenía que escuchar la verborrea de Farid, mis ojos enfocaban la vegetación circundante. Los densos matorrales que atravesábamos estaban vivos, poblados por toda clase de criaturas. Siempre me habían gustado los programas de televisión sobre la naturaleza y, de repente, me encontré dentro de uno. Si no fuera por las circunstancias, me habría encantado. La variedad de micos era superior a la de cualquier zoológico; la mayoría de ellos eran distintas clases de micos araña. Como nuestros captores, ellos también parecían muy interesados en los chicos nuevos de la selva, y se colgaban de los árboles para mirarnos con sus enormes ojos.

Cuando el sol estaba a punto de ponerse, dos guerrilleros, o al menos dos simpatizantes de la guerrilla, se nos unieron —a Farid y a mí—. Uno era un hombre joven vestido con sudadera y camiseta. Llevaba un gorro campesino de lana que era como un sombrero. La otra era una mujer joven, vestida igual que él, que se asombró al verme. Cargaban una pequeña bolsa de plástico con arroz blanco y pedazos de pollo. El tipo usó su machete para cortar unas hojas de palmas que usamos como platos. Sirvieron un montoncito en cada una y le pasaron una a Farid y otra a mí. Farid se sentó y se encorvó sobre la comida como si la estuviera protegiendo. Entonces comenzó a llevarse el arroz a la boca con los dedos. Tenía las uñas negras de tierra y tan largas que ya empezaban a curvarse.

Así no hubiera visto a Farid lamiéndose los labios y limpiándose la boca con el revés de la mano, tampoco habría tenido apetito. No había comido en cuarenta y ocho horas, pero pensar en comida me revolvía el estómago. La joven guerrillera se sentó a mi lado y noté la preocupación en sus ojos. Puso sus manos bajo las mías y las levantó hacia mi cara. Giré la cabeza y arrugué la frente. La comida olía bien, pero mi estómago estaba mal. Al final la muchacha volvió a echar mi comida en su talego. Entre bocados, Farid levantaba la vista y les hacía señas con las manos para que se alejaran por el camino por donde nos había traído a nosotros, presumiblemente para que fueran a alimentar a los demás. Todavía con la boca llena, masticando y lamiéndose los labios, Farid se levantó y me jaló hacia arriba.

Recargado de energías por la primera comida desde que iniciamos la marcha, Farid retomó el paso. Yo concebí otra estrategia. En vez de rezagarme y tener que lidiar con su ira, mantenía el paso durante el mayor tiempo posible. Cuando ya estaba tan ahogado que no podía seguir, me apoyaba en una rodilla y tomaba la mayor cantidad de aire posible —ese aire fino de alta montaña tan difícil de respirar—. Para cuando Farid se daba cuenta de que yo había parado y volvía a agarrarme, yo me levantaba y trataba de alcanzarlo. Así seguimos por algo más de una hora. Todavía faltaba tiempo para que oscureciera, pero el sonido de la selva comenzó a cambiar y del rumor silvestre pasó a un ruido espeluznante. Junto con los insectos y los demás sonidos del bosque, comencé a oír un tenue golpeteo regular, como el latido del corazón, con pequeñas pausas. Farid también lo oyó y se puso el índice sobre los labios. A medida que avanzábamos, el ruido crecía. Farid empuñó su AK-47 y me ordenó que hiciera silencio. Giró y se acostó en el suelo con el cargador perpendicular a él, al estilo Rambo. Se arrastró hacia delante mientras me indicaba con la mano que permaneciera en mi posición. Yo no tenía idea de lo que podía estar pasando y estaba más inquieto que nunca.

Farid bajó el arma y me llamó con un movimiento del brazo. A través de la espesa maleza, vi a otro guerrillero abriendo trocha con un machete. Atrás, al comienzo de aquella brecha, dos mulas estaban esperando. Farid hizo señas para que yo subiera en una, pero cuando me acerqué comenzó a corcovear y a dar patadas. El guerrillero desconocido agarró la mula por el cabestro para calmarla, pero el animal siguió brincando. Farid cogió un costal que el otro había dejado en el piso y se lo puso a la mula en la cabeza hasta que se calmó. Supuse que el animal se ponía agresivo cada vez que alguien se acercaba para montársele. Farid me señaló con el brazo la mula ciega. Me acerqué y finalmente pude subirme. Pateó un poco, pero Farid cogió las riendas, le susurró al oído y la calmó. Saltó sobre la otra mula y, con el macheteo del guerrillero a lo lejos, tomamos el nuevo sendero. Cuando volteé a mirar, la trocha se había cerrado detrás de nosotros.

Me alegró no tener que caminar, pero cabalgar en aquella mula no me aliviaba tanto como pensaría cualquiera. Sentía cada salto, cada golpe, a través de mis pies maltratados. Íbamos por una ladera muy pendiente, pero con las mulas al trote, llegamos en poco tiempo a un terreno menos difícil. A la izquierda y a la derecha estaba oscuro, pero adelante, a través de las ramas y los bejucos, brillaba una luz tenue.

Momentos después salimos a un claro con un espectacular panorama de montañas que inundaban el horizonte. Cada pico delineaba una silueta contra el fondo violeta del cielo. A poco más de medio kilómetro había una casa campesina que dominaba toda la vista desde un promontorio. Un camino serpenteante y muy inclinado llevaba hasta la casa, donde paramos para contemplar la vista. Sentado sobre la mula me sentía como en una película, como el vaquero que regresa de una dura jornada en la montaña después de reunir el ganado para llevarlo a pastar durante el invierno.

Cuando llegamos a la casa, encontré un grupo de seis guerrilleros. Estaban sentados alrededor de una fogata. Habían clavado dos horquetas en el suelo y sobre ellas habían apoyado una varilla de la que colgaba una olla. Uno de los guerrilleros la destapó y un olor a caldo de pollo se dispersó en el aire. Aunque podía oír mis tripas retorciéndose, rechacé la oferta de comida. Me sentía tan ajeno y tan fuera de lugar, tan furioso con la situación, que no fui capaz de sentarme a comer con ellos.

La casa estaba dividida en dos espacios desiguales, un área principal grande y una despensa con una puerta que daba a la parte de afuera. Farid gesticuló hacia la estrecha alacena, indicando que era allí donde yo iba a dormir. No me habría disgustado si no hubiera estado llena de bultos de arroz, bolsas negras de plástico rellenas de quién sabe qué, y toda clase de cajas y paquetes. Cuando Farid cerró la puerta, el lugar se llenó de olor a comida rancia y carne podrida. En circunstancias normales, me habría sido difícil dormir, pero caí profundo hasta que me despertó la luz de la mañana filtrándose por las rendijas.

La puerta no tenía seguro; así que salí. Había unos troncos y algunas butacas tiradas en desorden. Me senté de espaldas a la construcción donde estaban los guerrilleros. Ese fue, realmente, mi primer momento a solas, despierto y sin tener que preocuparme por la marcha. Ese vacío lo llenó una andanada de emociones y pensamientos que me conmocionaron. Mi estado mental era como el paisaje: picos agudos bañados por la luz del sol y un valle profundo sumido en las sombras. Físicamente estaba muy bien, pero en lo emocional me despeñaba por un desbarrancadero.

Pensé en el día que había salido hacia Colombia. Antes de que mi hija, Destiney, saliera para el colegio, vino a nuestra habitación, donde yo seguía haciendo pereza con Shane. Destiney me dio un gran beso y un abrazo, la clase de abrazo que sólo una niña de nueve años puede dar para hacer sentir amado a su padre. Ahora, sentado en ese claro, con aquella distancia enorme entre nosotros, me reprendía por no haber abandonado la cama esa mañana para pasar un poco más de tiempo con ella. Debí despedirme de Cody y de Joey, a quienes tendría que llamar hijastros, pero a quienes amo como a mis propios hijos.

Pensaba todo el tiempo en el escritorio que Destiney usaba para pintar y que le habíamos puesto en la terraza de entrada a la casa. Se sentaba allí y dibujaba durante horas. Cada vez que yo regresaba de mis turnos, sacaba un nuevo libro lleno de dibujos coloridos con escenas familiares. Esos libros eran para mí como tesoros, por lo que ahora me desgarraba imaginar cuánto tiempo pasaría hasta el día en que volviera a regalarme uno. Cody y Joey compartían un cuarto, y era común verlos sentados en la alfombra verde "manejando" sus carritos de colección por entre calles y parqueaderos que imaginaban en el piso. El cumpleaños de Joey era el 28 de febrero y me angustiaba pensar que no iba a estar ahí para celebrarlo. Se moría por una pistola de bolas de pintura, y yo se la había conseguido. Me encantaba pasear por el parque con ellos, y me sentía fatal por no poder probar la nueva pistola de Joey.

Los recuerdos llegaban tan vívidos que era como si su misma presencia física me estuviera agobiando. No es que su recuerdo no fuera placentero, sino que eran la única alegría que encontraba en aquel lugar desolador. Pero pensar en mi esposa y en mis hijos me hizo sentir culpable, como si yo, de alguna manera, les hubiera fallado.

Pensar, además, que me habían llevado a aquella finca para matarme, se sumaba a mi pesar. No iba a volver a ver a mi familia. Ni a mi mamá, ni a mi papá, ni a mi hermano. A ninguno de ellos. Los vería en el cielo, por supuesto, pero eso sería dentro de mucho. Sabía que había guerrilleros cerca y no quería llorar frente a ellos. Traté de contenerme, pero era como si el pesar me estuviera exprimiendo. Lloré hasta que sentí que todo mi cuerpo se vaciaba. No podía dejar de pensar que a Tommy J. y al sargento Cruz los habían separado de nosotros para matarlos. Me impactó la sangre fría con que Sonia había confesado el asesinato, y la imagen volvía de nuevo a mi cabeza. Permanecí explorando con la mirada el claro para ubicar el sendero por el que Farid y yo habíamos salido de la selva. La luz del sol trepaba por la cordillera de enfrente, pero aún no había señales de Keith y Tom.

Justo cuando uno piensa que está tocando fondo, algo llega para aliviarlo. Ya antes me había sucedido: una oración o un pensamiento acerca de la fe, de mi familia o de mis amigos. Cuando acabé de llorar fui a donde los guerrilleros, que estaban reunidos alrededor del fuego y la olla de comida. Para llegar hasta allí, tuve que atravesar un espacio lleno de empaques vacíos de galletas Saltinas. Estaban por todos lados. Una de las bolsas grandes que había en la alacena donde dormí estaba también allí tirada, y de su interior brotaban paquetes de galletas. Los guerrilleros estaban atragantándose con ellas. No tomaban una por una, sino que agarraban bloques de a cinco y se atarugaban con ellos. El sonido que producían al masticar y el reguero de migas por todas partes hicieron de aquella una escena tan absurda que casi olvidé mis pensamientos tristes.

Lo otro que también me ayudó a salir de aquel ataque de melancolía fue haber dejado de caminar y liberarme de las botas. Mis pies parecían haberse insurreccionado apenas me las quité. Latían y se hinchaban como los dedos pulgares en los dibujos animados cuando son golpeados con martillos. Hubo momentos en que llegué a pensar que cobraban vida propia. Estaba seguro de que los guerrilleros me tenían como fuente de entretenimiento, pues no dejaban de observarme mientras yo contemplaba mis pies. Siendo tan absurdo mi comportamiento como el que había visto en ellos, sentí que había acortado la distancia entre nosotros, y me sentí cómodo para aceptar la sopa que me ofrecían.

Me pasaron una cuchara y una taza de aluminio, y me senté en la butaca donde antes había tenido el ataque de depresión. En esta ocasión, en vez de mirar hacia las montañas, me quedé viendo la pendiente por la cual había salido de la selva la noche anterior. El sol caía con toda su fuerza sobre ella y tuve que entrecerrar los ojos por el reflejo de la luz. La sopa estaba aguada y mostraba un arco iris de grasa que flotaba en la superficie como la gasolina derramada sobre una calle mojada. Podía ver pedazos de pollo en el fondo de la taza. Al primer sorbo sentí un sabor vago, como si el pollo hubiera pasado veloz por la olla. En todo caso, estaba caliente y era comida, así que tomé unas cucharadas más. Trataba de identificar qué más había en la taza cuando algo distrajo mi atención.

Levanté la mirada y reconocí las figuras de Tom y Keith balanceándose sobre un par de animales de carga. Le di gracias a Jesús por haberlos mantenido sanos y salvos, y traerlos junto a mí. Era como si hubiera llegado la Navidad y estuviera abriendo el regalo. El regalo que yo justamente quería.

TOM

Cabalgando el último trecho para llegar a la finca donde Marc se encontraba, sentí gran alivio por dos razones: nuestro amigo estaba a salvo y finalmente habíamos llegado al lugar de descanso que prometían los de las FARC. Por improbable que parezca estar eufórico y exhausto al mismo tiempo, yo lo estaba en ese momento. Aunque nos montaron a mí en una mula y a Keith en un caballo, el viaje hasta nuestro punto de encuentro había sido extremadamente doloroso. Además, ver a Marc descalzo me levantó el ánimo. Verlo descansando sus pies era una promesa para los míos.

Al menos la cadera ya no me molestaba. El día anterior había tenido tanto dolor que empecé a caminar con una pierna tiesa. La columpiaba hacia delante para no tener que usar la cadera. Anduve así por algún tiempo hasta que una joven guerrillera me inyectó un calmante. Era tal mi agonía que no dudé en bajarme los pantalones sin preguntar qué medicina era ni cuántas veces había usado la aguja. Sin la inyección, habría pedido un tiro para ponerle fin a mi desdicha.

Keith iba un poco más adelante; cuando se apeó, Marc estaba esperando para recibirlo. Me bajé de la mula y caminé hacia ellos con cautela. Marc se había acercado a Keith llevando una taza de aluminio. Vi a Keith mirar en ella y sacudir la cabeza. Me pasó la taza y pude ver por qué Keith la había rechazado. Era una sopa en la que flotaba la pálida garra de una gallina. Sabía que Keith venía sufriendo de un severo malestar estomacal y no podía comer. Estaba seguro de que esa visión no había ayudado mucho. Cuando me llevé el caldo a la boca, pensé en la maravillosa cocina de Mariana y la última cena que tuve antes del accidente. No recuerdo mucho aquel sabor, pero estaba contento de tener líquido en mi organismo. Para mí, era lo mismo que si me hubiera tomado un suero intravenoso.

Nos unimos al grupo de los comegalletas y Keith pudo comer unas cuantas. Yo también. Había viajado mucho a lo largo de mi vida, había estado en muchos sitios y visto muchas cosas extrañas, pero esta escena era increíble. Un grupo de adultos estaba sentado alrededor de una olla suspendida sobre una fogata, con las bocas llenas de galletas a medio comer y un tapete de migas al rededor de cada uno. Volvimos a la realidad cuando un guerrillero empezó a saltar y a señalar hacia la casa y luego hacia nosotros. Trataba de decirnos algo, pero la masa de harina que tenía en su boca apagaba las palabras. Finalmente, después de tragar, supimos que quería que nos calláramos. Algunos de sus camaradas caminaron hacia la casa donde un radio Sony colgaba de uno de los postes que sostenían el techo.

—¡Son ustedes!, ¡son ustedes!, ¡son ustedes!

Hicimos silencio para oír en una emisora colombiana el reporte de nuestro accidente y nuestro secuestro. Los detalles eran mínimos. No revelaban la ubicación exacta de nuestra caída o qué estaban haciendo los militares para encontrarnos. No nos reconfortó mucho saber que éramos celebridades en esta parte del mundo. Cuando los guerrilleros oyeron la noticia, su reacción fue preocupante. Prorrumpieron en gritos, como si fuera un equipo celebrando un gol.

Cuando parecía que todo se estaba calmando volvieron a aparecer cosas extrañas. Algunos guerrilleros habían ido a lavar su ropa a un pozo que quedaba a unos metros. Los jóvenes, entre ellos una muchacha, se desvistieron y quedaron en calzoncillos —tipo biquini como era usual en ellos—. Aunque no soy un mojigato, su naturalidad me sorprendió. Recorriendo Latinoamérica, me había habituado a las costumbres y prácticas de la región. La imagen de esa mujer era desconcertante, pues de alguna manera representaba la inocencia en un lugar que nada tenía de inocente. Desde luego, todos esos pensamientos se borraron cuando pasó junto a nosotros para ir por comida. Los otros guardias, todos ellos menores de dieciocho años, comenzaron a silbar y a codearse. "¡Mírela!, ¡mírela! ¿Qué le parece? ¿Le gusta?". Me sentí más en la cafetería de una escuela que en un campo de prisioneros.

Un poco después vi a una niñita en un carrito rosado de pedales de la Barbie. Entendí entonces que la casa no era de las FARC sino de una familia que vivía allí. Cómo se las había arreglado esa gente para

CAMBIOS DE ALTURA **67**

llevar ese carro hasta allá, y cuánto les debió haber costado en tiempo y esfuerzo, era algo a la vez conmovedor y confuso. Nada parecía concordar con el paisaje, y los tres nos percatábamos de ello.

—Este lugar me está enloqueciendo. Son niños disfrazados jugando a la guerrilla —Marc se estiró y giró su cabeza en redondo.

—Entiendo perfectamente a qué te refieres. Si no fuera por el radio, habría dicho que viajamos de la Era de la Informática a la Edad de Piedra —agregué.

No habíamos visto a Sonia por un buen rato, y después de que nos contó cómo había matado a Tommy J., yo no estaba precisamente extrañándola. Unos minutos más tarde la vi venir hacia nosotros, moviéndose con su usual paso firme. Iba directamente hacia Keith, que estaba sentado en uno de los troncos en los que los campesinos habían tallado toscos asientos. Pensé que algo malo iba a ocurrir. O lo iba a confrontar por algo o se lo iba a llevar a algún lado. Tenía la expresión de alguien a quien habían tratado injustamente y quería asegurarse ahora de que las cosas quedaran bien. Yo había visto esa mirada antes en la cara de mi esposa.

Sonia cambió rápidamente de dirección y fue hacia el pozo. Regresó cargando un recipiente de cerámica con agua. Lo puso frente a Keith y luego se arrodilló. Echó su cabellera sobre uno de los hombros y luego desamarró los zapatos de Keith y se los quitó. Miré a Keith, que se veía tan desconcertado como Marc y yo. Intercambiamos miradas y sacudimos las cabezas. Sonia procedió a lavar los pies de Keith y a masajearlos. Como los nuestros, los suyos habían estado húmedos la mayor parte de las veinticuatro horas. Estaban hinchados, arrugados y parecían el mapa en relieve del terreno que habíamos recorrido.

Queríamos estar seguros de mantener clara la línea entre "ellos" y "nosotros", así que no aceptamos la oferta de los guerrilleros para dormir en la casa —que ellos llamaban finca— esa noche. Sabíamos que en el lugar en el que Marc había dormido la noche anterior no había espacio para los tres. No queríamos estar separados, y ninguno de nosotros quería algo que los otros no tuvieran. Mientras que lo de no estar separados era algo que ya habíamos discutido, nada habíamos hablado del deseo de ser tratados con igualdad; eso se fue dando con naturalidad. Sin palabras, habíamos constituido una unidad. Estábamos todos juntos en esto.

Dicho lo anterior, ninguno sintió envidia cuando alguno de nosotros obtuvo algo más que los demás. No me molestó que a Keith le cuidaran los pies de esa manera. Así mismo, yo recibí un par de botas de caucho mientras que Keith y Marc no.

Nos acostamos sobre un montoncito de paja desde donde podíamos oír los caballos de los campesinos moviéndose en el corral, al lado de donde dormíamos. Estaban intranquilos y su agitación nos molestaba, pues podían soltarse y venir a reclamar su alimento a patadas. Al final, el sueño nos venció.

Fuimos despertados en la mañana por uno de los caballos que mascaba la paja en que dormíamos, pero no nos importó. Esa mañana retomamos la marcha, esta vez sobre los caballos que nos habían molestado durante la noche. En el transcurso del día se fue haciendo claro que los esfuerzos de la guerrilla estaban más coordinados de lo que creíamos al principio. Después de algunas horas, paramos y desmontamos. Quien fuera el que nos guió hasta allí tomó el camino de vuelta por donde habíamos venido. Entonces otro guía, algunas veces civil, algunas veces guerrillero, aparecía y lideraba. Nos sentíamos como el testigo que se pasan entre sí los atletas de relevos. Así seguimos durante días. Guías que llegaban y se iban, descansos a intervalos de múltiples horas, colapsos de agotamiento en las noches. Con cada día que pasaba perdíamos la esperanza de encontrar un miembro importante de las FARC o alguien con información que nos dijera al menos a dónde nos llevaban.

Finalmente, tras varios días de marcha, encontramos un miembro de las FARC que parecía medianamente inteligente. Nos detuvieron en la cabecera de una trocha. Los guerrilleros extendieron un plástico sobre el suelo para que nos acostáramos. Eso era inusual y no estábamos seguros de lo que significaba. En resumidas cuentas, pensé que así les quedaría más fácil envolver nuestros cadáveres. Estábamos allí acostados cuando apareció un nuevo guerrillero.

—Hola, me llamo Johnny. Soy médico.

Su español era más preciso y formal que el español campesino que hablaban los otros, y no tuve que luchar tanto para entenderle. Asumí que como médico, Johnny tenía más educación formal que los otros.

—¿Alguno de ustedes estaba tomando medicamentos antes?

—Yo estaba tomando uno para la presión arterial —dije.

Johnny asintió y anotó algo en su cuaderno.

—Voy a asegurarme de que le den lo que necesita —sonreía y no era sarcástico ni cruel—. Déjeme ver la herida de su cabeza.

Tomó mi quijada y levantó mi cabeza de manera que pudiera observar mejor la cortada.

—No hay infección todavía, pero ha sido pura suerte hasta ahora.

Pareció estremecerse cuando pronunció la palabra suerte. Se levantó, y regresó con peróxido de hidrógeno y bolas de algodón. Mientras auscultaba la herida, yo veía sus pupilas contraerse y dilatarse.

—Esto es profundo.

Levantó el dedo índice y me pidió que lo siguiera con los ojos mientras lo movía de un lado a otro, cerca y lejos, para observar mis reacciones, como yo hacía con las suyas.

—Ahora vuelvo —dijo.

—¿Se trata de algo más grave que la herida exterior? —pregunté.

Johnny dio media vuelta y miró hacia un lado.

—Han pasado varios días desde que se golpeó la cabeza, así que es difícil saber si tiene una contusión. Todo parece indicar que sí. ¿Cómo está su visión?

—A veces borrosa, pero no tengo mis gafas.

Preguntó por otros síntomas, algunos de los cuales yo tenía, pero que, según dijo, podían ser el resultado de otras dolencias: dolor de cabeza y náuseas, por fortuna sin vómito.

—Discúlpeme, ahora vuelvo.

Regresó un rato más tarde con medicina para mí y con gasa para las ampollas. Comenzó a tratar nuestros pies.

—¿Hace cuánto que es médico? —traduje la pregunta para Marc.

Johnny se encogió de hombros.

—Hace ya rato. Me hirieron en combate; ahora tengo que hacer esto.

—Un médico es muy importante.

Johnny hizo una pausa en el vendaje que le estaba poniendo a Keith.

—No tan importante como un combatiente.

—Pero usted tiene mucho entrenamiento —Keith titubeó—, mucha… educación.

Johnny sonrió.

—Cuando era joven quería ser doctor. Mi familia no tenía plata y no pude estudiar —se detuvo y se encogió de hombros, y con ese gesto reveló una vida arruinada. Dedujimos que fue en ese punto de su vida cuando se unió a las FARC. Yo esperaba que tal vez no hubiera entendido bien la pregunta sobre su entrenamiento, así que le pregunté más específicamente sobre cómo lo habían entrenado en las FARC para ser médico. Mientras envolvía el pie de Marc, miró alrededor.

—Ningún entrenamiento. Yo aprendí solo.

Cuando terminó de hacernos la curación, dijo:

—Espero que esto ayude en algo.

Se fue al terminar de hacer su trabajo con nuestros pies. Unos minutos más tarde, otro guerrillero llegó con algunas mudas de ropa y unos pares de botas para cada uno. Nos dieron pantalones camuflados y camisetas. Keith era mucho más grande que los colombianos y ninguna camiseta le quedó bien. Tampoco consiguió botas porque sus pies eran muy largos. Aun las botas de Marc, que le quedaban grandes, eran pequeñas para Keith. Para empeorar las cosas, no podía comer y se estaba debilitando cada día más.

Por más que lo intentaba no podía llevar la cuenta de los días. No sólo un día se confundía con el otro en medio de la incesante marcha y el cambio constante de guardias de las FARC, sino que habíamos dormido muy poco y estábamos hambrientos. Los guerrilleros nos presionaban más allá de nuestros límites.

El cuerpo de Keith era el más severamente estropeado y comenzó a caer en picada, todo lo contrario de lo que me sucedía. Mientras me recuperaba, Keith estaba deteriorándose. Poco antes, me había expresado su preocupación. Aun cuando anduvimos algunos días a caballo, lo cual nos ayudó a conservar energías, Keith no ingería los nutrientes adecuados. En Marc y en mí creció la preocupación, pues si su condición empeoraba, los de las FARC le pegarían un tiro. Huíamos presurosamente del ejército, y todos sabíamos lo que podía significar que Keith comprometiera nuestra capacidad de hacerlo.

Continuamos con el patrón que desarrollamos el primer día, con Marc yendo al frente de nosotros. Nunca pasamos una noche separados, pero en las marchas él solía ir adelante. Se disculpó pensando que eso era un problema, pero nosotros le aseguramos que no era así. Sabíamos que era bueno que él marcara el paso para todos. Ir adelante le permitía tener descansos adicionales, pues cubría más terreno en menos tiempo. Esto también significaba que sus guardias estaban menos molestos con él cuando paraba. Su estrategia también nos beneficiaba a Keith y a mí, porque al tenerlo de "líder de la carrera", la impresión general de los guerrilleros era que estábamos haciendo un buen tiempo.

Keith se sentía mal por no poder ir en la delantera. Yo sabía que eso lo estaba destruyendo, y que temía estar poniéndonos en peligro por eso. En verdad, yo estaba muy agradecido porque su ritmo era ese y no otro. En algún momento durante la primera semana de marcha, cuando estábamos en algún descanso, Keith se aproximó y me dijo:

—Gracias por quedarte conmigo.

—Relájate, de esta vamos a salir, no te preocupes —respondí.

En ese punto de nuestra terrible experiencia, los tres estábamos tan entrelazados que era difícil decir dónde terminaba un vínculo y comenzaba el otro. También hacíamos lo mejor para cada uno; al final, esto ayudo a hacer lo mejor para los tres.

Tras una semana de marcha detectamos un nuevo cambio de guardia. Habíamos estado con el mismo grupo por unos cuantos días y conocíamos sus estados de ánimo. Johnny, el médico, estaba entre el grupo. La primera vez que oí a uno de ellos mencionar la palabra *avión*, pensé que se refería a uno que nos había sobrevolado en algún momento. Cuando volví a oírla, les pregunté de qué hablaban. No habíamos visto ni oído una aeronave en muchos días. Me explicaron que nos estaban llevando al avión.

Durante los siguientes tres días, a lo largo de la marcha, nos recordaban todo el tiempo que íbamos al avión. Cuando nos reunimos para pasar la noche, les dije a Marc y a Keith lo que habían estado diciendo. Estuvimos de acuerdo en que esto podría ser potencialmente un buen desarrollo de los acontecimientos. Si nos iban a llevar hasta un avión significaba que íbamos a volar a algún lado. Teníamos la esperanza de que en esos momentos se negociaba algún acuerdo para liberarnos. ¿Para qué más nos iban a meter a un avión si no era para ir al lugar del intercambio?

Durante los siguientes dos días, esas esperanzas nos mantuvieron vivos. Quizás los humanos somos capaces de creer cualquier cosa por el solo hecho de tener un pensamiento constantemente en la mente: íbamos a ir hasta el avión y a volar a algún lugar. Aun cuando el terreno por el que caminábamos era en ascenso, no estaba fuera de las posibilidades que las FARC tuvieran una pista en esos lugares. Keith y yo hablábamos cada vez que podíamos del tipo de avioneta que podría despegar allí. Una Cessna 206 era la perfecta candidata para aterrizar y despegar en los espacios que habíamos visto.

El día que nos dijeron que íbamos al avión, hicimos uno de los ascensos más difíciles. Parte del tiempo marchamos por una trocha en zigzag que cortaba una ladera muy empinada. Otra parte, la hicimos en cuatro patas por lo que parecíamos escalando. Como era usual, Marc se nos había adelantado y el trayecto se hacía tortuoso para Keith y para mí. Finalmente, los guerrilleros vieron que Keith no iba a llegar a ningún lado por sí mismo. Estaba acabado.

En vez de esperar a que él recobrara las fuerzas, los guerrilleros hicieron un despliegue de la suya. Cortaron un árbol y guindaron una hamaca del tronco, que acondicionaron como poste de carga. Montaron a Keith en la hamaca y dos de ellos se lo echaron al hombro para transportarlo. Colgaba entre ellos como un tigre que hubieran cazado y que llevaban a casa como trofeo. Los guerrilleros tenían serias rivalidades machistas entre ellos y prácticamente se peleaban por el siguiente turno de cargar los casi noventa kilos de Keith entre aquellas increíbles pendientes que nos llevarían hasta el avión. Para cuando llegamos a la cima, aun los más fuertes de los guerrilleros estaban exhaustos. Básicamente botaron a Keith al piso y se inclinaron con las manos en las rodillas en medio de una agitada respiración. Pero ni Keith ni yo les pusimos mucha atención. Nuestros ojos estaban ocupados en observar el avión o, al menos, en lo que quedaba de él.

En frente de nosotros estaban los restos esqueléticos de una Cessna monomotor. Lejos de ser un avión en uso, éste había dejado de funcionar hacía mucho tiempo. Marc llevaba allí un rato y caminó hacia mí.

—Lo sé. Lo sé. Yo tampoco puedo creerlo —dijo.

No tuve palabras para responder.

De inmediato, todos los pensamientos sobre intercambio de prisioneros se evaporaron. Al ver el avión, con agujeros de bala de bajo calibre a los lados —que claramente no eran la razón de la caída— no pudimos evitar pensar en nuestro propio accidente y en los tripulantes de este que ahora veíamos. La tapa de una pequeña maleta aleteaba con el viento que soplaba en la cima. Junto a los restos de la nave había latas de sardinas desocupadas. Los guerrilleros encontraron frascos cerrados de Nescafé y los echaron en los morrales. Caminé alrededor del metal retorcido. El olor a carne podrida llegó a mi nariz. Miré al interior de la cabina. Estaba vacía.

En este peligroso filo de la montaña, que calculé que estaba arriba de los tres mil metros, el aire era helado. Traté de fijar bien la escena. El accidente, Keith echado en el piso en posición fetal para calentarse. Marc, visiblemente consternado, pálido y perdido en sus propios pensamientos sobre lo que pudo haber pasado al piloto y a la tripulación. Y de lo que podría pasarnos a nosotros. Odié sentirme afortunado en ese momento. Estábamos con vida gracias a la habilidad de Tommy Janis y, ahora, como el piloto de esta otra nave, él había desaparecido.

Vi un par de mocasines negros sobre una roca labrada por el viento de esos a los que les ponemos un centavo de cobre como adorno. Debieron pertenecer a alguien que venía en el avión. No tenían los centavos. Pensé en lo poco que valoraban la vida estos guerrilleros y lo valiosa que era para nosotros. La mayor parte de mi vida me la había pasado en busca del dólar todopoderoso. Ahora, estaba empezando a aprender que había cosas más valiosas que una moneda.

III
¿QUIÉN SABE?

25 DE FEBRERO DE 2003 - 9 DE MARZO DE 2003

MARC

De cierta manera y por extraño que parezca, estar sentados junto a ese avión estrellado resultaba positivo. El ascenso hasta la aeronave puso a prueba nuestros cuerpos y espíritus. Los guerrilleros habían hecho parecer que el avión que mencionaban era una esperanza de liberación. Ahora, confrontados a la realidad, sentíamos como si nos hubieran dado un golpe en el estómago y nos quedáramos sin aire. Si estaban siendo maliciosos o realmente mezquinos, no importaba. Estábamos aprendiendo una valiosa lección: no debíamos confiar en sus palabras.

Lo único positivo que podíamos sacar de aquella enorme decepción era el hecho de que Keith podría ser atendido de mejor manera. No había comido más que unas galletas en la última semana y media, y estaba alcanzando el punto límite. Le había dicho a Johnny que no podía seguir así y, gracias a Dios, Johnny estaba simpático ese día, o preocupado, y tomó en serio lo que le decía. Estábamos en un lugar abierto en el que podíamos ser vistos desde el aire pero, a pesar de eso, hicieron un toldo para nosotros. Temblábamos tan fuertemente que hicieron una fogata para calentarnos, pero estábamos demasiado cansados como para abandonar el toldo.

La mañana siguiente nos despertamos cuando Johnny apareció con una bolsa de suero intravenoso para Keith. Aunque parecía saber lo que hacía, me preocupaba que fuera este médico de la selva el que clavara una aguja en la carne de Keith. En cuanto a la herida de Tom, le tomó un par de días coserle la cabeza. Después de dos horas de tratamiento, cuando se terminó la bolsa de suero, arrancamos nuestra marcha de nuevo con Keith colgando en la hamaca.

De acuerdo con las cuentas de Tom, llevábamos once días de camino desde la caída del avión. Seguíamos sin saber hacia dónde nos dirigíamos o cuál era el propósito de la marcha. Incluso si hubiéramos dormido bien, los días se nos habrían fundido en una confusión imposible de descifrar. Estábamos tan agotados que cada vez que parábamos a tomar un respiro, así fuera por unos minutos, caíamos dormidos. Experimentábamos una especie de vértigo; las imágenes danzaban frente a nosotros con una intensidad que nos producía mareos, como si lo viéramos todo a través de agua turbia.

Aunque los guerrilleros continuaban suministrándole suero a Keith, parecía que no les importara nuestro estado físico o mental. Durante las siguientes dos semanas, nos presionaron constantemente, lo que hacía que nuestros estados de ánimo subieran y bajaran todo el tiempo. Cuando preguntábamos hacia dónde nos dirigíamos o a qué hora íbamos a parar respondían con cosas como "un poquito más" o "muy pronto" o "¿quién sabe?".

Esta última se volvió más frecuente y más frustrante con el paso del tiempo. En lo que a la larga terminó siendo una marcha de jornadas de veinticuatro horas al día, "¿Quién sabe?" era una herramienta que los guerrilleros usaban tanto como el machete con el que abrían monte. Cada herramienta producía un efecto diferente. Siendo verdaderos maestros del machete, podían partir con ferocidad o delicadamente según la situación. Podían despejar un camino de troncos y lianas, o cortar con suavidad los brotes de guadua para extraerles el agua. Su indudable habilidad con el machete era un testimonio de lo larga que había sido su permanencia en la selva.

"¿Quién sabe?", de otro lado, era un instrumento romo con el que apaleaban nuestras esperanzas y aplastaban nuestros espíritus. Cada vez que hacíamos una pregunta, los tres apretábamos los dientes para prepararnos ante la inminente respuesta que nos apagaba el alma. Por más molesta que fuera, esa respuesta no impedía que siguiéramos preguntando, pues era imposible dejar de pensar en nuestros hogares, en nuestra liberación.

A pesar de sus evasivas, comenzamos a comprender a nuestros captores. La mayoría de esta infantería que marchaba con nosotros eran verdaderos niños del campo. Su comportamiento era crudo y desagradable: escupían, se cogían y rascaban la entrepierna —hombres y mujeres casi con la misma intensidad y frecuencia— y se hurgaban la nariz, pero sentíamos cierta simpatía hacia ellos. Entrábamos en nuestro propio "¿Quién sabe?" cuando tratábamos de imaginar cómo habrían sido las vidas de estos hombres y mujeres jóvenes, y lo malas que debieron ser las condiciones en que crecieron para que hubieran decidido unirse a las FARC. Algunos de ellos daban siempre la misma respuesta: "La violencia". En todo caso, no explicaban lo que la violencia les había hecho a ellos directamente, y nos preguntábamos si con eso querían decir que disfrutaban infligiendo dolor a otras personas.

Los guerrilleros no eran muy sutiles cuando se trataba de poner apodos. Lapo tenía una quijada tan prominente que parecía una caricatura. Le decían así por un animal de la selva del tamaño de un venado que tenía la quijada de un alce. Nicuro —pez gato— tenía ojos rasgados y le colgaba la boca. Ántrax sufría de un terrible mal olor. Bin Laden tenía rasgos de Oriente Medio. No tenían problema en llamarse abiertamente unos a otros con estos nombres.

Cuando no se estaban poniendo apodos, estaban comiendo azúcar. Toneladas de azúcar. Cada uno cargaba un bloque de panela, rompían un poquito y se lo comían. También mezclaban pequeños paquetes de bebidas en polvo tipo Kool-Aid a los que denominaban por sus marcas como si fueran sus nombres: Royal y Frutiño. Algunas veces cuando llegábamos a una quebrada, alguno de ellos tomaba una de las ollas que cargaban a la espalda y preparaba el refresco de frutas. A veces le agregaban una, dos o tres libras de azúcar, dependiendo de la disponibilidad. Eso comenzaba a explicar por qué se movían tan infatigablemente por entre la selva. Como nosotros, ellos no comían mucho, pero sus pedazos de panela y sus bebidas eran como el Gatorade y las barras energéticas de la selva.

Mi impresión inicial de los guerrilleros según la cual eran niños disfrazados para la Noche de las Brujas, se reforzaba con su dieta basada en azúcar y el consumo permanente de dulce. En realidad, era una posesión muy preciada y quienes estaban al mando lo distribuían como recompensas. Tanto como nosotros nos cansábamos de oír "¿Quién sabe?", estoy seguro de que ellos se preguntaban por qué usábamos tan a menudo palabras como "extravagante" y "surrealista". Estar caminando por la selva —pasando con frecuencia por los campos de coca que antes habíamos reportado desde el aire—, con un montón de terroristas chupa-colombinas, come-dulces, con cerebros lavados, había atrofiado nuestro vocabulario, así que recurríamos a nuestras manidas palabras de siempre.

Aunque fueran menos que un montón de adolescentes, este grupo y otros como este habían causado grandes estragos en Colombia y forzado al ejército a desplegar toda su capacidad letal contra ellos. Se encargarían de recordarme lo serio que era este conflicto uno o dos días después de dejar el avión accidentado. Ese día, tomábamos un descanso de quince minutos en alguna ladera. De repente dos hombres de la retaguardia comenzaron a gritar: "¡Policías! ¡Policías!". Pasaron corriendo y se internaron en la selva. Los demás guerrilleros entraron en pánico y comenzaron a hablar en voz alta, muy alta. Sonia se incorporó y les gritó a todos que se callaran. Se silenciaron, y un momento después un guerrillero de una unidad diferente llegó caminando. Era otro de los guías locales asignado para ayudarnos a cruzar la siguiente porción de territorio, así que no era un tipo de la policía ni del ejército. "¡Vaya valentía!", pensé. Sin embargo, su reacción reveló una verdad mucho más importante: los estaban persiguiendo y muchos habían sufrido heridas anteriormente. Aunque a nosotros nos parecieran ridículos, eran en extremo volátiles. Después de todo, una organización terrorista compuesta en su mayoría por jovencitos no es la fuerza ideal de combate que uno imaginaría. Carecían de disciplina, lo que los hacía capaces de cualquier cosa.

La primera vez que los vi formar en rangos, al estilo militar, quedó claro que se veían a sí mismos como un grupo organizado de combatientes. Esa mañana en particular, se esperaba la llegada de un alto comandante de las FARC de nombre Óscar, y sospechamos que algo estaba ocurriendo porque los guerrilleros se pusieron sus gorras. No sabíamos con exactitud qué significaba eso, pero normalmente no las usaban. Cuando Óscar apareció, fue evidente que era el comandante del frente, lo que un su jerarquía organizacional correspondería a un

pelotón. Según su cadena de mando, Sonia era su subalterna. Óscar
era bajito, incluso para el promedio colombiano. Sufría de sobrepeso
y cargaba una barriga que le colgaba como una hamaca sobre el cin-
turón. Había perdido el meñique de su mano derecha y sólo tenía un
pequeño muñón en su lugar.

Cuando Óscar reunió a sus soldados, el grupo resultó muy variado,
y su habilidad para formar en línea recta o estar en posición de firmes
parecía más una rutina de los Tres Chiflados que una parada militar. Para
cuando lograron formarse, nosotros estábamos a punto de reventarnos
de la risa. Esa mañana fue una de las pocas con cielo abierto y claro, y no
habían acabado de organizarse cuando un avión nos sobrevoló. Óscar
comenzó a manotear y a gritar dando instrucción a su gente para que
corriera a esconderse en la vegetación y bajo el techo de una improvisada
estructura que habían construido. Luego de que el avión dejó de oírse,
abandonaron la idea de jugar a los soldados por ese día.

Las FARC son poco indulgentes en cuestión de género y, físicamente,
la mayoría de las mujeres nos hacían sentir poca cosa. Su habilidad
para caminar todo el día era impresionante, por decir lo menos.
En una ocasión, le pedí a una mujer que me dejara alzar su morral para
ver cuánto pesaba. Estaba tan cargado con su equipo, la comida y otros
suministros para el resto de la unidad, que escasamente pude levantarlo
del suelo. Keith y yo tenemos hijas, y estábamos afligidos porque algunas de esas jovencitas eran apenas mayores que Lauren, la hija de Keith.
Una de ellas nos impresionaba por ser un caso particularmente triste.
No tendría más de diecisiete o dieciocho, y debería estar en una
pasarela en París en vez de trasegando por la selva con un morral
cuyas correas terminarían dejándole cicatrices como las que los otros
ya tenían.

La mirábamos sabiendo que su belleza no iba a durar, ni física ni
espiritualmente. Casi todas las mujeres de las FARC se veían más viejas
de lo que eran, y muchas se encontraban involucradas con hombres
mayores. Ya en esas tres primeras semanas con las FARC, pudimos
ver que por mucho que la guerrilla pregonara la equidad —y de alguna manera la practicaba, haciendo que las mujeres llevaran cargas
pesadas, trabajaran igual de duro y tuvieran turnos de guardia—, en
varios sentidos las mujeres eran presas sexuales de los hombres de
las FARC.

La difícil posición de la mujer se nos iba haciendo más clara a medida que la marcha progresaba. El día siguiente al encuentro con Óscar, Sonia le dijo a Keith que tenía que bañarse. Ella sabía que en la condición en que estaba y con las costillas rotas, le iba a costar mucho trabajo hacerlo, así que lo mandó llamar.

—Te tengo una sorpresa —dijo en un tono que ninguno de nosotros le había oído antes—. Te vas a dar un gran baño.

Tres guerrilleras lo llevaron a la quebrada. Keith se recostó sobre una roca y las tres lo ayudaron a desvestirse hasta quedar en ropa interior. Ellas hicieron lo mismo y procedieron a darle un baño con esponja. Todo lo que Keith pudo hacer fue permanecer allí con una mirada de perplejidad en el rostro mientras se hacía consciente de lo extravagante de la escena. Luego regresó a donde yo estaba descansando. Uriel se nos acercó.

—¿Qué tal le pareció el bañito, Kiis? —dijo Uriel con su acento característico. Al no pronunciar el sonido de la *th*, hacía que el nombre de Keith sonara más como la palabra beso en inglés: *Kiss*— ¿No la pasamos mal aquí, verdad?

—¿Cuál de éstas quiere? —otro guardia se nos unió. Empujó a un par de guerrilleras hacia Keith—. Tome esta, o esta otra. Le voy a dar una niña de regalo.

—Lo que faltaba —me dijo Keith, sonriendo e ignorando los comentarios—. Estoy en medio de la selva recibiendo un baño de esponja con tres jóvenes mujeres. Con la suerte que tengo, los de reconocimiento aéreo me toman una foto y van y la publican en plena primera plana para que Malia la vea y me mande al carajo.

Era fácil reírse de lo ridículo de la situación, pero pude detectar un poco de dolor en el fondo de su chiste. Así como estábamos aprendiendo más acerca de las FARC, también estábamos aprendiendo de nosotros mismos. Recientemente Keith me había contado que no mucho antes de nuestro accidente, él y Malia, su prometida, habían comenzado a superar un período difícil en su relación. Keith no estaba orgulloso de lo que había pasado. Había tenido un romance con una colombiana llamada Patricia mientras estaba comprometido con Malia. Le había confesado todo a Malia, pero luego supo que Patricia esperaba gemelos. Reconoció sus equivocaciones y le dijo a Malia que la había embarrado, y que cualquier cosa que ella quisiera hacer, dejarlo o trabajar por la relación, sería una decisión respetable. Malia había decidido que valía la pena salvar la relación. Ahora Keith estaba preocupado por sus hijos y por haberla dejado en ese momento tan difícil. Sin embargo, estaba también ansioso por ser el padre de unos gemelos. Dijo que al principio estaba furioso con Patricia, pues había pensado que ella había quedado embarazada a propósito, pero no dejó que eso interfiriera con el hecho de ser y sentirse responsable por los hijos que estaban en camino.

Aunque los guardias no sabían nada de lo que pasaba en la vida de Keith o en las nuestras, jugaban cruelmente con nuestro deseo de estar en casa. Cuando nuestra energía se estaba apagando o nuestro paso bajaba de ritmo hasta casi gatear, ellos transmitían el siguiente mensaje con Tom:

—Si caminan más rápido verán a su familia en dos días.

No sabíamos si decían la verdad, pero sus declaraciones surtían el efecto deseado. Retomábamos el paso lo mejor que podíamos. Cuando estábamos juntos, especulábamos acerca de si debíamos creerles o no. El consenso era que muy difícilmente veríamos a nuestras familias en dos días, pero que quizás esa era su manera de decirnos que íbamos a algún lado para ser liberados. En nuestra frágil condición —mental, física y emocional— éramos presa fácil de ese tipo de engaños. Cuando los dos días pasaron sin que estuviéramos cerca de ver a nuestras familias, ni siquiera protestamos. Simplemente lo anotamos como una lección más en nuestro curso de "Secuestrado 01".

TOM

Tres días después de haber dejado el avión, llegamos a otra finca, pero desafortunadamente nuestro segundo encuentro con la hospitalidad en esos lugares fue apenas mejor que el primero. En vez de dormir en el suelo encima de un montón de pasto seco, nos llevaron a una pequeña habitación. En el piso había un par de colchones recubiertos por una costra de mugre. Los rodeaba toda suerte de basura de los guerrilleros, empaques de Saltinas y bolsas vacías de leche en polvo. Keith, Marc y yo, a duras penas intercambiamos palabra antes de caer en los colchones y quedar dormidos de inmediato.

Cuando desperté, estuve en una especie de aletargamiento por casi una hora. Podía oír muchas voces, lo que me hizo recordar las pocas veces que había estado en una fiesta en Suramérica. Pasaba sólo un rato, veía a la gente y me iba a dormir cuando el resto de los juerguistas apenas estaba calentando. A través de la bruma del sueño, podía oír el rumor de la celebración. Lo que ocurría aquel día era como eso, salvo que no se trataba de una rumba.

Un par de veces levanté la cabeza y miré hacia la salida, donde vi unos cuantos guerrilleros a contraluz, en el marco de la puerta. Cada vez que lo hacía, creía ver nuevas caras y las figuras dispuestas de manera diferente. No estaba seguro de cuánto tiempo habíamos permanecido en el cuarto, pero lo que sí era cierto era que cuando salimos estaba anocheciendo. Durante la marcha, estuvimos acompañados por entre dieciséis y veinte guerrilleros, pero en esta finca se habían reunido al menos sesenta. De inmediato tuvimos la sensación de que éramos una curiosidad o unas celebridades. Con los nuevos grupos de guerrilleros que iban llegando volvimos a tener que soportar las miradas de los primeros días de cautiverio. Algunos iban a decirnos un par de palabras, mientras que el resto se limitaba a mirarnos como si estuvieran esperando que hiciéramos algo.

La cocina de la finca estaba pegada a la casa, pero en vez de tener paredes y techo, tenía unos palos de los que colgaba una lona para proteger la estufa de la lluvia. Al lado de la estufa había una tina grande de metal suficientemente grande como para que una persona se bañara en ella. Un guerrillero arrastró la tina fuera de la cocina mientras nosotros tres lo observábamos. Al principio, pensamos que iban a preparar un baño para nosotros, pero minutos más tarde oímos los mugidos de una vaca. La llevaron hasta la tina y le amarraron las patas.

La vaca, un animal flaco y demacrado que parecía tan exhausto como nosotros, nos miraba con ojos soñolientos. De repente, un guerrillero la sujetó por el cuello y le torció la cabeza, mientras que otro le abrió la garganta con un simple, aunque firme, movimiento del machete. La vaca volteó los ojos hacia atrás, con espanto. Incapaz de sostenerse, se vino abajo sobre un montículo. Los guerrilleros se arrodillaron a su lado y comenzaron a presionarle la barriga mientras la sangre brotaba a una olla que dispusieron para tal efecto.

Marc y yo nos miramos y luego vimos cómo la vaca daba sus últimos suspiros. No dijimos nada. No había necesidad. Ambos sabíamos que en algún momento podríamos ser nosotros los que estuviéramos en esa situación.

Tres noches permanecimos en aquella finca, lo que agradecí sin duda. Me fascinaba ver la estructura y me preguntaba cómo en el medio de la nada alguien había podido llevar la madera necesaria para construir algo en aquel lugar. Observaba a los guerrilleros durante las marchas y varias veces, cuando parábamos en los descansos más largos, cortaban árboles pequeños como de tres a ocho centímetros de diámetro, los arreglaban y los usaban para construir refugios provisionales. Como Marc lo señalaba, esas no eran chozas al estilo de *La isla de Gilligan*, con paredes y techos tejidos en palma. Nuestros refugios eran montados con unas lonas de nailon como carpas. El terreno era tan blando que los guerrilleros podían clavar palos en todos lados, excepto en las partes rocosas de las quebradas y los ríos.

De igual manera, el rancho parecía estar hecho con madera del lugar. Estas piezas toscas que ellos llamaban tablas, provenían de los árboles cercanos. No tenían una mesa de carpintería para hacerlas, sino que usaban la motosierra para tajarlas. Había pasado toda una tarde viendo cómo tumbaban un árbol, lo pelaban y luego le sacaban las tablas. Se notaba que la parte exterior de la casa había sido hecho con ellas, pues la motosierra les dejaba unas marcas semicirculares que las hacían distintivas. También usaban esas tablas para construir todo tipo de muebles. Plataformas para dormir, mesas, sillas, bancas. Algunos aprovechaban el descanso para hacer cañas de pescar con sus machetes. Pensaba para mis adentros que si le se le da a un guerrillero una motosierra y un machete, con eso basta para que construya una casa en cualquier parte de la selva.

Su destreza para vivir en ese lugar tan inhóspito era impresionante. Comentábamos lo malo que era que usaran esas habilidades de construcción para fines tan macabros. Muchos de los laboratorios de drogas que las FARC controlaban estaban construidos con el mismo tipo de madera y con los mismos métodos. Desde el aire nunca pudimos saber con qué estaban hechos, pero en el terreno tuvimos una perspectiva diferente y una nueva apreciación que nos era imposible lograr desde arriba.

Por períodos, me descubría a mí mismo en el papel de un observador de campo o de un antropólogo. Se convirtió en mi manera de escapar de la realidad y evitar que mi estrés aumentara demasiado. Hablábamos entre los tres sobre nuestras circunstancias, pero no podíamos hacerlo por mucho tiempo sin que llegáramos al borde de un ataque de nervios. Estábamos de acuerdo en que, considerando nuestra condición física, manejábamos bien la situación. Nuestra estrategia de no confrontarlos estaba funcionando. Nuestra meta número uno era sobrevivir. La meta número dos era no hacer nada que traicionara nuestras creencias. Estábamos secuestrados, pero eso no significaba que nos íbamos a comportar como criminales. Teníamos que trazar una línea de acción y pensamiento. No éramos culpables de nada y no podíamos aparecer ante ellos como si hubiéramos hecho algo malo o hubiéramos intentado hacerlo.

En esos primeros días, Sonia y algunos de los demás decían cosas acerca de nuestra presencia en Colombia y la agresión imperialista que esto representaba, pero sólo eran líneas de propaganda de las FARC que ellos recitaban. Ignorábamos todos aquellos sentimientos antinorteamericanos. La mejor manera de combatirlos era comportándonos lo más honorablemente posible. Aun cuando ninguno de nosotros era militar en servicio activo, hacíamos trabajos para el Departamento de Defensa y otras agencias de Estados Unidos. Nos tomábamos muy en serio el papel que jugábamos en el combate al narcotráfico y como representantes de un país al que todos amábamos. Nada de eso iba a cambiar por el hecho de que nos tuvieran en cautiverio. Más que nada, todos teníamos un sentido muy claro de lo que era justo, y aunque fuéramos rehenes, exigiríamos ser tratados con justicia. Sabíamos que podrían interrogarnos o torturarnos, por lo que acordamos unos límites que simplemente no cruzaríamos.

Estos límites se habían hecho evidentes unos días atrás, cuando descendíamos del sitio donde estaba el avión estrellado. Nos enfrentábamos a un terreno muy pendiente, cuando nos dimos cuenta de que una de las guerrilleras, una menuda y delicada mujer no mayor de dieciséis o diecisiete años, se veía muy pálida. Durante varias horas se tambaleó por el camino, hasta que, de repente, cayó desmayada. Sus compañeros se quedaron quietos mirándola y nosotros tres atravesamos el círculo que formaban en torno a ella.

Al observarla, nos dimos cuenta de que no estaba sudando, lo que es un signo seguro de deshidratación o de un golpe de calor. Supimos que era necesario que su temperatura bajara de inmediato. Le quitamos la camisa y le soltamos los pantalones para que el aire la refrescara. Levantamos sus pies y le dimos agua. Tenía puestas las típicas botas de caucho, así que se las quitamos y eso pareció ayudar. Luego de una sugerencia nuestra, los guerrilleros comenzaron a abanicarla. Todo parecía funcionar, pero de repente comenzó a tiritar. Keith, que todavía tenía su chaqueta, se la puso encima.

En cierto sentido, ya habíamos cruzado una barrera. Al cuidar a esta joven, habíamos ayudado a uno de las FARC. Pero había otra línea que no debíamos cruzar. Si habíamos sido tratados inhumanamente por ellos, nosotros no íbamos a renunciar a nuestro sentido humanitario. Los tres teníamos hijos, y tanto Marc como Keith comentaron en ese momento que pensaban en sus hijas de nueve y catorce años. Ver a esta niña era como ver a sus propias hijas. Resultaba imposible abandonarla, ninguno de nosotros podía negarse a hacer lo que nos parecía correcto, a darle el trato que hubiéramos querido para nuestros propios hijos.

Justo al comienzo de nuestra experiencia, Keith había dicho que siempre teníamos la opción de hacer lo correcto, que existía un camino fácil y uno difícil. Nosotros debíamos tomar el camino difícil, es decir, hacer lo correcto el mayor número de veces posible. Ese era nuestro reto individual y con respecto a cada uno de nosotros.

Más o menos el 2 de marzo según mis cálculos, unos días después de haber dejado la finca, acampamos tras cruzar una de las tantas quebradas que aparecían en el camino. Al día siguiente los guerrilleros nos dieron unos caballos. Nada mal para nosotros, después de tanto caminar. La ruta nos llevó río arriba. Algunas veces los guerrilleros llevaban los caballos por la orilla y otras por entre la corriente. El lecho del río estaba lleno de piedras y era muy inclinado. Me maravillé ante la agilidad de los caballos. Yo venía detrás de un potro que seguía a su madre río arriba evadiendo las grandes rocas. En varios puntos nos alejamos de la corriente de forma inesperada y, a través de la densidad de las hojas, de las matas de plátano y otras especies, podíamos ver la fuerza espumosa de los rápidos que estábamos evadiendo. El paso por la montaña era estrecho y tenía precipicios. Muchas veces el piso bajo los cascos de los caballos se desprendía, lo que los desequilibraba y hacía que nos cayéramos. Lo natural era que los animales recobraran el equilibrio. No obstante, alguna vez nos fuimos juntos al piso mi caballo y yo. Todo pasó muy rápido. Un instante estaba encima del caballo y al siguiente, en el piso. Oí a Keith gritándome para que me moviera. Cuando lo hice, el caballo cayó justo en ese sitio.

Seguramente debí haber estado más pendiente de mi seguridad, pero estaba tan agradecido de no tener que caminar que no me importaba. El hecho de no tener que caminar nos daba más tiempo para curarnos. Aún así, cada caída del caballo —y todos sufrimos más de una— agravaba nuestras heridas y aumentaba el sufrimiento. No estábamos comiendo mucho, pero los guerrilleros nos seguían alimentando de esperanzas: "Se están adelantando negociaciones para su liberación", "Los pondremos en libertad muy pronto", "Están trabajando los detalles finales de la negociación". Cada una de aquellas mentiras estaba condimentada con frases como: "Muévase", "Apúrese", "Nos tenemos que ir."

De muchas formas, éramos víctimas de nuestra propia esperanza, pues queríamos creer en lo que nos estaban diciendo. Era como si nos pusieran cañas de pescar con una carnada que nosotros, de una manera desesperada, tratábamos de alcanzar. Analizábamos cada detalle: "Están usando las gorras hoy", "Los jefes deben estar cerca", "Los jefes tienen conexiones con los de más arriba", "Los de más arriba están negociando", "Si hay un jefe cerca, tal vez está acá para llevarnos a un sitio de intercambio o liberación". Todo se nos convertía en un signo premonitorio.

Ahora no sé si de verdad creíamos en lo que se nos estaba diciendo, pero lo que sí es cierto es que sabíamos que en algún momento teníamos que evitar que la esperanza fuera usada contra nosotros. La esperanza era nuestra y no se la íbamos a regalar.

KEITH

Una mañana, algunos días después de que ayudáramos a la joven guerrillera —quien me devolvió la chaqueta en medio de agradecimientos—, Johnny nos dijo que teníamos que tomar mucho líquido. Nos enfrentaríamos a otro paso de montaña y no habría más agua. No estaba exactamente en lo cierto, pero sí cerca. Nos tocaba buscar gotas de agua en los brotes de guadua o en algunas otras plantas a las que los guerrilleros les extraían el líquido. También las palmas, que eran tan frondosas y estaban tan cercanas, acumulaban agua lluvia que bebíamos a través de canales que formaban sus hojas.

Ser el más grande del grupo no era fácil, en lo que al vestido se refería. Lo que me habían dado casi no me entraba y lo peor de todo eran las botas que insistían en hacerme poner. Sabían que nos venían siguiendo y aquellas montañas estaban llenas de lo que yo llamo pasos de cabra. Caminos por los que sólo cabe una persona, que siempre estaban lo suficientemente embarrados como para dejar huellas perfectas. Si el ejército veía unas que no eran del estándar de las botas de caucho, ese sería el indicio para descubrir el camino por el que llevaban a los gringos. Para acomodar mis pies en unas botas, Johnny le había cortado la punta a un par de ellas. Querían evitar así que yo fuera un localizador humano. Eso se ajustaba a sus necesidades, pero poco a las mías. Cualquier persona que haya practicado algo de montañismo, sabe que tener los dedos de los pies al aire libre es una invitación a toda clase de malas pasadas. Y no estoy hablando simplemente de golpearse un dedo.

A medida que pasaba el tiempo, empecé a hacerme una idea de lo que podían ser esos tropiezos. Una noche los guerrilleros hicieron un claro con el machete para que nosotros nos acostáramos. Cuando llegó la hora de dormir, los tres caímos redondos. Segundos después, oímos los gritos de una mujer, seguidos del sonido de unas botas que corrían. Un joven guardia, de nombre, Martín, corrió a nuestro lado con el machete desenfundado y una mirada de pánico en los ojos. Durante los siguientes treinta segundos no pudimos ver nada, sólo escuchábamos el sonido de la cuchilla al levantarse y al caer sin vacilaciones. Martín vino hacia nosotros, tomó un palo largo y regresó por donde acababa de llegar. Clavó el palo en algo que había en el piso y levantó una serpiente tan grande que le costó trabajo hacerlo. Tenía más o menos dos metros de largo y era tan ancha como mi antebrazo. La cargó por todas partes mostrándosela a todos.

Nosotros tres mirábamos con asombro.

—¿Qué es? —preguntó Tom.

—Riaca —fue la respuesta.

Yo pensé que era un tipo de constrictor, pero cuando hicimos la mueca de "exprimir", negaron con la cabeza e hicieron gestos que correspondían a mordidas. Miré mis lastimados pies y pensé en el peligro que corría. No quería que mis dedos ensangrentados sirvieran de carnada como en la película *Tiburón*.

—Creo que voy a necesitar botas más grandes —dije.

Como si no fuera suficiente con las serpientes grandes y venenosas, también teníamos que enfrentar una cantidad increíble de seres invisibles que se infiltraban en nuestros cuerpos. Consumíamos gran cantidad de agua todos los días, que era abundante en la selva pero que estaba haciendo estragos en nuestro sistema digestivo. Cuando algunas personas viajan al extranjero sufren el mal del turista, pero los bichos que lo causan abandonan el organismo en pocos días. En nuestro caso, sin embargo, los animalitos se hicieron residentes e hicieron limpieza de casa en nuestros sistemas digestivos, sacando todo lo que había. Mantenernos hidratados era muy difícil y nos debilitábamos cada vez más.

Qué tan débiles estábamos fue algo que se hizo evidente cuando llegamos al cruce de un puente. Así como hicieron con el avión, los guerrilleros nos venían diciendo durante las últimas cuarenta y ocho horas que nos estábamos acercando a un puente. Al oírlos hablar uno pensaría que los tipos eran funcionarios de la cámara de comercio de las FARC o algo por el estilo: "Tiene que ver este puente", "Nos estamos acercando al puente", "Pronto estaremos en el puente". Yo estaba feliz de saber que había un puente por dos razones. Primero, esto quería decir que estábamos cerca de la civilización. En segundo lugar, cruzar un puente significaba que no nos íbamos a tener que enfrentar a otro río, además de que no tendríamos que descender para después escalar. El terreno plano era muy bueno, pero muy escaso.

Cuando Marc, Tom y yo salimos de la espesa selva a un pequeño claro, un par de guardias asintieron y señalaron hacia adelante mientras pronunciaban la palabra "puente". Todos miramos. La escena era cinematográfica. Había un barranco en frente de nosotros, pero el puente no era exactamente la obra de ingeniería que yo me estaba imaginando. Parecía más bien una réplica de la estructura endeble de madera que aparece en *Tras la esmeralda perdida*. No tenía más de sesenta centímetros y estaba hecha de las mismas tablas que habíamos visto en todas partes. Las tablas descansaban sobre un par de cuerdas y un alambre delgado que se levantaba verticalmente sobre ellas y llegaba a otra cuerda que corría paralela a los soportes de las tablas. Este conjunto de cables y cuerdas conformaba el pasamanos.

Quince metros debajo de nosotros estaba el lecho seco de un río con muy poca agua y unas piedras gigantes. Un resbalón y quedaríamos como plastas encima de las piedras. Los guerrilleros debieron detectar nuestro nerviosismo porque nos dijeron que si el puente comenzaba a moverse mucho, debíamos tomar el pasamanos y empujarlo en sentido contrario a nuestro cuerpo. Eso aplicaría tensión en todos los soportes y lo estabilizaría. En un día bueno, la tarea habría sido cruzarlo simplemente con las manos sudorosas, pero dado lo débiles que estábamos, hacerlo sería un reto mayúsculo. Sólo una persona podía estar en el puente a la vez, así que nos tomó mucho tiempo cruzarlo.

Cada uno de nosotros pasó y cuando Tom, que fue el último, llegó al otro lado, se paró junto a mí con la cara desfigurada de ira e incredulidad.

—¿Por qué alguien construiría un puente en la mitad del infierno? Esto no tiene ningún sentido.

Marc y yo nos miramos y estábamos a punto de decirlo, cuando Tom con un gesto se anticipó:

—No lo digan, no lo digan: "¿Quién sabe?"

Me sentí mal por Tom. Era ante todo un piloto y se había pasado la vida pensando en términos lógicos, resolviendo problemas eficientemente y viendo el mundo como un sitio ordenado y explicable. Él y yo habíamos estado debatiendo las posibles explicaciones de lo que había pasado con el avión que habíamos visto unos días atrás. El método cartesiano de Tom le había servido en el pasado, pero no le servía de nada en la situación en la que nos encontrábamos. Tom y Marc se adelantaron y yo tomé un lugar al final de la fila. Había cuarenta guerrilleros delante de mí, y Tom y Marc desaparecieron en la selva. Pronto llegamos a una serie de refugios un poco mejor construidos que las versiones temporales que habían levantado los guerrilleros en el camino. El lugar parecía un viejo campamento de las FARC al que hubieran abandonado a la carrera. Había una serie de toldos, y otro grupo de guerrilleros surgió al parecer apenas llegando. El campamento tenía un área para cocinar bien instalada, pero lo que realmente nos asombró fue que, además de los sonidos típicos de la selva, podíamos escuchar una planta eléctrica y ver un televisor con antena satelital. La televisión estaba en una caleta más grande que el resto. Dentro del aquel cuarto había un conjunto de bancas cortas con espaldares que se alejaban de las sillas en un ángulo agudo. La única actividad para la que parecían apropiadas era para un examen dental. Cuando entré, Tom y Marc estaban sentados en una de las bancas, con los codos en las rodillas y las cabezas entre las manos. Estaban mirando la pantalla, en la que había una película en blanco y negro. Me senté detrás de ellos y les pregunté:

—¿Qué diablos es esto?

Tom se volteó y me dijo:

—Llegamos acá, nos mostraron orgullosos la televisión y nos preguntaron qué queríamos ver. Dijimos que CNN, claro. Nos lo sintonizaron, pero no hubo ninguna noticia acerca de nosotros. Estaban pasando el programa *Fuego cruzado*, sólo locutores hablando.

—Estuve viendo la franja en la que pasan noticias en subtítulos —dijo Marc—. Hay inspectores de la ONU en Iraq. Acaban de destruir dos misiles en Jartum. Nada sobre nosotros. Después de un par de minutos, ellos —y señaló a los guerrilleros que estaban amontonados alrededor de la televisión en medio de risas— pusieron esta película.

Todos movimos la cabeza confundidos. Los guerrilleros continuaron riéndose y Marc y yo le preguntamos a Tom qué estaba pasando. Tom nos explicó que los dos hombres en la pantalla estaban en un mercado en México, peleando por el precio de unos tomates. Aparentemente, los precios de los tomates son una fuente de diversión para los terroristas.

—No puedo creer que nos hayan dejado ver CNN —dijo Marc— y que nos lo hubieran cambiado sólo porque les aburría. ¿Será que no saben lo que es CNN?

Marc tenía razón. CNN nos habría ayudado a discernir entre toda la basura que nos decían los guerrilleros, y nos habría ayudado a saber si había algo de verdad en lo de nuestra supuesta liberación.

El saber cualquier cosa con certeza habría eliminado el "¿Quién sabe?".

Al final fue evidente que Sonia sí sabía algo. No teníamos nada mejor que hacer por lo que vimos la película y después de eso algo llamado *Asesinato de un brujo*. Sonia se nos acercó y mandó apagar la televisión. Evidentemente, estaba molesta por el hecho de que nos dejaran verla. Ordenó a unos guerrilleros que nos llevaran a un campamento anexo, mucho más viejo y acabado. Había unas cuantas revistas y Tom empezó a hojear un libro.

—Esto es todo acerca de las FARC. Aquí hay unas fotos de los jefes...

Paró en mitad de la frase. Todos dejamos de hablar. De repente la habitación se había llenado del ruido inconfundible de helicópteros que venían velozmente hacia nosotros y a poca altura. Los guerrilleros comenzaron a huir. Parecía una escena de *Nacido para matar*. Los helicópteros pasaron encima de nuestro campamento, lo cual nos puso a correr otra vez. En eso consistió nuestro período de descanso. Empezamos la marcha otra vez, atravesando la selva en medio de la oscuridad. Cuando pensábamos que nada podía empeorar, cayó un torrencial aguacero sobre nosotros. Yo había vivido en el sur de Georgia y, por tanto, conocía de alguna manera el clima tropical. Estaba acostumbrado a grandes tormentas, pero nada se comparaba con ésta.

Continuamos la marcha durante otros tres días, apenas deteniéndonos en refugios temporales. La última noche la pasamos bajo una vieja volqueta abandonada, encima de unos bloques de concreto. El frío era insoportable y nos acurrucábamos tratando de darnos calor, pero el olor del diésel y el aceite, hacía imposible dormir. A la mañana siguiente nos dimos cuenta de que habíamos parado cerca a un pequeño caserío. Una de las paredes de la escuelita era un mural con los peces más coloridos y exóticos que jamás haya visto. Los demás edificios estaban deteriorados y eran viejos, pero esa escuela era lo más vibrante que yo había visto en las últimas tres semanas. De nuevo pensamos en nuestros hijos.

—Espero que Shane le esté poniendo la cantidad apropiada de mantequilla de maní y mermelada a los sándwiches de Destiney —dijo Marc y golpeó la tierra con el tacón de la bota—. ¿Cómo le estará explicando esto a ella?

—Yo he estado pensando lo mismo, mi chiquitín se debe estar preguntado por qué me ha tomado tanto tiempo volver a casa esta vez. Tiene sus rutinas y no le gusta cuando las cosas se hacen desordenadas o impredecibles —añadió Tom.

Suspiré.

—Yo no sé ustedes, pero el cumpleaños de mi hijo se acerca y nunca me he perdido uno —dije.

Durante un rato continuamos hablando de cumpleaños, ponqués y fiestas con pizzas. Por un minuto nos sentimos fuera de ahí, de vuelta en nuestras casas. De pronto el silencio llenó el cuarto. El precio emocional de hablar acerca de nuestros hogares se hizo instantáneamente claro.

Nos montaron en otra volqueta, un modelo Ford de los años cincuenta con cabina redonda. Nos subieron junto con los guerrilleros en el platón y nos llevaron montaña abajo hasta otro pueblo. Era un poco más grande y una de las casas nos llamó la atención. Dijeron que era la casa de uno de los jefes de las FARC. Seguramente, esta era su visión de la igualdad económica. Era claro que era la más cara y bonita de las casas. Estaba rodeada por una cerca de alambre. Nos llevaron adentro y la esposa nos dio una sopa. Empecé a comer, pero tuve que parar porque en el piso estaba tirada una bolsa de McDonlad's. De ella salía una Cajita Feliz. En ese momento, me derrumbé. Salí, me arrodillé y empecé a llorar.

En una situación como esta uno nunca sabe cuál va a ser el detonante que removerá los más profundos sentimientos. Yo había llevado a Kyle muchas veces a McDonald's y nos quedábamos en el restaurante un rato mientras él se comía la Cajita Feliz. Teníamos una regla: "Sólo puedes abrir el juguete cuando hayas terminado tu comida". Nos sentábamos a jugar un rato y después volvíamos a casa o terminábamos de hacer las vueltas que hacían falta. Los recuerdos me llegaban en torbellinos y me torturaba pensar en Lauren y Kyle, y en el hecho de que quizás no volvería a verlos.

Tom y Marc salieron y se sentaron conmigo un rato. Esperaron a que satisficiera mi necesidad de estar solo, de sacar toda la mierda que estaba sintiendo.

—Es tan raro —dijo Marc— ver las carreteras y los carros, todos los signos de la civilización. Es como si pudiéramos entran en ella, pero no. No la podemos ni tocar.

Nos quedamos en silencio un momento. Les agradecí a los dos y entré a la casa a terminar de comer. Después marchamos por el centro del pueblo, enfrente del matadero, que estaba desocupado y con la sangre y los ganchos esperando pacientemente. Caminábamos por la mitad de la calle y no se veía a nadie. Las casas estaban pintadas con colores muy vivos, azules, rojos, naranjas. Cada casa parecía tener una matera repleta de flores. Sin embargo, todo estaba desierto. La plaza desocupada, las puertas de la iglesia cerradas, la torre en silencio. En un momento, miré hacia una de las calles que desembocaban en la vía principal y pude ver a un hombre que nos observaba desde una esquina. Seguimos caminando.

Finalmente los guerrilleros nos guiaron a una edificación donde había un grupo de personas sentadas en unos bancos. El olor a curtiembre pesaba en el ambiente. Paramos por un minuto. Era claro para nosotros que los guerrilleros querían que viéramos cómo eran de emprendedoras estas personas. Estaban haciendo los chalecos de cuero que los guerrilleros usaban. En vez de impresionarme, el episodio tuvo el efecto contrario en mí. Estas personas eran claramente esclavas de las FARC. Les pagarían una miseria, si es que les pagaban por hacerles el trabajo. Ninguno de los trabajadores nos miró. Debieron haber oído que tres americanos pasarían: no mirar, no tocar. A la salida del pueblo pasamos cerca del cementerio. Aun los que estaban muertos sabían que era mejor no mirar mientras pasábamos a su lado.

Paramos justo afuera del pueblo, a la vera del camino, y nos sentamos ahí unas cuantas horas. Algunos guerrilleros fueron enviados de nuevo al pueblo, y regresaron con pan recién hecho y gaseosas para todos. Unas horas más tarde, un grupo más grande bajó del monte y marchamos junto a ellos sin dirección conocida.

Tres días después, nuestros veinticuatro días de marcha habían terminado.

IV
LA TRANSICIÓN

Marzo de 2003

TOM

El último de nuestros veinticuatro días de marcha, dejamos la selva y nos ubicamos en un lugar en el que nos recogerían, cerca de un gran claro al parecer cercado por campesinos. Llegamos hacia el final de la tarde, y se nos informó que vendrían a buscarnos a las ocho de la noche. Tendríamos que esperar un buen rato.

El sol cayó y con él, la temperatura. Cuando nuestro conductor apareció, era casi la una de la mañana y nos estábamos congelando. A través del campo podíamos ver las luces viniendo hacia nosotros, ondeando arriba y abajo a medida que el vehículo se acercaba por el agrietado terreno. Al volante de la Toyota Land Cruiser iba un guerrillero que llevaba una balaca de Tommy Hilfiger en la cabeza. Lo que tuviera que ver un diseñador norteamericano con la doctrina marxista era algo que me resultaba imposible de descifrar. Nos acomodamos en el asiento trasero mientras Sonia lo hacía en el del copiloto. El conductor la miró y le pidió que montara el arma. Hizo lo mismo con otro par de guerrilleros que venían en los estribos laterales de la camioneta. Luego se volteó y nos dijo con una sonrisa macabra:

—¿Les sorprende? No sabían que teníamos carros en las FARC, ¿o sí?

El arrogante de la balaca podía conducir, y estaba orgulloso de ello. Supusimos que pocos guerrilleros sabían hacerlo, aunque decir que lo hacía resultaba tal vez una exageración. A la una de la madrugada, en la más oscura de las noches, el tipo arrancó con el radio a buen volumen y dejando caer el brazo por encima del volante. La mayor parte del tiempo se la pasó mirando a Sonia y poniéndole tema, tratando de impresionarla con su habilidad y su ingenio. Aunque pensábamos que iba a ser una delicia sentarse por primera vez en una silla confortable después de tres semanas de camino, aquella no fue sino otra noche de terror en medio de cunetas que casi fracturaban nuestros huesos en cada hueco, caminos serpenteantes que nos revolvían el estómago, y otra dosis de despropósitos guerrilleros. Después de una hora, nos detuvimos en medio de la carretera. Una camioneta Toyota cubierta con una lona impermeable sostenida por un armazón de tubos salió de algún lugar inesperado y se parqueó junto a nosotros.

Nos subimos en la parte de atrás de esta nueva camioneta, que era una versión diferente de la anterior, un verdadero escarabajo de montaña con la suspensión más rígida. De un sacudón, nos pusimos de nuevo en camino, aferrándonos como podíamos en medio de fuertes tumbos. A pesar de lo estrepitoso del camino, caíamos dormidos de tanto en tanto. A un determinado punto, cuando el cielo empezaba apenas a clarear por el Oriente, nos detuvimos de nuevo. Alguien corrió en medio de la oscuridad y volvió con un colchón que no tenía más de nueve centímetros de grosor. Abrimos paso a los guardias para que lo acomodaran en el platón y, una vez lo hicieron, arrancamos de nuevo. Después de más o menos una hora, llegamos al campamento de las FARC más grande y organizado que habíamos visto hasta entonces.

Se trataba, al parecer, de un antiguo lugar de mantenimiento, un refugio de los días del despeje —la zona desmilitarizada en 1998 por el ex presidente Pastrana para traer a las FARC a la mesa de negociación—. En febrero de 2002, cuando este campamento estaba en pleno funcionamiento, el despeje fue levantado después de que las FARC perpetraran una serie de actos terroristas. La gota que rebosó la copa fue el secuestro de un avión comercial en el que iba Jorge Eduardo Géchem Turbay, senador del Partido Liberal y presidente de la comisión de paz. Previamente, habían atacado varios pueblos y ciudades, asesinado cientos de civiles y secuestrado varios servidores públicos, incluidos los congresistas Consuelo González de Perdomo, Orlando

Beltrán Cuéllar, Luis Eladio Pérez Bonilla y Óscar Tulio Lizcano, entre otros legisladores. En su más audaz operación, se hicieron pasar por miembros de la policía y secuestraron una docena de diputados. La situación se hizo tan grave que en diciembre de 2001, el Congreso dio trámite a una ley que establecía que los candidatos secuestrados podían seguir buscando su elección aunque no estuvieran presentes. En la campaña previa a las elecciones de marzo de 2002, las FARC secuestraron ochocientas cuarenta personas en 2001 y ciento ochenta y tres en los primeros tres meses de aquel año.

El secuestro extorsivo era a su vez un excelente negocio para las FARC, aunque no se trataba de su única táctica terrorista. En un período de dieciocho meses que empezó a correr a inicios del 2001, asesinaron al menos cuatrocientos miembros de la fuerza pública colombiana. Con carros bomba y morteros improvisados, generaron más desorden que nunca. Por aquellos días, tres miembros del Ejército Republicano Irlandés —IRA, por sus siglas en inglés— fueron arrestados en Colombia y acusados de haber entrenado a las FARC en la utilización de explosivos.

Todas esas acciones acabaron los diálogos de paz y la zona de despeje. Poco después de la suspensión de las conversaciones, a principios del 2002, las FARC respondieron con el secuestro de la candidata presidencial Íngrid Betancourt y algunas otras personas que la acompañaban mientras se movilizaban por zona guerrillera. Con ello, las FARC lograron ponerse en el centro de la atención, no sólo a nivel nacional sino también ahora internacionalmente. En la campaña por la presidencia del 2002, Álvaro Uribe puso en el centro de su plataforma lo que denominó la "seguridad democrática". Su padre había sido asesinado por las FARC y su promesa de mano dura contra ellos lo llevó a la victoria en agosto de 2002. Se posesionó en un momento nada fácil para la historia de Colombia, con grupos como las FARC que aparentemente controlaban un país cuya guerra civil de más de cuarenta años parecía no tener un final cercano.

Nuestro trabajo era muestra fehaciente de que Estados Unidos estaba realmente comprometido para lograr cierta estabilidad política en Colombia. Gran parte de la cooperación estadounidense llegó a través de lo que se llamó el Plan Colombia, que constaba de millones de dólares en ayuda militar, social y antidrogas. Sin él, los traficantes de drogas y otros criminales continuarían manteniendo al país y a la región en un estado de inseguridad.

Siendo un conservador, las políticas de Uribe lo hicieron contrastar con muchos de los otros líderes de la región, especialmente Hugo Chávez en Venezuela y Ricardo Lagos en Chile, quienes se ubicaban bastante a la izquierda del espectro político. A medida que Chávez ganaba notoriedad en Suramérica, usaba los lazos de Colombia con Estados Unidos para aumentar su influencia sobre los gobiernos debutantes de la región. Aprovechaba cualquier oportunidad para mostrar a Uribe como un títere ansioso por negociar miles de millones de dólares en ayuda norteamericana, a cambio de sacrificar la libertad de su país para gobernar sus propios destinos. En la retórica de Chávez, cualquier aliado de Estados Unidos era un enemigo potencial de Suramérica, sin importar la estabilidad que la influencia estadounidense pudiera traer a la región o a Colombia.

En medio de importantes reformas democráticas en varios países suramericanos, las tensiones se centraban en las alianzas que haría cada uno. El resultado de todo esto fue que, al parecer, lo que beneficiaba a las FARC ayudaba también a la causa de Chávez. Mientras más tiempo durara la lucha de Colombia contra las FARC, más tendría que confiar el país en la ayuda norteamericana, lo que debilitaría su posición en Suramérica y le daría a Chávez mayor relevancia.

Nosotros habíamos sido involucrados en esta mezcla de secuestro político, tensión internacional y disputa interna. Sin un acuerdo o una negociación de paz a la vista, no sabíamos si nos consideraban una moneda de cambio o tan solo unos desdichados a los que matarían con el fin de reafirmar su decisión de continuar con la violencia. Ellos habían estado intercambiando sus prisioneros tal como alguna vez nosotros devolvíamos nuestros envases de gaseosa por un depósito. Probablemente era esto lo que iba a pasar con nosotros.

En este nuevo campamento, fuimos conducidos a una gran estructura techada pero sin paredes, donde seguramente habían guardado camiones y equipos de construcción. Era del tamaño de un pequeño hangar y en la mitad había tres camas de tablas, separadas tres metros unas de otras. Además de esto, lo único que había en el hangar era una mesa redonda, en la que los cínicos de la guerrilla habían puesto una caja con frutas.

Entraron dos hombres vestidos de camuflado que cargaban sillas de madera en las que después se sentaron. Al principio, en lo único que me fijaba era en los chalecos que llevaban. Cada uno tenía pistolas al cinto y llevaban terciado un rifle. Una de las pistolas tenía grabada una bola de billar en la cacha —la número ocho, para ser precisos—. También llevaban bufandas con los colores de la bandera de Colombia. Ambos eran cortos de estatura, y algo débiles y viejos si se les comparaba con nuestros guardias. Según mis cálculos debían estar cerca de los cuarenta.

Los tres reconocimos inmediatamente al del bigotito de hebras delgadas —los pliegues en las comisuras de sus ojos revelaban una herencia mestiza, era evidente que corría por sus venas sangre indígena y española—. Su nombre era Fabián Ramírez. En una de nuestras capacitaciones supimos que era el comandante del Frente 14 y uno de los principales responsables de las operaciones de droga en el Bloque Sur. Su nombre real era José Benito Cabrera Cuevas, y de acuerdo con nuestras fuentes, su participación en el diseño de las políticas de las FARC en cuanto a la cocaína, lo hacía responsable del envío de cientos de toneladas hacia Estados Unidos y otras partes del mundo. Participó en el establecimiento y la implementación de las políticas de las FARC en cuanto al monopolio de la producción, la manufactura y la distribución de cantidades enormes de cocaína. Sus impuestos y el tráfico de droga llevaron millones de dólares a las arcas de las FARC, y el endurecimiento de las reglas de la organización sobre el negocio, también idea suya, llevaron a cientos de personas al cementerio. Además, había hecho una declaración después del secuestro de Íngrid Betancourt según la cual, las FARC tomarían otros rehenes entre los demás candidatos presidenciales. Para completar, había indicado que el gobierno tenía plazo hasta finales del 2002 para negociar su liberación antes de que las FARC "hicieran" lo que resultara conveniente.

El otro hombre junto a Ramírez se presentó a sí mismo como Burujo. Era de piel mucho más oscura que la de su compañero y no tenía aquellos pliegues al final de las líneas de los ojos. Hablaba suave y bajo, tanto que para poder traducir, tenía que inclinarme hacia él cada vez que tomaba la palabra.

Al comienzo, sus preguntas se centraban en lo que estábamos haciendo en la zona. También preguntaron si éramos de la CIA. Cuando les respondimos que no, ambos hicieron muecas de disgusto. A mí no me importaba si nos creían o no. Podían dispararnos justo ahí si se les venía en gana. Estaba demasiado cansado para que me importara. Este par habló con nosotros por tan solo unos minutos y me dio la impresión de que querían decir algo más, pero otro hombre apareció en ese instante caminando hacia nosotros. Era un poco más alto que los otros y se movía con una cierta arrogancia. Junto con su uniforme camuflado y los colores de Colombia en su hombro, llevaba una *kefia* —una *hatta* a cuadros como las que usaban Yasser Arafat y los de la OLP— alrededor del cuello. Como los demás, estaba armado pero éste tenía una pistola Browning cromada. Burujo y Ramírez se habían apartado. Permanecían junto a Sonia, quien estaba radiante y en actitud de expectación. Sin duda se trataba de alguien a quien quería impresionar y que los otros respetaban o temían.

El hombre se paró frente a nosotros y miró a cada uno con un dejo teatral. Marc, Keith y yo cruzamos nuestras miradas y blanqueamos los ojos. Luego, el tipo se percató de la caja con frutas. Caminó hasta ella y tomó una manzana. Yo esperaba que la brillara contra su uniforme para un mayor efecto dramático, pero no lo hizo. Le dio un mordisco y masticó por unos segundos.

—¿Ya ven lo que ocurre cuando uno se mete en una guerra? —comenzó. Después nos acusó de estar luchando contra la guerrilla.

—Somos de antinarcóticos, nada más —dijimos los tres—. Nosotros no luchamos contra la guerrilla, lo hacemos contra las drogas.

Cada vez que mencionábamos la palabra drogas o narcóticos, él se estremecía.

—¡Pura mierda! —fue su respuesta.

Empezó a despotricar. Dijo que el gobierno colombiano y el ejército nos habían estado siguiendo durante nuestra marcha de los veinticuatro días. Dijo que no importaba. El gobierno nada podría hacer contra las FARC porque ahora ellos ya no tenían una "casa blanca"; en vez de eso, ahora tenían una "casa verde" —la selva—. El hecho de no tener un cuartel general, ya que se mantenían en constante movimiento, haría imposible un bombardeo o un asalto.

Para ese momento yo ya había descubierto quién era este personaje. Se trataba de Joaquín Gómez, el jefe del Bloque Sur. Nuestra inteligencia lo reseñaba como el encargado de recibir los dividendos que dejaba a las FARC el narcotráfico. Ramírez era subalterno de Gómez, por lo que nosotros habíamos visto sus nombres algunas veces en nuestras hojas de objetivos.

Gómez siguió diciendo que sabía que las FARC estaban siendo espiadas.

—Es cierto —dijo Keith.

Alzó una ceja, miró a Keith y preguntó:

—¿Entonces, usted está diciendo que no hay una forma segura de comunicarse?

Keith se encogió de hombros:

—Eso es lo que *usted* nos está diciendo a *nosotros*. Que no tiene un teléfono confiable; que cualquiera puede interceptar sus comunicaciones; que el ejército nos siguió; que saben dónde estamos. Lo único que yo digo es que están atrapados. No pueden hacer nada al respecto.

Gómez afirmó que la mejor manera de combatir la tecnología que permitiría rastrearnos era volviendo al pasado. Nosotros para ese momento ya sentíamos que lo habíamos hecho. ¿Cuánto más podrían retroceder? En vez de usar comunicaciones vía radio, Gómez dijo que usarían estafetas para que llevaran mensajes escritos de un lado a otro.

—Es un buen plan. Eso haría yo —respondió Keith, incapaz de contener una sonrisa llena de sarcasmo.

Estos intercambios con Gómez no fueron realmente un interrogatorio —se trataba más bien de simples conversaciones sobre nuestra situación—. Resultaba a la vez estimulante y desconcertante. ¿Qué tal que estuviera hablando tan libremente porque sabía que nos liberarían y quería influir en el informe que entregaríamos afuera? ¿Qué tal que lo hiciera porque sabía que pronto íbamos a ser ejecutados? Al final, le dijimos a Gómez que cometía un grave error al mantenernos secuestrados. Se enojó un poco y dijo que éramos un regalo para Uribe, porque el ejército colombiano quería asesinarnos y presentar el hecho como un acto de las FARC. Uribe quería que ellas se vieran mal ante los ojos del mundo.

Le preguntamos abiertamente si el plan era matarnos. Repitió lo que acababa de decir: los militares colombianos lo harían para dañar la reputación de las FARC. Lo que ellos querían era liberarnos, y cuando lo hicieran, montarían un gran show. Él quería que fuera un evento internacional, con embajadores y periodistas de todo el mundo.

Nosotros nos mantuvimos escépticos, pero la importancia de habernos reunido con él era innegable: durante toda la marcha de los veinticuatro días, estuvimos esperando respuestas. Ahora las conseguíamos y, aunque Gómez estaba echando mucha cháchara, al menos se trataba de alguien con el poder suficiente para afectar nuestra situación. Sin embargo, el tipo resultó, si no un fiasco, sí definitivamente desfasado. Tratamos de hacerle ver las cosas tal como nosotros las entendíamos y expusimos un escenario más realista. Con tres norteamericanos cautivos, y teniendo en cuenta que el gobierno estadounidense no negocia con terroristas —volvió a estremecerse cuando oyó esta palabra—, lo que él hacía era estimular al gobierno de Estados Unidos para que ampliara su apoyo al de Colombia en su lucha contra las FARC. Eso significaba más ayuda militar y más dinero; más equipo y mayor entrenamiento; todo enfilado contra él y sus camaradas.

También le dijimos que por el hecho de mantener secuestrados a unos norteamericanos, las reglas del juego habían cambiado. Antes de que nos tomaran como rehenes, cuando nosotros u otros compatriotas veíamos a las FARC en nuestros vuelos de reconocimiento, no podíamos emprender ninguna acción contra ellos. La única ocasión en la que nos era permitido, era cuando la vida de un norteamericano estuviera en riesgo inminente. Nosotros estábamos ahora en esa situación. Las reglas de procedimiento serían muy diferentes para los contratistas del gobierno de Estados Unidos que ahora iban a trabajar a Colombia. Manteniéndonos a nosotros en sus manos, estaban abriendo la caja de Pandora. En vez de trabajar indirectamente contra las FARC, en lo que tenía que ver con el narcotráfico, el gobierno norteamericano podría golpearlos directamente ya que tenían en su poder rehenes estadounidenses.

En este punto Gómez estuvo de acuerdo con nosotros. En los años setenta y ochenta, un buen número de miembros de las FARC había hecho viajes internacionales, muchos de ellos a Cuba. Igualmente, se reunieron con algunos líderes comunistas en otras partes del mundo para que los entrenaran y los educaran. No estábamos seguros de que Joaquín Gómez fuera uno de ellos, pero era probable. Esto explicaría su visión más amplia del mundo.

Pero su ego era más poderoso que su capacidad de razonar. La decisión de Pastrana de permitirles a las FARC un refugio, o una zona desmilitarizada, les había dado credibilidad ante sí mismos y ante los ojos de muchos en la región y en el mundo. Sólo un año antes, más o menos, de que nosotros fuéramos secuestrados, los comandantes de frente como Gómez y Ramírez, el Mono Jojoy y el resto del secretariado de las FARC pensaban que eran ellos quienes movían los hilos. Tenían al presidente de una potencia latinoamericana inclinándose ante sus demandas. Desafortunadamente para ellos, capitalizaron su creciente legitimidad, no negociando, sino haciendo lo que hacen los terroristas —matando y aterrorizando—. No negociar de buena fe tenía sus consecuencias. Ahora se encontraban huyendo y pagando el precio. En vez de tener un refugio seguro, ahora trasegaban por el campo, con los militares pisándoles los talones. Gómez y los demás jefes de las FARC habían sido tumbados de su pedestal imaginario, pero con nosotros en su poder, habían vuelto a treparse en él.

Con excepción de breves arrebatos de ira siempre que mencionábamos las drogas, Gómez nos trató cordialmente. Keith estimuló su ego cuando mencionó la Browning que llevaba. Sacó su mejor sonrisa e intentó hablarle directamente a Gómez con el poco español que había aprendido. Trató de contarle la historia del arma y el jefe se lo llevó afuera de la construcción.

A Marc y a mí nos dejaron de lado. Podíamos ver que Keith estaba en un vehículo con Gómez y dos escoltas. Burujo y Ramírez estaban en la banca delantera de una Toyota Land Cruiser —esta vez plateada—. A Marc lo metieron en la banca trasera de ese carro y a mí me llevaron a otro. Un minuto más tarde la camioneta de Keith arrancó y nosotros la seguimos.

El joven guardia que me vigilaba montó su arma y me apuntó durante los cinco minutos que duró nuestro recorrido hasta la siguiente parada. Nadie habló. En efecto, el conductor había apagado el radio tan pronto como nos pusimos en movimiento. Anduvimos por una carretera destapada hasta que llegamos a lo que parecía un complejo más estable de las FARC. Las estructuras habían sido construidas de manera muy parecida a las que ya habíamos visto, pero en vez de lonas de nailon, éstas estaban cubiertas por latas corrugadas. Alrededor de las construcciones había senderos de madera para evitar que los caminantes tuvieran que pararse en el lodo, y otros caminos partían el complejo atravesándolo a lo largo y a lo ancho.

Cuando entramos, debimos pasar otras estructuras sin paredes como las anteriores. Un grupo de entre cincuenta y sesenta guerrilleros —de los niveles inferiores y de todas las edades y sexos— estaban agrupados allí. Su mirada penetrante me hizo sentir como uno de esos sospechosos que es exhibido a un puñado de ciudadanos y policías furiosos, tal como había visto en la televisión. Uno de ellos me llamó la atención. Era muy bajito y muy, pero muy gordo, y con un grueso bigote. Me recordó a los bandidos mexicanos. Lo único que le faltaba era un par de cananas cruzadas en el pecho para completar el cuadro. Nos llevaron a una pequeña habitación cuyas paredes de plástico la separaban de un espacio más amplio.

Tomamos las tres sillas plásticas que estaban en el patio y las llevamos adentro. Un poco más allá, en la misma dirección, estaba Sonia sentada. Había sido abordada por el gordo de antes. Empezaron a hablar y a mirarnos. Los guardias, que en su mayoría habían estado con nosotros en la marcha, parecían tan hechos trizas como nosotros. Algunos luchaban por mantener los ojos abiertos. El mediodía se acercaba y la temperatura estaba en ascenso. Nos habíamos acostumbrado tanto a permanecer en las montañas o bajo el follaje, que el calor resultaba agradable por ahora.

Nos trajeron platos con empanadas, papas rellenas y bananos. Después de comer, seis guardias nuevos, totalmente desconocidos para nosotros, entraron al cuarto. En vez de sentarse, formaron un semicírculo frente a nosotros. Tal como los otros guerrilleros que habíamos visto, nos miraron fijamente y sin ninguna expresión en sus rostros. Diez minutos más tarde, Burujo, Gómez y Ramírez entraron al cuarto con otro miniséquito. Nos pusimos de pie para saludarlos, pero nuestra fugaz conversación se vio interrumpida por una conmoción en la parte de afuera. Otro comandante de alto nivel entró. Era más alto que los demás y de constitución gruesa. Llevaba una boina con una estrella pero en todo lo demás iba vestido como un comandante de bloque. Supimos que se trataba de alguien importante dentro de las FARC porque Gómez, el hombre que comandaba el Bloque Sur y que era sin duda un peso pesado, se paró como un resorte y le ofreció su silla.

Le extendió la mano a Keith y luego a mí. Inmediatamente después me recorrió un frío que me heló los huesos. Titubeó antes de estrechar la mano de Marc y frunció el ceño mirándolo intensamente. Le debieron haber contado que yo era el que hablaba mejor español porque me miró mientras gesticulaba hacia Marc.

—¿Él es norteamericano? —preguntó.

Marc intuyó de qué se trataba la pregunta y respondió inmediatamente que sí. Debido a su piel y su cabello más oscuros que los de Keith y los míos, se veía diferente. Yo sabía que este hombre estaba preguntándose si Marc sería colombiano, confundiendo sus rasgos portugueses e italianos con los de un latinoamericano. Rápidamente expliqué su ascendencia, sabiendo perfectamente que si creían que era colombiano corría el riesgo de ser ejecutado. El jefe de las FARC dijo algo, pero yo estaba bastante confundido con su acento y la velocidad con que pronunciaba las palabras. Cuando descifré el asunto, dije nuevamente —tal como lo hizo Marc— que él era en verdad norteamericano.

El hombre se presentó como el Mono Jojoy. Como comandante del bloque central, cualquiera creería que estaba muy ocupado para ponerse a lidiar con nosotros. Después de estrechar nuestras manos, se dirigió a Joaquín Gómez y le dijo: "Ellos no son nuestros prisioneros, nosotros somos los de ellos". Esta era apenas una variación de la idea de que eran las FARC las que nos mantenían con vida. De acuerdo con esta teoría, el ejército colombiano era a quien en realidad debíamos temer, pues buscarían asesinarnos para sacar provecho del descrédito de las FARC. Para ese entonces, ya estábamos cansados de oír tal historia. Bien sabíamos que la verdad era al contrario. Si el ejército venía a rescatarnos, los guerrilleros nos ejecutarían. No queríamos discutir las ridiculeces del Mono Jojoy. En todo caso, así hubiéramos querido, no tendríamos tiempo para hacerlo.

KEITH

Martín Sombra era la empanada humana que habíamos visto hablando con Sonia. Cuando el Mono Jojoy nos lo presentó, dijo: "Él los cuidará bien". Nos cruzamos miradas. Si este tipo no podía cuidarse a sí mismo, ¿cómo nos iba a cuidar a nosotros? Sombra no medía más de uno con sesenta y cinco y parecía tan ancho como era de alto. Se limitó a asentir con la cabeza, y vimos partir a Gómez, Ramírez y Jojoy con su séquito. Sonia también se fue con ellos. Los únicos que quedaron fueron Sombra y los seis guardias que parecían formados como un pelotón de fusilamiento frente a nosotros.

—Tranquilos, muchachos —dijo el gordo dirigiéndose a nosotros—. Todo estará bien. Los liberaremos. Les vamos a conseguir buena comida y los vamos a llevar a un lugar donde puedan descansar.

La parte de la comida y el descanso sonó bien, pero todos sabíamos que lo de estar cómodos y salir libres no era sino basura. Sombra sólo quería mantenernos tranquilos. Un rehén calmado es más fácil de controlar y menos proclive a intentar la fuga. Si Sombra pensaba que estaba usando unas maneras tranquilizadoras, como si estuviéramos entre amigos, estaba lejos de la realidad. Su voz chillona contrastaba fuertemente con su apariencia de Porky y nos puso los nervios de punta. Sonaba como un cruce entre Mickey Mouse y alguien que hubiera estado aspirando helio de un globo. Nos pidió que agarráramos las sillas pues nos moveríamos.

Nos subimos con nuestras sillas en la parte trasera de otra camioneta, donde tomamos asiento con otros tres guardias. El carro arrancó y se abrió camino a través de una serie de puntos de vigilancia abandonados. A pesar de que ya no estuviéramos caminando, nuestro malestar estomacal no había pasado y tuvimos que pedirle a Sombra que nos detuviéramos en algún potrero para tomar cartas en el asunto. Cuando regresamos, Sombra y un centinela que había sido presentado como Milton estaban sentados en nuestras sillas en mitad de la vía. Estaban fumando, dando grandes caladas a sus cigarrillos como si compitieran entre ellos.

Terminaron y Sombra se paró como una mujer embarazada que se bajara de un coche. "Les voy a dar nuevos nombres", dijo mientras nos miraba. Me señaló e indicó que el mío sería Antonio. Tom era Andrés. No entendíamos cuál le estaba dando a Marc, por lo que él mismo dijo: "Yo soy Enrique". De esta manera nos habíamos convertido en los recién bautizados *three amigos*. Entendimos la basura que había detrás de darnos nuevas identidades, pero decidimos dejarlo pasar por ahora. ¡Era todo tan evidente y estúpido!, pero sobre todo tan inocuo con respecto a lo que querían lograr. Si eran capaces de desfigurar una pequeña parte de nuestra realidad —nuestros nombres—, sería más fácil manipularnos. Nosotros terminamos dándole la vuelta a tal esquema, e ideamos nuestros nombres clave para referirnos a los guerrilleros. De esa manera, si hablábamos acerca de ellos en inglés, no oían ninguno de sus nombres ni sabían que estábamos hablando de ellos. Desde la primera hora y en adelante, Martín Sombra fue para nosotros el Gordo.

Cuando nos pusimos en camino, vimos unos cilindros de gas de ochenta libras apilados. Habíamos oído que las FARC los convertían en armas cortándoles las boquillas para después partirlos por la mitad y usar los tubos como morteros. Metían la carga en un extremo con clavos y otros objetos puntiagudos, y lo disparaban. Era lo más poco convencional del mundo y resultaba indiscriminadamente mortal. No les importaba para nada el daño colateral. Ver esos artefactos nos recordó que a pesar de lo desgreñada y desordenada que estuviera la guerrilla, tenían muy claro cómo arruinarle la vida a la gente.

Nuestra reunión con el Mono Jojoy nos había permitido ver con nuestros propios ojos cómo funcionaba la jerarquía en esta organización terrorista. A pesar de que habíamos estado en la selva con un puñado de desadaptados como guardias, ahora teníamos una idea más clara de quién tenía la última palabra desde el día que nos estrellamos. Yo había estado observando a Sonia tan bien como podía durante la marcha. Gastaba mucho tiempo comunicándose con alguien a través de un radio de onda corta —posiblemente se trataba del Gordo, pero más probablemente del Mono Jojoy—. Siendo nuestros movimientos aparentemente tan caprichosos, resultaba obvio que Sonia estaba siendo guiada hasta el punto de entrega. Que esto ocurriera desde el primer día o un poco después, poco importaba. Luego pude darme cuenta de que la marcha, tan extenuante como fue, había sido programada a propósito. Las FARC estaban acostumbradas a manejar secuestrados y tenían algo en mente para nosotros. En aquel momento me hubiera gustado saber qué era.

Después de haber recorrido cerca de veinte kilómetros llegamos a otro campamento abandonado, una pequeña sección del gran complejo en el que habíamos estado. Tal como el área donde nos habíamos reunido con los jefes de bloque de las FARC, ésta también había sido desocupada. Vimos una construcción y un pequeño claro en medio de la selva. Nos apeamos de la camioneta y un guardia se apresuró con una silla para que el Gordo no tuviera que permanecer de pie mientras nos daba instrucciones. Otro tipo se paró junto a él, se trataba sin duda de su segundo.

El Gordo se arrellanó en la silla e hizo un ademán marcando un círculo en el aire como para señalar todo lo que había en el campamento. "Todo esto lo hacemos para ustedes", dijo.

"Todo esto" era esencialmente la única construcción que había, y a la cual nosotros llamamos inmediatamente el "cambuche". Tenía cinco metros de ancho por seis de largo, y tenía tres paredes. En el lado en el que faltaba un muro, la división estaba hecha con una malla metálica. Al menos tenía techo, pues si era allí donde nos iban a mantener confinados, estaríamos protegidos contra el clima. Me disgustó la idea de Sombra, esa de que debíamos estarles agradecidos porque habían abierto una prisión para nosotros. Muchas gracias. Estaremos pendientes de darle una propina adecuada a nuestros guardias.

Yo estaba harto de tanta mierda, así que hice acopio de mi mejor español y pregunté:

—¿Quién es el jefe aquí?

Habíamos conocido un montón de guerrilleros ese día y yo quería saber quién era el directamente responsable de nosotros. El Gordo nos dio la línea de partido: "No hay jefes aquí. Todos somos iguales". Lo interrumpí abruptamente:

—¡Magnífico!, pero si necesitáramos comida, ¿a quién debemos pedírsela?

Sombra estiró la cabeza hacia el hombre que estaba a su lado:

—Ferney —se pronunciaba como *fair* y la negación *nay*.

Inmediatamente lo apodamos el Francés. La primera impresión que nos dio fue la de ser un tipo sensato. Una hora antes, cuando el Gordo estaba divirtiendo a los demás haciéndolos reír con sus chistes, el Francés fue el único que permaneció estoico. Parecía no tener alma, como si estuviera emocionalmente muerto. Fue él quien nos llevó a nuestro nuevo hogar. Un hogar alejado de casa.

A medida que nos acercábamos a la construcción, supe que nuestros días como simples contratistas secuestrados habían terminado. Ahora seríamos sus prisioneros. Toda la mañana se la habían pasado en reuniones y conversaciones acerca de nuestra situación, pero la realidad actual se limitaba al gorila de ciento cincuenta kilos que se sentaba donde le daba la gana. Y escogió sentarse sobre nosotros. Sentí algo en la boca del estómago, una especie de desesperación que no había sentido antes, ni siquiera cuando la marcha estaba en su peor momento. Echándoles un vistazo a Marc y a Tom, era evidente que ellos sentían lo mismo. El lugar era realmente deprimente. El follaje y los árboles impedían que el sol entrara siquiera un poco, la construcción no era reciente y la madera mostraba signos de estar pudriéndose. Cuando entramos, no había nada diferente a las camas de tablas mal cortadas sobre las que tendríamos que dormir. Además, había otros muebles también hechos de tablas, un par de sillas y un estante. Una viga del tamaño de un asta de bandera iba de un extremo a otro de la estructura.

Ninguno de nosotros quería pensar que esta casucha de techo de lata iba a ser nuestro hogar durante el futuro cercano. Inmediatamente salimos a un espacio que era como un patio, frente a la malla. En algún momento, el patio —que realmente era un área sucia y barrosa frente al cambuche— había sido cercado también. Podían verse hoyos para postes y un par de maderas recortados que salían del piso. Yo deseé que pusieran de nuevo la cerca para al menos poder salir si uno quería.

Uno de los guardias señaló un árbol cercano y un estante que estaba clavado en él. Dijo que podíamos poner migas de galleta en los cajones y que los micos vendrían a cogerlos. En efecto, ya habíamos visto unos corriendo por encima de nuestra prisión. Nos miramos. Marc sacudió la mano y dijo "Micolandia". El nombre pegó. No era realmente una expresión de cariño. En algún lugar, durante la marcha, habíamos pasado por entre una manada de micos. Los guerrilleros estaban tan fascinados con ellos como nosotros, pero alguno nos advirtió que fuéramos cuidadosos. Los micos lanzaban heces a los humanos y se les orinaban encima desde las ramas de los árboles.

La noche se acercaba con rapidez. El Francés entró a nuestro cambuche y nos pidió los uniformes que llevábamos. Dijo que los reemplazaría. Lo máximo que cada uno de nosotros tenía era un par de mudas, una camiseta, dos pares de calzoncillos, dos pares de medias, una sábana y un mosquitero. Marc fue el único que logró conseguir otra camiseta. Yo sólo tenía unos calzoncillos porque no tenían nada de mi talla. Se llevaron el resto de nuestra ropa, lo que nos dejó limpios. Nos preguntó si necesitábamos algo más. Le pedimos un radio y le recordamos que ya nos lo había prometido antes. Estábamos desesperados por saber lo que pasaba afuera, especialmente si estaban haciendo algo por nosotros. El Francés aseguró que nos traería el radio y que se apersonaría para que tuviéramos nuestro "loro".

Después de que el Francés salió, cerraron la puerta con candado. Nos habían dado un recipiente de cinco galones, cortado en la parte de arriba para que nos sirviera de sanitario. Creo que cada uno de nosotros estaba sumido en su mundo para ese momento. No dijimos mucho mientras extendíamos sobre las camas los plásticos negros que también nos habían dado. Nos acostamos bajo los mosquiteros y entre las sábanas mientras la selva y el pensamiento de sabernos prisioneros se cernían sobre nosotros.

Ninguno había estado encerrado antes, ni siquiera durante la marcha cuando dormimos en la casa o en otras construcciones. Era desalentador saber que uno no podía levantarse ni moverse libremente cuando quisiera o necesitara hacerlo. Esa primera noche, resultó que todos lo necesitábamos. Nos habíamos alimentado relativamente bien aquel día, incluso nos habían dado un pedazo de carne frita antes de encerrarnos. Todos estábamos aún con dolencias digestivas y, en algún momento durante la noche, la cosa se convirtió en un problema. Les gritábamos a los guardia. Nos habían mostrado una zanja que debíamos usar como letrina y que estaba como a seis metros del cambuche. Un guardia finalmente apareció, y para aquel entonces yo había estado aguantando tanto tiempo, que me temblaban las piernas. Entre los tres tratamos de explicarle que yo necesitaba salir inmediatamente de aquel maldito lugar.

El guardia señaló el contenedor que nos habían dado y me indicó que lo usara. No me iba a dejar salir. Empecé a gritar: "¡Déjenme salir! ¡Déjenme salir!", y mientras lo hacía sentí que mis intestinos se liberaban. Si el tipo pensó antes que yo estaba fingiendo, ahora sus ojos y su nariz tenían suficientes pruebas para saber que necesitaba salir de allí.

Tal incidente convenció a las FARC de que había algo realmente mal con mi estómago. Había empezado a comer de nuevo más o menos una semana atrás, pero todavía estaba infestado de lo que fuera que nos contaminó a los tres. La mañana siguiente los guerrilleros vinieron a insistir en que me tratarían. Tom me tradujo lo que pretendían hacer.

—¡Diles que ni por el demonio! —grité.

—Según ellos, lo único que van a hacer es masajear tu estómago —respondió Tom.

—Al diablo con eso. Ni ahora ni nunca.

—Dicen que tienen que hacerlo. Necesitan arreglar tu estómago.

Recordé a Johnny y el buen trabajo que había hecho en todos nosotros. Deseaba que estuviera allí, pero no era así. Finalmente, accedí. Me hicieron acostar en el piso sobre mi espalda y me echaron algún tipo de aceite sobre el estómago. Después, dos tipos evidentemente fuertes empezaron a apretarme la barriga, primero en la parte de arriba y después bajando hasta el ombligo. El dolor era intenso. Era como si pensaran que podían forzar lo que hubiera en la parte de arriba de mis intestinos, llevarlo hacia abajo y sacarlo de allí a través del colon. Estaban, literalmente, sacándome la mierda del cuerpo.

Esto continuó por veinte minutos más o menos. Cuando terminaron me sentí mejor, pero sólo porque se detuvieron. Después, dos de los hombres más fuertes que había allí me levantaron de los pies y me pusieron de cabeza, sosteniéndome unos centímetros arriba del suelo. Mientras colgaba, me alzaron un poco más y me sacudieron hacia arriba y hacia abajo como si fuera un tarro de salsa de tomate. Después de que terminaron con esto, tomaron una gran bufanda y me la amarraron alrededor del estómago, apretándola tanto que a duras penas podía respirar. Cuando me volvieron a bajar, dijeron que debía dejarme el torniquete en la barriga por lo menos durante veinticuatro horas.

Después de que se fueron, los tres empezamos a comentar su "curación".

—Eso fue casi prehistórico, Keith —dijo Marc—. ¿Dónde aprende uno una cosa así?

—Medicina popular —señaló Tom—. No la cubre el plan de salud, pero ¿quién sabe? De pronto ayuda en algo.

—Huy, duele como el demonio, pero al menos probó que somos una mercancía valiosa. Si nos fueran a matar, ¿para qué molestarse con curaciones?

—Así es —respondió Tom—, pero ellos me dieron medicinas, ¿por qué no darte algo para el estómago?

—Tal vez lo que me tiene así no es ningún bicho. De pronto el accidente me jodió algo por dentro.

No importaba lo que estuviera mal, en las siguientes dos o tres semanas pasé la mayor parte del tiempo en el cambuche o en cuclillas sobre la zanja. Mi familia hablaba de personas que siempre iban de mal en peor. Yo parecía uno de esos.

Mi sistema digestivo no mejoró mucho en los días posteriores. Sintiéndome tan débil como incapaz de comer, no tenía mucho para hacer diferente a dormir. Muchas veces despertaba solo en el cambuche. Todavía medio dormido, oía a Tom y a Marc hablando afuera y, lentamente, me daba cuenta de la desagradable realidad de estar recostado sobre mi propia mierda. En aquellos momentos mi único pensamiento era: "¿Podría ser peor?". Estaba cansado y me sentía miserable. No podía hacer otra cosa que recostarme sobre la espalda y clavar los ojos en la viga. Los murciélagos volaban por todo el cambuche Las garrapatas se arrastraban hacia mí y me llegaban al pecho antes de que las pudiera echar. Seguían y seguían viniendo. Yo las espantaba y ellas volvían arrastrándose. Seguía allí recostado por una hora o más antes de cobrar fuerzas para ir a limpiarme.

Lo único que me mantenía vivo durante esos días iniciales como prisionero eran un cuaderno de espiral y un lapicero que nos había dado Ferney, entre otras cosas de aseo —un cepillo de dientes, dentífrico, una cuchilla, jabón—. Todos los días, no importaba lo mal que me sintiera, pensaba en Lauren, Kyle, el resto de mi familia y Maila. Les escribía a todos una carta. No tanto sobre lo que estaba pasando en Micolandia, sino que prefería lo que sentía por ellos. También les escribía sobre mis recuerdos favoritos a su lado. A Lauren le recordé algo que había ocurrido cuando ella tenía apenas nueve años. Para un padre divorciado con la custodia de dos hijos, la vida podía ser bastante agitada, pero la mayoría de las noches Lauren, apenas de nueve años, se paraba en una caja frente a la estufa para ayudar a hacer la comida. En este recuerdo particular, ella estaba encaramada tratando de bajar unos macarrones con queso y algunas especias. Tomó además una lata de atún para Kyle y yo, y estaba muy orgullosa de su papel como ayudante de cocina. Kyle me preguntó: "Papá, ¿se le va a quemar?". Yo le respondí que sin importar lo que pasara, nos íbamos a comer todo, nos iba a encantar, y se lo haríamos saber. Me dolió profundamente recordar todo aquello y ponerlo en el papel, especialmente cuando escribí que moría de ganas de volver a casa para que nos hiciera otro banquete igual.

Después de la primera semana, comencé a sentirme mejor. Tener control sobre los esfínteres reconforta sin duda. No estaba listo para salir y correr una maratón pero al menos podría participar más en la rutina cotidiana. Estaba muy tenso y la falta de actividad física hacía que mi cerebro trabajara horas extras. Sin estimulación, mi mente corría de forma rampante y esto sin duda contribuía a que mis problemas físicos empeoraran. Mi madre me había enseñado unos pequeños trucos de meditación cuando era niño. Traté de concentrarme más en mi respiración, contando hasta seis al inhalar y al exhalar. Eso parecía ayudarme para calmar los nervios.

Desde el principio de nuestra estadía en Micolandia, tratamos de descifrar quién era importante y a quién de aquellos guerrilleros podríamos trabajar en nuestro beneficio. Estábamos en ese lugar con cerca de treinta de ellos, un estimativo que hacíamos partiendo de la rotación de los guardias. A pesar de que podíamos oír voces femeninas, nunca veíamos mujeres. El campamento estaba a una distancia que nos permitía ver algo —algunos movimientos, oír los sonidos de sus conversaciones o de la cocina—, pero nada más. Marc hizo un esfuerzo por conocer a un guerrillero al que llamaban Lapo. De voz suave y de buenas maneras, había estado con nosotros en la marcha inicial. Le pedimos que nos explicara la cadena de mando y, de acuerdo con él, el Francés era el comandante —el carcelero del campamento—. Lapo dijo que él era el número dos y que el Pollo —quien parecía de verdad uno, con esos ojos redondos, la piel ahuecada y llena de granos, y aquellos hombros y cuello tan delgados— era el número tres. Uno o dos días después, le hicimos a otro guardia —a quien llamábamos el Plomero— la misma pregunta. Dijo lo mismo acerca del Francés pero invirtió al Pollo y a Lapo. Como resultado de ello, nos empezamos a referir a Lapo como Dosymedio.

Dosymedio nos caía bien. Nos dijo que había estudiado en Bogotá antes de unirse a las FARC, y eso lo hacía sentir muy orgulloso. Lo que en realidad significaba esto era que había hecho unos pocos años de escuela y había aprendido a leer. Era, más bien, un niño de la calle al que las FARC le habían ofrecido una opción que consideró más interesante —la bien conocida idea de trabajar por tres golpes de comida—. Hay que decir en favor de Dosymedio que, en las pocas conversaciones que habíamos sostenido, parecía tener algo especial. Aunque nuestro español no era nada bueno, resultaba claro que muchos de los guerrilleros eran verdaderos agujeros negros a la hora de conversar. Lo intentaban, era cierto, pero cuando llegaba el momento de expresar alguna idea u opinión original, caían de nuevo en la retórica usual de las FARC. A todos les habían lavado el cerebro, pero a un puñado de ellos, como al Pollo, los habían dejado demasiado tiempo en el ciclo de fregado y los habían vuelto estúpidos o malvados.

Otros, como el Cantante, eran fácilmente abordables. Este tenía apenas dieciséis años, poco más poco menos, un muchacho con granos, casi siempre de buen trato, a pesar de que sacaba de quicio a Tom cuando caminaba alrededor del campamento entonando canciones sin sentido sobre elefantes y otro montón de tonterías. Marc y yo no entendíamos lo que estaba cantando y por tanto no nos molestaba, pero Tom quería estrangularlo. Aunque era un poco en broma, en todo caso escribió en su diario: "Primer dolor de cabeza en cautiverio: 6 de marzo de 2003. Fuente: el Cantante". Como era natural, teníamos que apodarlo el Cantante, y aguantárnoslos a él y su gorjeo. Parecía recién reclutado, pues contaba con el fervor propio del recién converso. Todo el tiempo nos buscaba para charlar de política y escupirnos la propaganda fariana sobre el imperialismo norteamericano. Decía que le molestaba profundamente el hecho de que Estados Unidos controlara el Canal de Panamá. Le explicamos que eso no era así desde 1999, pero esa parte de la historia no le interesaba. Para divertirnos un poco, lo involucramos en uno de esos debates en los que una parte dice "sí, así fue" y la otra "no, así no", hasta que nos dijo que estábamos comportándonos como estúpidos. Se fue enfadado y dejó de hablarnos por unos días.

No nos fue fácil identificar y conocer el rango de los guardias. En su gran mayoría, con excepción del Francés y el Gordo, parecían soldados rasos. Algunas veces se llamaban entre ellos camarada tal, pero casi siempre se limitaban al camarada, a secas. Al Francés, invariablemente lo llamaban comandante y, en aquel campamento aislado, ejercía el poder de Dios. En realidad era tan estúpido y malvado como el resto de ellos, pero por el hecho de estar al mando resultaba peor que los demás, ya que su brutalidad y su mezquindad eran mucho más dañinas para nosotros.

MARC

Alrededor de diez días después de haber llegado a Micolandia, cerca del 19 o 20 de marzo, estábamos sentados en las hamacas que nos habían dado. El cambuche era tan deprimente que incluso recostarse en una hamaca, a pesar de que significaba ponerse a merced de las enormes moscas, era una mejoría. Centenares de ellas formaban enjambres por todas partes y se posaban debajo de las hamacas. Tenían cabezas verdes, iridiscentes, y unos aguijones hipodérmicos que podían atravesar la tela de la hamaca y nuestra ropa hasta llegar a la piel. Sin embargo, debíamos agradecer que al menos no estábamos sobre el barro.

Aquel día, Keith, Tom y yo nos encontrábamos sentados afuera hablando acerca de lo extraño que todo este escenario resultaba. Las FARC tenían un sanitario, desconectado de todo, puesto en una subida unos sesenta metros fuera del claro en el que estábamos. Para acabar de ajustar, si eso no era raro del todo, estaba cercado también.

—¿Por qué lo tendrán como exhibido? —preguntó Tom.

—Ni idea. Mira lo que encontré allá —Keith le entregó a Tom un pequeño caballo de madera de algún juego de ajedrez.

Tom le dio varias vueltas en su mano, y con un profundo suspiro preguntó:

—¿Volvieron a tener el sueño?

Keith y yo respondimos afirmativamente.

Durante las primeras noches de nuestro encierro, todos tuvimos la misma pesadilla. La llamábamos el sueño de la marcha. Eran pesadillas muy vívidas y cada uno de nosotros podía sentir el movimiento de los demás en sus camas. Soñábamos que marchábamos y nuestros cuerpos actuaban como si lo hicieran. Al despertar nos sorprendía que no hubiéramos salido de nuestro cambuche.

Estábamos allí sentados, dándole vueltas a nuestros sueños durante un rato, cuando apareció el Francés. Normalmente se quedaba afuera del campamento y dejaba la revisión diaria a cargo de otros guardias, limitándose a dar un vistazo sobre nosotros de tanto en tanto. El hecho de que entrara al cambuche nos hizo saber que algo ocurría. Llamó a Tom aparte y vi su rostro palidecer. Tom se remojó los labios y caminó hacia nosotros.

—Nos van a separar —comenzó diciendo—. No podemos hablar entre nosotros, y si lo hacemos, nos separarán aún más, hasta que no podamos vernos.

Los treinta y cuatro días que llevábamos en cautiverio los había pasado pensando en todas las cosas terribles que las FARC podrían hacernos, pero nunca había considerado ésta. Sin duda, iba a doler. Todo lo que teníamos era a nosotros mismos, y ahora también eso nos era arrebatado.

A pesar de que Tom continuaba hablando, yo me retrotraje a una conversación que habíamos sostenido pocos días atrás. Estábamos los dos tirados en nuestras hamacas mirando las copas de los árboles. Los rayos del sol proyectaban sus sombras y esa imagen me recordaba mi casa. Tom hablaba de trabajar en una venta de Toyota cuando regresáramos. Le parecía que vender carros era un trabajo seguro, según dijo. No obstante lo tonta que resultaba la conversación, nos había sacado de la realidad. Permanecer en la irrealidad de nuestras cabezas no era algo deseable, pero parecía que no teníamos otra opción.

Unos minutos después de que el Francés se fue, los demás guardias empezaron a organizar nuestra nueva situación. Tom se quedó en el cambuche y a Keith y a mí nos llevaron de nuevo a unas caletas cubiertas con carpas de nailon sostenidas por marcos de madera. Keith estaba en un extremo del claro y yo en el otro. Creo que las FARC sabían que dejando que nos viéramos y prohibiendo que habláramos entre nosotros, la tortura se hacía peor que una separación completa. Con esta nueva disposición, seríamos permanentemente consciente de lo que nos habían quitado.

Antes de que Keith y yo fuéramos llevados a nuestros nuevos lugares, los tres pudimos reunirnos. Entre todos habíamos formado lo que llamábamos "la burbuja", un lugar en el que juntos podíamos soportar esta locura.

—Muchachos, algunos prisioneros de guerra en Vietnam idearon formas para comunicarse entre ellos. Incluso en el Hilton de Hanói inventaron cosas, cuando parecía que nada podía ser peor —Keith lo miró y asintió con la cabeza.

—No importa si estamos en el mismo cambuche o a doce metros de distancia —dije—. Seguimos en la burbuja. Sólo tenemos que estar pendientes los unos de los otros y procurar mantenernos en ella.

—Algo haremos para superar esto. Tendremos que ser fuertes, más fuertes que ellos —sentenció Tom.

La imposición de mantenernos en silencio fue cruel y todavía no entiendo la ventaja que les pudo haber traído. Sabíamos desde antes que lo que querían era mantenernos calmados y bajo control, pero el silencio y la separación hacía exactamente lo contrario: nos agitaba y nos llenaba de rabia. Me tuve que recordar a mí mismo que dejarme llevar por esos sentimientos no era una buena idea. Estábamos seguros de que las FARC no tendrían ningún problema en cumplir su palabra de separarnos aún más para que no pudiéramos vernos. Tenían secuestrados en todas partes del país, y la idea de otra larga marcha hacia un nuevo campamento, era suficiente para disuadirnos de irrespetar sus reglas. No había sentido en arriesgar lo único que teníamos a nuestro favor: nosotros tres y nuestra fuerza colectiva.

Yo sabía que debía mantener una rutina tan estricta como pudiera. Cuando Ferney nos entregó los cuadernos al momento de llegar, lo primero que hice fue dibujar la casa de mi familia. Nuestra casa en los Cayos era la primera, y la habíamos comprado dos años antes del accidente. Típica casa de los Cayos en la Florida, estaba elevada sobre el piso con unas pértigas. Yo había tomado clases de dibujo en el colegio, así que hice un bosquejo como si fuera un plano. Así mismo, dibujé los muebles que había en cada uno de los cuartos. Siempre que me despertaba en las mañanas, antes de dormir, y varias veces en el día, miraba el dibujo y me imagina allí dentro. Visualizaba lo que mi familia estaría haciendo en ese preciso instante.

La depresión, que había estado husmeando en las sombras esas primeras semanas después de llegar a Micolandia, se asentó después de la separación. Todo era tan ajeno. La comida era diferente, la gente, el idioma. Estar ahí afuera, a merced de los caprichos de la Madre Naturaleza era al mismo tiempo fascinante y terrorífico. Pero de todo lo anterior, lo más duro era no poder hablarles a Tom y a Keith. Tenía muchas dificultades para comunicarme con los guardias. El dialecto particular de cada uno de los guerrilleros, apenas se parecía a lo que yo había visto en el texto de español en el que había estudiando. En todo caso, qué importaba, después del segundo o tercer día de silencio, nos dijeron que tampoco podíamos hablar con ellos.

El aburrimiento se hizo abrumador. Sólo podía escribir en mi diario y releer lo que ya había leído tantas veces. Los radios que el Francés prometió nunca llegaron. Tenía veinticuatro horas para llenar con cualquier actividad y, viendo que no había muchas, decidí recortar los días tanto como me fuera posible. Eso significaba mantenerse en la cama hasta bien entrada la mañana, tanto como pudiera. Debido a la falta de electricidad, la duración de nuestros días estaba determinada por el sol. Keith y Tom se levantaban tan pronto salía, pero yo solía quedarme en la cama varias horas sin siquiera desayunar. De los quejidos de Tom y Keith, y de lo que yo había experimentado antes de cuerpo presente, sabía que no me perdía de mucho. Sopa y arepa la mayoría de las veces. Yo no era muy amante del café, así que dejaba que Tom y Keith tomaran mi porción tanto de café como de un chocolate caliente que nos daban.

Sabía que quedándome en el cambuche me perdía de otra cosa. Los guardias llevaban las ollas hasta cierto punto para que nosotros mismos nos sirviéramos. Si en ese momento nos juntábamos los tres, no les importaba. Era una oportunidad para al menos estar cerca y susurrarnos palabras de aliento o incluso cualquier cosa sin importancia. Lo que fuera para mantener la conexión entre nosotros. Yo tenía que sacrificar mi deseo de contacto para poder acortar mi día. Había otras oportunidades para intentar socializar, así que en las mañanas yo elegí dormir tanto como pudiera. Disfrutaba oyendo los quejidos de Tom y Keith acerca de la presencia de cabezas de pescado en sus sopas, pero definitivamente no me gustaba para nada la sopa. Me satisfacía pensar que mi ausencia en los desayunos selváticos le garantizaban a Keith no perder el hábito del café.

Incluso antes del secuestro, Tom era muy madrugador y detestaba el calor. En Micolandia se despertaba con el sol y se tendía en su hamaca. Las moscas no salían a esa hora, de manera que podía gozar de un poco de paz. Pasaría más tiempo en su lugar protegiéndose del calor, pero había un nido de ratas en las vigas que sostenían el techo de latón, por lo que debía sufrir una lluvia constante de estiércol, plumas y hojas. Trataba de mantener el lugar tan limpio y ordenado como podía, pero sus esfuerzos no se compadecían con los resultados que le proporcionaba una escoba hechiza con la que contaba.

En mi casa de la Florida, solía ver con mis hijos un programa sobre la naturaleza, pero ver la selva en Discovery Channel y vivir en ella permanentemente son dos cosas muy diferentes. Las FARC tenían cerdos, en realidad eran saínos que venían a buscar cualquier sobra que nosotros dejáramos. No me molestaban mucho, pero sus chillidos, sumados a todos los demás ruidos de la selva, con sus insectos, pájaros y micos, hacían muy difícil olvidar donde me encontraba. Los guardias estaban tan aburridos como nosotros y algunas veces trataban a los marranos como mascotas, les acariciaban las panzas y les daban nombres como Niña, lo que demostraba el nivel de imaginación de aquellos guerrilleros. Eran como niños que le ponían por nombre a su perro, Perro.

Vistas las muestras de puerilidad que habían dejado ver durante la marcha, no me sorprendía verlos jugando con cerbatanas. En realidad, nos gustaron las que tenían y las copiamos. Una de las plantas que había en el área producía unos tallos que se podían ahuecar fácilmente. También producía semillas, así que daba ambas cosas: el arma y la munición. Si uno de los guardias se dormía —tomaban los turnos en parejas— el otro le disparaba. Algunas veces nos disparaban a nosotros y nosotros a su vez les respondíamos.

Podía decirse que los guerrilleros eran fanáticos del yoyo. Uno de los cereales con los que eran abastecidos traía uno. Cuando alguno de los guerrilleros tenía uno, otros se reunían a su alrededor. Verlos era a la vez divertido y triste. Trataban de enseñarse los unos a los otros cómo usar el yoyo, y sus esfuerzos eran tan chistosos como desgarradores. Casi siempre reía, pero más tarde, cuando empezaba a ponerse oscuro y todo se iba aquietando, sentía cómo la tristeza se posaba sobre mis hombros. Pensaba que los guardias habían sido niños tan pobres que un simple yoyo era algo con lo que apenas podían soñar. Eso me hacía pensar en mis propios hijos. Tenían todo pero les faltaba una parte vital de sus vidas: yo.

El disfrute que pudimos haber tenido con las cerbatanas y los yoyos no duró mucho. En la marcha, teníamos infinidad de cosas para ocupar nuestras mentes —el simple hecho de caminar nos exigía gran concentración debido a lo difícil del terreno—. No quiero decir que hubiera preferido seguir caminando, pero en Micolandia me di cuenta de que además de huir del ejército colombiano, lo estábamos haciendo también de nuestra realidad de secuestrados. Ahora era imposible evadir la realidad. Nuestra situación se hizo evidente de manera contundente.

Yo no sé si fue por esta razón o porque sabía lo importante que era mantenerse físicamente activo, pero caminé mucho para tratar de alivianar mi aburrimiento y la ansiedad abrumadora. Sólo podía andar hacia delante y hacia atrás en el pequeño espacio que teníamos, una distancia de cerca de treinta metros, que constituía la mayor parte de nuestro mundo. Todo lo que podíamos ver más allá de ello eran árboles de plátano, palmas y espesos enredijos de maleza.

Alguna vez, un amigo me dijo que no sería capaz de llevar a sus hijos al zoológico. Lo entristecía demasiado. Sabía mucho de animales y me contó que allí desarrollaban lo que se denomina "el comportamiento de zoológico". Decía que debido al cautiverio, los leones y los tigres, por ejemplo, caminaban lentamente de un lado a otro dentro de sus jaulas o cerramientos. Nunca se les veía haciendo lo que hacían en el mundo salvaje, según dijo. En aquel entonces no entendí muy bien a lo que se refería, pero en Micolandia me dieron una lección especial, y terminé solidarizándome con todos los animales de zoológico que había visto en la vida.

Sin embargo, con mis caminatas quemaba algo de energía nerviosa y podía explorar, en la medida de lo posible, el nuevo mundo que tenía en frente. Pensaba en cada uno de los miembros de mi familia y fijaba fotos suyas en la mente mientras me movía. Rezaba a diario, lo que también me ayudó. Yo había sido criado como católico y, a pesar de que me había alejado de la Iglesia, siempre mantuve la fe en Dios. Nunca quise ser sacerdote o monje pero estaba empezando a apreciar las bondades que una vida de quietud, soledad y fe podía traer. Unas pocas cosas de esa vida me gustaban pero odiaba vivir exclusivamente dentro de mi cabeza. Estaba demasiado atiborrada.

La primera vez que vi un enorme destacamento de hormigas durante la marcha, inmediatamente pensé que el fenómeno era muy similar a mi estado mental. Los guerrilleros lo llamaban la ronda, y era algo como sacado de la National Geographic. Un gigantesco enjambre de hormigas —como un tapete en forma de pequeño campo de fútbol— se movía en una masa tan compacta que era imposible ver el suelo. Después de ver la ronda una segunda vez, nos fijamos en las señales que dejaban saber cuándo iba a ocurrir. Los pájaros volaban bajo delante de ella, anticipando el banquete que estaba por venir. Después veíamos insectos —arañas, tarántulas, grillos—, incluso anfibios como ranas y salamandras, huyendo de las hormigas que se aproximaban. Los pájaros se posaban en el suelo y procedían a saciarse. Todo continuaba una vez las hormigas atravesaban nuestro pequeño campamento.

Esas hormigas eran como mis más oscuros pensamientos sobre la posibilidad de ser ejecutado o asesinado en un intento de rescate. Esas fantasías removían otros miedos y preocupaciones. Eran demasiados para desaparecer completamente. Muchos de esos temores estaban, por supuesto, centrados en mi familia, especialmente mis hijos. Además de preocuparme por mi propia seguridad, lo hacía por la de ellos. ¿Qué tal que Destiney sufriera un accidente en el bus del colegio? ¿O que Cody o Joey se lastimaran practicando béisbol o cualquier otro deporte? ¿Qué tal que alguno de ellos se ahogara? La lista podía seguir y seguir, y yo tenía que buscar una forma de detener esa avalancha de pensamientos en mi mente.

Por las noches estaba indefenso contra los ataques. Además de la pesadilla de la marcha, mi sueño se veía asediado por lo que yo llamaba el sueño al revés. En él, la realidad de nuestra situación penetraba cualquier defensa que le antepusiera, podía hasta con nuestra burbuja. Aquellos sueños eran tan vívidos que incluso después de despertar, me llevaba un tiempo saber si estaba soñando que estaba despierto, y mi sueño era la vida real, o era al contrario. En uno de ellos, estábamos marchando entre la selva y nos subíamos a una trinchera. Uno de los guerrilleros me decía que me detuviera y me arrodillara. Me ponía una pistola en la cabeza y jalaba del gatillo. Yo despertaba sudando bajo el mosquitero, azotado y sofocado por el miedo de nunca más ver a mi esposa y a mis hijos.

Algunas veces, mientras caminaba, imaginaba que no vería a mi familia en mucho tiempo. Pensaba que, para el momento de mi liberación, Destiney iba a ser una mujer y no ya una niña. Adelantaba la cinta y veía la vida de mi familia, pero yo no aparecía en ninguna parte de la película. Hacía la lista de cosas que me perdería: las presentaciones de baile, las fiestas de la escuela, la aprendida a manejar, la graduación, los primeros desamores y despechos, todas las cosas de las que está hecha la vida. Incluso los recuerdos más agradables —nuestras recientes vacaciones en Disneylandia o cuando fui a ver *La sirenita* con Destiney—, se hacían dolorosos para mí, pero parecía un niño a punto de mudar que empujaba el diente flojo con la lengua o tiraba de él con los dedos. No trataba de torturarme con el pasado, pero era imposible apagar la mente. No podía controlar que las cosas vinieran o no. Un instante estaba allí, en las selvas de Colombia, secuestrado por unos terroristas, tirado en un refugio improvisado pensando en mi familia, y de repente la letra de *Blues Clues* venía a mi cabeza:

"Sit down in your thinking chair and think, think, think…"

Esta simpática cancioncita me volvía pedazos. Escribí todo el tiempo sobre estas cosas en mi diario. Vertía mi alma y mi corazón en el papel. A veces, cuando no me estaba sintiendo tan mal, releía lo que había escrito y me daba cuenta de que estaba en un estado grave de desesperación. Estaba tan emotivo, tan sensible a todo, tan frágil, que faltaba poco para que me quebrara. Me alegraban esos momentos en que me sentía lo suficientemente tranquilo para darme cuenta de lo que me estaba pasando. Entonces, resolvía que me iba a hacer mejor, rezaba pidiendo fuerza, e inevitablemente pasaba algo en esos días, justo cuando estaba a punto de alcanzar la otra orilla, que me regresaba a la desesperación absoluta.

Seguía pidiéndole a Dios que me sacara de ese infierno. Hacía lo usual y le decía que me reformaría, que sería una mejor persona, un mejor cristiano, que haría lo que Él quisiera. Que haría su voluntad, pero le rogaba para que su voluntad fuera aquello que yo más quería en el mundo: ver de nuevo a mi familia. No recibí una revelación especial. No oí la voz de Dios diciendo que iba a estar bien. En su lugar, miraba a través del campamento y veía a Keith que me hacía la señal de "todo bien" con el pulgar. A Tom lo veía en su hamaca mientras leía alguna de las cartas de las FARC y, tan pronto como sentía mis ojos en él, levantaba la mirada y asentía con la cabeza y sonreía. Sabía que ellos sufrían tanto como yo. Verlos batallar con lo que imaginaba eran pensamientos y dudas similares a los míos, pero sin poder hablarles, era la forma más cruel de tortura que jamás hubiera experimentado. Pero a pesar de no poder hablar abiertamente, el hecho de estar compartiendo esta experiencia con ellos ayudaba a aliviar el dolor.

En esas primeras semanas en Micolandia yo estaba bajo prueba, todos lo estábamos. Y una mañana, sentí como si me estuvieran calificando, si no excelente, al menos como si estuviera pasando la prueba. Estaba caminando de un lado a otro cuando vi una mariposa que nunca antes había visto. Tenía las alas transparentes, contorneadas por una línea de rojo intenso, y con dos puntos rosados en el reverso de cada una. Los puntos eran del rosa de la Barbie —el color favorito de Destiney—. Inmediatamente pensé en ella y la bauticé como la mariposa de Destiney. Cada vez que la viera después de esto, me llenaría de una cantidad de emociones mezcladas. Pensaría en mi hija. Esa mariposa era una señal. Tenía que serlo. Supe que había un significado especial en que esa mariposa volara junto a mí justo cuando estaba dudando de si podría superar esta prueba.

Estaba sufriendo un gran proceso de cambio. Si quería sobrevivir tenía que recurrir a unas herramientas que ni siquiera sabía que tenía. La transición para continuar requería un nuevo paquete de habilidades. Los retos mentales, emocionales y espirituales eran aquí mucho más grandes que lo que lo habían sido en las montañas. Habíamos descendido desde lo más alto hasta las tierras más bajas, topográfica y emocionalmente. Era difícil creer que el dolor que sentíamos en nuestros pies y en nuestras piernas era poca cosa comparado con lo que estaba pasando con nuestros corazones y nuestras mentes.

Un día simplemente me cansé de las emociones y los pensamientos negativos. Yo había pasado por muchas cosas en la vida, revisé decisiones que había tomado, acciones que había emprendido, y me castigué por todas esas cosas que pude o debí haber hecho. Me senté con mi diario y decidí que iba a trazar una nueva visión de mí mismo, algo que llamé mi PPV —proyecto personal de vida—. Identifiqué cinco puntos en los que veía cierta debilidad, algunas áreas que necesitaban mejorarse. Establecí los puntos y un plan para perfeccionarlos. Creé un sistema codificado por si las FARC me quitaban el cuaderno —Sombra nos dijo desde el principio que eso podría ocurrir, aunque éramos "libres" de escribir lo que quisiéramos—, de manera que no pudieran descifrar mi plan. Decidí que:

1.   Quería ser un líder espiritualmente más positivo para mi familia.
2.   Quería ser más fuerte contra la distracción y la tentación.

3. Quería convertirme en el mejor padre para mis hijos.

4. Quería convertirme en el mejor esposo para mi mujer.

5. Quería convertirme en una persona más honesta, decente y justa en el trato con las demás personas.

Debajo de cada uno de estos puntos enlisté otros subordinados. Haciendo esto me ayudé a mantener la mente ocupada y me di un proyecto para buscar unas metas concretas. El proyecto era yo, por supuesto, pero visto que lo único que las FARC querían era que nos limitáramos a respirar, esto era mejor que nada. El plan, además, me ayudaba a aliviar una gran carga de culpas que estaba soportando. Había puesto a mi familia en una situación horrible, algo que nunca hubiera querido. Les estaba causando dolor, y eso era más doloroso que cualquiera de las cosas que me estaban haciendo. Como no podía solucionar el asunto, debía ingeniarme una manera de beneficiarlos a ellos y a mí en el largo plazo.

También parecía que soplaba un viento de cambio en mi entorno. Podíamos oír sierras y martilleos a la distancia. Los guerrilleros parecían demasiado ocupados aquellos días en que nosotros llegábamos a nuestra tercera semana en Micolandia. El sanitario de exhibición fue removido. Al día siguiente, también se llevaron la cisterna de mil litros que usaban para almacenar agua. Sombra, que sólo venía a echar un vistazo sobre nosotros una vez por semana, apareció de la nada. No tenía noticias concretas pero nos pidió que hiciéramos una lista de todo lo que necesitábamos.

—Si necesitan un VHS, pónganlo en la lista —dijo.

Ya estábamos tan sintonizados, y tan acostumbrados a la vida del campamento, que sabíamos cuándo ignorar las estúpidas exageraciones del Gordo sobre lo que podía conseguirnos. Así que pusimos en la lista sábanas, cobijas, un poco más de toallas... nada extravagante. Igualmente, insistimos en los radios.

También nos dimos cuenta de que, otra vez, había aviones volando cerca de nuestro campamento. Definitivamente, el cambio se notaba en el aire, pero aún no sabíamos lo que eso significaba.

V
ACOMODÁNDONOS

TOM

Más o menos una semana después de haber escuchado por primera vez el ruido de motosierras en la lejanía, el Francés me pidió que les dijera a Keith y a Marc que nos íbamos a ir de allí. Me entregó tres costales y dijo que nos marcharíamos como a la medianoche y que debíamos alistar nuestras pertenencias.

En algún momento después de la medianoche, nos despertaron y nos sacaron. La luna ya no se veía y la oscuridad era total, salvo por las linternas que utilizaban los guerrilleros. Caminamos durante unos veinte minutos. Cuando nos detuvimos, primero pensé que sólo íbamos a descansar un rato, pero a la pálida luz de las estrellas vi que habíamos llegado a otro campamento. Me sentí descorazonado. Incluso desde la distancia, pude ver los postes recién cortados con motosierra y las tablas de nuestra nueva prisión. Se veían de color hueso contra el oscuro telón de fondo de la selva. Nadie me tuvo que decir que esto no auguraba nada bueno; lo sentí en la boca del estómago, una sensación similar a la que se experimenta cuando un avión atraviesa un bache de aire y pierde altitud.

Yo había estado luchando con mis sentimientos durante la marcha y en las tres semanas que pasamos en Micolandia. Todos hablábamos sobre la culpa, y la mía era tan solo una variante de la que Keith y Marc estaban sintiendo. Una y otra vez repasaba mentalmente la conversación que había sostenido con mi esposa la noche anterior al accidente. ¿Y si yo hubiera decidido que ya era suficiente y que quería renunciar a esa vida vagabunda y vivir en la casa de mis sueños en la Florida? ¿Qué de malo habría tenido eso? Pero no lo había hecho, y ahora me habían tomado como rehén. Mientras tanto, mi esposa vivía en Estados Unidos como inmigrante. ¿Cómo manejaría eso de estar sola en un país que en realidad no era el suyo? Hablaba inglés, pero no era su lengua nativa. Y también estaba mi hijo. A mis cuarenta y nueve años, era el padre de un niño de apenas cinco. ¿Iba a crecer Tommy sin padre? Yo la verdad no había pasado mucho tiempo con él debido a mis horarios laborales y mis viajes. La última vez que lo había visto lo había llevado hasta la parada del autobús a esperar a que lo recogieran para llevarlo al jardín infantil. Me di cuenta de que el niño estaba nervioso, pero se subió al vehículo y se sentó junto a una ventana. Cuando el autobús se alejó, se despidió con la mano. No dejó de agitar la mano mientras el autobús era aún visible. Desde que llegamos a Micolandia, lo único que yo había podido hacer era tenderme en la hamaca y tratar de quitarme de la mente la imagen de mi hijo despidiéndose con la mano.

Cuando llegamos a este campamento recién construido, esos sentimientos se intensificaron. Yo había esperado la liberación, y en cambio me alargaron la condena. Sabía que las FARC no habrían invertido ese tiempo y esfuerzo en construir un nuevo campamento si tuvieran la intención de liberarnos pronto. El Francés nos condujo por el lado de una cerca construida con rapidez hasta un claro de unos quince o dieciséis metros de diámetro. Había allí tres estructuras, una más grande y dos más pequeñas. La más grande estaba en la esquina del fondo y allí nos llevaron. Estaba hecha de tablas, como de costumbre, y tenía un pequeño porche cubierto y una puerta con una ventana con malla metálica. A semejanza de la anterior en Micolandia, esta estructura era lo bastante grande para acomodarnos a los tres y, de hecho, estaba dividida en tres cuartos. Todos supusimos que a los tres nos iban a alojar allí, pero cuando Keith y Marc pisaron el porche, su guardia, el Pollo, dijo "no, no", y los condujo a las otras estructuras. A cada uno le asignaron una estructura separada que medía poco más de dos metros de largo y eso mismo de ancho. Eran básicamente cajas cuadradas cercadas con malla metálica. Pensé que originalmente las debieron haber construido para que sirvieran de bodegas, pero que de alguna manera se había impartido la orden de que a los tres nos debían mantener separados en la medida de lo posible.

Cuando nos mostraron las instalaciones de baño, la impresión de que íbamos a estar aquí bastante tiempo fue aún más fuerte. En vez de una pequeña zanja excavada a las carreras y llenada con rapidez, los guerrilleros habían construido una letrina de verdad, con un sistema de cisterna manual. Aunque nos alegró contar con ese pequeño confort, el hecho de saber que el inodoro de porcelana que antes tenían guardado ahora se iba a utilizar sólo agregaba meses a lo que suponíamos que sería nuestra estadía allí. Yo me había estado diciendo con optimismo que nos retendrían durante tres semanas. Pues bien, las tres semanas habían pasado hacía bastante con la marcha de veinticuatro días y en Micolandia, y ahora nos habían trasladado a lo que parecía ser un lugar permanente. El campamento tenía mejores condiciones, todos disponíamos de camas de plataforma elevadas del suelo para evitar el lodo, pero nada de eso nos servía de consuelo.

La primera noche sufrí lo que debió ser un ataque de ansiedad agudo. Cuando los guardias pusieron la cadena en la puerta y cerraron el candado, fue como si me la hubieran puesto alrededor del cuello. El corazón me latía a toda prisa, sudaba y las arcadas secas que me sacudían las tripas eran tan violentas y ruidosas que Keith y Marc las escucharon. Llamaron a los guardias a gritos, tratando de razonar con ellos en su español precario para que me abrieran la puerta. Logré superar la primera noche, pero las cosas no mejoraron el día siguiente. Me sentía culpable de que mi cambuche fuera más grande que los de Keith y Marc. Keith era tan alto que no podía acostarse cuan largo era en el suyo sin que su cabeza o sus pies tocaran la pared. Yo no era claustrofóbico pero no podía imaginar lo que era estar en esas casuchas que más parecían ataúdes. Empecé a temer terriblemente el anochecer y el sonido de las cadenas pasando por los agujeros de nuestras puertas; el áspero tintineo metálico y el "clic" del candado eran como sufrir una tortura de agua.

Dormía sólo a ratos, si es que lograba dormir algo, y por la mañana necesitaba descargar de alguna manera toda esa ansiedad acumulada. Me despertaba con la primera luz del día, el guardia abría el cambuche y me dejaba salir, y yo caminaba por el perímetro del campamento.

Todos los días llovía así fuera un poco y la trocha que marqué se embarraba cada vez más. Empecé dando sesenta vueltas que terminé aumentando a ciento cincuenta, caminando en círculos infinitos. Keith y Marc debían estar hartos de escuchar el chapuceo de mis botas entre el estiércol y el lodo, pero tenía que hacer algo físico. Mis pensamientos estaban fuera de control. No podía quitarme de la cabeza la idea de que íbamos a estar allí durante seis años. Daba un paso y escuchaba la palabra *seis* en mi mente. Daba otro paso y escuchaba la palabra *años*. Repetía esas palabras y me imaginaba pisoteándolas en el barro, pero se levantaban una y otra vez, como una mano empeñada en arrastrarme bajo la superficie.

Todavía no nos dejaban hablar entre nosotros y aunque Keith y Marc estaban tan cerca, me abrumaba la sensación de aislamiento. Unos tres o cuatro días después de llegar a lo que llamábamos el Campamento Nuevo, toqué un fondo que ni siquiera sabía que existía. Yo creía que ya había tocado firmemente el fondo antes, pero caí a un nivel aún más profundo. Aunque durante el día nos permitían movernos libremente entre los perímetros de nuestro encierro, ese día preferí sentarme en una esquina del campamento en una banca de tablas. Durante un largo rato me quedé quieto allí, poniendo en duda mi capacidad para soportar esto, hasta que Keith pasó a mi lado y dejó caer un pequeño trozo de papel dentro de mi campo de visión. Esperé a que Keith volviera al otro extremo del claro, cerca de donde estaba Marc. Desdoblé el papel y leí: "No nos han olvidado. Hay gente buscándonos. Un día a la vez. Volveremos a casa".

El cielo no se iluminó de repente y no me sentí con deseos de bailar, pero fue un comienzo. Miré hacia donde se encontraban Keith y Marc y los dos asintieron con la cabeza. Era como si quisieran remachar esa idea y clavé el trozo de papel en la pared como un recordatorio constante de aquello en lo que me tenía que concentrar. No soy un tipo espiritual. La religión ha tenido escasa importancia en mi vida. Pero en ese momento supe que tenía que empezar a creer en algo, sobre todo en mí mismo y en mi capacidad de soportar todo esto. La nota fue como si alguien hubiera abierto la puerta de la cabina del avión y me hubiera pedido que volviera a ocupar el puesto del piloto. Éste era un avión completamente nuevo, una manera completamente nueva de pilotear. No tenía mis viejos mapas y gráficos, pero sí contaba con un par de tipos que me iban a ayudar a trazar un curso. Iba a tener que aprender a volar esa aeronave, pero en esas lides tenía mucha experiencia.

La nota de Keith también me hizo caer en la cuenta de algo. Parte de mi estrés durante este tiempo se debía a que yo era el que hablaba el idioma. Yo era el responsable de la mayor parte de la comunicación. Como estaba consciente de que mi conocimiento del español era crucial para la supervivencia de los tres, me estaba tensionando enormemente pensando en cómo mis acciones afectaban a Keith y a Marc y no sólo a mí.

También me preocupaba el estado de Keith. Keith era, de lejos, el que tenía una presencia física más imponente, y además era una de las personas más desparpajadas y seguras de sí mismas que conocía. Como ex *marine*, tenía más experiencia en entrenamiento de supervivencia que nosotros. Verlo herido y debilitado por sus problemas estomacales me causaba temor: si él estaba tan mal, ¿qué podíamos esperar Marc y yo? Si la marcha había afectado a Keith y a Marc, dos hombres mucho más jóvenes que yo, ¿qué podía esperar yo en cuestión de salud? La misión número uno era aguantar y volver a casa. ¿Pero si no tenía la capacidad para lograrlo? Aunque la salud de Keith parecía estar mejorando, no se veía físicamente tan activo como antes. Yo lo había conocido como un tipo lleno de vida y energía, casi incapaz de quedarse quieto. En Micolandia y durante los primeros días en el Campamento Nuevo, solía pasar mucho tiempo solo en su cambuche. Su nota me dejó ver que aunque desde el punto de vista físico estaba más débil que nunca, probablemente estaba más fuerte desde el punto de vista mental.

Leyendo la nota de Keith, comprendí que todos teníamos habilidades diferentes y necesarias para triunfar. Lo que teníamos que hacer ahora era concentrar nuestro pensamiento en cómo utilizar esas destrezas para sobrevivir al cautiverio. Estábamos aplicando viejas destrezas en un entorno nuevo. Eso iba a tomar tiempo y requeriría un proceso de ensayo y error. Yo nunca había sido muy paciente y mis caminatas en círculos furiosos eran prueba de ello.

De Marc aprendí algo sobre la paciencia y sobre cómo soportar el día. A mí siempre me habían gustado las rutinas establecidas, y esa era una de las razones por las que todas las mañanas daba vueltas en el campamento. También era muy meticuloso en el cuidado de mis pocas pertenencias; era parte de mi entrenamiento específico como piloto y de mi temperamento en general. Me gustaba hacer las cosas lo más rápida y eficientemente posible. A los de las FARC no. Parecía haber muy poco orden en lo que hacían. Aunque me impresionaban sus habilidades en materia de construcción, las estructuras que levantaban con tanta rapidez eran más bien chapuceras. Sabía que por lo general lo que construían era temporal, pero yo siempre he creído que si uno hace algo, vale la pena hacerlo bien y perdurable.

Aunque Marc no se dio cuenta en esa época, se convirtió en mi maestro. Todas las mañanas se levantaba y limpiaba todas sus pertenencias con un viejo cepillo de dientes. No teníamos mucho. La ropa que llevábamos puesta, la ropa de repuesto, las botas, los asientos de plástico en los que nos habíamos sentado en la plataforma de la camioneta y una que otra cosa más. En nuestra otra vida probablemente podríamos haber limpiado todo eso con el cepillo de dientes hasta dejarlo reluciente en una hora, pero Marc dedicaba toda una hora sólo a retirar el lodo incrustado en las suelas de sus botas. Se sentaba a hacerlo con una expresión de concentración profunda y rara vez levantaba la mirada.

Empecé a imitarlo. Pensé que si podía actuar con más lentitud, como Marc, y tomarme el tiempo para hacer las cosas, no me sentiría tan ansioso. Tal vez así podría controlar mejor mis pensamientos y mis emociones. Empecé a ver un patrón dominante en mi vida. Como piloto, había estado moviéndome constantemente. Mi empleo me exigía ir a diferentes sitios. Había viajado en Estados Unidos y por el mundo; casi nunca estaba quieto. La marcha había sido horrible, pero hubo algunos instantes en que me maravillé al comprobar cómo podía seguir andando. Ahora no tenía a dónde ir. Me veía forzado a sentarme ocioso, lo cual me parecía difícil, y el ejemplo de Marc me ayudó muchísimo.

En algún momento anterior, Marc y yo habíamos hablado sobre mirar las arañas mientras tejían sus redes y sobre cómo él podía permanecer sentado horas enteras viéndolas hacerlo. Aunque al principio yo no podía hacer eso, sí pasaba horas haciendo nudos de pescador con una cuerda. En casa, siempre había anticipado los problemas y diseñado estrategias para resolverlos, pero en cautiverio no tenía objetos reales para hacer eso. Empecé a hacer listas de cosas que había que hacer en nuestra casa recién comprada, repasando los sistemas —eléctrico, plomería, estructural— uno por uno e imaginando los pasos necesarios. A medida que transcurría el tiempo empecé a hacer eso mismo con otros objetos familiares e importantes para mí. Durante toda mi vida adulta había montado en motocicleta con alguna regularidad. Mentalmente desbaraté una y la volví a ensamblar, pieza por pieza, cada tuerca, cada tornillo, cada empaque, cada arandela, cada pistón, cada filtro, cada cable. Imaginaba si una pieza era de aluminio, acero, plástico o caucho, o si estaba fresada, anodizada, fundida o enchapada, y lo que eso implicaba en términos de qué herramientas usar en ella o qué solventes servirían para limpiarla bien. Cuando terminaba de imaginar eso, enfocaba la atención con más detalle aún. Para cada tuerca y tornillo, pensaba en qué tipo de cable apretaba —grueso o fino— y en el grado de tensión. Después de ensamblar y hacerle mantenimiento a la motocicleta en mi mente, comenzaba a trabajar en un avión.

No me sentía del todo bien. Todavía me preocupaba mi salud, en especial la presión arterial. Los guerrilleros parecían creer que si le daban a uno un medicamento para algo una vez, significaba que el problema ya no existía y que ya estaba curado. Cuando se me acabaron las pastillas que me había dado Johnny, tuve que pedir repetidamente otras. Nuestro médico era el Pollo, el guardia. Me decía que no iba a conseguirme más medicina. Tendría que quejármele al Francés y éste tendría que hablar con Sombra. Desde luego, eso significaba que el Pollo se metería en problemas por no cumplir con su trabajo, que era mantenernos vivos.

Un mes después de haber llegado al Campamento Nuevo, se me infectó un ojo. Se me puso rojo y se me hinchó, me picaba y soltaba una secreción. Ya antes había tenido conjuntivitis y sabía que era un fastidio pero que se podía tratar. Pedí gotas para los ojos. El Pollo me las trajo y me las echó. ¡Una sola vez! Hice acopio de paciencia y le expliqué que una infección se tenía que tratar con un curso de antibióticos. Una sola aplicación no me iba a curar como por arte de magia. Me echó las gotas de nuevo durante un par de días y las volvió a suspender. El Pollo también era el que nos encerraba con candado por las noches, de modo que no era nuestro personaje favorito. La cuarta noche de las gotas, el Pollo se apareció y encerró a Keith y Marc en sus cajas.

Fue a mi cambuche y yo esperaba que me echara las gotas en los ojos y luego me encerrara. En vez de eso, le puso el candado a la cadena y empezó a alejarse.

—Deme la maldita medicina —grité.

Se detuvo y caminó hasta la ventana con malla metálica, sus ojitos negros todavía más oscuros y siniestros.

—No quiero desperdiciar la medicina en usted —contestó.

Perdí el control. Empecé a gritar y a maldecir y el Pollo me respondió de la misma manera. Nos gritamos durante varios minutos. Yo estaba seguro de que el Francés y los demás guerrilleros nos podían oír y esperaba que llegara alguien sensato para solucionar el problema. Pero el Pollo se alejó hasta fundirse con la oscuridad y nadie llegó. Yo estaba tan iracundo que no paraba de temblar.

El comportamiento arbitrario del Pollo me molestó muchísimo, pero el hecho de que se marchara así no más puso de presente un temor real que sentía yo desde que nos capturaron. Solía caminar gran parte del tiempo con la sensación de que había un agujero negro muy cerca y que iba a desaparecer en él. El hecho de que hicieran caso omiso de mi presencia era como si me dijeran que no existía. Decirme que no le daba la gana darme la droga que necesitaba equivalía a que me dijera que yo no tenía la menor importancia.

Lo cierto es que esta discusión con el Pollo había sido tan solo una de una serie de cosas perturbadoras que me habían puesto los nervios de punta. Las FARC mantenían siete cerdos blancos del otro lado de la quebrada. A veces la cruzaban y se pasaban a nuestro lado. Algunos de los guerrilleros les gritaban para que volvieran a cruzar al otro lado. No le prestamos mucha atención al asunto, pero más tarde escuchamos los chillidos espeluznantes de un cerdo. Aparentemente las FARC habían decidido castrar a uno de los cerdos domesticados, pero estaban haciéndolo muy mal o de la manera más inhumana posible. Los chillidos se prolongaron durante cuarenta y cinco minutos, y acabaron con cualquier calma que hubiéramos logrado encontrar.

Peor aún, unos días antes de la castración del cerdo estábamos en nuestras cajas cuando oímos un disparo y el agudo alarido de una mujer. Escuchamos a los guerrilleros correr, junto con mucha conmoción y gritos y sollozos. Nadie nos dijo qué había ocurrido, pero era evidente que le habían pegado un tiro a alguien. ¿A un guerrillero? ¿A un secuestrado de otro grupo? Habíamos escuchado rumores de que había otros campamentos similares al nuestro dispersos por esa zona. ¿Estaban empezando las ejecuciones? ¿Acaso las FARC habían matado adrede a uno de los suyos? Ante la ausencia de información, se nos vinieron a la mente todo tipo de pensamientos y especulaciones.

Para ponerlo suavemente, ya yo tenía los nervios de punta cuando apareció el Pollo y se negó a darme el medicamento. No esperábamos que los guerrilleros nos trataran con amabilidad ni que nos otorgaran privilegios especiales. Sólo pedíamos que nos trataran humanamente y con decencia. Así los tratábamos nosotros a ellos y esperábamos reciprocidad.

KEITH

El estrés tiene efectos distintos en las diferentes personas. Lo había comprobado en todo tipo de situaciones en el trabajo, con mi familia, mientras conducía por la calle. Tom, Marc y yo teníamos que escoger cómo manejar nuestro confinamiento. Creo que el hecho de tener que permanecer tendido de espaldas en el cambuche me facilitó un poco la decisión y me ayudó a mantener el control sobre mi situación. Sabía que en algún momento iba a tener que cavar bien profundo, de modo que me dije que lo mejor era examinarme interiormente y ver con qué contaba.

En la selva, necesitaba dirigir mi detector de estupideces hacia mí mismo y quitar las muchas capas que se habían ido acumulando en la época anterior al cautiverio. Sabía que el procedimiento de operación estándar antes de la captura no era el mismo que nos iba a permitir salir de esto. Era preciso corregir el curso e íbamos a tardar algún tiempo en recobrar la calma lo suficiente para empezar a planear qué debíamos hacer. Traté de percibir el silencio como una de esas cosas difíciles pero necesarias, algo que se tenía que hacer incluso si acentuaba mi estrés. Había pasado por el brutal entrenamiento de reclutas en Parris Island cuando estuve en la Infantería de Marina y recurrí a la disciplina mental que teníamos que desarrollar para no ser expulsados del cuerpo. También había pasado cientos de horas desbaratando y reensamblando diversos aviones y sistemas de aeronaves cuando fui *marine* y reservista. El hecho de saber que lo que uno estaba haciendo podía marcar la diferencia entre que la tripulación de un vuelo y los pasajeros vivieran o murieran afinaba la capacidad para concentrarse y hacer caso omiso de las distracciones.

La mente es algo muy curioso, pero mientras más tiempo permanecía allí acostado, más me daba cuenta de que podía controlar mis pensamientos siempre y cuando filtrara las distracciones. Tal vez fue el estado físico debilitado lo que me permitió permanecer acostado y quieto tanto tiempo, pero me hizo bien tener tiempo para reflexionar. De niño, e incluso después cuando adulto, si tenía un problema solía irme a un bosque o a algún lugar en donde podía estar solo para pensar y solucionar mis asuntos. El cambuche se convirtió en mi santuario, pese a que a duras penas cabía en él.

Gran parte de esta reflexión se centró en aquello que me había metido en este lío: mi empleo. Tom y yo hablamos varias veces sobre esto durante la marcha. A ambos nos encantaba nuestro trabajo y lo que eso nos permitía hacer por nuestras familias, pero no había manera de evadir la verdad: de no ser por el dinero, no estaríamos en Colombia. Estábamos ganando buena plata, y eso nos parecía importante: lo que podíamos comprar, lo que significaba para nuestros egos, lo que podría significar después para nuestros hijos y nuestro retiro. No me interesaba tanto ser un héroe con H mayúscula como ser un héroe para mi familia y para mí mismo ganando buen dinero. Podían llamarme superficial. Podían llamarme codicioso. Podían llamarme lo que quisieran. No me importaba. Y la verdad es que tampoco ahora me importa. Lo único que estaba haciendo era vivir el sueño americano.

Tanto mi padre como mi madre eran académicos, ambos con doctorados. Personas muy, muy inteligentes y amorosas que se mataban trabajando pero que, en mi opinión, no obtuvieron las recompensas financieras que se merecían. Mi padre era el director de un centro de educación vocacional y mi madrastra trabajaba allí mismo realizando funciones administrativas. Hacían un buen trabajo, un trabajo importante, y me decían que había otras recompensas además de un salario.

Yo guardé sus buenos consejos pero seguí mi propio camino, y ahora estaba repensando las cosas. Caminando dificultosamente por las selvas y montañas de Colombia, con las tripas hechas un nudo, le había dicho a Tom: "Cuando salgamos de aquí, no hay forma de que vuelva a trabajar como lo estábamos haciendo. De ninguna manera". Tom estuvo de acuerdo.

Estirado cuan largo era sobre el piso, sabía que le había hecho daño a mi familia y juré no volverlo a hacer. Había cosas más importantes que el número de dígitos en una cuenta bancaria o en un cheque salarial. Me decía que podía recortar algunos gastos aquí y otros allá. Estaríamos bien. No necesitaba ganar tanto dinero. Podía vivir feliz sin él. Había tomado conciencia de esto de una manera bastante desagradable, pero esto era sólo el comienzo para mí.

Recordé una lección que me había enseñado mi padre, una lección vieja pero útil. Él creía firmemente en la "lista T-2": tomar una hoja de papel, trazar una gran T y escribir todo lo positivo a la derecha de la línea vertical y todo lo negativo a la izquierda. Aunque se me vinieron a la mente muchos recuerdos dolorosos, cosas de las que me arrepentía y el remordimiento que sentía por lo que le estaba imponiendo a mi familia, también pensé en algunas cosas buenas. Me sentía orgulloso de ser un buen padre para mis hijos. No era fácil ser un padre soltero, y Malia se había vuelto como una segunda mamá para Lauren y Kyle. Tal vez no era el mejor marido, novio o pareja, pero era un buen papá. Mi relación con Patricia, la azafata colombiana con quien había tenido una aventura, era un ejemplo de una experiencia que podía ubicar en ambos lados de la línea: en lo positivo y en lo negativo. Me sentía molesto conmigo mismo y con Patricia porque ella había quedado embarazada, pero también me alegraba el hecho de ser papá nuevamente. Me sentía mal conmigo mismo por el dolor que mi *affaire* le había causado a Malia, pero me alegraba el hecho de que nuestro vínculo fuera tan fuerte que pudiéramos arreglar las cosas. Tenía que pensar en alguna estrategia para no seguir interponiéndome en el camino de mi propio éxito haciendo algo estúpido y egoísta.

Mientras mi mente recorría esta maraña de pensamientos, sentí una ansiedad similar a la de Tom y Marc, pero la afronté de manera diferente. Era capaz de descansar, y entre los estrechos confines de mi cambuche, podía simplemente vegetar. Hacía algún tiempo mi papá me había regalado unas audiocintas de un tipo llamado Dr. Wayne Dyer. Yo las había escuchado y había aprendido algunas cosas sobre la conexión entre la mente y el cuerpo. Pensaba cosas y trataba de imaginar qué nos iba a pasar en los siguientes meses; trataba de anticipar lo mejor posible qué ideas ocultas guardaban esos miserables de las FARC debajo de las mangas de sus mugrientas camisetas del Che.

Seguí estudiando a los guardias y a los demás guerrilleros. Un tipo al que no lograba entender era Milton. Parecía ser la mano derecha de Sombra. Casi siempre los veíamos a los dos juntos, pero había algo raro en ese par. El Gordo era gordo, obviamente, pero tenía bastante labia, le gustaba chancear y siempre hacía promesas que no podía cumplir. Milton, por el contrario, era una pizarra en blanco y bastante fea. No sabíamos si entre una oreja y la otra le cruzaba un pensamiento real. Según resultó, lo que había pasado por entre sus orejas una vez había sido una bala, y ahora Milton era el chupamedias del Gordo, o incluso su pequeña mascota. A donde quiera que fuera Sombra, allí estaba Milton. Se limitaba a mirar con expresión vacía y a asentir cada vez que el Gordo decía algo.

Hasta cierto punto era una situación patética, dado que el tipo había sido herido, pero nos pareció que debía haber algo más con respecto a él.

En el Campamento Nuevo seguimos explotando una debilidad en los guardias que observamos por primera vez en Micolandia: la nicotina. Periódicamente nos daban cigarrillos, pero en realidad no nos gustaba fumar. Para nosotros eran como una moneda de intercambio. Casi todos los guerrilleros eran seriamente adictos al cigarrillo. Así las cosas la ventaja la teníamos los norteamericanos. Vimos cómo casi todos los guerrilleros fumaban y nos dimos cuenta de que podíamos negociar con eso para obtener algunas ventajas para nosotros. Como casi todo lo demás, los cigarrillos llegaban esporádicamente al campamento, y debido a eso podíamos negociar con nuestros pitillos guardados. Incluso si no podíamos comprar bienes materiales, por lo menos podíamos pagar algo de buena voluntad de parte de nuestros captores más susceptibles.

Uno de ellos era un tipo llamado Risas. Era un muchacho joven, de buen carácter, muy animado y emotivo. La primera vez que le tocó ser guardia nuestro, fue como si hubiera estado enamorado de nosotros... sus primeros norteamericanos. Fue uno de los primeros guerrilleros con quienes establecimos contacto cuando estábamos pensando en cómo imitar a *Los héroes de Hogan*: cómo lograr que los guardias hicieran cosas por nosotros. Me di cuenta de que Risas tenía cerebro, y de que era más librepensador que los demás, dispuesto a correr riesgos por nosotros. Un día, unas seis semanas después de haber llegado al

Campamento Nuevo, Risas se acercó por detrás de mi cambuche. Allí nadie lo podía ver, excepto yo. Parecía como si fuera a llorar y reír y cagarse en los pantalones, todo al mismo tiempo. Sonreía y batía las manos imitando a un pájaro, queriendo significar que nos iban a liberar. Pude ver que se sentía genuinamente feliz por nosotros. Nadie podía ser tan buen actor.

Corriendo el riesgo de que se nos abalanzaran los guardias, corrí hasta donde estaban Tom y Mark.

—Oigan lo que supe por Risas. Parece creer que nos van a liberar.

—¿Cómo así? —dijo Marc—. ¿Él cómo lo sabe?

—No estoy seguro. Tengo que averiguar más, pero mi español no es muy bueno. Sólo gesticuló y extendió los brazos como si fueran las alas de un avión.

—Hablaré con él tan pronto pueda —susurró Tom, y se calló cuando otro guardia nos vio y se acercó.

El día después de que Risas me hizo la mímica del pájaro-avión, Tom le preguntó en dónde había escuchado que nos iban a liberar. La mirada de Risas cambió y adoptó una expresión de pánico.

—Me matarán. Me matarán —dijo, meneando la cabeza.

Teníamos la esperanza de que nos dijera en cuál cadena radial colombiana había escuchado la noticia, pero su respuesta fue la segunda mejor posible. Ahora teníamos dos pruebas que alimentaban nuestras esperanzas de liberación. Además, un par de días después el Francés se acercó donde Tom con aire de importancia y le dijo que necesitaba nuestras tallas de ropa de civil: camisas, pantalones, medias, zapatos. Esto nos emocionó, pues pensamos que si nos iban a dar ropa de *civiles*, sólo podía significar una cosa: nuestra liberación. Durante el siguiente par de días Tom caminó con más bríos en el lodo, Marc parecía un gato que acababa de comerse un canario y yo ya estaba pidiendo mentalmente mi primera comida en mi asadero favorito en el sur de Georgia.

Para confirmar nuestras sospechas, habíamos estado escuchando bastante actividad aérea durante varios días y la frecuencia de los sobrevuelos aumentó. El suspenso nos estaba matando y tres o cuatro días después de la revelación de Risas el Francés llegó a nuestro campamento. En nombre nuestro, Tom le hizo muchas preguntas sobre los planes que tenían las FARC para nosotros. Por lo general el Francés escuchaba esas preguntas y nos soltaba un poco de mierda. Esta vez se mostró muy evasivo y no nos prometió nada. Dijo que a lo mejor íbamos a estar allí años.

No le creí mucho. El Francés probablemente nunca sabía cuándo estaba mintiendo o diciendo la verdad. Unos días después, el Pollo abrió nuestros cambuches para que desayunáramos. Casi siempre Marc salía de su cambuche rápidamente, mientras que yo me rezagaba. Sin embargo, esa mañana no lo vi y sospeché que algo pasaba. Aunque se suponía que no debíamos hacerlo, Tom y yo entramos al cambuche de Marc.

Estaba sentado en la cama, mirando hacia el suelo con aire ausente. Nos dimos cuenta de inmediato que se le había corrido el piso. Nos sentamos junto a él, uno de cada lado, le rodeamos los hombros con los brazos y le preguntamos qué le pasaba. Ni siquiera era capaz de levantar el mentón. Y entonces vinieron las lágrimas. Yo todavía tenía el brazo sobre sus hombros y empezó a moverse al ritmo de los hombros convulsionados de Marc. No había nada que le pudiéramos decir y lo único que podíamos hacer era permanecer sentados a su lado.

Al cabo de algunos minutos nos dijo que lo que el Francés había dicho sobre estar allí mucho tiempo lo había afectado. También había tenido un sueño esa noche. Estaba con su padre y con Destiney. Destiney estaba sentada en su regazo y Marc le miraba las trenzas. Dijo que había sido un sueño muy real. Podía oler el champú Johnson para niños en su pelo, y ver cómo se trenzaban todos sus mechones. Fue en ese momento cuando despertó. No estaba con su hija; en lugar de eso, estaba metido en una caja en la selva colombiana.

Nos quedamos con Marc hasta que llegaron los guardias y nos sacaron de allí.

Un par de noches después, los tres estábamos de pie en un lugar del claro en donde podíamos ver a través de los árboles. Los guardias nos permitían estar allí y como estábamos a cierta distancia de donde se encontraban ellos, no nos escuchaban si susurrábamos. Estábamos hablando sobre cómo nos sentíamos. Levanté la vista y vi el sol que caía, y Marc señaló el cielo. Se alcanzaba a ver un trozo de arco iris por entre los árboles.

—A lo mejor es una señal —dijo Tom.

Todos habíamos estado buscando señales e indicaciones en todas partes; supuse que ésta era tan prometedora como cualquier otra. Miré a Marc y vi que estaba sumido en sus pensamientos; no podía saber si era por lo que había dicho Tom o por alguna otra razón, pero parecía en paz. Yo no quería agitar esas aguas mansas. Me quedé allí quieto, disfrutando de ese instante de comunión con ellos.

Desde el comienzo, desarrollamos una manera taquigráfica de comunicarnos para ver en qué estado mental estábamos en un día cualquiera. Si uno estaba en su burbuja, era bueno. Estaba seguro y protegido. Si estaba fuera de la burbuja, el estado de ánimo era agitado y ansioso. Me gustaba la metáfora porque la visualizaba como un nivel, la herramienta que utilizan los carpinteros para medir si una tabla o la pared de una construcción estaban a plomo —derechas arriba y abajo— o niveladas en el plano horizontal. Si una pequeña burbuja de aire suspendida en el líquido se encuentra entre dos líneas en el pequeño cilindro, significa que lo que se está revisando está nivelado, ya sea vertical u horizontalmente. Me gustaba esa imagen porque permitía establecer una diferencia individual entre los tres. Cuando yo estaba acostado, significaba que estaba en mi burbuja. Si Tom y Marc estaban de pie, caminando por el campamento o limpiando sus pertenencias, significaba que estaban en sus burbujas.

No se nos había olvidado lo que había dicho Risas, pero ya habían transcurrido varios días desde nuestra conversación con el Francés sobre nuestro futuro. Tom habló brevemente con el Francés y le preguntó que si se daba la orden para que nos liberaran, cuánto tiempo tomaría hasta que en verdad nos dejaran ir.

—Ocho días —fue su lacónica respuesta.

Cuando Tom nos transmitió esa información, nos sentimos perplejos e impresionados. ¿Por qué ocho días? ¿Por qué no una semana? ¿Acaso el tipo mencionaba esa cifra exacta porque ya había un plan a ese respecto? La respuesta exacta del Francés, combinada con el continuo aumento en la actividad aérea, acentuaba nuestra ansiedad. Podíamos escuchar un avión; no estábamos seguros de si se trataba de un Grand Caravan como el que habíamos volado —y por consiguiente nuestro avión hermano de California Microwave—, o un King Air en el que había salido otro grupo desde Bogotá. Los aviones parecían estar boxeando encima de nosotros, volando en un patrón similar al que utilizábamos nosotros sobre nuestras zonas objetivo y reduciendo el espacio mediante una serie de giros.

Eso era bueno y malo a la vez. Sabíamos que un avión de reconocimiento nos estaría buscando en tierra. Las selvas de Colombia son vastas y nuestro pequeño claro se fusionaría fácilmente con la vegetación circundante. No éramos tan solo una aguja en un pajar selvático, éramos el ojo de esa aguja: un diminuto espacio despejado en una enorme alfombra verde y, por consiguiente, muy difícil de detectar. El consuelo que nos daba todo esto era que la presencia de los aviones en la cercanía confirmaba nuestra suposición de que nos estaban siguiendo el rastro y había gente buscándonos.

La mala noticia era que la idea de un rescate nos preocupaba bastante. La cisterna de plástico de mil litros que utilizaban los guerrilleros para abastecerse de agua era una diana perfecta. Tenía unos tres metros de diámetro, era negra y se encontraba a unos cuatro metros por encima del suelo para que la gravedad dejara salir el agua por una válvula. Nuestros aviones estaban equipados con sensores infrarrojos, de modo que el agua en ese tanque sería como una luz destellante enviando señales a cualquier avión de inteligencia que sobrevolara el área. Si esa gente podía ubicar nuestra posición, significaba que los militares colombianos podían llegar e intentar una operación de rescate emboscada. Sabíamos que podíamos morir fácilmente en una acción de ese tipo, sobre todo de noche, cuando estaríamos encerrados en nuestras cajas y sería muy fácil matarnos. Habíamos hablado sobre lo que haríamos en caso de presentarse un intento de rescate, pero nuestras posibilidades de salir de allí dependían de que estuviéramos por fuera de las cajas, lo que implicaba las horas diurnas. Pero cualquier ataque exitoso seguramente se haría en la noche, y eso no era bueno para nosotros.

Una semana después de que Risas habló con nosotros y cuando llevábamos unos sesenta y cinco días en el Campamento Nuevo, estábamos todos encerrados para pasar la noche cuando escuchamos un nuevo sonido: motores de aviones jet que volaban bajo y rápido. Y cuando digo bajo, quiero decir casi rozando las copas de los árboles. No podía saber si se trataba de los A-375 de fabricación estadounidense o los Kfir israelíes, pero no importaba. Eran aviones de combate y su vuelo bajo sólo podía significar una cosa: nos iban a bombardear. Marc y yo nos pusimos a gritarles a los guardias que nos sacaran de esas cajas. No queríamos ser blancos fáciles. Me tiré al suelo, tratando de protegerme lo mejor posible de lo que sabía que se nos venía encima.

Ese terror no se parecía a nada que hubiera sentido antes. No podíamos correr hacia ninguna parte, no había nada sólido que nos permitiera meternos debajo u ocultarnos detrás para protegernos, y estábamos a punto de terminar hechos trizas por la acción de bombas y balas. Era casi como si los de las FARC nos hubieran encadenado a estacas en la mitad del claro con los brazos abiertos y unas flechas gigantes señalándonos. Su única respuesta era "no se preocupen, todo está bien".

Cuando los aviones dieron la vuelta menos de un minuto después, cayó la primera bomba. El impacto inicial se sintió como un trueno, seguido por un instante de silencio absoluto. Todo el ruido ambiental de la selva, que no cesaba nunca —el sonido de insectos, pájaros y micos— se detuvo durante una fracción de segundo. Y en seguida la sacudida provocada por la explosión recorrió en ondas las hojas de los árboles y el sotobosque como una criatura gigantesca arrastrándose entre los matorrales. Las bombas estaban cayendo a menos de un kilómetro de donde estábamos y podíamos escuchar y sentir el atronador estruendo de su impacto en el suelo.

Los tres gritábamos que nos sacaran de nuestras cajas pero sólo escuchamos una voz que nos dijo: "No se preocupen. El Francés está dormido. Ustedes también deberían estar dormidos". Después de eso, escuchamos el ruido de un guardia vomitando las entrañas del susto.

Me levanté y me acerqué a la pared de mi cambuche. Las tablas tenían una diminuta ranura entre ellas y vi al Francés acurrucado junto a la casucha con otro par de guardias. Habían abandonado su campamento, que estaba a unos veinte metros del nuestro, y buscaban protección detrás de nuestras estructuras. No pude ver al resto de los más o menos cuarenta guerrilleros que estaban cerca y supuse que o los habían alcanzado las bombas o habían huido a la selva.

Los aviones hicieron varias rondas de bombardeo y cuando se fueron, escuchamos el sonido de Broncos OV-10. Yo había volado en ellos cuando estuve en la Infantería de Marina y esos Broncos eran las bestias de carga de la Fuerza Aérea Colombiana. Podíamos oír fuego de artillería pesada de calibre 0.30 y 0.50 salpicando el área. A esto se sumaba el ruido de aviones artillados Fantasma que volaron en círculos durante un largo rato encima de nosotros, con la esperanza de alcanzar a cualquier guerrillero lo suficientemente estúpido como para mostrarse. Durante la siguiente media hora oímos el zumbido de motores y el sonido esporádico de disparos.

Cuando finalmente se fueron, respiramos profundo e iniciamos una sesión de gemidos, alaridos y gritos. No nos hizo muy feliz el hecho de que los buenos casi nos matan en un bombardeo. Toda esa noche y al día siguiente dimos rienda suelta a nuestra rabia. Lo hicimos conscientes de que teníamos que sacarla de nuestro sistema. Los guerrilleros recibieron su justa ración de nuestra ira, junto con los militares colombianos. Dicho eso, Tom, Marc y yo entendimos que nosotros no habíamos sido el blanco. Nos dijimos que probablemente los colombianos no habían sabido que estábamos en un campamento cercano a sus objetivos.

En cierta medida, entendíamos el juego. Las FARC aprovechaban la presencia de secuestrados para tratar de maniatar al gobierno colombiano. En ese sentido éramos escudos humanos. Las FARC esperaban que por el hecho de mantener secuestrados en diversos lugares con o cerca de sus unidades, los militares no los atacarían por temor a matar o herir rehenes. Acabábamos de comprobar muy de cerca que los militares colombianos no iban a dejar que las FARC emplearan esa estrategia impunemente. Entendíamos que el gobierno no podía permitir que las FARC sacaran ventaja de eso, que no podían simplemente congelar toda la acción militar. Si dejaban de bombardear objetivos guerrilleros, no serían una fuerza de combate efectiva y la insurgencia ganaría terreno.

Después de los bombardeos, Tom dijo algo con lo que tuvimos que estar de acuerdo. Como rehenes, estábamos en la peor parte de la curva de poder. Estábamos siendo sacrificados. No sabíamos cuántas bajas había cobrado ese ataque, pero como regla general, cuando atacaran a las FARC, también nos atacarían a nosotros. En esta ocasión habíamos tenido suerte. Nos pareció espantoso sufrir ese bombardeo, pero nos produjo satisfacción saber que las FARC habían sufrido daños y que habían salido perdedores de ésta; incluso si casi nos cuesta la vida, era un motivo de celebración. También nos disgustaba profundamente la idea de que por el solo hecho de mantenernos cautivos las FARC podían reclamar cierto tipo de victoria. Como rehenes o prisioneros, no había mucho que nosotros pudiéramos hacer directamente para derrotar a las FARC. Pero sí había cosas pequeñas que podíamos hacer, como no creer en su propaganda marxista de mierda y comportarnos de tal manera que contrarrestáramos su idea de que éramos unos cerdos imperialistas.

En últimas, consideramos que ésta había sido una victoria; nos había aterrorizado y nos había enfurecido, pero de todos modos había sido una victoria. El hecho de ganar estando en cautiverio cobró una dimensión completamente nueva, y entender eso nos ayudó a adaptarnos a nuestra situación.

MARC

Tres días después del bombardeo, el Francés nos ordenó empacar nuestras pertenencias. Nos íbamos de allí. Como todavía teníamos fresco el recuerdo de cuando nos pidió las tallas de ropa de civil, pensamos que nuestra liberación era inminente. Llevábamos unas trece semanas en cautiverio y nos habíamos estrellado el 13 de febrero. Yo no era supersticioso pero anoté la coincidencia en mi diario. Keith había estado repitiendo que quería estar de regreso en su casa para el cumpleaños de Kyle el 20 de mayo, y mientras recogíamos nuestras cosas Tom le dijo:

—Parece que finalmente sí vas a estar en esa celebración. Tal vez llegues un par de días tarde, pero será casi como si hubieras estado, dadas las circunstancias.

Sólo teníamos cuarenta y cinco minutos para empacar. En el Campamento Nuevo nos habían dado algunos artículos personales adicionales: linternas cuyos bombillos teníamos que tapar un poco con hojas para que no brillaran demasiado ni fueran utilizados como dispositivos de señalización, la parte superior de un toldo de nailon y todos nuestros efectos de aseo personal y jabón. Metimos todas nuestras vidas en los nuevos morrales que nos habían entregado. Salimos del campamento, retomando a pie la ruta que habíamos seguido cuando llegamos después de la marcha de veinticuatro días. Pasamos por el campamento más grande y vimos a Sombra sentado en una camioneta. Todos teníamos la esperanza de que, por pésimo conductor que fuera Sombra, nos llevara a algún lugar en donde nos liberarían. Nos miró y dijo:

—Muchachos, tienen que caminar encima de las mismas huellas cuando crucen esta carretera. No podemos dejar demasiadas huellas.

Con esto en mente, nos internamos en la selva. Estábamos en una columna compuesta por unos cuarenta guerrilleros y vimos que llevaban sus animales con ellos. Al ver los animales comprendimos que si nos estaban llevando con tantos guerrilleros y todas sus provisiones, animales incluidos, las probabilidades de que nos condujeran a un lugar de liberación eran muy pocas. Esa noche dormimos sobre plásticos negros en el piso, con nuestras nuevas carpas suspendidas encima de nosotros sobre unos palos cortos. Cuando me desperté por la mañana, escuché a Tom y a Keith hablando y riendo.

—Mira eso, Marc —dijo Tom. Señaló el lugar en donde Keith había estado acostado unos segundos antes.

—¡Por Dios! —Miré el piso y vi que durante la noche, un enjambre de termitas había invadido el espacio de Keith; eran tantas, de hecho, que cuando Keith se levantó, dejó un espacio vacío con la forma de su cuerpo, mientras el resto del piso estaba plagado de termitas; el sólo ver eso nos hizo reír.

Según resultó, íbamos a tener que hacer acopio del sentido del humor porque pasamos varias semanas viviendo en medio de una neblina húmeda. Llevábamos varios días en este campamento temporal cuando llegó el Francés a hablar con Tom. Se apartaron un poco y no pude oír lo que decían. Tom bajó los hombros y levantó las manos como si estuviera implorando algo, de modo que supe que las noticias no eran buenas. Primero pensé que nos habíamos metido en problemas por hablar, pero cuando volvió Tom y nos dijo lo que en realidad estaba pasando sentí un profundo desconsuelo. Habían recibido órdenes de que nos encadenaran.

Estar encerrados en cajas en Micolandia y en el Campamento Nuevo había sido una experiencia horrenda. La orden de no hablar entre nosotros había sido aún peor. Ahora, la idea de tener cadenas alrededor del cuello todo el tiempo propinó un golpe inimaginable a nuestra nueva y frágil determinación de soportar esta experiencia. Nuestras cadenas todavía no habían llegado, de modo que los guerrilleros utilizaron cuerda de poliéster. Fabricaron una especie de arnés que pasaba por nuestros hombros y luego hicieron un nudo corredizo en la lazada que rodeaba el cuello. En caso de necesidad, podían jalar el extremo de la cuerda para estrangularnos. La primera vez que me pusieron ese arnés, tuve que cerrar los ojos y rezar para no ponerme a temblar violentamente y vomitar. Ser tratado como un perro o como algún otro animal ya de por sí era horrible, pero escuchar a los de las FARC decirnos que lo hacían por nuestro propio bien, que el ejército colombiano estaba cerca y que iba a tratar de matarnos, por lo cual nos tenían que controlar mejor, y toda esa mierda, me enfurecía aún más.

Con la introducción de estas restricciones, las cosas habían pasado de ser brutales a ser inhumanas. Dormir en el piso con una o dos mantas de algodón delgado para "calentarnos", con un plástico negro a manera de colchón, un mosquitero para evitar los insectos y la parte de arriba de un toldo de nailon como techo sobre nuestras cabezas era casi intolerable. ¿Pero estar amarrados? Después del primer día de marchar amarrados, supimos que esa iba a ser nuestra vida durante un tiempo. Finalmente dejamos de marchar. Acampamos como pudimos en la manigua. No hicimos ningún claro, no construimos camas con plataforma ni estructuras, nos acomodamos en el fango. Peor aún, nos dejaron puestos los arneses y amarraban los extremos a un árbol, o un arbusto, o un poste. Como resultado, pasamos la mayor parte del tiempo en lo que hacía las veces de camas, acostados debajo de nuestros toldos de nailon camuflados. Los únicos momentos en que estábamos afuera nos sentábamos bajo la lluvia atados a un poste. Cualquier esperanza de liberación quedó enterrada en el lodo junto con todo lo que poseíamos.

Por mucho que nos esforzáramos por mantener nuestras rutinas y ser positivos, eso era completamente imposible. Teníamos los nervios de punta y ahora, sin poder realizar una actividad física seria que nos ayudara a desfogarnos —Tom no podía caminar, yo no podía dedicar horas enteras a limpiar mis pertenencias—, descargamos parte de nuestra frustración unos en otros. Esto no nos sorprendió. Habíamos estado juntos con muy pocas excepciones entre mediados de febrero y mayo. Reto a cualquiera a que se lleve bien el cien por ciento del tiempo con otra persona —que no sea su esposa, su mellizo o melliza o su mejor amigo— durante todo ese tiempo sin que surjan tensiones entre ellos. Tome a tres personas que sean básicamente, no extraños sino colegas, y póngalos en la situación en la que estábamos nosotros y en las condiciones en que nos tenían y vea qué sucede.

Muchos de los problemas se derivaban del hecho de que, en lo que empezamos a llamar el Campamento Embarrado, estábamos en un lugar mucho más confinado que en Micolandia o en el Campamento Nuevo. No sólo estábamos en la misma área, sino que estábamos prácticamente unos encima de otros. A los estadounidenses nos gusta mantener un espacio vital más bien grande a nuestro alrededor, y el nuestro se había reducido considerablemente. Codearnos física y emocionalmente unos con otros todo el tiempo sin duda tenía que causar fricción. Ya había pasado algo de eso en el Campamento Nuevo, pese a que no estábamos tan cerca unos de otros.

Uno de los problemas recurrentes en el Campamento Embarrado eran los cerdos. Los de las FARC habían ubicado un pequeño basurero junto al cambuche de Tom, para que no les quedara cerca de ellos, y por la noche algunos de los cerdos escarbaban entre los desperdicios, sobre todo a las cinco de la mañana cuando empezaba a clarear. Esto despertaba a Tom, quien les gritaba que se callaran. Tom no se daba cuenta de que sus gritos hacían más ruido que los cerdos y nos despertaban a Keith y a mí. Keith le dijo muy directamente a Tom que dejara de gritar, lo que a su vez enfureció a éste. Le decía a Keith que se callara la boca y terminaban furiosos el uno con el otro. No teníamos mucho en qué pensar durante el día, de modo que ambos se enfurruñaban el día entero por lo que se habían dicho y al día siguiente la pelea por culpa de los cerdos empezaba de nuevo.

No siempre era así, pero parecía como si permanentemente hubiera alguna bobada que enfureciera a alguno. Como le sucede a todo el mundo, uno se aguanta algo molesto durante un tiempo, pero guarda esa rabia y ese resentimiento para sacarlos más tarde a la luz. Uno no se da cuenta de que está guardando estos sentimientos, pero lo hace. Todos estábamos o habíamos estado casados, y sabíamos que una pelea justa implicaba limitarse al asunto entre manos, pero cada vez que algo nos molestaba, en el calor del momento salía a relucir algún desaire pasado que se salía de toda proporción hasta que olía como un trozo de carne podrido.

Parte de la razón por la que Tom y Keith se enervaban el uno al otro más que yo era que tenían personalidades diferentes. Tom era un tipo reservado, un verdadero yanqui por temperamento, mientras que Keith era más impositivo y asertivo, y él mismo se proclamaba un sureño reaccionario de la clase baja rural. En las mejores circunstancias, no se habrían llevado bien todo el tiempo. Tom odiaba la tensión en el campamento, la detestaba enormemente. Sabía que acentuaba nuestra ansiedad colectiva, de modo que cuando se veía implicado en una discusión o una riña, se sentía todavía peor.

Yo no era inmune a estos encontrones, ni a sentir sus efectos. Tuvimos que aprender a acomodar ciertas cosas. Aunque nos permitían bañarnos con regularidad, el uso de botas de caucho todo el día producía en Keith y en mí un olor en los pies como para matar a un gato y hacer llorar a los niños. Tom tenía que aguantarse eso, pero lo hacía sobre todo porque era algo que en realidad no podíamos controlar. Pero si uno se tiene que sentar a escasos quince centímetros de alguien para comer todos los días durante un par de meses, termina hastiándose de verlo masticar con la boca abierta o incluso de escuchar el chasquido de sus labios cuando los abre para meterse algo a la boca. En ese espacio confinado, todo se intensificaba.

Tom y Keith admitían que en ciertas cosas eran como agua y aceite, y como resultado eran menos tolerantes con el otro y sus idiosincrasias de lo que eran conmigo y con las mías. Lo único de lo que podían hablar siempre resultó ser un tema que muchas veces a mí me aburría: aviones. Los dos eran fanáticos de los aviones. Si hubieran podido, habrían hablado sobre aviones veinticuatro horas al día, siete días a la semana —y a veces me parecía que eso hacían—. En circunstancias normales podía simplemente alejarme cuando no me gustaba una conversación, pero aquí no tenía a dónde ir. Era como para dar alaridos, y a veces eso era lo que hacía.

Pese a todo esto, la mayor parte del tiempo éramos uña y mugre. Las condiciones del Campamento Embarrado, las cuerdas y los arneses, el severo golpe que recibió nuestra esperanza de una pronta liberación, todo se juntaba para volvernos muy sensibleros. Incluso en lo peor de esas riñas, nos estábamos volviendo como hermanos. Veíamos a los guardias más como adversarios que nunca. Con las cuerdas alrededor de nuestros cuellos y estando atados, cada vez dependíamos más de ellos. Odiábamos eso, y ellos odiaban eso. Si alguno tenía que orinar, necesitaba que un guardia viniera y lo desatara y lo llevara a la zanja. A veces no les daba la gana dejarlo a uno ir, y no lo hacían. Para un adulto, tener que rogarle a alguien para que lo deje orinar era increíblemente denigrante. Los guerrilleros parecían querer humillarnos lo más posible.

Prácticamente todo contribuía a nuestro suplicio en el Campamento Embarrado. Desde fines de mayo y durante todo el verano, soportamos la temporada de lluvias. Todo estaba húmedo y fangoso. Cuando íbamos a bañarnos a la quebrada cercana, teníamos que pasar por la cocina, o lo que las FARC llamaban el rancho. Como se necesitaba agua para cocinar, el rancho por lo general estaba lo más cerca posible de la quebrada. Eso era lógico. Lo que no tenía lógica era que los guerrilleros arrojaran toda su basura en el agua, justamente en donde nos teníamos que bañar y lavar la ropa. Vadeábamos el río en un sancocho flotante de cáscaras de cebolla, puntas de vegetales y partes de animales y eso se suponía que era una zona de baño.

Hacia el final de nuestra estadía en el Campamento Embarrado, el Pollo llegó a nuestra área y arrojó nueve barras de jabón al piso. Estas barras azules eran muy valiosas para todos. Aunque se suponía que eran jabón para ropa, eran lo suficientemente suaves y más abundantes que el jabón de tocador que usábamos para bañarnos y lavar casi todo lo que teníamos.

—Es difícil encontrar esto allá donde van —dijo crípticamente el Pollo.

Sus palabras nos asustaron. Si nos íbamos a internar aún más en la selva, alejándonos más todavía de las líneas de abastecimiento de las FARC, significaba que nuestra liberación era aún más remota de lo que habíamos pensado. También habíamos escuchado bombardeos, no tan cerca como antes, pero el sólo hecho de oírlos deprimió a Tom. Dijo que se le había metido en la cabeza, sin saber exactamente por qué, que iba a haber un cese al fuego de quince días antes de nuestra liberación. Cuando escuchó el bombardeo, agregó quince días a su sentencia. Keith sabía que las palabras del Pollo sobre una posible liberación a tiempo para el cumpleaños de su hijo el 20 de mayo eran tan solo parte de las mentiras usuales de los de las FARC, de las que habíamos sido ya víctimas.

Unos días más tarde nos enteramos de que nos íbamos a desplazar de nuevo. Hicimos lo posible por creer que el nuevo traslado era una buena señal, pero en realidad estábamos removiendo las cenizas de una hoguera que hacía mucho se había extinguido. Salimos del campamento por la noche, y aunque la marcha duró sólo algunas horas fue una verdadera agonía. Las casi cinco semanas en el Campamento Embarrado en que estuvimos amarrados sin podernos mover con libertad habían cobrado su precio. Sólo cuando nos vimos obligados a marchar nos dimos cuenta de hasta qué punto se había deteriorado nuestro estado físico. Sea cual fuere el lugar a donde nos iban a llevar, esperábamos que no fuera muy lejos. Después de una ardua caminata de cuatro horas, acampamos junto a un río durante tres noches, antes de que llegaran unos botes fluviales de aluminio para llevarnos e internarnos más profundamente aún en la selva.

VI
PRUEBAS DE SUPERVIVENCIA

JULIO DE 2003 - SEPTIEMBRE DE 2003

KEITH

Jamás hubiera pensado que el hecho de saber cuántas barras de jabón tenía a mi disposición podía influir tanto en mi actitud frente a la vida. Cuando el Pollo arrojó esas barras a nuestros pies y nos dijo que no iba a ser fácil conseguir más, bien habría podido botar nuestros corazones al piso también. Así como nos apresuramos a recoger esas barras azules, supe también que íbamos a tener que recobrar el ánimo rápidamente si queríamos recuperar el control sobre nuestras emociones. Un par de días después, Ferney nos trajo más cuchillas de afeitar, dentífrico y cepillos de dientes. Mensaje recibido, señor: íbamos a estar durante mucho tiempo en un lugar o en unos lugares en donde el reabastecimiento iba a ser difícil. Si bien en el pasado habíamos podido tejer una telaraña de esperanzas a partir de las cosas más insignificantes —guardias con sombrero o sin sombrero, estar cerca de una carretera, cambios en los patrones de turno de los guardias— ya no era posible negar esta nueva realidad.

Para dar una mejor idea de cómo nuestra inactividad había afectado nuestra realidad anterior, casi no podíamos restregar nuestra ropa por más de un par de minutos sin quedarnos sin aliento. Aunque sólo fuera por unas pocas horas, agradecimos el hecho de ser transportados en barcos en la siguiente parte de nuestra ordalía. Las FARC tenían varios botes fluviales de aluminio de veinte pies. Sentados sobre bancas de tablas navegamos por una quebrada llena de árboles, aunque era difícil dilucidar si se trataba de una quebrada de verdad o si la temporada de lluvias simplemente había inundado toda el área. A veces había tanta vegetación obstruyendo el agua que nuestro viaje en bote no era muy diferente de nuestras caminatas por la selva. Los barcos los fabricaba una empresa llamada Duróboat y el nombre no era en vano. El hombre que piloteaba el bote aceleraba su motor Yamaha de cuarenta caballos y propulsaba la embarcación como si fuera un buldózer abriéndose camino entre los escombros.

A veces teníamos que pasar tan cerca de las riberas que nos tocaba agacharnos para esquivar las ramas más bajas y en seguida soportar una lluvia de insectos, arañas y otros bichos que caían de sus perchas. Desde hacía rato nos habíamos acostumbrado a que nos picaran o mordieran, y aunque yo me hinchaba como un globo cada vez que me picaban las avispas, no me hacían mucho daño.

Pese a los insectos, esta travesía fluvial de tres días fue un verdadero regalo. Llevábamos unos seis meses viviendo confinados en la selva y durante todo ese tiempo no sólo estuvimos bajo el dominio de las FARC, sino también bajo el dominio de la flora y la fauna. Aunque nos deprimía mucho la idea de que la perspectiva de otra liberación se nos escapara por los lados, el hecho de estar incluso en el espacio limitado del agua era, literalmente, una bocanada de aire fresco. La cosa mejoró más aún cuando llegamos a espacios más abiertos en donde el barco podía maniobrar libremente y el sol caía sobre nuestras pálidas pieles.

Con el cielo azul de julio encima de nosotros, y cielos más azules todavía en el horizonte, el viaje en barco era un poco como si estuviéramos de vacaciones. Estar debajo de un dosel selvático por el tiempo que sea produce un efecto muy deprimente. Notábamos la diferencia incluso cuando estábamos caminando y llegábamos a un claro. Era como un rayo de sol en un día por lo demás lluvioso. Entrábamos en el claro y sentíamos un súbito aumento en nuestra energía; salíamos, y sentíamos que toda esa energía se iba.

A diferencia de lo que ocurría cuando caminábamos, gran parte de nuestro desplazamiento se efectuaba en horas diurnas. Viajábamos sobre todo por las mañanas y por lo general nos deteníamos en las primeras horas de la tarde. Incluso cuando estábamos en áreas abiertas, los guerrilleros no parecían tan nerviosos como antes. Ninguno de ellos oteaba el cielo en busca de aviones; ninguno miraba las riberas en busca de indicios de actividad militar colombiana. Marc, Tom y yo todavía llevábamos puestos nuestros arneses y cuerdas, pero los guardias se relajaron con respecto a la regla de no hablar entre nosotros. No abusamos de ese privilegio, pero uno de nuestros principales temas de conversación fue lo abiertamente que nos estaban trasladando; supimos que estuvimos cerca de la "civilización" varias veces porque podíamos escuchar otros barcos que navegaban por tributarios a nuestra izquierda y a nuestra derecha.

Sólo podíamos sacar dos conclusiones lógicas del desplazamiento. La primera era que las FARC habían aceptado algún tipo de acuerdo sobre nosotros y habían obtenido la zona de despeje que siempre estaban pidiendo; por consiguiente, podíamos viajar sin temor a ser detectados. La segunda era que las FARC habían obtenido de alguna manera información de inteligencia del ejército colombiano que les decía que la zona era tranquila. La segunda conclusión parecía más improbable. No habíamos visto mucha idoneidad táctica por parte de las FARC hasta ese momento, de modo que difícilmente podíamos suponer que tenían capacidad para realizar operaciones encubiertas a niveles más altos.

Durante toda la travesía en bote, seguimos viviendo en modalidad de viaje: durmiendo sobre el piso, a veces durante una sola noche y en ocasiones durante varias. El 23 de julio, ciento treinta días después de haber sido capturados, el Gordo se presentó en uno de estos campamentos temporales con su aire de Papá Noel. Se sentó frente a una especie de mesa de taberna que los de las FARC habían llevado y se instaló en cuestión de minutos cerca de nuestro campamento. De inmediato nos dimos cuenta de que algo pasaba. Sombra tenía dos caras —el tipo malo y el tipo bueno—, pero ese día parecía diferente. Se metió la mano en el bolsillo de la camisa y nos mostró unas colombinas. Le hizo señas a Tom para que se acercara y se sentara con él en la misma banca. Sombra tenía ganas de echar discursos, de modo que Marc y yo podíamos escuchar lo que estaba diciendo.

—Mañana volveremos a mostrarle al mundo nuestra fuerza y nuestra unidad. Todos entenderán nuestro compromiso con nuestra causa y verán cómo somos de justos.

Tom decidió seguirle el juego.

—Ustedes aman la paz, ya lo sé. ¿Pero eso qué tiene que ver con nosotros?

—Mañana vendrá la prensa internacional para hablar con ustedes tres.

—¿La prensa internacional?

—Sí, un periodista muy conocido y otros más hablarán con ustedes. —Sombra hizo una pausa para infundirle dramatismo a sus palabras—. Necesito saber sus tallas de ropa. Tienen que verse bien para nuestros visitantes. Tendrán la oportunidad de estar limpios.

Tom nos miró mientras Sombra permanecía sentado con las colombinas en la mano, como si fuera un médico de niños a la espera del momento de poner una vacuna.

—Parece estar diciendo que esto es importante. Además de hablar sobre el periodista, mencionó las palabras "prueba de supervivencia".

Habíamos escuchado esas palabras antes, pero nos preguntamos exactamente cómo el Gordo y sus secuaces iban a hacerlo. Sabíamos lo esencial, que nos iban a fotografiar o a filmar con algún documento fechado, generalmente un periódico del día de la prueba de supervivencia, para mostrarle al mundo entero que seguíamos vivos. No teníamos mucho tiempo para preguntar quién, qué, cuándo, dónde o por qué. Llegaron un par de guardias con las manos en alto, como cirujanos recién restregados listos para ingresar al quirófano. Tenían tijeras y era evidente que los tres éramos los objetos de sus intenciones. Los demás guardias hicieron rueda para ver mientras nos peluqueaban. Después de eso nos dieron unos platos grandes de arroz y atún enlatado. Era claro que nos estaban preparando. Querían que estuviéramos contentos y con el estómago lleno para esta ocasión.

Aprovechamos la situación para hablar abiertamente.

—¿Qué más dijo? ¿Nos dijo cómo iba a ser la prueba de supervivencia? —pregunté.

—Dijo que íbamos a enviar un mensaje a nuestras familias y que eso impulsaría un intercambio. No me dio más detalles.

Marc se rascó el cuello, tratando de deshacerse de los pelos sueltos que le habían quedado del corte.

—¿Para qué se iban a tomar toda esta molestia de informarle a la gente que estamos vivos si no nos fueran a liberar? Seguramente llegaron a un acuerdo.

—¿Será que el periodista es de CNN? Christiane Amanpour se encarga de mucha de la parte internacional —agregué.

Tom comentó:

—No me importa a quién manden, lo único que me importa es que esta prueba de supervivencia nos reúna nuevamente con nuestras familias.

Marc sonrió y meneó la cabeza.

—Lo sé. Shane y mi mamá van a ver esto y se van a emocionar. ¿Se imaginan estar sentadas en casa y ver nuestras caras en la televisión? Después de todo este tiempo. Tienen que haber sabido que estábamos vivos, ¿no?

Marc tocó un tema que nos rondaba las mentes desde hacía mucho. Sabíamos que los militares nos habían visto vivos ese primer día cuando el artillero del helicóptero y yo habíamos hecho contacto visual. Sin ninguna prueba de supervivencia desde entonces, ¿acaso algunos se preguntaban si las FARC nos habían ejecutado? Tenía que alejar ese pensamiento de mi mente.

—Alguien de nuestro gobierno ha estado en contacto con ellos, Marc. Saben que estamos aquí. No nos han olvidado. Esta prueba de supervivencia debe ser una exigencia de alguien por canales que comunican con Washington. Ellos saben, hermano.

Después de una noche en su mayoría insomne, Sombra nos recogió a la mañana siguiente. Nos habían dicho que nos preparáramos para pernoctar, de modo que empacamos algo de ropa. Nos acompañaron el Francés, Milton, Risas y otro par de guardias. En un momento dado tuvimos que detenernos para tanquear en una isla pequeña. Sombra se alejó caminando con Ferney y a nosotros nos dejaron con Milton y otro guardia. Empezaron a hablar y finalmente nos enteramos de que Colin Powell, el bendito general de cuatro estrellas que ocupaba el cargo de secretario de Estado de los Estados Unidos de América, acababa de estar en Colombia para hablar sobre nuestro caso. Se nos subió completamente el ánimo al escuchar eso.

De inmediato, nuestros motores cerebrales comenzaron a zumbar y empezamos a preguntarnos quién más, fuera de la prensa, podría aparecer en nuestra prueba de supervivencia. Pensamos en la embajadora de Estados Unidos en Colombia en ese momento, Anne Patterson, en otros posibles funcionarios del Departamento de Estado, quizá incluso representantes de Northrop Grumman. También especulamos sobre cuáles funcionarios colombianos podrían estar presentes: el ministro del Interior y Justicia, Fernando Londoño, y otros.

De vuelta en el bote, nos entregaron tapaojos y Sombra se disculpó levemente por la "necesidad". Al poco rato nos pusieron encima un plástico negro, pero el olor a gasolina ahí debajo nos estaba mareando a todos. Protestamos fuertemente hasta que levantaron el plástico y nos dejaron permanecer visibles el resto del trayecto. Luego de un viaje en bote de entre cuatro y seis horas, nos sacaron de las embarcaciones con los arneses y nos hicieron subir por un pequeño barranco. Los ruidos de la selva y del motor del bote fueron reemplazados por ruidos de autos que pasaban y de voces humanas. Nos metieron en algún tipo de vehículo —probablemente la parte de atrás de una de sus camionetas Toyota Land Cruiser— y partimos. Sentíamos la brisa en nuestros rostros y escuchábamos el zumbido de la civilización a nuestro alrededor. Cuando nos detuvimos, nos ayudaron a bajarnos de la camioneta y un guardia nos llevó a cada uno por el arnés y la cuerda. Nos condujeron por un camino de tablas y mientras caminábamos escuchamos en torno nuestro la cháchara de un grupo de gente y el rugido de una planta portátil.

Supuse que nos estaban llevando a un lugar como una habitación de hotel o algún otro sitio para la prueba de supervivencia, pero cuando nos sentaron en sillas y nos quitaron las vendas de los ojos, vi que estábamos en otra habitación pequeña, de unos cuatro metros cuadrados, hecha de tablas. Al igual que cuando conocimos a Gómez, a Ramírez y al Mono Jojoy, volvimos a ser animales de zoológico. Todo un grupo de guerrilleros de las FARC a quienes nunca antes habíamos visto pasaron por junto a la puerta abierta de la habitación en la que nos encontrábamos para mirarnos. Casi todos aireaban bravucones su rabia contra los gringos, hasta que el Francés y el Gordo suspendieron las horas de visita y nos condujeron a otro pequeño cuarto con tablas puestas sobre caballetes. Hasta ahí llegaron los sueños de camas agradables y servicio a la habitación.

En una habitación contigua había un gran barril de plástico con agua. Como en el Campamento Embarrado habíamos estado conviviendo con los cerdos, el hecho de que los animales orinaran y defecaran indiscriminadamente en el barro en nuestra zona de baño nos hacía desconfiar de cualquier tipo de agua. Quitamos la tapa y nos costó trabajo creer lo que vimos: el fondo del barril, por una vez literalmente y no figurativamente. Nos habíamos acostumbrado tanto a beber y bañarnos en agua opaca de color marrón que la vista del fondo de ese barril a través de un agua cristalina nos hizo mirar con tanta atención como si estuviéramos leyendo la fórmula para convertir el plomo en oro. El agua era tan cristalina que nos sentimos tentados a no usarla, pero finalmente ganaron la higiene y la vanidad.

Después de bañarnos, nos dieron papas a la francesa y nos preguntaron si necesitábamos algo más. Yo había desarrollado algún tipo de sarpullido en la selva y pedí un medicamento para tratarla. Para mi gran sorpresa, me lo dieron; el tubo entero y no una sola dosis. Nos acostamos sobre una plataforma que reposaba sobre caballetes, y salvo por una rata que vivía en las vigas del techo, nos dejaron solos toda la tarde. Afuera podíamos escuchar a los de las FARC en algún tipo de reunión. Cantaron "Amamos la paz" y repitieron la consigna "La solución es la legalización", mientras unos altoparlantes arengaban a los asistentes sobre algún aspecto de la ideología fariana. Calculamos que habría entre treinta y cuarenta guerrilleros presentes, y el lugar parecía mucho más ordenado y militar que el de las unidades de campo. Todos llevaban puestos los mismos uniformes, eran más disciplinados en cuanto al uso del sombrero y, en general, parecían estar en mejor forma que los tipos con quienes habíamos estado en la selva.

El Gordo parecía un poco nervioso y vimos todo tipo de actividades en el cuarto contiguo al nuestro, en donde estaban preparando todo para la prueba de supervivencia. También olimos algún tipo de limpiador y concluimos que en verdad estaban poniendo todo su empeño en el asunto. Fue entonces cuando Sombra nos informó que el grandioso y magnífico Mono Jojoy pronto se reuniría de nuevo con nosotros.

Sombra dijo que quería que yo supiera que había visto una foto de mi hijo. Eso me sorprendió. ¿No habría querido decir hijos? Patricia estaba esperando mellizos, ¿qué había pasado? ¿Acaso entendí mal lo que dijo? Cuando le pedí detalles, Sombra se encogió de hombros. Marc y Tom trataron de tranquilizarme diciendo que seguramente había algún error, pero yo no podía quitarme de la mente la idea de que algo había salido mal. Unos veinte minutos después entró el Mono Jojoy con un guerrillero a quien nunca antes habíamos visto. El Mono Jojoy empezó a hablar con nosotros y en ese momento entendimos que el hombre que lo acompañaba era su intérprete/traductor. El problema era que el tipo estaba tan nervioso que casi ni podía hablar en español, mucho menos en inglés.

En medio de este instante que recordaba una mini Torre de Babel, vi a una mujer con uniforme de las FARC de pie en el fondo. Era evidente que no era colombiana y se destacaba de inmediato. Sus pómulos altos y prominentes se habían agudizado por lo que imaginé debía haber sido una dieta similar a la nuestra. Su piel era pálida en comparación con la de las demás guerrilleras, su nariz y sus mejillas se veían arreboladas por la exposición al sol y los elementos. Un pelo castaño claro enmarcaba su rostro ovalado e incluso las rudas condiciones en que debía vivir no podían ocultar el hecho de que se trataba de una joven muy atractiva que se veía completamente fuera de lugar vistiendo un uniforme de las FARC.

Dio unos pasos adelante e inició una conversación conmigo en un inglés con acento pero con perfecta gramática, y supe que teníamos nuestra traductora. Había algo extraño acerca de la situación y su participación en ella. No pude saber de dónde era su acento ni nos quiso decir quién era. Lo único que pude hacer fue pedirle que fuera nuestra traductora con las FARC. Dije que ella hablaba mucho mejor inglés que el hombre que acompañaba al Mono Jojoy y, como éste no objetó, ella tomó cartas en el asunto.

Justo cuando empezó a traducir, un civil, que también hablaba inglés, ingresó al lugar con una videocámara con la que evidentemente estaba filmando.

—Soy Jorge Enrique Botero —dijo, dirigiéndose a nosotros tres. Antes de que pudiéramos hacerle preguntas, le habló a Marc—. Tengo un mensaje de su madre para usted.

MARC

No estaba seguro de qué esperar de la prueba de supervivencia, pero cuando Botero dijo esas palabras me di cuenta de lo difícil que iba a ser esto.

Después de decirme que tenía un mensaje de mi madre, Botero me dio la espalda de inmediato y se ubicó del otro lado de la mesa. Me sorprendió lo que acababa de decir y no se me ocurría por qué no me había transmitido el mensaje. Lo último que esperaba en esta prueba de supervivencia era saber de alguien de mi familia. Hice un gran esfuerzo para concentrarme en lo que estaba sucediendo.

El Mono Jojoy empezó diciéndonos que nos estaban reteniendo porque habíamos violado la soberanía nacional de las FARC. Habíamos escuchado esta débil explicación antes y nos había producido risa: una organización terrorista no es una nación soberana. Jojoy prosiguió mientras la joven le traducía.

—Desde el instante en que se estrellaron —dijo—, ustedes son parte del grupo de prisioneros de guerra. Nuestra misión es mantenerlos vivos para hacer el intercambio de prisioneros.

Esa era la declaración de intención más clara que habíamos escuchado desde que todo esto había comenzado, pero también acabó con cualquier esperanza de una liberación unilateral, algo que nos habían dicho que pasaría desde cuando hicimos la marcha de veinticuatro días. En ese momento, Keith intervino y habló en nombre de los tres, esperando obtener un mayor esclarecimiento.

—Si el presidente Uribe de Colombia se niega a negociar —dijo—, si no está de acuerdo con la idea de un intercambio de prisioneros, entonces podríamos estar aquí cinco o diez años. ¿Cómo nos van a sacar de aquí?

—Las negociaciones van a empezar —contestó Jojoy—. No sabemos cuándo. Nuestro comandante en jefe, Manuel Marulanda, nos ordenó que ustedes enviaran una señal de vida a sus familias. Por eso tenemos aquí a un periodista colombiano. ¿Están de acuerdo?

Todos dijimos que sí, pero nos decepcionó el hecho de que Jojoy no contestara nuestra pregunta en su totalidad. Keith le volvió a preguntar cómo podíamos salir de ahí. Jojoy utilizó un sinónimo español de intercambio, *canje*, que significaba que íbamos a ser intercambiados por guerrilleros de las FARC presos en cárceles colombianas, y también mencionó la palabra *monetario*, refiriéndose a dinero. Cuando Tom terminó de traducir todo esto, fue claro que nuestra sesión con Jojoy estaba por concluir. Queríamos preguntarle sobre el rescate; saber que eso era una opción constituía un enorme alivio. Tom habló por nosotros y le pidió al Mono Jojoy que nos aclarara qué quería decir con "monetario".

—Humanitario. Humanitario —dijo la traductora. No iba a haber ningún rescate. Ninguna liberación. Sólo algún tipo de intercambio.

El Mono Jojoy se puso de pie y todos nos volvimos a dar la mano y dijimos "Respetos". Yo no estaba sintiendo ningún tipo de respeto por él, pero la prueba de supervivencia era más importante que mis sentimientos. Eso mismo pasaba con lo que sentíamos con respecto al periodista que nos iba a entrevistar. No conocíamos para nada a Botero, pero el hecho de que le permitieran entrar al campamento de las FARC y su actitud de camaradería con los guerrilleros no nos cayeron nada bien. Sabíamos que en cierto sentido nos estaba utilizando, pero también queríamos que nuestras familias supieran que estábamos bien, incluso si él no era estadounidense ni trabajaba para CNN.

Antes de hacer nuestras declaraciones para nuestras familias, Botero quería hacernos algunas preguntas. Alfredo, un comandante de las FARC, nos dijo que él iba a estar presente. Botero tenía problemas con los lentes de su cámara, que se empañaban, de modo que tomamos un breve descanso y él nos entregó un par de impresos, una revista *Newsweek* y un libro de John Grisham en pasta blanda, *The Street Lawyer*.

Keith empezó a leer la copia impresa de un artículo que le habían entregado. Había sido sacado de internet y se trataba de una historia sobre nosotros en MSNBC.

—Caramba, esto no es bueno —dijo de repente. Trató de explicarle a Tom lo que había leído, pero la cámara empezó a filmar de nuevo. Tom, que también había estado leyendo algo que Botero le dio, dijo:

—Invadimos a Iraq.

Antes de que nos pudiera ampliar la noticia, Botero estaba listo.

La primera pregunta que hizo Alfredo fue:

—¿Quién los contrató?

Keith empezó a explicar lo que acababa de leer: Northrop Grumman ya no estaba a cargo del contrato de reconocimiento que nos había traído al país. El contrato había sido adjudicado a una empresa de nombre CIAO. Ninguno de los tres había oído hablar de ella, pero nos parecía increíble que una gente a la que se contrataba para hacer operaciones de inteligencia se llamara a sí misma CIAO. La confusión de iniciales sólo nos dificultaría las cosas.

En efecto, la siguiente pregunta de Alfredo fue:

—¿Trabajan para la CIA?

—No, no —dijimos al unísono.

Keith todavía tenía el documento en la mano, de modo que Tom y yo dejamos que él se encargara de la situación.

—Aquí dice que es una empresa que se llama CIAO. Es ciao: C-I-A-O, no C-I-A. Yo no estaba seguro de si los habíamos convencido o si habíamos enturbiado las aguas todavía más.

La sesión pasó de un tema a otro; Keith era quien hacía la mayor parte de las preguntas, para tratar de averiguar lo más posible sobre nuestra situación. En el intercambio de información, Botero nos confirmó algo que sospechábamos desde ese 13 de febrero: Tommy Janis había sido ejecutado junto con nuestro acompañante colombiano, el sargento Cruz. Botero nos preguntó si teníamos algún mensaje para la familia del colombiano y Keith contó a grandes rasgos sobre el tiempo que habíamos pasado con él el día del accidente. Todos manifestamos nuestras condolencias a su familia, pero nuestras mentes estaban más en Tommy J. que en Cruz. Conservábamos una ligera esperanza de que lo hubieran tomado como rehén y lo tuvieran separado de nosotros, pero no nos sorprendió demasiado saber que habían recuperado su cuerpo. Tommy J. era un ex militar y ex miembro de las Fuerzas Especiales y estábamos bastante seguros de que había tratado de escapar, cumpliendo su deber como había jurado hacerlo en el servicio. También le había dicho a Tom en una ocasión que si alguna vez lo tomaban como rehén, haría lo que fuera para escapar. No necesitábamos ningún informe oficial para confirmar nuestras sospechas.

Con Botero detrás de la cámara, las malas noticias seguían llegando. Nos enteramos de que poco después de la caída de nuestro avión, otro avión estadounidense se había estrellado. Más o menos un mes después de que fallara nuestro motor, el segundo Grand Caravan de la flota se había estrellado al despegar, y en el accidente murieron sus tres ocupantes. Iban a buscarnos y habían muerto. Ralph Ponticelli era tal vez el más cercano a nosotros, y cuando supimos que había fallecido, a Tom y a mí se nos aguaron los ojos. El hecho de saber que Tommy Schmidt y Butch Oliver también habían perdido sus vidas nos hizo sentir aún peor.

Botero debió haber planeado todas estas revelaciones con el fin de provocar alguna emoción en nosotros, y lo logró. Tom estaba tan trastornado por la muerte de Ralph que agarró un ejemplar del *Miami Herald* de ese día que pensaban usar en la prueba de supervivencia para ocultar su rostro de la cámara. Botero hizo un acercamiento, enmarcando la cara de Tom en un *close-up*. La tragedia es buena para la televisión, pero esto ya era excesivo.

Yo había estado pensando en el mensaje de mi madre y me preguntaba si se trataba de una carta, un casete o alguna otra cosa. Botero sacó una videocinta, la puso en su cámara y conectó un pequeño monitor para que yo la viera. Después de verlo utilizar la muerte de Ralph para captar a Tom en su momento más vulnerable, yo estaba decidido a no convertirme en parte del plan propagandístico de Botero. Pese a lo que me producía la idea de escuchar una voz de mi familia, me dije que no iba a llorar cuando viera el mensaje. Me ayudó el hecho de que Botero se equivocara en algo y empezara a pasar el video sin sonido, lo cual lo obligó a rebobinar la cinta antes de pasarme los auriculares.

El escenario era sencillo. Mi mamá estaba en casa, sentada en el sofá con la cámara quieta frente a ella. Lentamente, la cámara se paseó por una foto mía en mi uniforme de la Fuerza Aérea que mi madre tenía en un estante. Cuando finalmente habló, su voz destilaba una calma calculada, como si estuviera haciendo un esfuerzo para no revelar cuán preocupada estaba.

—Sólo quiero decirte que te quiero mucho. Espero que vuelvas pronto a casa, sano y salvo… y también tus colegas. Hay cientos de personas rezando por ustedes y sólo necesito que vuelvas a casa porque me haces mucha falta y me preocupo por ti. Por favor, sé fuerte. Pronto estarás en casa. Te quiero.

Permanecí allí sentado con la expresión más impávida posible, mordiéndome el labio para que no me temblara, apretando la mandíbula para que no traqueteara. Diversas emociones revoloteaban en mi interior. Me sentía feliz de ver un rostro familiar y escuchar una voz conocida, pero me rompía el corazón ver esa cara sufriendo tanto. Sentía rabia con las FARC por ponerme en esa situación, y lleno de culpa por haberles hecho esto a mis seres queridos.

Odiaba que este periodista nos manipulara, pero traté de recordar algo que Keith nos había dicho antes, cuando todavía no nos habían filmado. Estábamos todos en el cuarto en donde habíamos dormido, y decidimos que teníamos que hacer lo que las FARC querían que hiciéramos... no por ellos sino por nuestras familias. Nos habían vestido bien, con nuestras mejores ropas, nos habían cortado el pelo y nos habían alimentado mejor que de costumbre para que nos viéramos lo más contentos y saludables posible. Cuando se marchó el Mono Jojoy y nos reunimos en el cuarto, Keith dijo que nos teníamos que ver bien para nuestras familias. Le estaba arreglando el cuello a Tom mientras decía esto y luego agregó que teníamos que ser fuertes para ellas con el fin de que no se preocuparan. Teníamos que hacerles saber que estábamos bien y que nos trataban bien —aunque no fuera cierto—. Esa era nuestra única tarea ese día. Eso era lo que teníamos que hacer lo mejor posible. Quizá eso se pueda llamar manipulación, pero lo hacíamos por compasión, no con ánimo de herir o engañar.

Después de ver el mensaje de mi mamá, tomamos otro descanso. Salimos al porche y por primera vez no nos taparon los ojos estando fuera de la edificación. Me acerqué a la joven mujer de tez pálida que había estado traduciendo y que estaba de pie cerca de ahí. Mi mente estaba tan dispersa por todo lo que estábamos escuchando que necesitaba que me confirmaran parte de eso.

—¿Usted cree que vamos a salir vivos de esto? —le pregunté.

Ella estaba fumando un cigarrillo y aspiró antes de exhalar el humo. Hizo una mueca y medio meneó la cabeza. En seguida dijo:

—No lo sé. Depende de lo que haga su gobierno.

—¿Qué quiere decir?

—Bueno, su gobierno tiene tropas en este momento aquí en Colombia y están entrenando para un rescate.

Guardé silencio, esperando a que continuara. Cuando lo hizo, tenía una expresión perpleja.

—¿No supieron sobre los otros rehenes?

Le dije que no teníamos radios, que no nos enterábamos de ninguna noticia. Apagó el cigarrillo contra un poste del porche. Se encogió de hombros y me dijo con gran naturalidad que había un grupo de secuestrados a los que hacía poco el gobierno había tratado de rescatar. Entre ellos se encontraban el ex gobernador de uno de los departamentos, creía que Antioquia, y un ex ministro de Defensa de nombre Echeverri. Cuando llegaron los militares, las FARC los mataron a los dos, junto con otros diez secuestrados militares. Sus palabras confirmaron su afirmación anterior, así como otras cosas que habíamos escuchado decir a las FARC en la selva: "Si hay rescate, los matamos a todos".

No estaba siendo excesivamente dramática, pero su tono natural, como minimizando el asunto, tuvo el efecto deseado. Les conté a Tom y a Keith lo que me había dicho y a ellos los afectó tanto como a mí. Nos pidieron que entráramos de nuevo, y antes de que Botero pudiera hacer su primera pregunta Keith se dirigió a Alfredo.

—En caso de un rescate, ¿cuál es su misión? —preguntó—. ¿Matarnos?

Habría sido mucho esperar que Alfredo tuviera la hombría de contestar que sí. Más bien nos dio la respuesta acostumbrada:

—No. En un rescate, si los matan será con balas del ejército colombiano. No serán nuestros dedos los que disparen.

Sus palabras contradecían por completo lo que había dicho la traductora. Por despiadada que se había mostrado con respecto a la muerte de personas inocentes, por lo menos me había merecido algún respeto por decir la verdad. Sin embargo, después de la afirmación de Alfredo, fue claro que también ella había disfrutado muchísimo asustándome.

Después de ese intercambio, Botero hizo esta pregunta:

—¿Qué piensan cuando oyen la palabra *rescate*?

Apenas cinco minutos antes nos habíamos enterado de que unos secuestrados habían sido borrados de la faz de la tierra de modo que, ¿cuál podía ser nuestra respuesta? Todos dijimos en esencia lo mismo, pero creo que Keith lo manifestó con mayor elocuencia cuando expresó:

—Ya se han perdido suficientes vidas con nuestro accidente y sus consecuencias. Hemos perdido a cuatro colegas y a un quinto hombre que era completamente inocente. No quiero morir. Ninguno de nosotros quiere morir. Estoy hastiado de la muerte. La vida es la única victoria posible y ruego por que haya una solución diplomática.

Después de unas cuantas preguntas más de Botero, hicimos otro receso. La traductora se puso a discutir con uno de nosotros, esta vez con Keith. Me acerqué cuando la escuché decir algo sobre Cuba y sobre el embargo de Estados Unidos.

—La razón por la cual Estados Unidos impuso el bloqueo comercial fue porque si lo levantaba, todo el mundo en Estados Unidos se iría para allá huyendo.

Keith la miró.

—¿Alguna vez ha estado en Cuba? —le preguntó—. Porque yo sí he estado. Mi primera novia era cubana. Mi cuñada es cubana. Fui criado en la Florida, en un barrio marcadamente cubano.

La traductora no dijo nada y aspiró su cigarrillo. Vi que se estaba enojando con él y con su habilidad para confrontarla.

—¿Cuál es su relación con Cuba? —insistió Keith—. ¿De qué color es su pasaporte? Su acento parece ser un poco cubano americano, ¿o me equivoco?

Ella no contestó ninguna de estas preguntas. Había tenido suficiente y se alejó sin pronunciar palabra.

Keith me miró y dijo:

—¿Quién será esta guerrillera de ciudad?

Tenía razón. No cabía duda de que era una aprendiz de revolucionaria. Aunque vestía pantalones de camuflaje, eran distintos de los corrientes. Eran de cadera y de buen corte. También usaba lo que según habíamos aprendido en Colombia se conocía como *ombliguera*: una camiseta que dejaba ver el ombligo y se mantenía en su puesto con unos tirantes muy delgados. También había mencionado que se había enterado de nuestra captura estando en Bogotá... seguramente comprando su pinta.

En últimas, las especulaciones sobre la traductora eran lo que menos nos preocupaba. Tom, Keith y yo estábamos padeciendo una verdadera saturación de información. En los últimos seis meses habíamos estado viviendo figurativamente, y a veces literalmente, en cajas. No habíamos escuchado ninguna noticia, salvo por uno que otro rumor —nos iban a liberar— por parte de los guardias. Aunque se suponía que ese día iba a ser una prueba de supervivencia, había resultado siendo más bien una prueba de muerte: Tommy J., el sargento Cruz, Ralph Ponticelli, Tommy Schmidt y Butch Oliver, junto con los otros secuestrados colombianos que habían sido masacrados. Todo ese día tuve uno de los peores dolores de cabeza de mi vida por el estrés, por todas esas noticias fatales, por el video de mi mamá; era francamente demasiado. No habíamos podido hablar libremente en los últimos meses, pero ahora las palabras se nos habían metido por todos los poros, infiltrando nuestros cerebros hasta hacerlos doler.

Botero nos hizo otras preguntas; a veces entendíamos su inglés chapucero, en otras ocasiones la joven nos traducía lo que decía. Sus preguntas cubrían desde qué era lo que más extrañábamos —la familia— hasta cómo era nuestra rutina diaria —tediosa—. Sabíamos que posiblemente nuestras familias iban a ver el video, de modo que nos esforzamos por infundirle un tono positivo a todo lo que decíamos. Cada vez que se nos presentaba la oportunidad, les asegurábamos que estábamos bien; que gozábamos de buena salud; que nos estaban tratando humanamente. Nada de eso era cierto, pero era lo que queríamos que escucharan nuestros seres queridos.

Le conté a Botero sobre el diagrama de mi casa que dibujé en la página trece de mi diario y sobre cómo todas las mañanas y todas las noches me paseaba imaginariamente por cada habitación y decía algo a cada miembro de mi familia mientras todos realizaban sus actividades cotidianas. Si no sobrevivía, quería que tuvieran un registro de algo que yo había hecho para sentirlos cerca de mí, que supieran cómo me habían ayudado a seguir adelante cuando la situación se ponía muy, muy dura.

Aunque procuré ser muy precavido en las respuestas que le di a Botero, era difícil tener en cuenta todas las partes de la ecuación cuando le contestaba. Eran muchas las perspectivas diferentes que había que considerar. En últimas, esperaba que dos mensajes quedaran claros: quería vivir; quería regresar al lado de mi familia. Cuando me tocó el turno de hablarles directamente en el video, me alegré de haber decidido no preparar mis frases. Quería hablarles desde el corazón, y cuando me había referido a ellos antes, en la sesión de preguntas y respuestas, había tenido que contener mis sollozos. Keith y Tom siempre estuvieron a mi lado, listos a ponerme la mano sobre el brazo o a rodearme los hombros, pero no quería que tuvieran que volver a hacer eso. Quería hacer lo que mi madre me había pedido: ser fuerte. Las palabras de mi mamá seguían resonando en mis oídos. Quería decirle cuán orgulloso me había hecho sentir. No sabía cómo lo había hecho, cómo había logrado filmar ese video y entregarlo a la gente que tocaba para que yo lo pudiera ver. El hecho de que su voz hubiera penetrado esa selva densa, húmeda y lúgubre me llenaba de asombro.

En parte, dije lo siguiente:

—Mamá, recibí tu mensaje y te agradezco por haber hecho lo que sea que hayas tenido que hacer para que ese mensaje me llegara. Yo también te amo. Quiero que sepas que estoy siendo fuerte. No me están lastimando ni torturando. Sólo espero volver a casa.

Shane, te amo. He estado esperando para decirte que pienso en ti todos los días. Sólo espérame, amor.

Joey, Cody, Destiney, los amo. Sólo espero volver a casa. Espérenme. Espero volver donde ustedes. Los amo.

Eso es todo.

TOM

Durante casi todo nuestro cautiverio, estuve esperando escuchar noticias de cualquier tipo. Durante un tiempo solía decir que nos habían sacado de la era de la información y nos habían devuelto a la Edad de Piedra. Cuando finalmente nos enteramos de algunas noticias, casi todas eran malas. Saber que nuestro país estaba en guerra con otro grupo de terroristas fue lo mejor que escuchamos. No quería que muriera ningún estadounidense, pero pensaba que el hecho de estar peleando contra un régimen que había causado tanto daño a las personas mismas que se suponía que debía proteger y que había acogido a terroristas ameritaba ese sacrificio necesario. El hecho de que también nosotros fuéramos rehenes de unos guerrilleros había reafirmado mi idea sobre la necesidad de acabar con cualquiera que negara los derechos y las libertades de otros.

Cuando terminó la actividad de la prueba de supervivencia, pude analizar todo lo que había sucedido. Me complacía haber tenido la oportunidad de enviar mensajes a nuestras familias. Me alegraba que nos hubieran dado algún material de lectura y que nos hubiéramos enterado de unas cuantas cosas sobre el mundo exterior. Me sentía esperanzado pero, como de costumbre, esa esperanza había venido acompañada de malas noticias.

La muerte rondaba siempre nuestras mentes. Yo había querido salir del aislamiento en que estábamos, pero enterarnos de las muertes de otros no era precisamente lo que había esperado. Recibir la confirmación del deceso de Tommy J. ya era bastante duro de por sí, pero saber sobre las muertes de Ralph, Tommy Schmidt y Butch fue un golpe adicional. Llevaba suficiente tiempo en el oficio como para conocer a pilotos y miembros de tripulaciones que habían muerto en accidentes aéreos. Ese riesgo potencial era siempre parte del trabajo, pero ésta era la primera vez que había experimentado el deceso de otras personas en su intento por ayudarme. Eso no nos cayó nada bien. La ironía de estar siendo filmados para probar que estábamos vivos al tiempo que nos enterábamos de la muerte de otros constituyó un trago muy amargo. Si a eso se le añade el hecho de que alguien de cuyas intenciones uno sospecha le ha estado filmando de cerca el rostro para captar su reacción, esta dura situación se volvía todavía más difícil.

No quería que mi familia se preocupara por mí, y no sabíamos qué planeaba hacer Botero con la imagen mía en el momento en que me enteré de que habían muerto unos buenos amigos. Casi de inmediato presentí que Botero u otros iban a utilizar nuestras palabras para reforzar su agenda y aprovechar otra oportunidad para hacer propaganda. El sopesar esa convicción contra nuestro deseo de tranquilizar a nuestras familias nos produjo mucha ansiedad.

Además, una vez filmada la prueba de supervivencia, ni siquiera estaba seguro de que iba a llegar a nuestras familias. Nos habían hecho creer que iba a estar allí un periodista internacional, y en vez de eso se apareció este colombiano. Botero no tenía credenciales. No tenía un equipo de filmación que le ayudara. Hasta donde nosotros sabíamos, podía haber sido simplemente un tipo de las FARC acostumbrado a actuar como periodista. Botero nos dijo que dos periodistas en Los Ángeles estaban tratando de ubicar a nuestras familias para darles nuestros mensajes, pero esa no era una respuesta precisa a nuestra pregunta sobre cómo se iba a usar el video. Tal vez sólo querían hacer la prueba de supervivencia para tranquilizarnos, para hacernos creer que nuestra liberación se produciría pronto. Como bien se sabe, es más fácil controlar a prisioneros contentos.

Mi escepticismo se reforzó cuando se terminó la filmación y estábamos esperando para regresar a nuestro cuarto. Vi un papel en el piso. Lo tomé, lo examiné y me di cuenta de que se trataba de una carta de un secuestrado —no de ninguno de nosotros— y que estaba dirigida a su familia. No me sentí con derecho a leerla, de modo que no lo hice, pero me enfureció pensar que uno de los muchos miembros influyentes de las FARC que habían estado allí con nosotros, o incluso Botero, seguramente había incumplido una promesa hecha a otro prisionero. Esa fácilmente habría podido ser una carta mía para Mariana.

Me sentía orgulloso de cómo nos habíamos comportado ese día. Habíamos negado cada una de sus afirmaciones falsas sobre cuál había sido nuestra misión. Cuando alguno de nosotros sentía que lo embargaba la emoción, los otros interveníamos y le brindábamos apoyo y consuelo. Todos hablamos desde el corazón y nos ceñimos a nuestro plan de tranquilizar a nuestros seres queridos lo más posible. A mí me habían dado un par de gafas de lectura para que las usara temporalmente. Parecía como si me hubieran hecho una cura milagrosa. Ahora podía leer, cuando antes estaba casi ciego. Esperaba que las FARC captaran el mensaje por la vía de la palabra y la acción. Yo necesitaba gafas.

Cuando nos llegó el turno de hablarles a nuestras familias, yo procuré ser lo más considerado y reflexivo posible. Me alegraba el hecho de haber podido escuchar las palabras de Keith. Había dicho mucho de lo que yo quería decir, sobre todo cuando le preguntaron qué era lo que más extrañaba. Se conmovió bastante, y verlo así me afectó.

—Soy un tipo más bien rudo, lo siento —había dicho en su declaración—. Las dos cosas que me llegan al corazón son mis dos hijos y mi novia. Cuando a veces siento que no puedo más, pienso en mi hijo de once años, Kyle, siento haberme perdido tu cumpleaños, y en mi hija de catorce años, Lauren, y en Malia, mi novia. Y pienso en lo que ellos querrían que yo hiciera. Y creo que lo que más querrían sería que yo regrese a casa.

Keith luego habló sobre la muerte de su madre cuando él tenía catorce años y sobre cómo se sentía de mal por no estar en casa para velar por su familia. Yo tenía cuarenta y tres años cuando tuve a mi hijo, Tommy, con Mariana. La idea de que tuviera que crecer sin un padre me parecía insoportable. No sabía bien por qué, pero él y yo teníamos un apego increíble. Desde el momento en que salió del útero, fue el niño de papá. Me encantaba nuestra conexión especial pero me inquietaba pensar en cómo estaría en mi ausencia. Mi hijastro, Santiago, era más grande y sabía que estaría bien. Los más pequeños siempre son los que más sufren. Al igual que Keith, también yo había perdido a mi madre en la adolescencia. Sabía algo sobre el duelo y sobre seguir con la vida. También me identificaba con las palabras que les dijo Keith a sus hijos en su prueba de supervivencia:

—Si puedo regresar a casa, fabuloso. Si no, sigan viviendo. No pierdan el ánimo. Sigan adelante.

Los mellizos de Keith seguramente estaban muy presentes en su mente.

Cuando me llegó el turno, expresé sentimientos similares. Me ceñí al plan de decirle a mi familia que estaba en buen estado físico y que me estaban tratando bien. Le manifesté a mi esposa que la amaba y la extrañaba. Les dije a Tommy y a mi hijastro, Santiago, que iba a volver y que ansiaba verlos. Todo lo que decía me parecía decepcionante. Me sentía tan agotado desde el punto de vista mental que quería hablar brevemente y al grano. Esperaba que cualquier imagen mía que vieran les transmitiera mis sentimientos. Ver para creer; si lo que las FARC querían era una prueba de que yo seguía con vida, pues entonces eso era lo que les iba a dar, no mucho más. Mientras menos tuvieran las FARC para usar a su favor, mejor.

Como es apenas lógico no era fácil tener presencia de ánimo, y a veces tenía que esforzarme sobremanera para cumplir esa sencilla tarea. Al igual que Marc, ese día me dio un dolor de cabeza descomunal. En uno de los recesos me dieron ibuprofeno, pero no me alivió. Se suponía que el abanico debía refrescar el recinto, pero lo que hacía era remover el aire rancio, con un zumbido incesante que se me metió en la cabeza.

Esa noche, mientras repasaba mentalmente los sucesos del día, deseé haber tenido la oportunidad de aclarar por lo menos un punto. Cuando me preguntaron sobre mi respuesta a la palabra *rescate*, quise dejar en claro una diferencia. Temía que después de todo lo que había visto ese día, el mensaje saldría confuso. Quería poder decir claramente que aunque me parecía peligroso un intento de rescate, mis sentimientos sólo se aplicaban a un rescate militar colombiano. En mi mente, cuando escuchaba la palabra *rescue* pensaba en la libertad y en Estados Unidos. Cuando escuchaba la palabra *rescate*, se me venían a la mente masacre y muerte. En ese momento la verdad es que no creía que el ejército colombiano contara con un buen entrenamiento en operaciones de rescate de rehenes. Sin embargo, no podía decir eso en el video porque si lo hacía asustaba a mi esposa y mis hijos. Sabía que los militares estadounidenses tenían mucha más experiencia en operaciones de rescate de rehenes, y también contaban con sistemas de inteligencia, armas y tácticas mucho más avanzados para rescatarnos. No quería que quien quiera que viera el video de Botero tuviera la impresión de que estábamos en contra de ser rescatados. Esa noche, mientras yacía en la cama con caballetes en nuestra pequeña habitación, me pregunté si acaso todo el asunto no había sido bastante superficial.

El viaje en bote de regreso a nuestro anterior campamento transcurrió sin contratiempos. Todos estábamos más relajados. No nos vendaron los ojos durante tanto tiempo como en el viaje de ida. Habíamos pasado tanto tiempo desmenuzando todo lo que habíamos escuchado y aprendido que Marc, Keith y yo no hablamos mucho, salvo para llamar la atención sobre algún animal que divisábamos. A mí me interesaban sobre todo los caimanes, después de haber vivido un tiempo en la Florida y haber escuchado todo tipo de historias sobre la plaga en que se podían convertir estos animales. Se sentía bien estar en el agua y moviéndose, aunque si por mí hubiera sido habría preferido estar en un avión rumbo a casa, y no regresando a mi cambuche en un parche enfangado de selva.

De vuelta en nuestro campamento, el cambio de actitud entre nuestros guardias fue evidente. Todos parecían mucho más joviales. Supongo que ya no había tanta presión. Incluso los guardias más serios, los que nunca sonreían, nos saludaron agitando la mano y nos sonrieron como si fuéramos estrellas de cine. Todos se sentían felices de saber que, incluso de la manera más nimia, por ejemplo por ser el tipo que nos encerraba por la noche, habían contribuido a ese éxito de las FARC. Eso los humanizaba un poco; a todo el mundo le gusta ser parte de una acción exitosa, sin importar cuán grande haya sido en verdad su contribución. Tuve que recordarme a mí mismo que estas personas que nos mantenían como rehenes habían matado a algunos de mis amigos para sentir fastidio por la recepción. Pese a lo que aducía el Mono Jojoy, en últimas las FARC eran sobre todo unos asesinos.

Con una distancia de varias horas con respecto al evento, pude procesar la experiencia de la prueba de supervivencia de diferentes maneras. Me gustó la noticia sobre Colin Powell y también me gustó el hecho de haber escuchado a algunos de los guerrilleros hablar sobre una posible intervención de la ONU. Mi percepción de qué tan razonables parecían esas dos posibilidades variaba según el momento del día. Mi interpretación de los sucesos cambiaba con el sol, y sabía que no iba a hallar un alivio duradero ni un consuelo real. En ese momento decidí creer que se trataba de señales positivas.

La mañana después de que regresamos a lo que llamábamos el Segundo Campamento Embarrado optamos por suponer que nuestro silencio impuesto ya había terminado. Nos reunimos fuera de mi cambuche. Ahora que ya había pasado más tiempo desde la prueba de supervivencia, nuestras opiniones se habían aclarado.

—Lo que no puedo quitarme de la cabeza es que hayan matado a esos otros secuestrados —dijo Marc—. ¿Se pueden imaginar eso? Escucha uno un helicóptero y en el siguiente instante lo rodean y lo matan como un perro…

—Tenemos que estar alerta con los helicópteros. Pero ya lo hemos comprobado. Podemos detectarlos en el área antes que estos tipos —dijo Keith, recordándome que sí contábamos con esa clara ventaja.

—Incluso unos pocos minutos de ventaja significan una gran diferencia —le expliqué a Marc.

—Tom tiene razón. Si llega la orden de ejecución, queremos estar lo más lejos posible o en la mejor posición defensiva que podamos. El nivel de amenaza ha aumentado, eso sí es cierto —dijo Keith.

—Voy a necesitar un poco de ayuda en esto, muchachos —dije.

Marc y Keith asintieron. Sabían que después de tantos años de volar y de estar cerca de motores prendidos y del ruido agudo del viento, mi audición no era tan buena como la de ellos.

La prueba de supervivencia había dejado una cosa en claro: en caso de rescate, teníamos que alejarnos lo más posible de los guerrilleros para que no nos pudieran matar. El hecho de poder los tres detectar alertas tempranas —Keith había aleccionado a Marc y ya él sabía distinguir entre un helicóptero Blackhawk norteamericano y un Huey UH-1— constituía una victoria pequeña pero importante sobre las FARC, una de las pocas ventajas que teníamos con respecto a ellos. La mayor parte de los guerrilleros nunca habían estado en un avión, de modo que no tenían la capacidad de realizar el tipo de análisis de amenaza instantáneo que sí podíamos hacer nosotros. Si se producía un ataque o un intento de rescate, por lo menos tendríamos un par de minutos de ventaja con relación a los de las FARC. No era mucho, pero en lo que podría ser un juego de segundos, sin duda era un punto a nuestro favor. Poco a poco los guerrilleros se fueron dando cuenta de que si los tres teníamos los ojos y los oídos puestos en el cielo, debían preguntarnos qué había arriba. Para conservar nuestro control sobre la situación, les respondíamos diciéndoles cosas que se ajustaban a nuestras necesidades, pues ellos no podían saber la diferencia entre lo que era real y lo que nosotros inventábamos.

Desde nuestra llegada al Segundo Campamento Embarrado, no habíamos sentido ningún movimiento en el cielo. Eso nos inquietaba un poco. Nos gustaba la idea de que hubiera aeronaves encima de nosotros, en especial aviones. Los aviones nos hacían sentir bien; su presencia significaba que había alguien allá arriba observándonos o buscándonos. Sabíamos que "ellos", allá arriba, no eran las FARC. Como una semana después de la prueba de supervivencia, cuando julio se convirtió en agosto, los aviones regresaron. Abrigamos la esperanza de que eso tuviera que ver con que se hubieran entregado los mensajes de prueba de supervivencia. En particular, había un avión que hacía grandes órbitas en torno a nosotros. No podíamos identificarlo con seguridad, pero sabíamos que estaba allá arriba, a gran altura, volando en círculos sobre nuestra posición en lo que parecían ser intervalos de treinta minutos. Ya fuera antes o después de la prueba de supervivencia, la ecuación seguía siendo la misma: los aviones eran buenos y los helicópteros eran malos. Durante la mayor parte del tiempo que pasamos en el Segundo Campamento Embarrado, no hubo helicópteros en los alrededores.

Eso no quería decir que no saltáramos fuera de nuestros cambuches al menor indicio de actividad aérea. Veía a los guerrilleros de pie en el claro con los oídos atentos, como si fueran un par de perros de caza al acecho. Establecimos una especie de evaluación informal de nivel de riesgo. Si había Fantasmas —aviones artillados— en el área inmediata, sabíamos que debíamos salir de nuestros cambuches y prepararnos para correr. Si se trataba de un avión de inteligencia de alas fijas, como nuestro amigo de gran altura, podíamos relajarnos.

Quizá el impacto inmediato más positivo de la prueba de supervivencia fue que puso fin a las reglas referentes a nuestro silencio comunal. Cuando se hizo la prueba de supervivencia pedimos que nos dejaran volver a hablar entre nosotros, y aunque Ferney nunca hizo una declaración oficial, las reglas de silencio y separación se relajaron y luego se eliminaron. Los guardias dejaron de fastidiarnos para que no habláramos, e incluso empezaron a conversar más con nosotros. Lo mismo sucedió con los arneses. Todavía teníamos que usarlos, pero ya no nos tocaba amarrarnos a una rama.

Con mayor libertad para movernos y hablar unos con otros, pasamos mucho de nuestro tiempo en el Segundo Campamento Embarrado obteniendo una a veces dolorosa educación en botánica, ornitología y entomología. Constantemente nos estaba picando algo. Si no eran los tábanos, los montablancas y los jejenes, eran las tarántulas y los escorpiones y las hormigas de infantería, las yanaves o las congas. Empezamos a referirnos a la ida a orinar por la noche como la ruleta rusa. Uno nunca sabía qué iba a encontrar en las botas cuando se las ponía de noche. Además, las avispas eran una amenaza constante y lo peor era cuando a uno lo atacaban y se salía del camino huyendo de ellas. Si uno perdía el equilibrio y estiraba la mano contra un tronco para recobrarlo, más le valía no tener la desgracia de tocar el árbol llamado barras santas y las hormigas del mismo nombre. Mierda santa habría sido un mejor nombre tanto para el uno como para las otras, porque picaban como si se tratara de choques eléctricos.

Yo no habría sacado una buena calificación en ornitología. Los tucanes, los loros y las guacamayas se mantenían a distancia, y era difícil deleitarse con ellos en detalle. Marc tenía un talento asombroso para describirlas e imitar sus chillidos, e incluso arremedaba el chasquido de sus picos cuando los cerraban al finalizar el grito. Aunque el chillido del tucán era triste, el del mico aullador y el de otro animal cuyo nombre no sabíamos hacían que el del tucán pareciera casi agradable. Si no fuera completamente absurdo, habríamos jurado que un par de luchadores de sumo se enfrentaban junto a nuestro campamento.

Muy pocos guerrilleros se interesaban por el mundo de la naturaleza. Se diría que siempre dividían todo en categorías opuestas: comestible/no comestible, venenoso/no venenoso, muy peligroso/mortal. Dadas sus circunstancias, esas parecían distinciones importantes de hacer. Aunque cuando abandonamos el Segundo Campamento Embarrado ya llevábamos casi nueve meses con las FARC, nos seguían asombrando algunos de los comportamientos de los guerrilleros. Cuando comíamos arroz y fríjoles, a veces les ofrecíamos una cuchara. Meneaban la cabeza y seguían comiendo con la mano. Cuando le hacían propaganda a la organización y nos decían que si se tomaban el poder acabarían con la corrupción en el país, les preguntábamos cómo iban a hacer eso cuando todo el tiempo se estaban robando los unos a los otros. Su versión de una Colombia mejor era que todo el mundo tuviera un apartamento y un televisor. Cuando les preguntábamos cómo pensaban lograr eso, qué acciones específicas iban a emprender, guardaban silencio.

Al tiempo que pudimos conversar de nuevo, fuimos desarrollando habilidades como cautivos. Sin duda ayudó la lectura del material que nos dieron cuando nos hicieron la prueba de supervivencia. Leímos y releímos todo lo que teníamos. También teníamos el ejemplar del libro *The Street Lawyer,* de John Grisham, que nos había regalado Botero. Ese era el único lugar, además de nuestras conversaciones, en donde podíamos encontrar algo semejante a la lógica, algo parecido al mundo que habíamos dejado atrás, al tipo de personas con quienes nos podíamos relacionar. En los primeros días desde que lo tuvimos, Keith y Marc se pasaban el libro el uno al otro, hasta que lo devoraron. Como yo no tenía gafas de lectura no podía leer, y Keith y Marc se turnaban para leérmelo en voz alta. Casi en el mismo instante en que terminábamos de leer el libro, reiniciábamos su lectura. Era una forma agradable de escapar de la vida en la selva y podíamos sumergirnos temporalmente en el mundo de una importante firma de abogados de Washington, D.C. Disfrutábamos leyendo sobre la decisión de Michael Brock de renunciar a su exitosa vida laboral para dedicarse a trabajar para los desprotegidos. Creo que todos nos alegramos de poder agregar a Michael Brock a nuestra corta lista de personas que sabían razonar con claridad, comunicar efectivamente y hacer confiablemente lo correcto... incluso siendo abogado.

Un par de meses después de la prueba de supervivencia, el Mono Jojoy volvió a aparecerse, y esta vez nos anunció que nos iban a trasladar a otro campamento; sólo que ahora no íbamos a estar solos, sino que estaríamos con los prisioneros políticos. Teníamos una buena idea de quiénes iban a estar allí, pues habíamos leído sobre los diversos secuestros de importantes políticos y candidatos antes de que a nosotros también nos secuestraran. Nunca se nos había ocurrido que a todos los prisioneros de alto valor para las FARC los pudieran tener juntos en el mismo lugar, y nos emocionaron las posibilidades que planteaba este nuevo hecho. Estábamos ansiosos por conocerlos. De repente, después de meses de sólo vernos los tres, íbamos a poder relacionarnos con muchas más personas. Nos iban a devolver súbitamente a algún remedo de sociedad.

Pese a las incertidumbres que implicaba todo esto, estábamos convencidos de que el campamento político sería un cambio positivo en nuestras vidas. Más gente, menos aburrimiento, más libertades. Como de costumbre, nos sorprendió constatar cuán equivocados estábamos.

VII

CAMPAMENTO CARIBE

MARC

El 20 de octubre de 2003, nos acercamos al campamento de los prisioneros políticos con muchas expectativas. No pasó mucho tiempo antes de que ese sentimiento se transformara en terror. Frente a nosotros se levantaba un gran complejo habitacional completamente rodeado por una malla metálica coronada por alambre de púas. Alrededor de este rectángulo se ubicaban a intervalos seis garitas elevadas, ocupadas por guardias provistos de armas automáticas. Del lado interior de la malla que definía el perímetro, una segunda malla metálica formaba otro rectángulo. Dentro de ese espacio cerrado sobresalía una estructura grande, del tamaño de un garaje para dos vehículos. Nos detuvimos para mirar esa realidad brutal: por primera vez estábamos en un complejo que nos recordaba las fotos que habíamos visto de campos de prisioneros de guerra de verdad; no los campos prolijos y ordenados de Hollywood, como en *The Great Escape* o *Stalag 17*, sino una versión deprimente y deslucida de ellos.

Sombra nos instó a seguir y nos hizo recorrer todo el perímetro del complejo, todavía por fuera de la malla exterior. Mientras caminábamos a lo largo de la primera cerca, vimos dentro del complejo a un grupo de personas en ropa de civil, balanceándose ociosamente en hamacas. Miraron hacia donde estábamos pero no hicieron el menor intento por acercarse. Un poco más allá vimos un patio y otra edificación.

Un grupo de hombres, de pie en ese espacio abierto, nos observaba. Del interior de la edificación salía un zumbido de conversación. Seguimos caminando por el perímetro hasta que llegamos a la entrada principal, en donde había un escritorio y un asiento, junto con dos centinelas impasibles.

Mientras esperábamos a que Sombra diera la orden de que abrieran la puerta, uno de los prisioneros, vestido con ropa de civil un tanto andrajosa como los demás, se nos acercó. El pelo le llegaba a la cintura y tenía una barba poblada, lo que lo hacía parecer como una versión colombiana de Robinson Crusoe. Nos saludó en español con un cortés "buenos días".

Un grupo grande de prisioneros —deben haber sido unos veinte— salió de la edificación y todos corrieron hacia la malla. A semejanza del hombre que nos saludó, vestían todos ropa de civil bastante gastada.

—¿Cuánto tiempo llevan aquí? —pregunté en español.

—Algunos de nosotros cuatro años. Otros cinco. Algunos seis —contestó uno de ellos en un inglés decente pero con un fuerte acento.

Sentí que se me encogía el estómago. La gente se veía mal. Una persona tenía un sarpullido de mal aspecto que le cubría casi toda la espalda, a algunos les faltaban dientes y otros se estaban quedando calvos y encorvaban el cuerpo. Lo primero que pensé fue en cómo los compadecía. En seguida me di cuenta de que también yo podía terminar así.

Supusimos que nos iban a dejar con este grupo de prisioneros, pero Sombra dijo "vámonos" y siguió conduciendo a sus preciadas posesiones por el lado exterior del campamento. Hacia un lado había un espacio más pequeño, también con cerca, de la cual colgaban varias cadenas. No apretaban los cuellos de los prisioneros, pero de todos modos nos decían a grito herido que el campamento era una cárcel. Sombra nos llevó hasta la puerta. Estábamos esperando entrar cuando una mujer, bastante delgada y con pelo largo y ondulado, se acercó afanosamente con otras cinco o seis personas. Entramos detrás de Sombra y vimos que la mujer y el grupo que la seguía estaban en otro espacio cercado más pequeño.

Justo en el momento en que nos iban a dejar entrar a este lugar más pequeño, oímos a la mujer decirle a uno de los hombres en español:

—Aquí no hay espacio. ¿Qué vamos a hacer? No podemos tenerlos aquí. Esto no va a funcionar. Tenemos que decirles.

—Íngrid, hacemos con ellos lo que hicimos contigo. Les damos la bienvenida —respondió el hombre.

No fue necesario escuchar su nombre para saber que la mujer que no nos quería en su parte del campamento era Íngrid Betancourt. Casi un año y una semana antes del día en que nos estrellamos, las FARC habían capturado a Betancourt. Keith me había dicho en alguna ocasión que el día después de que se la llevaron, como un favor para nuestro país anfitrión él había sido el comandante de misión en un vuelo sobre el lugar en donde la habían secuestrado. No esperaban encontrarla, pero hicieron un reconocimiento aéreo del área. Keith recordaba que en ese momento le había parecido extraño que hubieran encomendado la búsqueda a un subcontratista norteamericano y no a militares colombianos.

Yo me había enterado de la noticia de su secuestro cuando todavía estaba en Estados Unidos. Como estaba presentando solicitudes de empleo en Colombia más o menos por la época en que ocurrió el hecho, cualquier cosa que tuviera que ver con el país me interesaba. Después, cuando ya estaba viviendo en Bogotá, un día en que conducía por la ciudad vi una enorme valla en la que se veía su foto con la consigna LIBEREN A ÍNGRID debajo de su imagen. Cuando uno ve la foto de alguien en una valla, es difícil olvidar su rostro.

Íngrid Betancourt era una política franco-colombiana que había sido senadora en Colombia y candidata a la presidencia en el 2002 por el partido Oxígeno Verde que ella misma había fundado. Poco después de que el gobierno colombiano revocara la zona de distensión que había acordado a las FARC, Betancourt fue a esa parte del país en campaña, pese a la insistencia del gobierno y de los militares para que no viajara a un lugar tan peligroso. Estando en esa región disputada, la detuvieron en un retén de las FARC y la tomaron prisionera. Provenía de una familia destacada y su primer esposo había sido un compañero de una universidad prestigiosa en la que había estudiado en París. Formaba parte del cuerpo diplomático francés y debido a eso Íngrid había viajado bastante.

Sin embargo, por la manera en que nos recibió, ella no parecía muy diplomática. Haciendo caso omiso de lo que le dijo su compañero de cautiverio, se acercó a Sombra y le repitió sus inquietudes sobre el espacio y de paso añadió otras. Lo que más me sorprendió fue que pareció impartirle una orden a Sombra cuando usó el imperativo del verbo poner, diciendo "póngalos en alguna otra parte". Incluso, así no hubiera estado aprendiendo español, habría podido darme cuenta de que no estaba haciendo una solicitud sino dando una orden. Quería que nos pusieran en algún otro lugar del campamento. Su tono era perentorio, y percibí la expresión de disgusto en la cara de Sombra. Le dijo a la mujer que nosotros éramos tipos educados y que allí nos íbamos a quedar.

Por alguna razón, Sombra pareció ceder a la presión de Íngrid y le permitió conducirlo hasta el interior de la edificación de la que acababan de salir los rehenes políticos, con el fin de hablar un poco más sobre la situación. Podíamos escuchar dos voces de mujer, la de Íngrid y la de otra persona, y le hablaban con mucha rabia a Sombra. Al cabo de algunos minutos de intercambio verbal, el hombre salió del recinto y pasó pisando fuerte frente a nosotros sin decir una sola palabra.

Todo esto nos sorprendió a los tres. No era la bienvenida que esperábamos, y básicamente nos habían rechazado sin siquiera vernos. Nos acercamos al umbral y nos asomamos a la edificación en donde Sombra e Íngrid habían estado discutiendo. El lugar era un verdadero palacio en comparación con los sitios en donde habíamos estado antes. Incluso si ponían otras tres camas, nos parecía que habría espacio suficiente para todos. Nos quedamos allí como parientes inoportunos llegados de sorpresa. Hice lo posible por mantener la mente abierta y darles el beneficio de la duda. Me pregunté si también yo habría respondido de la misma manera y habría considerado este lugar como "mi" casa y a los recién llegados como huéspedes a quienes nadie había invitado. Quería creer que no y albergaba la esperanza de que tras el impacto inicial de vernos —a nosotros nos habían dicho que nos iban a trasladar a su campamento pero yo no sabía si a ellos también les habían contado sobre nuestra llegada— lo superarían y nos darían la bienvenida.

En total había siete prisioneros colombianos y susurraban entre ellos, formando grupitos y discutiendo el asunto un poco más.

—Bueno —dijo Keith, mirándonos a Marc y a mí con exasperación—, supongo que esto es preferible a que se nos acerquen y nos olisqueen.

Recordé una conversación que habíamos tenido Keith y yo en el campamento anterior. Keith había estado hablando sobre cacería, perros y animales en general. Tocamos el tema del dominio y la sumisión en los perros, su mentalidad de manada y las jerarquías en el reino animal. Sabía que Keith estaba interpretando todo esto como una exhibición de dominio, pero no entendía por qué veía las cosas así. Estábamos bastante acostumbrados a estar en trío, y si alguien más hubiera entrado a nuestro grupo habríamos necesitado algo de tiempo para adaptarnos. Apenas llevábamos unos pocos minutos en el campamento, a lo mejor sólo necesitaban tiempo para aceptar la situación.

Luego de un breve debate entre ellos, se acercaron y nos saludaron. Esta vez parecían genuinamente contentos de conocernos, incluso Íngrid, quien me dijo en muy buen inglés:

—Nos da gusto tenerlos aquí. ¿Y saben qué vamos a hacer esta noche? Vamos a hacer una fiesta. Y vamos a bailar.

Nos sonrió y en seguida se alejó, y yo me quedé perplejo, preguntándome qué había pasado y por qué esta mujer había cambiado tan repentina y drásticamente su actitud frente a nosotros. Atribuí este comportamiento extraño al impacto que significaba romper su rutina, pero aun así no me gustaba la idea de que su primera reacción hubiera sido de rechazo. Todos ansiábamos poder conversar con más gente, y a Keith y a mí nos parecía especialmente atractivo el hecho de que hubiera otra persona que hablara inglés. También nos entusiasmó ver que tenían radios, lo cual significaba contacto con el mundo exterior. Varios de ellos tenían pequeños transistores y además había un radio multibanda AM-FM más grande al que se referían como el "panelón", o radio de panel.

—Sus familias están bien, Keith y Marc. Hemos sabido de ellas por la radio —nos dijo Íngrid.

Tom estaba hablando con los otros secuestrados políticos mientras Íngrid nos explicó por qué había podido saber sobre nuestras familias.

—Como en Colombia hay tantos secuestrados, varias estaciones radiales les permiten a sus familiares y amigos que les envíen mensajes, que transmiten por lo general por la noche o en la madrugada —dijo, encogiéndose de hombros y sonriendo—. Los secuestrados no son un buen negocio y no atraen anunciantes, por eso tiene que ser a esas horas.

—Eso a mí no me importa. Me quedaría despierto veinticuatro horas al día, siete días a la semana con tal de escucharlos.

Íngrid asintió.

—Y sus esfuerzos serían recompensados. Su mamá ha estado al aire muchas veces. Escuchamos sus mensajes todo el tiempo. Es obvio que lo quiere mucho. Mi mamá es igual.

Nos dijo entonces que nuestras familias querían que los tres supiéramos que estaban bien y que nuestra empresa se estaba ocupando de todos. Esas palabras nos aliviaron muchísimo porque nos preocupaba la incertidumbre de si la compañía estaba velando por nuestras familias desde el accidente. El hecho de que una persona nos dijera espontáneamente, sin que se lo preguntáramos, que les estaban ayudando fue una noticia muy alentadora.

Sin embargo, había más ansiedad que alegría en el ambiente. Era como una repetición de la prueba de supervivencia: una gran cantidad de información que nos abrumaba rápidamente. Íngrid y los demás hablaban todos al tiempo, pero nosotros concentrábamos nuestra atención en ella porque no necesitábamos que Tom nos tradujera. Nos presentó a un hombre de estatura más bien baja y aire circunspecto de nombre Luis Eladio Pérez, a quien todos llamaban Lucho. Él le rodeó la cintura con el brazo y se unió a la conversación como si estuviéramos en un coctel.

Los dos nos informaron sobre lo que habían escuchado sobre las FARC y las posibilidades de diálogos de paz, intercambio de rehenes y liberaciones. Nos parecieron confiables porque eran colombianos, políticos y conocían la cultura y todos los actores. Tanto Lucho como Íngrid parecían muy seguros de que la liberación de Íngrid estaba a la vuelta de la esquina. Es más, ella creía que la razón por la que habían construido el campamento en el que nos encontrábamos era porque las FARC sabían que estaban a punto de liberarla. Querían que viera a todos los secuestrados prominentes para que verificara que estaban vivos y en buen estado de salud.

—¿Puedes creerlo? —dijo Keith mientras Íngrid se alejaba. Por el gesto que hizo, se diría que había mordido un trozo de fruta podrida—. La engreída princesa cree que le construyeron este castillo a ella solita. ¿Qué tal la arrogancia?

Sí era un poco extraño que creyera eso sobre sí misma. Yo sabía que ella era apenas una más entre cientos de colombianos secuestrados. El hecho de que su captura hubiera sido noticia incluso en Estados Unidos me hacía pensar que era una de las personas más destacadas en cautiverio. Eso no me importaba; era obvio que había reflexionado sobre cómo nos recibió en primera instancia y por eso había cambiado de actitud. Nos había dado buenas noticias y para mí eso era lo importante. Pero a Keith todo eso le había entrado en reversa. Para él era muy importante que los secuestrados se trataran unos a otros con la mayor dignidad y el mayor respeto posibles para contrarrestar lo mal que nos trataban las FARC. Yo, en cambio, quería pensar que su reacción inicial se había debido a la sorpresa, y estaba dispuesto a olvidarla.

Después de esa breve oleada de interacción nos dieron algo de tiempo para acomodarnos, pero no bien habíamos depositado nuestras pertenencias sobre las bancas cuando se nos acercó nuevamente una de las otras mujeres. Antes se había presentado como Clara Rojas, y ahora quería hablarnos sobre el horario de baños. Clara era menuda, de apariencia un tanto frágil, y su sonrisa vivaz pero nerviosa parecía encenderse y apagarse como un letrero de neón, guardando escasa relación con lo que se estaba diciendo. Clara había sido jefe de debate en la campaña de Íngrid y estaba con ella cuando las FARC la detuvieron. Como Clara estaba hablando en español yo en realidad no le entendía lo que decía, pero parecía bastante nerviosa. De lo que lograba captar, me parecía que muchas de sus frases empezaban con la palabra *Íngrid*.

Cuando Clara dejó de hablar, Tom explicó que Íngrid y Lucho más o menos habían decidido cómo iba a ser el horario de los baños; los demás simplemente teníamos que acomodarnos a los turnos que quedaran. Esto se ajustaba a lo que ya habíamos percibido y podíamos ver en la organización de nuestras nuevas estancias. Estábamos irrumpiendo en un territorio previamente establecido por otros e íbamos a tener que acomodarnos como mejor pudiéramos. Si el área exterior parecía estar dominada por Íngrid y Lucho, por lo menos la construcción era lo suficientemente grande como para albergarnos a los diez, y el espacio estaba dividido equitativamente.

Tom nos ayudó enormemente a entender la dinámica del lugar. Incluso antes de llegar a lo que bautizamos como Campamento Caribe —por los peces de tipo piraña que abundaban en el agua cercana—,

Tom nos había explicado que los colombianos tenían una marcada relación de amor y odio con los norteamericanos. Estábamos en su país, y ahora habíamos "invadido" su campamento de prisioneros. Durante la mayor parte de sus vidas, los colombianos habían oído decir que las mejores cosas del mundo venían de Estados Unidos. Según Tom, muchos colombianos veían a Disney World y a Miami como unos de los mejores destinos de vacaciones, y como centros comercial y financiero respectivamente. Tom creía que a muchos colombianos, sobre todo los de estratos altos como Íngrid y Lucho, les molestaba que les metieran hasta por las narices la imagen idealizada de Estados Unidos como la tierra de las oportunidades. Les enervaba que la gente percibiera a Estados Unidos como un ejemplo de lo más grande y lo mejor, pero aun así lo respetaban a regañadientes.

Conscientes de todo esto y a sabiendas de que en varios aspectos éramos intrusos, teníamos que pisar con cuidado y dejar que las cosas se fueran dando. Nos había ido bien en nuestro trato con los de las FARC simplemente comportándonos lo más respetuosa y humanamente posible. No nos pareció que debíamos cambiar de actitud, sobre todo porque estábamos tratando con otros prisioneros como nosotros, y no con enemigos. No creía que ninguno de los tres tuviera un sentido de imparcialidad y justicia excepcionalmente desarrollado, pero en comparación con algunos de los colombianos de ese grupo de siete, se diría que sí.

El traslado a un lugar en donde la gente ya llevaba junta un tiempo resultó ser una experiencia interesante. Era casi como ser el niño nuevo del colegio y tener que aprender quiénes eran los chicos más populares, quiénes eran amigos de quiénes y todo eso. Nos tomó algún tiempo conocerlos a todos y parecía como si cada uno de los tres, como era apenas normal, tuviera opiniones encontradas sobre los demás. Yo sentí una desconfianza inmediata cuando uno de los colombianos, Orlando, se nos acercó al día siguiente tarde para decirnos que había habido algunas discusiones en torno al lugar en donde íbamos a dormir. Pensábamos que eso ya había quedado organizado, pero Orlando le dijo a Tom que Clara estaba tratando de convencer a los guerrilleros de que nos dieran un camarote triple para ahorrarles espacio a los demás. No sabíamos si debíamos creerle, porque Clara no nos había dicho nada de eso a nosotros. Orlando parecía querer hacer quedar mal a Clara, pero ¿con qué fin? De inmediato me dije que más valía estar alerta con este tipo.

No todos los secuestrados políticos nos parecían tan desconcertantes en sus actitudes. Consuelo González de Perdomo, por ejemplo, parecía compartir nuestra opinión sobre cómo nos debíamos tratar los unos a los otros. Consuelo era representante a la Cámara cuando la secuestraron en el 2001 mientras se dirigía a la capital de su departamento. Nos dijo que era de Neiva, la capital de un departamento rural de Colombia, y que antes de dedicarse a la política había sido profesora de colegio. Como dato irónico, provenía de una familia de pensamiento de izquierda y probablemente era, entre nuestros nuevos compañeros de cautiverio, la de visión más antinorteamericana. Sin embargo, nos trató bien. Consuelo era muy religiosa y una madre devota, que hablaba mucho sobre sus bebés y lloraba cada vez que los recordaba. Al comienzo supuse que tenía hijos pequeños, pero sólo cuando nos empezamos a conocer un poco mejor me enteré de que sus dos hijas tenían más de veinte años. No se lamentaba, ni gemía, ni se ponía en ridículo cuando lloraba; siempre se la veía en una actitud muy digna... excepto cuando jugábamos Banca Rusa, el juego de naipes que nos enseñó y en el que le encantaba darnos muendas.

Desde el instante en que la conocimos, a Keith, a Tom y a mí nos pareció que podíamos confiar en que nos trataría justamente. También tenía una cadencia musical en su voz. Dijera lo que dijera, siempre sonaba hermoso. Sus convicciones religiosas contribuían a su naturaleza amable y al trato justo que nos daba, pero también era cuestión de temperamento y procedencia. Su esposo era ganadero y un tipo trabajador que había alcanzado su posición por sus propios esfuerzos. Debido a su historia personal y sus valores, los tres nos identificamos con ella y ella con nosotros.

Un par de días después de nuestra llegada al campamento, pudimos pasar un poco más de tiempo con Jorge Eduardo Géchem Turbay y Gloria Polanco. La cercanía entre ellos era evidente. El plagio de Jorge cuando las FARC secuestraron un jet comercial de la aerolínea Aires en febrero de 2002 fue el motivo que adujo el presidente Pastrana para suspender las conversaciones de paz, poner fin a la zona de distensión y arremeter contra las FARC. Como Jorge era un político de carrera que gozaba de mucho respeto, su secuestro produjo una búsqueda intensa.

Keith comentó que, en comparación con los esfuerzos iniciales para encontrar a Íngrid, los colombianos habían desplegado todos sus recursos en la búsqueda de este hombre que nos pidió que lo llamáramos Jorge. Entendimos por qué gozaba de tanta consideración en el instante mismo en que lo conocimos. Hablaba con suavidad y hacía gala de una gran dignidad y cortesía, pero aunque apenas le llevaba uno o dos años a Tom, parecía mucho más viejo. La vida en la selva no era algo para lo que pudiera estar preparado un hombre de su procedencia y posición. Su grueso pelo ondulado se había encanecido y eso seguramente le añadía años, pero en términos generales parecía tener mala salud y caminaba con gran cautela, sin duda aquejado por algún dolor de espalda.

Gloria, por su parte, lo adoraba, lo cuidaba y atendía sus necesidades con verdadera devoción. La admirábamos por eso, sobre todo teniendo en cuenta lo que le había tocado sufrir. Su esposo, Jaime Lozada, había sido gobernador del Huila, uno de los treinta y dos departamentos de Colombia. Estaban viviendo en Neiva, la capital departamental, cuando, en julio de 2001, guerrilleros de las FARC habían irrumpido en su edificio y se habían llevado a varios rehenes. Los guerrilleros destruyeron con explosivos la puerta de su apartamento, pero Jaime Lozada no estaba en casa cuando ocurrió el ataque. En vez de a él, secuestraron a Gloria y a dos de sus hijos, Jaime Felipe y Juan Sebastián. Después las FARC pidieron abiertamente rescate por los dos muchachos, que en ese momento eran adolescentes.

Así como Gloria velaba por Jorge, nos parecía que también lo hacía Lucho por Íngrid. En circunstancias distintas, muchas cosas de Lucho habrían merecido aprecio y admiración. Era un político de carrera, que había iniciado sus actividades profesionales a los veinticinco años como embajador de su país en Paraguay. Dejó el cuerpo diplomático colombiano y había sido gobernador del departamento de Nariño y luego senador. Estaba en lo que llamaba un "esfuerzo político", haciendo campaña en el sur del país cuando las FARC le robaron su camioneta. Con uno de sus guardaespaldas, fue a un bastión de la guerrilla para negociar la devolución de su vehículo. Lo secuestraron y se quedaron con la camioneta. Con sus rasgos delgados y angulares y unos trazos de gris en su barba al estilo Vandyke, Lucho tenía un aspecto un tanto rapaz, y sus ojos claros e inteligentes acentuaban la percepción de que siempre andaba vigilante y cauteloso.

Pese al estatus de estos políticos, no nos sentíamos intimidados. Como políticos, seguramente tenían percepciones sobre nuestra situación que podrían resultarnos de utilidad. No cabe duda de que éramos extraños en una tierra extraña, y era bueno saber que, pese a nuestro encontrón inicial, tal vez nos podían ayudar a sobrevivir a esta terrible prueba. Pero con estas personalidades también vinieron nuevos riesgos. Mientras antes sólo nos habíamos tenido que preocupar por la dinámica entre los guardias, ahora había toda una nueva serie de relaciones que teníamos que tener en cuenta. Si nuestro complicado comienzo en el Campamento Caribe sirvió para enseñarnos algo, fue que ahora el nombre del juego era saber en quién podíamos confiar.

KEITH

Antes de que mi madre falleciera, me enseñó muchas cosas sobre la vida y sobre las personas. El primer día que pasamos con los secuestrados políticos, se me vino a la mente uno de los dichos que solía repetir: "Uno termina según como empieza". Mi madre se refería a empezar una tarea y estar dispuesto a terminarla bien, pero también aplicaba el dicho a las relaciones. Uno no debía apresurarse a juzgar a la gente, pero en últimas muchas veces sucedía que la forma en que las personas se presentaban inicialmente ante uno era un indicio bastante preciso de la manera en que uno terminaría relacionándose con ellas.

No soy ningún genio y no hago alarde de dotes especiales para entender a la gente, pero incluso yo me pude dar cuenta de cómo eran las cosas en el Campamento Caribe casi de inmediato.

Tuve que darle crédito a Íngrid por tener el coraje de venir a decirme, en la mañana de nuestro tercer día en el campamento, que les había vuelto a pedir a los de las FARC que nos sacaran de su sección. Eso me molestó mucho y se lo dije, pero me enojó sobre todo porque ya me había enterado por uno de los guardias más confiables que Íngrid había mandando notas a Sombra diciéndole que éramos agentes de la CIA y que por eso ella nos quería fuera de allí. Junto con Lucho, también envió otra nota en la que aseguraba que teníamos microchips en la sangre y que más les valía a las FARC cuidarse porque nos estaban vigilando muy de cerca.

No podía creer que otros prisioneros como nosotros nos pusieran en semejante peligro. Los dos eran senadores, y a juicio de las FARC fichas de negociación extremadamente valiosas. Más que eso, tenían un alto nivel de educación. Los bobalicones que nos tenían prisioneros sabían que Lucho e Íngrid eran personas inteligentes y fácilmente les habrían podido creer. Nos podrían haber ejecutado sólo porque ella quería más espacio para sí en el campamento. Eso había sido temerario e irresponsable y yo estaba tan furioso que casi ni podía pensar. Gracias a Marc y a Tom, que me escucharon despotricar y me dieron sus puntos de vista, pude contener mi ira en ese momento.

Más tarde ese día, Marc, Tom y yo acordamos reunirnos con todos los prisioneros políticos para hablar sobre los nuevos arreglos. Para todos era claro que el hecho de habernos incorporado a nosotros tres había aumentado el nivel de tensión en el campamento. Nadie quería eso, de modo que aceptamos sentarnos en el cambuche y hablar francamente sobre la situación y sobre qué podíamos hacer para solucionar los problemas. Lucho dirigió la reunión:

—Es importante resolver cualquier dificultad de inmediato. Cada uno tendrá su turno para expresar sus sentimientos con respecto al comportamiento de los demás. Así todos sabremos cómo nos sentimos y no habrá secretos.

Durante los primeros minutos se escucharon todo tipo de quejas generales sobre nosotros, ninguna de las cuales era cierta. Yo no lograba entender qué tenía que ver nuestro olor ni el hecho de que usáramos ropa interior o no. Dejé que se quejaran y se desahogaran. Sólo estaba escuchando a medias cuando, sin la menor provocación, Lucho empezó a gritar: "¡No hay putas aquí! ¡No hay putas aquí!". Yo ya había oído la palabra *putas*, pero no entendí por qué se estaba refiriendo a ese tema. Tom estaba tratando de traducir, pero Lucho estaba tan alterado y gritaba tan fuerte que no oíamos a nuestro amigo.

Me volví hacia Íngrid y le pregunté qué estaba diciendo Lucho y ella dijo, "me está defendiendo a mí". No entendí de qué la estaba defendiendo, y lo único que se me ocurrió fue que él pensaba que lo único que teníamos nosotros tres en la mente era meternos entre los pantalones de estas secuestradas políticas.

Yo había visto suficientes veces a Lucho caminando por ahí marcando su territorio como para saber que en verdad protegía a Íngrid.

El hombre se sentía inseguro de su posición en la manada, llegamos nosotros, los intrusos, y él tenía que defender su territorio. Eso me parecía entendible, aunque no me gustaba. Nos percibía como una amenaza. Lo que sí no podía entender era su aparente idea de que éramos un trío de dudosa reputación que percibía la presencia de mujeres en el campamento como una invitación abierta para el sexo. Peor aún, me estaba sermoneando sobre moralidad un tipo casado a quien los tres habíamos visto manifestar abiertamente su afecto por Íngrid. No iba a aguantarme eso, de modo que abandoné la reunión.

Más tarde, Marc y yo tuvimos la ocasión de conversar sobre lo que había pasado. Como de costumbre, Marc estuvo más ecuánime que yo y me ayudó a calmarme un poco. Dijo que le dolía saber que la gente imaginara esas cosas tan terribles de él cuando no había hecho sino pensar en su esposa y en cuánto la extrañaba. A los dos nos ofendieron las suposiciones que se habían hecho y las palabras de Lucho, pero ninguno entendía qué lo había hecho gritar "¡No hay putas aquí!". Tal vez se le había salido de madre su machismo latino. Quizá se trataba tan solo de una actitud defensiva. Sea como fuere, había algo que no tenía sentido.

Mientras más hablábamos Marc y yo, más me convencía de que lo que Lucho e Íngrid estaban haciendo no era sólo producto de la imaginación. Recordé una conversación que habíamos tenido con Risas antes de venir al campamento político. Todavía no nos habían informado a dónde nos iban a llevar, pero Risas no se aguantó las ganas de hablar. Nos dijo que se suponía que no nos debía decir nada, pero no hacía sino susurrar: "Va a haber *viejas*" —así se refieren algunas personas a las mujeres, independientemente de su edad—. Dijo que había cuatro viejas y que podíamos tener relaciones sexuales con ellas. No sabíamos a qué se refería ni por qué nos decía eso. También nos acordamos de que en el viaje en bote hasta el campamento, Sombra nos había advertido sobre Íngrid. Había dicho abiertamente que no debíamos confiar en ella y que era una serpiente.

Al recordar las palabras de Risas y de Sombra, parte del rompecabezas se empezó a armar. A veces nos parecía que Sombra era estúpido. Había visto indicios de estupidez muchas veces, pero también veía indicios, mucho menos frecuentes, de que podía ser astuto y manipulador. Me dije que si Sombra, a través de su guardia Risas, había plantado una semilla en nuestras cabezas de que íbamos a ir a un lugar en donde había mujeres que se acostarían con nosotros, era muy posible que a los colombianos les hubieran dicho una mierda similar con respecto a nosotros. Sombra estaba tratando de enfrentarnos y dividirnos. Yo había leído sobre algunas de las tácticas que utilizaban los nazis en sus campos de concentración, y la idea de dividir y conquistar era tan vieja como las colinas romanas. Un campamento en el que los prisioneros peleaban unos contra otros era más fácil de controlar. Si todos estábamos unidos, habríamos constituido una amenaza más fuerte para ellos, en vez de una amenaza los unos para los otros. Se trataba de la clásica guerra psicológica de los campos de prisioneros, y nosotros habíamos caído víctimas de ella.

Aunque yo me había dado cuenta de parte de lo que pasaba, no estaba dispuesto a atribuir todo el comportamiento mezquino en el campamento a los juegos mentales de los de las FARC. Con eso le habría dado demasiado crédito a los guerrilleros. Tal vez Sombra hubiera querido causar algún revuelo adrede, pero eso no explicaba toda esa mierda egoísta que veía por doquier: personas peleando por agua, espacio y los demás recursos escasos de que disponíamos. Nosotros tres habíamos vivido entre el barro los últimos dos meses y habíamos odiado cada minuto de eso. En comparación, este lugar, por horrendo que fuera, parecía un hotel de lujo y, sin embargo, con tanta pelea, a veces hasta echaba de menos el lodo y el aislamiento.

No ayudaba el hecho de que Marc, Tom y yo luchábamos con nuestra amistad. Siempre decíamos que estar cautivos juntos nos había forzado a los tres a vivir como en un matrimonio arreglado. En el Campamento Caribe, era como si nuestro matrimonio hubiera aterrizado repentinamente en medio de una secta poligámica, por lo cual mientras estábamos soportando este tenso período con los políticos, los tres también estábamos divididos. En parte se trataba de la misma barrera del idioma, que siempre había sido difícil, pero que ahora se presentaba a mayor escala cuando había más personalidades en juego. Con su español, Tom podía relacionarse con los demás a un nivel que nos era imposible a Marc y a mí. Tom en verdad disfrutaba estar con los otros, y como nosotros dos no podíamos expresarnos, nos sentíamos excluidos. Desde que nos tomaron como rehenes, Marc y yo habíamos dependido de Tom para que nos mantuviera al tanto de lo que pasaba, y no pensábamos que nuestra necesidad de entender fuera una carga adicional para él. En esta etapa de nuestro "matrimonio", era como si hubiéramos caído en la rutina de tener cada cual quehaceres específicos para realizar. En pocas palabras, Marc y yo dábamos por descontada la capacidad de Tom para traducir, y probablemente le dejamos de pedir el favor de que lo hiciera y de darle las gracias cuando lo hacía.

Desde luego, en ese momento yo no pensaba a ese respecto en estos términos. Más bien pensaba en cómo en el viaje en bote hasta el campamento político Tom había optado por no traducir mucho. Me parecía que pasaba mucho tiempo hablando con Sombra y que a veces los dos se reían. Eso no me gustaba. No quería socializar con Sombra ni ser amigo suyo, y tampoco quería que lo hiciera Tom. Él lo único que estaba haciendo era siendo Tom —un tipo más bien gregario—, pero su manera de ver las cosas era diferente de la mía. Las FARC eran el enemigo y utilizábamos a los guardias para obtener ventajas, nada más. Tom no había cruzado ninguna línea ni había hecho nada indebido, pero episodios como la travesía en bote me instaban a dirigir mi ira y mi frustración contra el idioma. Detestaba tener que depender de él para hacer una de las cosas más fundamentales que nos hace humanos: comunicarnos con otros. Era como si se me hubiera partido una pierna y tuviera que depender de alguien para que me trajera la comida. Todavía estaba resentido y me preguntaba por la suerte de los mellizos.

Mi resentimiento sólo empeoraba mientras más tiempo permanecíamos en el Campamento Caribe. Veía cómo se relacionaba Tom con los colombianos. Sólo estaba siendo él mismo y disfrutando de la compañía de los otros, pero, como había ocurrido cuando se chanceaba con Sombra en el barco, eso me preocupaba. Tal vez la advertencia de Sombra sobre Íngrid fuera un ardid, pero con base en lo que había visto en mis breves interacciones con ella, no necesitaba que me dijera que era una serpiente. Había visto lo que algunas personas podrían describir como su encanto y su carisma, pero también había visto cómo se había transformado de una arpía enfurecida a una anfitriona acogedora en cuestión de minutos. Sabía que no estaba loca; era inteligente. Era una política. Me pareció que ella se había dado cuenta de que no le convenía seguir confrontándonos abiertamente. Cuando quedó en claro que la decisión era que íbamos a permanecer en esa sección del campamento por mucho que ella dijera o se quejara, tuvo que cambiar de actitud. La mujer era astuta.

Además de mis suspicacias con respecto a Íngrid, sabía que en el trato entre personas en cautiverio, ya fueran los guardias o los secuestrados políticos, el conocimiento era valioso: el conocimiento era poder. El tener que preguntar constantemente qué había dicho alguien, el saber que yo no entendía y que los demás sabían que yo no entendía, ya de por sí era difícil. Estábamos en una situación en la que, de hecho, nos superaban numéricamente. Yo no había esperado nunca un enfrentamiento en nuestra relación con los demás prisioneros, pero Íngrid y Lucho dejaron en claro desde el comienzo que estábamos nosotros y estaban ellos. Se sentían con la ventaja de la cancha propia, porque llevaban más tiempo en el campamento y además estaban en su país; yo quería cambiar esa situación.

Cuando compartí mis reservas con Tom y le advertí que tuviera cuidado, se molestó conmigo. Pensó que le estaba diciendo qué pensar y cómo comportarse. Tom y yo ya habíamos chocado unas cuantas veces antes, pero sabía que él era un tipo inteligente que sabía que donde quiera que hubiera gente iba a haber luchas de poder. Quiso desechar mis inquietudes recurriendo a su conocimiento de la cultura colombiana. En efecto, Tom había pasado mucho más tiempo que yo en Latinoamérica. Entendía la cultura y la dinámica de clases mejor que yo. Trató de explicarme que en Colombia la clase alta tenía una cierta forma de tratar a personas de estratos sociales diferentes. Pero yo cerré los oídos a esas explicaciones. No quería escucharlas. Yo era un norteamericano e iba a actuar como un norteamericano en cualquier parte del mundo en donde estuviera, y punto. Tom se puso a la defensiva pues le parecía que mi terquedad era improductiva, pero los dos estábamos haciendo lo que teníamos que hacer para sobrevivir. Simplemente lo hacíamos de maneras diferentes, pero eso no lo podíamos ver en medio del calor de la discusión.

Había una clara jerarquía, con Íngrid y Lucho en la cima, Gloria y Jorge en el siguiente nivel, y los otros tres —Clara, Consuelo y Orlando, un tipo que me cayó bien desde el comienzo— un poco al margen de esa camarilla. En mi opinión, Orlando *Gato Grande* Beltrán era político como los demás, pero más generoso. En la primera mañana que pasamos con ellos, vio que yo sólo tenía una camiseta que me quedaba demasiado estrecha y se estaba desintegrando rápidamente. Sacó de debajo de su cama una pila de ropa nueva que casi no había usado y buscó hasta encontrar una camiseta que me quedara bien. Me la entregó y dijo: "Mejor". Yo no podía estar en desacuerdo: cualquier cosa era mejor que lo que tenía.

Orlando era un congresista que también había sido secuestrado en el 2001. Era un tipo grande, como de un metro con ochenta, de hombros anchos y pecho y brazos robustos. Se había ganado el apodo por la manera elegante en que se movía y por sus ademanes furtivos. No le pregunté cómo había acumulado toda esa ropa, pero me lo imaginaba. Desde nuestras primeras conversaciones me di cuenta de que Orlando era un tipo que sabía manejar el poder y las influencias; era la clase de persona a la le gusta hacer tratos y negocios y que siempre tiene la vista puesta en la siguiente posible oportunidad.

Con el paso del tiempo, deduje que Orlando era el "soltero" entre los políticos. A semejanza de Lucho e Íngrid, Jorge y Gloria pasaban la mayor parte del tiempo juntos. Era evidente que, además de ser ella una especie de enfermera para él, sus mutuos sentimientos eran mucho más profundos. Yo entendía los argumentos de Tom sobre las diferencias en valores y normas culturales, pero cuando uno ve a alguien besando y acariciando a otra persona, los ve a los dos bañándose juntos y en general actuando como pareja, supone ciertas cosas sobre la naturaleza de su relación.

No veíamos a Clara ni a Consuelo comportándose así con ninguno de los hombres, y tampoco las veíamos durmiendo al lado de un hombre o a veces en la misma "cama" con él, como sí hacían Lucho e Íngrid y Gloria y Jorge. Aunque no teníamos intenciones de espiar para ver qué pasaba por las noches, suponíamos la naturaleza de esas relaciones "de pareja". No nos importaba, pues todos eran adultos que actuaban por su propia voluntad. Pero no nos gustaba cuando esas relaciones se convertían en juegos de poder para controlar algún aspecto de nuestras vidas. Vivir y dejar vivir, y todo eso, pero a mí que no me pisen.

Por esa razón, Orlando, como Marc, Tom y yo, parecía estar ligeramente por fuera del círculo. Había cierta prevención de clase contra él porque, a semejanza de Consuelo, no había nacido en un hogar de estrato alto. Era un tipo del pueblo, astuto, definitivamente ladino, pero podía sostener sus opiniones en cualquier discusión política con los demás. Como nosotros, mantenía ojos y oídos abiertos y analizaba rápidamente situaciones y circunstancias.

No me parecía que Marc, Tom y yo tuviéramos algún tipo de jerarquía entre nosotros, pero cuando nos incorporaron a este nuevo grupo me di cuenta de que corríamos un peligro real de quedar siempre en desventaja. Decidí tratar de equilibrar mejor la situación. Como el más robusto de los tres, el de voz más estentórea y personalidad más fuerte, era fácil que me percibieran como el macho alfa. Yo eso lo disfrutaba. Recuerdo una ocasión en que Tom y yo estábamos hablando y él me dijo, señalándome el puño: "No quisiera que me lo pusieras encima". Le dije que no se preocupara. Pasara lo que pasara, por enojado que estuviera con él o con Marc o con cualquier otra persona, no los atacaría físicamente. Me defendería si me atacaban, pero yo no iba a atacar a nadie. Al igual que yo, Tom había leído sobre los campos de prisioneros en Alemania y sabía algunas cosas sobre las jerarquías. Los tres habíamos trabajado en empresas y organizaciones, de modo que estábamos familiarizados con los juegos de poder que se podían dar, y teníamos que estar atentos por si esto ocurría, sobre todo con estos nuevos jugadores.

Si a esta química volátil de personalidades e intereses se le suma el hecho de estar viviendo en un espacio estrecho, era un verdadero milagro que no se produjeran confrontaciones físicas todos los días. En mi casa, si me sentía enojado con alguien y necesitaba desahogarme, podía montarme en mi moto, subirme al auto, salir a caminar, hacer distintas cosas para poner algo de distancia entre él o ella y yo. En una prisión en la selva no teníamos a dónde ir, o por lo menos no podíamos ir muy lejos.

Después de confrontar a Tom con mi opinión sobre estas personas y sobre la actitud de él, no nos hablamos durante un par de días. Era nuestra forma de poner distancia entre los dos. Marc procuró no tomar partido, pero se veía que la tensión lo afectaba. No me gustaba que no viera las cosas a mi manera, y estoy bastante seguro de que Tom pensaba lo mismo. No éramos ningunos santos, ni monjes budistas capaces de conservar la serenidad en todo momento. Éramos personas puestas en una situación de mierda, y a veces nos comportábamos como verdaderas mierdas.

En los días después de que Tom y yo tuvimos nuestro altercado, seguimos peleando con Íngrid por territorio y presenciando su increíble sentido de privilegio. El día en que los guerrilleros nos entregaron colchones, se enojó porque el que le dieron a ella era azul claro y según dijo en ese color se iba a notar mucho el barro. No podíamos creerlo. Llevábamos casi un año durmiendo sobre el piso, sobre tablas o sobre hojas de palma, y esta mujer actuaba como la heroína de *La princesa y el guisante*.

Más tarde ese día, Tom salió del cambuche en busca de un lugar para guindar su hamaca en el área abierta. Encontró uno cerca de una esquina y la colgó allí. Vi a Íngrid y a Lucho sentados en su banca en la parte del patio que consideraban suya. Tom había invadido "su" espacio. Los dos hicieron una mueca y se pusieron a hablar y a mirar mal a Tom. En vez de acercarse y tratar el asunto directamente con él, entraron al cambuche. Salieron con las sábanas de sus camas y las colgaron en el tendedero de ropa justo encima de la hamaca para que se agitaran en la cara de Tom.

Yo estaba sentado con Marc mirando la escena y le dije:

—Sé que los tres no nos hemos estado llevando bien. Esto aquí ha sido duro, hermano, pero tenemos que estar juntos en esto.

Íngrid y Lucho sabían lo que nos estaba pasando. Percibían debilidad y Tom se había metido en problemas como una oveja que se ha extraviado de su rebaño. Pensaron que era un blanco fácil en ese momento y, en efecto, le cayeron encima. Íngrid le dijo que debía haber pedido permiso a Lucho antes de colgar la hamaca. Tom, siendo el tipazo que era y deseoso de llevarse bien con todos, empezó a razonar con ellos.

Independientemente de los altercados entre nosotros, Marc y yo teníamos que apoyar a Tom. Decidimos intervenir en el asunto y les dijimos a Íngrid y a Lucho que nadie tenía que pedir permiso para colgar una hamaca en algún lugar, y mucho menos a las dos personas que reclamaban para sí más de la mitad del área al aire libre que teníamos. No estábamos levantando la voz, sino haciendo lo mismo que Tom: tratando de razonar. Íngrid y Lucho armaron un jaleo tal que Rogelio, uno de los guardias de las FARC a quien no soportábamos, llegó e intervino. Los hizo callar y luego se puso de nuestro lado, y terminó diciendo que Íngrid tenía que aprender a respetar a los demás. Fue un instante grandioso; todos los secuestrados políticos estaban mirando y, en el breve tiempo transcurrido desde nuestra llegada, era la primera vez que veíamos que un guerrillero ponía a Íngrid en su lugar.

Quisiera poder decir que los tres nos abrazamos e hicimos las paces, pero no fue así. Las cosas mejoraron entre nosotros, pero en realidad no había nada que decir. El asunto era claro. Éramos hermanos. Peleábamos como hermanos y también nos apoyábamos como los hermanos. También me gustaría poder decir que Íngrid y Lucho aprendieron a respetarnos un poco más y a bajarse de su pedestal, pero eso tampoco pasó. Era parte de su naturaleza. Eran políticos y llevaban tanto tiempo haciéndose autobombo que habían empezado a creerse todo lo que decían de ellos mismos.

En cierto sentido, estaban en campaña y nosotros éramos los votantes. Nos decían cualquier cosa que pensaran que queríamos escuchar y no se les daba nada mentir. En esa primera reunión, cuando se suponía que íbamos a hablar sobre cómo mejorar nuestra vida en esa prisión, Íngrid negó perentoriamente haber dicho que no nos quería en el campamento, pese a que la habíamos escuchado decirlo con nuestros propios oídos. En prácticamente todas las conversaciones, Lucho solía decir algo en el sentido de que creía que Íngrid iba a ser presidenta de Colombia cuando la liberaran.

—¿Está caliente ese café? —preguntaba—. Cuando Íngrid sea presidenta muy pronto después de su liberación, todo el mundo tendrá café siempre caliente.

Los dos pasaban sus días conspirando y planeando una nueva Colombia juntos. Pese al drama, los chismes y las puñaladas traperas que parecían seguir a Íngrid a todas partes, tuve que admitir que la mujer conseguía que los guerrilleros hicieran cosas que nos beneficiaban a todos. El cambuche sólo tenía una puerta sólida y un hueco pequeño en una pared. Cuando Íngrid se quejó de lo oscuro y lúgubre que era el cambuche, los guerrilleros trajeron unas motosierras. Creo que quisieron hacerlo para mortificarla, pero el resultado fue fabuloso. Abrieron un enorme ventanal en una de las paredes y todos disfrutamos de la luz y el aire extras. Si el partido político de Íngrid era Oxígeno Verde, yo por lo menos apoyaba esa parte de su plataforma.

En últimas, esas primeras semanas en el Campamento Caribe nos enseñaron que teníamos que estar muy alertas. En un día cualquiera, uno no sabía qué lado del carácter de alguien iba a surgir: conciliador, amigable, hipócrita, político o simplemente odioso. Supongo que eso siempre pasa cuando se tiene un grupo de personas juntas. Se forjan lealtades, se ponen a prueba amistades, se toman decisiones y algunas veces se lamentan las decisiones tomadas. Pero sobre todo se emiten juicios, y aunque estos no son inmutables y las impresiones pueden cambiar, en mi caso yo seguía recordando eso que solía decirme mi mamá. Estaba muy lejos de casa, pero aplicaban las mismas reglas.

TOM

Yo no era inmune a las peleas y percibí algunas de las injusticias que se presentaban. Todos trazamos nuestros propios límites y tenemos nuestro propio nivel de tolerancia con respecto a las personas y las circunstancias. Yo reaccionaba cuando consideraba que se había traspasado un límite. Había esperado encontrar personas inteligentes, bondadosas y comunicativas en el Campamento Caribe, y en términos generales eso fue lo que vi. Si hubiéramos podido dar un paso atrás y ver las cosas desde la perspectiva de "¿están mejor hoy de lo que estaban antes?", creo que todos nos habríamos podido llevar mejor.

¿Qué importancia tenía que el sistema de cisterna manual que los de las FARC habían improvisado —había que verter un baldado de agua en la taza de porcelana— se tapara con frecuencia? De todos modos eso era mejor que tener que acurrucarse entre los matorrales. ¿Qué importancia tenía que Íngrid o alguna otra persona monopolizaran el espacio en donde podíamos guardar nuestros artículos de aseo personal? Yo me sentía agradecido por el sólo hecho de poder ducharnos; eran unos duchazos fríos y con agua turbia por el barro, pero por lo menos nos podíamos parar sobre tablas en vez de tener que pisotear el lodo. Había un lugar en la zona de lavado en donde podíamos restregar la ropa, y eso era mucho mejor que compartir el agua con los cerdos y sus excrementos. Nos daban agua hervida, y a Keith y a Marc no se les retorcían las tripas con tanta frecuencia. No estábamos marchando. No teníamos arneses. No nos ordenaban permanecer en silencio. Teníamos acceso a libros y a otros materiales de lectura: unos doce títulos diferentes. Teníamos la oportunidad de enterarnos un poco más sobre nuestra situación gracias a los radios y a la información y las percepciones colectivas de un grupo más numeroso de gente. Estaba durmiendo sobre un colchón por primera vez en meses, y lograba dormir la mayor parte de la noche sin despertar martirizado.

Como secuestrado, uno tiene que desarrollar sus propios métodos para hacer lo más importante: sobrevivir. Eso era lo que yo buscaba. Mi lista de cosas por hacer en el día siempre empezaba con algo que Keith nos había dicho hacía rato. Hay que tomarlo un día a la vez y soportarlo. Yo sabía que no podía ser así de sencillo, dado que mi día implicaba relacionarme con un grupo grande de personas con intereses y actitudes distintos de los míos. Sin embargo, traté de mantener simples las cosas. Y según yo lo percibía, por mucho que disfrutara de la compañía de Íngrid y por buena conversadora, encantadora y carismática que fuera, ella quería algo de mí que no estaba dispuesto a darle: control. Quería tener poder sobre todos nosotros y yo consideraba que ya tenía un jefe —las FARC— y que no necesitaba ningún otro. Las FARC me estaban alimentando y vistiendo. Me estaban dando un techo que me protegía de la lluvia. Por consiguiente, no necesitaba ni quería otro jefe entre los prisioneros. Eso incluía a Marc y a Keith y a los demás colombianos, junto con Íngrid. Me parecía muy bien que nos ayudáramos unos a otros y nos lleváramos lo mejor posible, pero nadie más me iba a controlar.

A medida que transcurrían las semanas y los meses en el Campamento Caribe, empecé a pensar que era demasiado simplista e ilógico ver nuestra situación desde una perspectiva de "secuestrados colombianos *versus* secuestrados gringos". Primero que todo, teníamos un enemigo común que eran las FARC. En segundo lugar, cada vez que emitíamos un juicio sobre el comportamiento de alguien, o cada vez que decidíamos un curso de acción con base en nuestra nacionalidad, no sólo actuábamos con estrechez de miras sino que dejábamos de lado lo verdaderamente importante. Ese tipo de respuestas emocionales eran contraproducentes. Necesitábamos pensar en términos de qué era justo, qué era decente y qué nos podía ayudar a soportar el infierno que estábamos viviendo. Nuestros juicios y decisiones sí se basaban a veces en nacionalidades y lealtades, pero no siempre.

El único aspecto en el que puedo decir con alguna certeza que los secuestrados colombianos tenían una ventaja evidente sobre nosotros era en el trato con los guardias. No creo que estos tuvieran favoritismos con los secuestrados políticos, pero los políticos estaban acostumbrados a tratar con su propia gente. Sabían mejor que nosotros cómo lidiar con ellos o en algunos casos manipularlos. Orlando, por ejemplo, empleaba a varios campesinos en sus empresas y negocios privados, y debido a sus orígenes estaba acostumbrado a tratar con gente de los estratos bajos de la sociedad colombiana. Por consiguiente, podía relacionarse con ellos y tratarlos de una manera que nosotros no conocíamos.

Cuando llegamos al Campamento Caribe, supusimos que, como el objetivo de las FARC era liberar a las clases más bajas y reorganizar radicalmente la sociedad colombiana, los guerrilleros abrigarían resentimientos contra los políticos. Sin embargo, parecía suceder todo lo contrario. Algunos de los guardias trataban con deferencia a estos hombres y mujeres colombianos, dotados de una buena educación y poderosos, lo que a su vez les permitía a los políticos obtener más cosas. Cada vez que llegaba ropa al campamento, siempre llamaban a uno de los políticos para que la recibiera. Keith peleaba todo el tiempo para que le dieran ropa que le quedara bien. Cuando llegaban camisetas de tallas grandes como para él, Gloria e Íngrid se las apropiaban rápidamente porque les gustaba ponérselas para dormir. No nos habría importado si los políticos hubieran sido más justos en la distribución de lo que llegaba, pero no lo eran. Debido a esta distribución injusta, las provisiones nuestras por lo general sufrían.

Así mismo, desde los primeros días de nuestro cautiverio nos habían prometido radios. Había bastantes en el campamento y eso nos alegraba, sin importar a quiénes les pertenecían. Escuchar radio se convirtió en un ritual importante en nuestras vidas, lo único por encima de todo lo demás que nos unía a los diez. Poco importaba si las cosas andaban mal en el campamento, o qué disputas mezquinas había, la regla implícita era que uno hacía lo que fuera para avisarle al que le estuvieran transmitiendo al aire un mensaje de su familia. Llevábamos apenas un par de días en el campamento cuando nos sentamos a escuchar un programa nocturno de mensajes. Todos estábamos en el cambuche. A esas horas estaba lo suficientemente oscuro como para captar una buena recepción en la banda AM pero no lo bastante como para gastar nuestra preciosa provisión de velas. Mientras permanecíamos allí sentados en la penumbra del atardecer, se escuchó claramente la voz de la mamá de Marc.

Le dijo que lo extrañaba y lo amaba y que debía conservar la fe. Añadió que la gente estaba "conmocionada" por el hecho de que estuviéramos en la selva. Luego nos dijo a Keith y a mí individualmente que nuestras familias estaban bien y que todos íbamos a estar bien. Nos sentimos de maravilla y tomamos sus palabras sobre la "conmoción" como una señal positiva.

Infortunadamente, el mes de noviembre de 2003 trajo noticias radiales que nos pusieron a pensar que a lo mejor no íbamos a salir de allí en mucho tiempo... si es que salíamos. El presidente Uribe anunció que ya no iba a negociar más para sacar secuestrados; la única opción, dijo, era el rescate. En su declaración, Uribe repitió algo que según parece había dicho en mayo con relación a los secuestrados que las FARC habían asesinado durante una operación de rescate fallida. Sólo aprobaría operaciones de rescate y los secuestrados serían liberados a sangre y fuego. Esas palabras nos hicieron estremecer y alentaron una discusión.

Jorge dijo:

—Yo ya le he escuchado a Uribe esas palabras u otras similares. No las he olvidado en los meses desde que las pronunció. "El fracaso en el rescate de muchos de los secuestrados", dijo Uribe, "no se puede atribuir a la falta de voluntad política, sino a la falta de asistencia técnica y de equipo sofisticado. Eso es lo que necesitamos para aniquilar el terrorismo en Colombia".

Jorge se echó para atrás, sintiendo a todas luces como si lo hubieran aniquilado a él.

—Las palabras de Uribe son exactamente lo mismo que yo pienso —les dije a los demás—. Sin la combinación correcta de pericia y equipos, un rescate sería muy peligroso para nosotros.

Gloria dijo:

—Uribe tiene otros motivos. Quiere parecer fuerte para que la gente lo reelija. Yo no estoy muy convencida de que en verdad se preocupe por nosotros...

Lucho la interrumpió:

—Exactamente. Quiere que su Congreso —y nos señaló a Marc, a Keith y a mí uno por uno, como si el Congreso fuera en verdad nuestro y nosotros fuéramos responsables de sus acciones— promulgue una ley que le dé a él herramientas todavía más sofisticadas y costosas para sus militares. Así puede controlar a la gente demostrando su poder... un poder sucedáneo porque no es propio.

—¿Se refiere a cosas como el Depredador? —preguntó Keith—. Tal vez unas máquinas no tripuladas no sean un peligro para personas como nosotros, pero no creo que nos puedan reemplazar nunca con el último *widget*, sea el que sea.

Tuve que explicar lo que quería decir Keith con *widget* y agregué que yo estaba de acuerdo con él. Tal vez fuera un dinosaurio, pero prefería que Estados Unidos les diera a los colombianos un mejor entrenamiento sobre cómo combatir la insurgencia que dotarlos con los últimos juguetes de su catálogo. La conversación continuó por esa línea.

Uribe también mencionó que esperaba que se pudieran utilizar Depredadores en las operaciones de rescate e hizo referencia específica a nosotros tres con el ánimo de influir en el presidente Bush y en los demócratas del Congreso de Estados Unidos. Orlando y Consuelo nos dijeron que hace poco había habido un gran debate en el Congreso de nuestro país sobre la viabilidad del Plan Colombia y los setecientos millones de dólares en ayuda que suministraba al país. Pese a las dudas, el Congreso había aprobado los fondos que sostenían en el aire nuestro programa de interdicción de drogas, e incluso habían expandido el alcance de la operación para permitir vigilancia con el fin de buscar y rastrear cargamentos de armas en el país. La mala noticia era que mientras más presión sentían las FARC más nos afectaba a nosotros, y obviamente las operaciones de rescate significaban que corríamos el peligro de ser ejecutados. De hecho, pocos días después de que escuchamos las palabras de Uribe, las FARC emitieron un comunicado en el que decían que, en caso de una operación de rescate, ejecutarían a sus prisioneros.

Nos sentíamos como peones insignificantes en una gigantesca partida de ajedrez en la que intervenían Estados Unidos y Colombia. Además, la política regional colombiana siempre tenía que ver con nuestra seguridad. Los políticos nos informaban sobre las actividades de una organización sobre la cual habíamos oído hablar pero sin prestar mucha atención: el Grupo de Amigos. Estados Unidos, Brasil, Chile, España, México y Portugal habían enviado cada uno su representante. Esos representantes se habían estado reuniendo con los representantes de la Organización de los Estados Americanos —OEA— para ver qué se podía hacer con respecto a lo que nuestros políticos colombianos llamaban el "asunto venezolano". El presidente venezolano Hugo Chávez no había asistido a varias sesiones de negociación que se habían programado para ayudar a solucionar diversos problemas de la región. Aparentemente, a los secuestrados políticos les preocupaban Chávez y su papel tanto como a nosotros nos preocupaban el presidente Bush y el Congreso.

Marc, Keith y yo conversamos entre nosotros sobre Chávez y el papel que Venezuela podría estar desempeñando en Colombia, y sobre cómo eso nos afectaba. Las prendas de tipo militar que nos habían dado tenían todas etiquetas cosidas que decían "Hecho en Venezuela", y sospechábamos que las FARC también estaban recibiendo otros suministros de Venezuela. Aunque no podíamos afirmar a ciencia cierta que el gobierno venezolano estuviera suministrando todo esto para uso de la guerrilla, los hechos parecían apuntar en esa dirección. A Chávez le convenía el conflicto de las FARC con Colombia. Mientras más se dedicara Uribe a combatir terroristas en su propio país, menos retaría a Chávez en materia de supremacía militar e influencia regional.

Además, era evidente que las FARC sentían un afecto correspondido por Chávez. Teníamos que soportar arengas propagandísticas, y los guerrilleros manifestaban su franca admiración por Chávez. En opinión de la guerrilla, Chávez les hacía frente a Estados Unidos y a los demás países de la región. Lo comparaban con Simón Bolívar, el héroe histórico suramericano que contribuyó a derrotar a los imperialistas españoles y a liberar los territorios que son hoy en día Venezuela, Colombia, Ecuador, Perú, Panamá y Bolivia. En Chávez, las FARC veían a alguien que podía restaurar la "Gran Colombia", la nación conformada por los países recién independizados que Bolívar había presidido. Las FARC tenían sus propios delirios de grandeza sobre cómo iban a transformar a Colombia. Parecía casi un chiste que idolatraran a una persona que también parecía tener delirios de grandeza.

El hecho de que tuviéramos que considerar la figura volátil de Chávez al explorar la compleja dinámica de toda la situación acentuaba nuestras dudas sobre una liberación rápida y aumentaba nuestra preocupación con respecto a un posible intento de rescate colombiano. Después de la declaración de Uribe en noviembre diseñamos varios planes para escapar del Campamento Caribe en caso de una operación de rescate, pues anticipábamos la respuesta letal de las FARC. Detrás del baño, descubrimos una pequeña abertura entre la parte inferior de la malla y el suelo. Estaba entre dos postes, de modo que podíamos manejar fácilmente la tensión de la malla y arrastrarnos por debajo. En caso de una operación de rescate, era la primera opción. También pensamos en otras posibilidades y Keith sugirió que los grandes barriles negros de agua que contenían cada uno mil litros serían escondites ideales si no lográbamos llegar a la cerca. Sabíamos que ser proactivos era incluso más importante que mantenernos informados. Junto con nuestra habilidad para identificar tempranamente diversas aeronaves, el hecho de tener un plan de fuga nos hacía sentir un poco más seguros.

Las semanas después de las deprimentes noticias de noviembre fueron difíciles en el campamento, y el Día de Acción de Gracias del 2003 no fue fácil para ninguno de los tres, en especial para Keith. Sabía que toda su familia estaría reunida en la Florida para una gran comilona, y él no iba a estar con ellos. Para Marc, la primera Navidad fue terrible. Escuchábamos villancicos que pasaban en la radio y yo veía cómo Marc se iba deprimiendo cada vez más. El hecho de no estar con sus hijos lo torturaba. Pero lo peor de todo, para los tres, eran los cumpleaños de nuestros hijos. Sabíamos las fechas de cada uno de ellos, y a medida que se aproximaban esos días —el 23 de mayo era el cumpleaños del hijo de Keith, Kyle, y el 17 de septiembre el de su hija Lauren; el 20 de noviembre el de la hija de Marc, Destiney; el 8 de julio el de Cody y el 28 de febrero el de Joel; el 3 de marzo el de mi hijo, Tommy, y el 21 de junio el de mi hijastro, Santiago— nos parecía siempre escuchar alguna noticia que nos hacía abrigar la esperanza de poder estar con ellos.

Sólo después de la Navidad recibimos otro mensaje radial de algunos de nuestros seres queridos. Nos habíamos levantado temprano como de costumbre y escuchamos los mensajes a las cinco y pico de la mañana un domingo. Consuelo tenía prendido su radio y nos llamó. Cuando Marc escuchó la voz de su esposa Shane, rompió en llanto. Estaba sentado sobre la cama de Consuelo llorando, cuando Keith recibió un mensaje de su hijo, Kyle, y de su novia, Malia. También empezó a llorar. Cuando yo oí la voz de mi esposa por primera vez en la radio, me quedé sin aliento. No podía respirar y se me nubló la vista.

—Por favor, Tom, quiero que sepas que te extraño muchísimo. Y, por favor, no hagas nada que ponga en riesgo tu vida, te necesitamos de vuelta con nosotros.

Mariana sabía muy bien que yo a veces contestaba con insolencia y con su mensaje me estaba pidiendo que me contuviera y contara hasta diez antes de hablar. Tan pronto terminó de hablar, tuve que salir. Keith, Marc y Consuelo estaban arrebujados en grupo y yo sentí que no podía quedarme con ellos. Me embargaba una emoción de una profundidad que nunca antes había experimentado en mi vida. Tenía que estar solo; en ese momento no podía compartir esos sentimientos con nadie.

Sólo una persona que haya soportado este tipo de separación forzada puede entender la mezcla de euforia y desolación absolutas que se siente en un momento así. Escuchar una voz que uno conocía tan bien en lo más profundo de la selva era casi como si esa persona se hubiera materializado de repente, no sólo como voz sino como una presencia física palpable. Esas ondas sonoras no sólo resonaban en los tímpanos; tocaban el cuerpo entero. El vello de los brazos se erizaba y era como si esa persona lo estuviera tocando a uno. Yo había visto en el cine escenas en las que a reclusos los visitaban sus seres queridos, separados por un vidrio. No entendía por qué los actores ponían las manos sobre el vidrio, pues al fin y al cabo las personas no podían sentirse las puntas de los dedos. Cuando empecé a recibir esos mensajes, entendí la maravilla de instrumento que era el cuerpo humano. Podía sintonizarse con señales de una manera que antes nunca había entendido.

Esos mensajes eran pocos y espaciados, pero dependiendo de su contenido podían sostenernos o traumatizarnos días enteros. Keith se sintió eufórico cuando escuchó a Kyle por primera vez, pero unos días después de haber recibido ese mensaje de su casa, nos dijo que le preocupaba algo que su novia, Malia, *no* le había dicho. No le había dicho que lo amaba. Como hacíamos con cada frase que escuchábamos, la repetimos una y otra vez, analizando cada palabra y cada posible interpretación. Durante las semanas posteriores a ese mensaje, a veces veía a Keith tumbado en su hamaca, solo, y sabía que estaba rumiando el contenido de ese mensaje y pensando en lo que no se había dicho. Por mucho que nos esforzáramos por apoyarnos unos a otros, había momentos en que sabíamos que lo mejor era mantener cierta distancia, pues sólo podíamos sintonizarnos hasta un cierto grado con el dolor o la preocupación del otro. Marc tuvo una experiencia similar con su esposa y con cosas que ella no dijo. Comprendimos que los seres más cercanos a nuestros afectos eran quienes podían infligir el dolor más grande, pero también procurarnos la mejor de las alegrías.

Detestábamos ver deprimidos a los otros, sobre todo si la causa era la familia y la ausencia de mensajes. Eso nos destrozaba y nos retorcía las entrañas, ya sea que nos estuviera ocurriendo en persona o que presenciáramos el dolor de nuestro hermano. Por mucho que nos dolieran a Marc, a Keith y a mí las afrentas de nuestros compañeros de cautiverio, en realidad eso no revestía tanta importancia. Lo que nos afectaba más que cualquier otra cosa era el dolor del hogar.

VIII

HUESOS Y LAZOS ROTOS

KEITH

Un par de meses después de que Marc, Tom y yo llegamos al Campamento Caribe, ya todos nos habíamos acomodado y conformábamos algo levemente parecido a una familia funcional. Pese a todo el drama humano, los tres nos dimos cuenta de que este campamento ofrecía ciertas ventajas. Por ejemplo, ahora nos podíamos evadir de la dura realidad mediante la lectura de libros y aprendizaje.

Mi entusiasmo por los libros no se debía tanto al deseo de perderme en otro mundo sino a mi interés por desarrollar lo que consideraba otra destreza de supervivencia esencial. Tom estaba cumpliendo muy bien una tarea difícil —traducir para todos los demás—, pero yo pensaba que necesitaba entender de primera mano todo lo que estaba sucediendo y lo que se estaba diciendo. También quería poder expresarme mejor. Sabía que mi voz estentórea y mi tamaño a veces hacían que la gente pensara que los quería intimidar, cuando en realidad sólo estaba saludando. Gloria tenía un diccionario de inglés-español que tenía la amabilidad de prestarme. Todos los días yo tomaba el diccionario y me apartaba del grupo para leerlo. El argumento no era muy interesante pero me gustaban todos los personajes.

El inglés de Orlando era más o menos tan bueno como mi español, y casi todas nuestras conversaciones iniciales parecían ejercicios de gruñidos y gestos. Éramos como quien dice los dos cavernícolas del

campamento, contentos de haber descubierto el fuego pero empeñados
en pasar a la rueda y dejar de pintar dibujos en la pared. Por la noche,
después del atardecer, Orlando y yo nos sentábamos y nos arrojábamos
palabras el uno al otro como si fueran pelotas. Más adelante empezamos con lecciones más o menos formales en las que nos ayudábamos
mutuamente.

Había un problema que nos frenaba un poco y era que Gloria era
muy celosa de su diccionario. Si me demoraba mucho con él, tenía que
pagarle a Gloria la bibliotecaria una multa a manera de cigarrillos por
el retraso. Desafortunadamente para ella, pronto aprendí suficiente
español como para entenderle a Orlando cuando me dijo que el diccionario de Gloria en realidad no era "de ella". Una mañana, Orlando
y Consuelo me vieron pagando la multa. Cuando me senté con ellos
para iniciar la lección, ambos me dijeron en español: "Mal hecho. Mal
hecho". Yo entendí porque esa era una de las expresiones que utilizaban
para corregirme. En seguida me explicaron que no tenía que pagarle
una multa a Gloria. Los de las FARC le habían entregado el diccionario
a ella, pero era para todo el grupo. Aunque era un diccionario de la
comunidad, ella lo marcó con su nombre y lo consideraba propio...
supongo que creía que su firma en él le otorgaba la propiedad legal.
Intentó convencernos de que los guerrilleros le habían dicho que ella
tenía que responder personalmente por el diccionario, por lo cual quería
asegurarse de que nada malo le pasara. Reñimos un poco al respecto,
pero finalmente me resigné a pagar la multa. A veces me sentía como
un tonto, pero eso era preferible a pelear todos los días. En últimas,
entendí que cuando uno tiene tan poco, todo lo que "posee" adquiere
una enorme importancia.

Además del diccionario de Gloria y de las lecciones con Orlando
y Consuelo, me hice a un libro con palabras sencillas sobre el Canal
de Panamá que había sido traducido del inglés al español. Era el
texto ideal para desarrollar mi español de principiante. Solía pedir
prestado el diccionario y, con la ayuda de éste, leía el libro durante
cuarenta y cinco minutos diarios. Todos los días a las nueve y media
me ponía a estudiar. La cosa marchaba bien y nadie parecía ponerle
reparos a mi pequeña rutina. Pero un buen día fui por el diccionario
y no estaba. Lo tenía Íngrid. Entonces hablé con Gloria y con Jorge
y les propuse establecer un horario para que todos tuviéramos acceso

justo al diccionario. Desde luego, lo que más me molestaba era que Íngrid dominaba a la perfección el español y el inglés y en realidad no necesitaba el diccionario. Los guerrilleros habían construido un pequeño escritorio y, como era apenas natural, Íngrid y su sombra, Lucho, lo utilizaban casi con exclusividad. Ella se sentaba frente al escritorio con el diccionario ejerciendo básicamente la función de pisapapeles.

El hecho de que no lo necesitara ni lo utilizara era parte de un patrón más general de derechos del que hacía gala todo el tiempo. Los libros eran muy valiosos para todos, e Íngrid, Lucho y Clara en especial tenían varios de ellos guardados debajo de sus camas que se negaban a compartir. Nosotros tres queríamos establecer un sistema de préstamos, como una biblioteca para adultos honestos, en el que pusiéramos a disposición de la colectividad todos los libros que teníamos y los pudiéramos sacar con base en un sistema de honor. Nuestra idea no prosperó.

"No los estamos leyendo ahora, pero los queremos leer después", era la respuesta que siempre nos daban. Capté el asunto: hasta en el campamento había ricos y pobres. Marc y yo solíamos decir que vivíamos en el gueto. Teníamos la peor parte del cambuche, mientras que Íngrid y Lucho vivían en el mejor vecindario.

Si no hubiera visto a los prisioneros militares comportándose de una manera diferente, quizá no habría sido tan duro con los políticos. Los militares y los policías se portaban mucho mejor que los políticos, desde el coronel Mendieta, que era el de más alto rango en su campamento, hasta abajo. Tenían un ejemplar de una revista que publicaba una lista de los libros más vendidos. Entregaban la lista a los de las FARC, pedían todos los libros que figuraban en ella y, sorprendentemente, los guerrilleros se los conseguían todos. Tenían una muy buena colección de libros, y cada vez que alguno de nosotros enviaba una nota a su campamento pidiendo que nos prestaran alguno, nos lo mandaban. Sin preguntas. Sin problemas. Por supuesto, había que sacar ventaja de semejante generosidad... Los políticos pedían prestados más libros que los que les era posible leer. Cuando llegaba una nota de los militares pidiendo que les devolvieran un libro en particular, Íngrid y Lucho lo cogían para leerlo. "No. No. No. No podemos devolver ese libro. Todavía no lo hemos leído".

Esos tipos incluso nos ayudaban con nuestras lecciones. Nos mandaron un ejemplar de *How to Speak and Write English*, un excelente texto de enseñanza básica que yo utilizaba para dar clases a Orlando y Consuelo. Era interesante enseñarles a ellos dos. Orlando progresaba más porque no le importaba cometer errores; en cambio Consuelo no se permitía ser nada menos que perfecta. Si no sabía una respuesta, no se ponía a adivinar. Debido a los orígenes humildes de Orlando, él no sentía la presión social de mantener las apariencias y por lo tanto eso no lo frenaba.

Yo aprendía el español mucho más rápido de lo que ellos aprendían inglés, más que todo porque vivía inmerso en el idioma todo el día, todos los días. Me estaba ahogando en español y la opción era hundirme o nadar. Primero aprendí vocabulario pero nada de gramática. Con el tiempo, aprendí a conjugar verbos y a dominar todos los tiempos verbales. Consuelo era la maestra de verbos y me ayudó mucho a refinarme para poder ingresar apropiadamente en la alta sociedad colombiana algún día.

Mal que bien, logramos adaptarnos a un tipo de vida soportable durante los primeros meses de convivencia. En general nos tolerábamos unos a otros, nos entreteníamos con juegos de naipes y el resto del tiempo aprendíamos los idiomas. La excepción era Clara. Desde los primeros días notamos que Clara, que parecía ser la más afectada por el cautiverio, se aislaba gran parte del tiempo. También empezamos a percibir una extraña transformación en su cuerpo. Sus brazos y sus piernas se adelgazaban, pero su torso se engrosaba. Muy pronto la realidad fue obvia para todos: Clara Rojas estaba embarazada.

Ninguno de los tres dijo nada, pero un día, poco después de que se le empezó a notar, estábamos sentados con varios de los políticos cuando se acercó Clara, bastante nerviosa y excitada. Solía mover bastante las extremidades cuando hablaba, pero ese día estaba particularmente ansiosa.

—Tengo algo que decirles a todos que es muy importante y espero que me escuchen con cuidado para que compartan conmigo esta gran noticia que ahora he decidido contarles —dijo, y casi sin pausa lanzó la siguiente frase—: me complace mucho anunciarles a todos que estoy esperando un bebé y que daré a luz dentro de cuatro o cinco meses. Les pido que respeten mi privacidad en estas condiciones y que no me hagan ninguna pregunta sobre el tema. Gracias de antemano y, por favor, respeten mis deseos.

Asintió y parpadeó, y en seguida se fue al pequeño toldo de Íngrid y Lucho.

Nos quedamos ahí sentados, como si acabáramos de asistir a una rueda de prensa apresurada en la que el representante de alguien hubiera leído una declaración negando unas acusaciones pero sin querer contestar ninguna pregunta para aclarar el asunto. Clara tenía que saber lo que todos pensábamos y nos preguntábamos, y su deseo de mantener el asunto en privado habría sido perfectamente respetable en circunstancias normales, pero estas no eran circunstancias normales e incluso si lo hubieran sido todo el mundo habría querido que se contestara una pregunta: ¿quién era el padre?

Más tarde, Marc, Tom y yo estábamos sentados cerca de la hamaca de Tom cuando Marc dijo:

—Tiene que ser uno de los políticos. ¿Con quién más ha estado?

—Los guerrilleros, es lo único que se me ocurre —dijo Tom, lanzando el péndulo en otra dirección—. Clara no estaba con los otros políticos en un momento en el que tendría sentido, cronológicamente, que uno de ellos fuera el padre.

—A mí no me importa quién es, con tal de que la gente sepa quién *no es* —dije—. Esto se va a saber y no quiero que por ningún motivo se me pueda atribuir a mí ese embarazo. Yo eso no lo permito.

—Estoy completamente de acuerdo —dijo Marc—. No podemos permitir que nuestras esposas o novias se pregunten qué está pasando aquí. Ya esto es lo suficientemente duro de por sí sin tener que preocuparnos por lo que puedan pensar nuestras esposas cuando se filtre la noticia. Y créanme, se va a saber.

—Pues yo sé que no fue ninguno de nosotros, pero eso no nos va a ayudar mucho a menos que alguien hable y responda por nuestra integridad. Preferiblemente Clara.

Tom dio en el blanco. Ninguno de nosotros había estado cerca de ella lo suficiente como para haber sido el que la embarazó. Sentíamos curiosidad como seres humanos que éramos, pero también queríamos protegernos. Yo estaba comprometido con una mujer y, suponiendo que Sombra se hubiera equivocado, era el padre de un par de mellizos con otra; todos los demás hombres en nuestro campamento estaban casados. Nos preguntábamos qué iban a pensar nuestras mujeres cuando supieran que una secuestrada estaba encinta. Tal vez yo era un poco más sensible a posibles acusaciones y suposiciones debido a mi vida personal.

La conversación me hizo pensar nuevamente en el mensaje de Malia y en su actitud distante. Sus palabras, "no podemos esperar a que estés nuevamente en el sur de Georgia", lo hacían parecer como si yo me hubiera ido al norte a pasar el verano como cualquier jubilado. Si todavía tenía alguna posibilidad con la mujer con quien había pasado los últimos seis años de mi vida, la mujer por quien había aceptado este empleo para poder tener la casa grande que planeábamos construir, el solo hecho de que yo estuviera ausente y ella me extrañara no tenía por qué acabar con la relación.

Pensé que probablemente Malia había cambiado de parecer. Cuando le confesé mi *affaire* con Patricia y su embarazo, le había dicho que no tenía que quedarse conmigo, que entendería si se iba y no la culparía por hacerlo. Pero ella me dijo que me amaba y que podíamos arreglar las cosas. Mi secuestro no era algo que pudiéramos haber previsto o impedido, pero si había cambiado de idea debido a lo que había pasado antes del plagio, podía entenderlo. Lo que no podía entender era que ella decidiera que como me habían secuestrado, ahora tenía una excusa para tomar el camino fácil.

Para aumentar mi confusión, poco antes de que Clara hiciera su anuncio, yo estaba en el cambuche cuando escuché a Lucho gritar:

—Keith. Keith. Venga. Es Patricia. Van a transmitir un mensaje de ella.

Sentí que se me paralizaba el cerebro y pensé que Lucho estaba loco, pero en seguida lo vi agitando su radio. Aunque había oído decir que mi "hijo" estaba bien, el hecho de no saber nada más dejaba un enorme hueco en mi universo. Pero en algún momento en los últimos meses Patricia había decidido mandarme mensajes. Salí corriendo y me detuve bruscamente junto a Lucho, patinando sobre el suelo como en los dibujos animados. Me puse el transistor al oído. Estaba respirando con dificultad, pero no debido al carrerón. La excitación se debía al hecho de oír la voz de alguien conocido. Después de algunos comerciales y anuncios, escuché la voz que me había embelesado desde la primera vez que la oí en un vuelo de Avianca entre Bogotá y Panamá.

—Keith, soy Patricia. Quiero que sepas que te amo. Odio no saber si me puedes escuchar o no. Los niños, Nicholas y Keith, están bien, pero te necesitan. Nick tiene tres dientes y Keith dos…

Tuve que bajar el radio. Todos me estaban mirando y yo me sentía tan desolado que no sabía qué hacer. Era un alivio enorme saber que los dos niños estaban vivos. Y encima de eso, oír a esta mujer a quien más o menos le había dicho que siguiera ella con su vida… Una mujer a quien le había dicho que no contara con que yo fuera parte de la vida de los niños, salvo para sostenerlos económicamente. Escuchar a esa misma mujer profesarme su amor era demasiado. No tenía sentido. Había conocido a Malia y había estado con ella seis años, pero con Patricia sólo había salido seis meses. Si mi prometida no parecía estar apoyándome, ¿por qué diablos lo iba a hacer Patricia?

A la luz de este mensaje, me pareció aún más importante que Clara le dijera a la gente que yo no era el padre, ni tampoco Marc o Tom. Orlando estuvo de acuerdo en que Clara debía decir que no éramos el padre, pero el resto del grupo consideró que se trataba de un asunto privado. En cierto sentido yo entendía su empeño en querer mantener en reserva esta parte de la noticia. Si se filtraba que estaban sucediendo este tipo de cosas, entonces las dos parejas —Íngrid y Lucho y Gloria y Jorge— se sentirían vulnerables. Cuando llegamos al campamento me di cuenta de que los cuatro tenían una relación estrecha, pero a medida que transcurrían los meses se fue haciendo obvio que los dos pares se habían convertido en parejas en todo el sentido de la palabra.

Cuando el impacto inicial del anuncio se disipó, la voluntad de las parejas ganó y Clara guardó silencio sobre la identidad del padre. Sea lo que fuere lo sucedido, supuse que había algo más complicado en el asunto, pero a medida que avanzaba su embarazo se siguió negando a revelar la paternidad. El misterio no se aclaró.

En abril, fue sacada del campamento para dar a luz. Mientras estuvo ausente especulamos sobre la situación, y mientras más tiempo pasaba más nos parecía que la reserva era más compleja de lo que pensábamos. A primera vista, daba la impresión de que el embarazo había propiciado su liberación, pero eso no parecía algo que las FARC estuvieran dispuestas a hacer. Sería un gesto excesivamente decente de su parte; sin embargo, después de cuatro semanas de ausencia no se nos ocurría una explicación mejor. Si había salido de esto, pues nos alegrábamos por ella. Eso nos daba esperanzas a todos. Si simplemente la habían reubicado, nos alegrábamos por nosotros. Si a cualquiera de nosotros nos hubieran sacado de allí, yo habría pensado lo mismo. Marc siempre decía que éramos como ratas en un experimento, y que si una rata salía de la jaula, los demás quedábamos con más espacio.

Un día de comienzos de mayo, Marc y yo estábamos haciendo ejercicio. Yo estaba en los escalones que habíamos fabricado y cuando subía algunos centímetros alcanzaba a ver el claro. De repente vi que se acercaba un convoy de las FARC. Una pequeña falange de guardias y unos cuantos guerrilleros más flanqueaban a Clara. No tuve que decírselo a nadie porque el grupo militar la había visto y todos gritaban su nombre. Cuando llegó a la puerta, vimos que sostenía a un bebé envuelto en una delgada manta de algodón. Clara sonrió tímidamente y se agachó para pasar por debajo del brazo del guardia que mantenía la puerta abierta, y con eso se reincorporó al Campamento Caribe.

Todos salimos corriendo a recibirla y las damas, desde luego, se abrieron paso hasta el frente para mirar al recién nacido, Emmanuel. Consuelo fue una de las primeras en darle la bienvenida y sus chillidos de emoción al ver el bebé fueron gratos al oído. Llevábamos tanto tiempo inmersos en una atmósfera de muerte y amenazas que cualquier señal de vida nos parecía maravillosa. El grupo de admiradores se abrió para que Clara pudiera ir al cambuche a descansar.

Clara se sentó con delicadeza y unas pequeñas gotas de sudor surcaron su frente. Su piel, que normalmente era de un color caramelo menos amarillento, se veía pálida y las líneas alrededor de los ojos y las bolsas debajo de ellos, aunque vacías y con pliegues, todavía se notaban bastante. Empezó su historia contándonos que la habían llevado a una sección separada del campamento de las FARC.

Antes de poder continuar, el bebé soltó un alarido y uno de los guardias de las FARC llegó apresuradamente, con una expresión de pánico en el rostro. Clara apretó al bebé contra su pecho, ahogando el sonido, pero sin tratar de evitar que se retorciera. El niño tenía el brazo envuelto en una especie de venda. Emmanuel era un bebé de apariencia saludable pero era evidente que tenía el brazo roto, doblado en un ángulo que no era natural e hinchado. Sus gritos subían de volumen y pensé que la cosa no marchaba bien.

—Después de dos semanas sin que empezaran las labores de parto, me dijeron que iban a hacerme una cesárea. Milton, el hombre mayor, iba a realizar la operación.

A la sola mención de este nombre con relación a la cirugía, los rostros de Marc y Tom se contrajeron en una expresión de horror. Milton —el guardia que considerábamos una mascota o un simplón— era uno de los guerrilleros que la había operado. Viendo a la madre y al bebé, comprobamos los resultados del trabajo chapucero de Milton. Cualquier intento que se hubiera hecho para reparar el daño —todos nos imaginábamos a Milton jalando al bebé de un tirón como si estuviera quitando un bejuco del camino— no había sido exitoso.

—Ya en ese momento, necesitaba que el bebé saliera de mi cuerpo. Me dieron algún tipo de droga para bloquear el dolor, pero estaba despierta. Tengo un revoltijo de imágenes pero sé que en un momento dado Milton me dijo que había alguna dificultad y que había que sacar al bebé —hizo una pausa para serenarse y mirar a su pequeño hijo—. Agrandó el tamaño de la incisión, bastante por debajo de mi ombligo, y los demás guerrilleros entraron rápidamente para espantar las moscas. Podía escuchar sus zumbidos y vi una nube de ellas revoloteando encima de la sangre fresca.

La descripción era terrorífica. El hecho de que hubiera sucedido en la vida real me produjo indignación.

—Sentí que me jalaba las entrañas y lo vi ponerme los intestinos sobre el vientre. Comentó algo sobre cómo se movían entre sus manos como lombrices. Oí los gritos del bebé y supe que algo no estaba bien, que Emmanuel no estaba bien. Cuando vi la cara de Milton mientras sostenía el bebé y en seguida se apartaba de mí…

Las lágrimas de Clara y el brazo vendado de Emmanuel nos contaron el resto de la historia.

Debido a su lesión pero también por su condición de bebé, Emmanuel siguió llorando mucho y eso preocupaba enormemente a los guerrilleros. Últimamente habían pasado por ahí unos helicópteros, y si el niño hacía mucho ruido ponía en riesgo a la guerrilla. La respuesta, desde luego, fue doparlo, pero incluso con droga el pequeño lloraba casi todo el tiempo por el evidente dolor que sentía. Cuando no lloraba, parecía mirar al vacío. Por experiencia personal sabía que los recién nacidos no hacían mayor cosa, pero esto era diferente. El niño casi no respondía a ningún estímulo.

Habíamos visto muchas cosas terribles durante nuestro cautiverio, pero esto era la tapa. El bebé de Clara no debía estar en la selva. El niño tenía que estar en algún hospital, recibiendo la atención médica debida. En una rara demostración de unidad e indignación, el campamento entero organizó rápidamente una reunión. Lucho e Íngrid tomaron la palabra, empezando por el ex senador.

—Todos estamos de acuerdo en que no se debe forzar a Clara y a Emmanuel a vivir en estas condiciones. Esto es inhumano en el mejor de los casos, y un riesgo potencialmente mortal para el bebé en el peor. Hay que hacerles saber a las FARC que esto no lo vamos a tolerar.

Yo ya había visto a Lucho enojarse por una u otra razón, pero esta vez estaba verdaderamente iracundo y la sangre que le coloreaba las mejillas y la indignación que refulgía en sus ojos no eran fingidas.

—Todos juntos podemos presionarlos para que hagan lo que toca en beneficio del bebé y de Clara —dijo Íngrid.

La indignación de Íngrid era igual de fuerte, pero su tono sereno de certidumbre y su firmeza resuelta me parecieron diferentes de la perorata más teatral de Lucho.

Consuelo siguió el hilo:

—Podemos decir lo que queramos, pero tenemos que hacer algo para hacerles saber a las FARC que esto no lo vamos a tolerar. No se dejarán convencer por la vía de la razón.

Varias personas mencionaron simultáneamente una huelga de hambre y todos nos mostramos de acuerdo. Yo había visto comportamientos bastante egoístas en todos los habitantes de ese campamento, incluidos nosotros tres, pero no había duda de que en esta lucha todos estábamos del mismo lado. Dejaríamos de comer con tal de que el niño recibiera la atención médica que requería. Por mala que fuera la comida, todos entendimos la importancia del asunto. A su manera, las FARC procuraban mantenernos saludables. La huelga de hambre golpearía a Sombra y sus guardias donde más les dolía.

—Queda acordado que no comeremos hoy ni en ningún momento después hasta que se cumplan nuestras demandas —dijo Lucho. Nos miró uno a uno y todos asentimos o dijimos que sí.

Después de la reunión, Tom dijo:

—Tampoco es que sea gran cosa prescindir de la comida que nos suelen dar.

Sabía que Tom estaba minimizando adrede nuestro sacrificio. Es cierto, la comida no era gran cosa y todos habíamos sobrevivido con raciones de hambre antes en las marchas, pero esto era diferente. Ninguno de nosotros sabía lo que era dejar de comer a propósito ni los efectos que eso podía tener. Yo estaba decidido a hacer lo que fuera —todos lo estábamos—, pero estábamos frente a algo completamente desconocido. Cuando uno de los guardias nos trajo la olla con la comida, ninguno se levantó para recibirla. Seguimos con lo que estábamos haciendo e hicimos caso omiso de la orden de aceptarla.

Al día siguiente vinieron los de las FARC y escoltaron a Clara y al bebé fuera del campamento, pero un rato después regresó Clara sin Emmanuel. Estaba vuelta nada de tanto llorar y gritar.

—¿Qué te hicieron? —preguntó Gloria.

Clara cayó de rodillas y en seguida se sentó en el piso.

Orlando se sentó junto a ella y le rodeó los hombros con el brazo. Permanecieron así algunos minutos, el cuerpo de Clara estremeciéndose con sus sollozos. Vimos que le estaba diciendo algo y al cabo de unos instantes Orlando nos repitió sus palabras:

—Las FARC hicieron parte de lo que pedíamos: sacaron a Emmanuel de nuestra sección del campamento. Pero lo van a dejar con unas de las guerrilleras y ellas se van a encargar de cuidarlo. A Clara le permitirán verlo unos minutos todos los días.

—¿Cómo demonios pueden hacer eso? —pregunté.

Orlando me miró y se encogió de hombros.

—Pueden, porque sí. Porque creen que si no lo mantienen callado, nos plantea un riesgo serio a todos.

Estábamos entre la espada y la pared. Si decíamos o hacíamos algo más, los guerrilleros se llevarían a Emmanuel a otro lugar y Clara no lo podría ver siquiera. Por mucho que quisiéramos creer que podíamos lograr lo que habíamos esperado, Sombra nos había ganado de mano. En últimas, concluimos que no valía la pena insistir si eso iba a acabar con las oportunidades de Clara de ver a su hijo.

A medida que transcurrían los días, nuestra decepción frente a los resultados de la huelga de hambre dio paso a una sensación de impotencia absoluta. Las FARC establecieron un horario estrechamente monitoreado para que Clara pudiera estar con su hijo cuarenta y cinco minutos todos los días. Ella vivía para esos momentos, y el resto del tiempo gemía y les gritaba a los guardias que le permitieran verlo. Gloria, Consuelo e Íngrid trataban de consolarla, pero su dolor era tal que era poco lo que podían hacer.

Durante el día, Clara se paraba junto a la cerca gritando de una manera desgarradora. Cuando la gente trataba de consolarla, decía que la dejaran sola. Por la noche escuchábamos el sonido inquietante de Clara cantando canciones de cuna a voz en cuello para su hijo ausente. En esas primeras semanas después de que le quitaron a Emmanuel, todos los días parecía como si Clara estuviera a punto de sufrir un colapso emocional. Ninguno de nosotros sabía cómo actuar en esos momentos, no sólo frente a Clara sino los unos con los otros. Tras el fracaso de nuestra huelga de hambre, nos sentíamos impotentes e incapaces de hacer algo para ayudarle. Clara, que nunca fue una de las personas más fuertes del campamento, se debilitaba cada día más y la sentíamos apenas aferrada al frágil tejido de nuestra pequeña sociedad. Verla en su agonía evocaba los espectros de nuestros propios problemas de ansiedad y pérdida.

El dolor por la separación de nuestros hijos era algo que los tres conocíamos bien, pero no alcanzábamos a imaginarnos cómo sería para Clara saber que su recién nacido estaba a tan solo unos metros de distancia. En los cuatro meses siguientes, las FARC no cedieron y mantuvieron a Clara y a su hijo apartados la mayor parte del tiempo. Estábamos a la expectativa de cómo se soldaría el brazo fracturado del niño, pero nos preocupaba la ruptura de un apego más importante aún.

TOM

Si bien la situación de Clara nos unió a los diez en ciertos frentes, no impidió que se formaran fisuras por todo tipo de razones. A medida que transcurrían los meses en el Campamento Caribe, comprobamos que una de las causas de discusión más frecuentes era la comida. Si había algo que siempre causaba conflictos en el grupo era la alimentación. Como las FARC solían tener provisiones limitadas, la comida siempre había sido un problema para nosotros, incluso antes de llegar a este campamento. Las veces en que había comida suficiente, ésta no era especialmente sabrosa y, en comparación con los guerrilleros, seguramente éramos bastante exigentes. Sabíamos mejor que ellos que la comida no siempre tenía que constar de arroz y fríjoles y de los peores cortes de carne imaginables.

Cuando llegamos al campamento político, nuestra preocupación por la comida cambió de punto focal. Ya no sólo teníamos que soportar problemas de calidad, sino que además nos tocaba afrontar otro problema: la competencia. Al principio tratamos de ser corteses y servir de ejemplo, ubicándonos al final de la fila en las comidas para servirnos de últimos. Consuelo solía ubicarse al final con nosotros, pero pronto aprendimos que ninguna buena acción queda sin castigo. Los que estaban al comienzo de la fila no tenían en cuenta las necesidades de los de atrás. A menudo teníamos que pedirles a los guardias más, porque la comida se agotaba antes de que nos pudiéramos servir. Luego aprendimos a no ser tan corteses y dejamos de ubicarnos siempre al final, pero no hacíamos lo que nos habían hecho a nosotros. Sólo nos servíamos porciones que les permitirían a todos tener cantidades iguales. Tratábamos de alternar, ubicándonos a veces al comienzo, otras en la mitad y otras al final de la fila, pero el problema persistía. Llegó al punto en que los guerrilleros se dieron cuenta de lo que estaba pasando e intervinieron, repartiendo las porciones ellos mismos para cerciorarse de que todos recibieran una cantidad similar. Eso funcionó mejor, pero me entristecía pensar que un grupo de adultos tenía que ser tratado como niños.

La comida muchas veces era horrible y en ocasiones imposible de engullir, pero de todas formas necesitábamos algún tipo de nutrición —a veces me preguntaba si el hecho de que algunas personas se sirvieran más y dejaran poco o nada para los del final de la fila era más bien un acto de bondad—. Las FARC no desperdiciaban nada y su versión de la sopa de gallina incluía las cabezas, las patas y los picos. Pronto Marc y las cabezas de gallina se convirtieron en un chiste usual, pues parecía como si siempre le tocara a él una cabeza en su porción de sopa.

Las gallinas y los pollos no estaban sólo en la sopa; andaban por todas partes. El Campamento Caribe bien podría haberse llamado Campamento Tyson, como homenaje a la empresa de productos avícolas. Los militares habían capturado gallinas y criado pollos. Mantenían algunos en un corral, pero los demás caminaban libres por ahí. Marc se obsesionó con la idea de secuestrar una gallina y obtener como rescate los huevos. El olor de huevos friéndose bastaba para hacer que ese hombre, por lo demás adulto y respetuoso de la ley, optara por semejante comportamiento delictivo. Los militares eran lo bastante bondadosos para compartir sus huevos con nosotros de vez en cuando, pero Marc era demasiado diligente —y tenía demasiada hambre— como para depender de dádivas. A una de las gallinas parecía gustarle la calma y la ausencia de pollos en nuestro campamento, de modo que nos visitaba con frecuencia. Marc le echó el ojo como primer trofeo para iniciar su emporio avícola.

Cuando la gallina se pasaba a nuestro lado del campamento, los ojos de Marc se iluminaban. Recolectaba cualquier tabla sin usar, lianas, ropas o lo que pudiera para sellar las pequeñas rendijas en la malla por donde pudiera escabullirse el animal. Sabía que, como un reloj al mediodía, esa gallina pondría un huevo. Sólo necesitaba ese único huevo para iniciar su carrera como magnate de pollos. Pero por mucho que se esforzara Marc para tapar el agujero en la malla, la gallina siempre encontraba otro lugar por donde escaparse. Una vez fuera de nuestro cercado, ponía el huevo tentadoramente fuera del alcance de su mano. A veces Marc se concentraba tanto en tapar algún agujero de la malla que no se daba cuenta de que la gallina se había ido. A todos nos divertía enormemente verlo terminar y luego descubrir que el ave se había vuelto a escapar. La expresión de Marc pasaba de exultante a abatida con la misma velocidad con que nosotros pasábamos de observar a reírnos.

A Marc no era al único que le gustaban los animales. Por el campamento rondaban varios gatos sin dueño. No eran salvajes sino domesticados, y corrían a donde encontraran comida. Algo les dábamos nosotros, pero en su mayor parte se daban festines con las ratas y los ratones que se comían nuestras provisiones. Como prestaban un servicio valioso, los guerrilleros no los molestaban. Las actitudes de los colombianos frente a estos animales eran muy distintas de las nuestras. A Consuelo le aterraba que cogiéramos un gato y lo acomodáramos en el regazo para acariciarlo. Meneaba la cabeza, levantaba la mano para bloquear la vista del felino y decía: "Ay, Dios mío". No bien cuestionaba nuestra costumbre de tocar un gato sucio cuando ella cogía una gallina, la ponía en su regazo y la acariciaba y besaba. Como decía Keith, "y nosotros somos los norteamericanos sucios".

Con todo y conflictos en torno a la comida, los meses siguieron transcurriendo uno tras otro. Aunque a veces compartíamos risas e historias con los demás, no compartíamos nunca nuestro plan de fuga. Los tres no hablábamos mucho sobre eso, pero el agujero detrás del baño estaba siempre presente en nuestras mentes. Todo el tiempo estábamos alerta por si detectábamos actividad aérea. Habíamos juntado lo que llamábamos nuestros "kits de salida", unas bolsas de malla con los artículos esenciales que llevaríamos en caso de fuga o de intento de rescate. Los kits de salida representaban nuestro mejor escenario posible. Si teníamos el tiempo y estábamos preparados de antemano, los tomaríamos y saldríamos. Sabíamos a dónde teníamos que ir en caso de un ataque o un rescate. El interrogante que rondaba en el aire era si en algún momento nos veríamos forzados a recurrir a la fuga.

Una tarde, hacia las seis y media, estábamos sentados afuera hablando. En un momento dado, Marc levantó la mano para callarnos y dijo:

—Creo que eso es un avión.

Keith ladeó la cabeza como un sabueso y entrecerró los ojos.

—Es un Blackhawk. Más de uno.

Antes, cuando habíamos especulado sobre escenarios de escape y ataque, hablábamos sobre todo de los aviones de ala fija que habíamos visto. Los helicópteros eran otra cosa. No sabíamos cómo reaccionarían las FARC frente a una incursión de helicópteros en nuestra área, pero cuando los escuchamos esa noche supimos que no íbamos a tener tiempo de agarrar nuestros kits de salida. Era la primera vez durante nuestro cautiverio que habíamos escuchado helicópteros, y esto no era un ensayo. Para esta eventualidad es que habíamos hecho los planes. Teníamos que actuar. No sabíamos si las FARC iban a esperar a ver qué hacían los helicópteros, o si simplemente nos ejecutarían en el acto.

Los helicópteros volaban bajo y se aproximaban rápidamente. El corazón me latía a mil por hora a medida que el sonido se intensificaba y empezaba a envolver el campamento entero. En medio del barullo, las FARC comenzaron a correr.

—Síganme, muchachos —dijo Marc, haciendo un gesto con su linterna.

Marc caminó de prisa hacia el baño, mirando furtivamente para ver si alguien lo estaba viendo. Fue hasta el pequeño roto en la cerca.

La oscuridad nos envolvía, y sin mis gafas se me dificultaba aún más ver. Marc se agachó junto al agujero y Keith y yo esperamos atrás. Keith alzó la cabeza hacia el cielo para oír mejor los helicópteros y de repente titubeó.

—¡Marc! —susurró Keith tan alto como pudo—. Marc, espera. No salgas todavía.

Pero el ruido era demasiado alto y el susurro de Keith muy débil.

—¿Marc? —dije—. ¿Marc?

Sentí que la pregunta se atoraba en mi garganta apretada. Un grito habría atraído demasiada atención. Podía escuchar a los otros secuestrados corriendo por ahí y su cháchara angustiada era como un reflector que anunciaba el lugar del campamento en donde se ocultaban.

Miré fijamente la oscuridad en la dirección que supuse había tomado Marc.

—¡Maldita sea! —exclamó Keith, suspirando pesadamente y volviéndose hacia mí—. No creo que esos Blackhawks estén aquí para sacarnos.

Hice una pausa para escuchar los rotores.

—Tienes razón —contesté. Recordé que había oído en la radio que el presidente Uribe iba a viajar a una base aérea cerca de allí. Lo más probable era que los helicópteros estuvieran revisando las condiciones de seguridad para ese evento. Sólo estaban patrullando. No íbamos a ir a ninguna parte. Pero Marc estaba allá afuera solo, en la selva, con apenas una linterna. ¿Qué le iba a pasar? Siempre habíamos dicho que una fuga en solitario era lo más arriesgado de todo.

Nos dimos cuenta de esto y nuestra situación se tornó aún más grave. Marc había demostrado que podía salir sin ser detectado. Ahora la gran duda era si podía regresar de la misma manera. Si las FARC sospechaban siquiera su fuga, podría significar cadenas para todos o, peor aún, la muerte para Marc. Como mínimo sellarían el agujero en la cerca y entonces íbamos a necesitar otra ruta de escape. Estábamos contra las cuerdas.

Keith y yo no queríamos llamar la atención hacia el área por donde debía entrar de nuevo, de modo que nos acercamos al lugar en donde se encontraban los demás, que estaban presas del pánico. Tratamos de tranquilizarlos y mientras hablábamos se fue ratificando cada vez más nuestra suposición. Los helicópteros simplemente estaban pasando por allí.

En medio de la oscuridad, escuché que Orlando preguntaba:

—¿Dónde está Marc?

Keith respondió:

—Está en el cambuche. Quedémonos aquí un rato, démosles a los de las FARC tiempo para que hagan lo suyo y examinen la situación. Si ven mucho movimiento se van a poner más nerviosos.

Keith y yo hicimos todo lo contrario de lo que él dijo. Volvimos cautelosamente al cambuche, pero Marc no aparecía por ningún lado.

—Esto no me gusta —dijo Keith entre dientes,

—Estoy seguro de que está bien —contesté, tanto para tratar de tranquilizar a Keith como para tranquilizarme a mí mismo—. Los guardias están corriendo por todo el perímetro pero no están yendo más allá del patio.

—Tienes razón, pero mientras más pronto vuelva aquí más fácil me será respirar.

Transcurrieron unos cuantos minutos y Marc seguía perdido. Dimos vueltas por el cambuche, con el corazón en la boca. No oímos disparos ni gritos, pero tampoco sabíamos en dónde podía estar. Fuimos hasta el baño, cuidándonos de que nadie nos viera. No queríamos llamar la atención hacia el lugar en donde esperábamos ver a Marc.

—Es mejor que nos retiremos de aquí —dijo Keith al cabo de algunos minutos en que no hubo señales de nuestro compañero. Percibía la tensión en su voz. Yo sabía que mientras más tiempo estuviera ausente Marc, más tiempo tendrían los guerrilleros de reagruparse y organizarse. Podíamos oír sus voces en la distancia, pero hasta ese momento no los habíamos escuchado caminando por el sendero del perímetro. Nos quedamos cerca del cambuche.

Cuando Marc finalmente apareció doblando la esquina del baño, se acercó con el aire más despreocupado que pudo. Tenía la parte delantera de la ropa manchada y el rostro sudoroso, pero volvió como si nada hubiera pasado.

Marc había llegado hasta los árboles, unos treinta metros más allá de la cerca de malla, antes de darse cuenta de que los helicópteros no estaban allí en plan de rescate. Se había escapado, pero el momento no habría podido ser peor. Sabía que tenía que volver muy rápidamente al campamento. Se tiró al suelo de inmediato y se arrastró hasta la cerca al estilo *marine*, pero fue allí en donde afrontó un problema. El plan de fuga se había diseñado para salir del campamento, no para volver a entrar. Cuando estaba adentro, empujó la cerca hacia fuera y con eso abrió espacio suficiente para salir por debajo. Después, estando afuera, jaló la cerca hacia él pero no cedía lo suficiente. No podía maniobrar la malla de modo que se levantara un poco más del suelo y él pudiera pasar arrastrándose por debajo. Para empeorar la situación, el terreno se empinaba un poco en ese punto, lo cual reducía aún más la ranura en la malla metálica.

Justo cuando llegó a la cerca, escuchó el sonido de unas botas que se acercaban por el sendero. Sólo tenía unos segundos para reaccionar. Empujó la cerca hacia el campamento y ésta empezó a ceder a regañadientes. Agarrándola mejor con las manos la empujó con más fuerza, y eso abrió justo el espacio necesario para permitirle arrastrar su cuerpo entre la parte de debajo de la malla y el suelo de tierra. Ya estaba adentro. Estaba a salvo.

Sólo entonces se dio cuenta del error que había cometido: había soltado la linterna. Miró hacia atrás con cautela y la vio sobre el pasto. Si trataba de alcanzarla, posiblemente el guardia lo vería. El sonido de las botas se hizo más recio a medida que se acercaba el guerrillero. Si dejaba la linterna ahí, el guardia podía verla o quizá no, no había ninguna certeza, pero si volvía por ella no había manera de que el guerrillero no lo viera.

No tenía mucho tiempo para actuar. Con cierta vacilación, se ocultó en las sombras detrás del baño, dejando la linterna en el suelo. El guardia pasó y no reparó en Marc. Con mucho cuidado Marc recuperó la linterna y regresó al cambuche.

Ahora, junto a nosotros, se veía exhausto. La adrenalina que había bombeado su cuerpo finalmente dejó de fluir a borbotones. Con cada minuto que pasaba se relajaba un poco más. De repente, Keith lo miró sonriendo.

—No eres ninguna gallina, ¿verdad?, tu ave habría vuelto a entrar sin ningún problema —con la sola mención de la gallina de Marc, todos nos reímos por primera vez después de semejante angustia. Keith pasó el brazo por los hombros de Marc.

—Me alegro de que hayas vuelto, hermano.

Después de esa noche las FARC confiscaron todas las linternas, pero nos alivió saber que no se había sacrificado nada más. Por lo menos ahora estábamos seguros de que nuestro plan funcionaba. La próxima vez, y estábamos seguros de que iba a haber una próxima vez, no teníamos intención alguna de regresar. Sin embargo, en el futuro tendríamos que tener más cuidado de no actuar con excesiva premura. Nuestra alerta temprana al detectar el ruido en el aire nos había dado una ventaja, pero también nos instó a actuar antes de tiempo. En muchos aspectos, las cosas habían salido de acuerdo con nuestro plan. Habíamos detectado los helicópteros antes que los guerrilleros y esa diferencia de minutos había sido crucial. Los de las FARC reaccionaron tan pronto oyeron el ruido de helicópteros que se acercaban, pero habían tardado varios minutos organizándose. Cuando finalmente se reunieron todos, nosotros ya nos habíamos dado cuenta de que esos helicópteros no planteaban ningún riesgo.

Dos semanas después, tuvimos otra oportunidad para poner a prueba nuestro plan. En esa ocasión escuchamos a más de dos Blackhawks aproximándose. Corrimos tal como lo habíamos planeado, pero también lo hicieron los demás secuestrados. Todos terminamos detrás del baño y no pudimos acercarnos a la malla. Los tres nos alejamos de la zona, utilizando la cuerda que habíamos atado desde nuestro cambuche hasta el baño. Teníamos que poder llegar al baño por la noche, pero sin las linternas la cuerda era la única solución viable. En realidad no importó el hecho de que tuviéramos acceso o no al sitio de fuga. Los guerrilleros reaccionaron con mucha más rapidez que antes. Se ubicaron en el sendero, a intervalos de unos cinco metros, con las armas listas. Supusimos que lo único que aguardaban era la orden de dispararnos.

Volvimos al cambuche. Sentíamos rabia y mucho miedo por nuestras vidas. Oíamos los helicópteros cada vez más cerca y me pregunté en qué momento recibirían los guerrilleros la orden de abrir fuego contra nosotros. ¡Pensar que habíamos soportado tantas cosas sólo para que nos mataran justo antes de una operación de rescate. Me pregunté si las FARC harían llegar mis diarios a mi familia. Me alegraba el hecho de haberles escrito tanto. Me hubiera gustado haber tenido la oportunidad de hablar con mi esposa y mi hijo una última vez. Sin embargo, nunca habría tenido el tiempo suficiente para expresar en palabras todo lo que había escrito. Pensé en los mensajes que habíamos recibido y en lo importantes que eran para nosotros. No alcanzaba ni a imaginar cómo sería estar del otro lado de todo esto. Me preguntaba cómo me habría sentido si, estando en casa, un buen día hubieran golpeado a la puerta y un extraño me hubiera dicho: "Lamento informarle que…".

Cuando las FARC mandaron un pelotón de ejecución a nuestro cambuche, esas imágenes adquirieron una dimensión más real. Nos asignaron un guardia a cada uno, y se apostaron a la entrada a la espera de recibir la orden de abrir fuego. Keith y Marc estaban más cerca de la salida y de la puerta en donde se encontraba Ferney. A la luz de las linternas de los guerrilleros, podía ver las venas hinchadas en las sienes y la frente de Keith. Un guardia le preguntó a Ferney: "¿Los vamos a matar?". No reconocí la voz, y la verdad en ese momento ya no parecía importar quién había sido. No iba a haber ninguna oportunidad de venganza.

Keith se apartó del grupo y se acercó a Ferney.

—No nos vayan a matar como una manada de cobardes. Si me va a matar, hágalo de frente. Míreme a los ojos y hágalo.

No podíamos creer lo iracundo que sonaba. Orlando se adelantó y lo jaló hacia atrás. Me di cuenta de que Marc no estaba. Vi una silueta de pie sobre la barra de ejercicios. Un instante después oí pisadas sobre el techo de lata y en seguida el sonido de Marc aterrizando en el piso.

Consuelo lloraba y todos tratamos de tranquilizarla y consolarla. Lo peor de todo era que escuchábamos a los de las FARC riendo entre dientes. Cada vez que los oíamos hacer eso, sabíamos que estaban nerviosos. Nunca en mi vida se me habría ocurrido que iba a estar frente a un grupo de guerrilleros nerviosos, armados y dispuestos a dispararnos tan pronto les dieran la orden, pero me sentía extrañamente tranquilo. Lo cierto es que no tenía el más mínimo control sobre la situación. Pasara lo que pasara, era algo que se escapaba por completo de mis manos. Normalmente odiaba esta sensación, pero llevábamos tanto tiempo luchando con problemas de control en ese campamento que ya había aprendido a manejar mejor las situaciones.

Cuando los helicópteros se alejaron y vino la orden de bajar las armas, nos quedamos inmóviles, en aterrador silencio, mientras los guardias se fueron. No iba a haber rescate esa noche, sólo la sensación persistente de una nueva confirmación de la política letal de las FARC. Nos habían dicho que no tenían intenciones de matarnos, pero incumplían su palabra con la misma facilidad con que mentían.

MARC

En los días siguientes a ese segundo incidente con helicópteros nos fue difícil ver a nuestros guardias con los mismos ojos, incluso a aquellos con quienes habíamos establecido relaciones cordiales. Cualquier conexión que hubiéramos logrado establecer con ellos se había roto definitivamente. El haber comprobado lo cerca que estuvieron de apretar el gatillo nos abrió los ojos. Nos recordó que, sea como fuere, nunca podíamos confiar en que harían lo correcto. Ni siquiera intentamos hablar con ellos sobre lo sucedido. Sabíamos qué nos iban a contestar. En vez de "¿quién sabe?", nos habrían dicho "sólo estábamos cumpliendo órdenes".

Traté de ponerme en los zapatos de ellos. No sé cómo me habría sentido si me hubieran dicho que mi misión era cuidar y proteger algo —en este caso a alguien— que supuestamente tenía muchísimo valor para nuestra causa. ¿Habría sido capaz de apretar el gatillo al recibir la orden? ¿Habría objetado porque me parecía ilógica la orden o porque había una cuestión humanitaria en juego? No me gustaba pensar en el hecho de que a nuestros guardias no se les había pasado por la mente ninguna de estas preguntas.

Después del segundo incidente de helicópteros, los de las FARC volvieron a esculcar entre nuestras pertenencias. Esta vez no buscaban linternas —ya las habían decomisado todas—, sino más bien querían los radios. Confiscarlos era sólo otra manera de reforzar la seguridad. Los políticos tenían varios radios en el campamento, incluido el "panelón" de Consuelo con captación de onda corta. Iba a ser duro renunciar a ellos. Necesitábamos saber que había un mundo por fuera de la cerca de malla que nos mantenía encerrados. Necesitábamos oír los programas de mensajes con la esperanza de escuchar las palabras de un ser querido.

Además, dependíamos fuertemente de los radios para escuchar las noticias. En junio de 2004, llevábamos dieciocho meses con los colombianos cuando nos enteramos por la radio de que el presidente Uribe y el gobierno de Estados Unidos habían implementado un nuevo plan para confrontar a las FARC en el sur de Colombia. El programa, que habían bautizado como Plan Patriota, contaba con una abultada financiación estadounidense e incluía el entrenamiento activo, por parte de Estados Unidos, de soldados colombianos para conformar comandos especiales de selva. Según los informes que escuchamos por la radio, el Plan Patriota era el esfuerzo más agresivo emprendido por los militares colombianos para combatir a las FARC, e implicaba una ofensiva de envergadura contra la guerrilla en el sur del país.

Algunas fuentes en Colombia aseguraban que el Plan Patriota desenmascaraba los intentos de Estados Unidos de golpear el narcotráfico. Aunque el objetivo manifiesto del Plan Colombia —la estrategia que nos había traído a nosotros y a California Microwave a este país— era erradicar el tráfico de drogas, muchos colombianos, entre ellos varios de los políticos recluidos en nuestro campamento, siempre habían creído que se trataba sólo de una fachada para combatir a las FARC.

El Plan Patriota estaba diseñado para lograr lo que el Plan Colombia no había logrado: erradicar a las FARC. No sabíamos cuánto tiempo llevaba funcionando el Plan Patriota, pero varios comentaristas de radio colombianos creían que con este plan los gobiernos de Estados Unidos y Colombia habían decidido dejar de lado la excusa de la interdicción de drogas y combatir más directamente a las FARC. Esto suscitaba la ira de algunos de los políticos del Campamento Caribe, pero ninguno de nosotros quería discutir con ellos sobre el tema de la ayuda de Estados Unidos a Colombia. De lo que sí queríamos hablar era de cómo eso incidiría en nuestras posibilidades de ser rescatados, liberados o ejecutados. La noticia de que había más tropas en tierra, empeñadas en capturar o matar a las FARC, tenía sus pros y sus contras. Aunque sabíamos que este empeño mayor en combatir a las FARC era, en efecto, lo que ambos gobiernos debían hacer, la ofensiva aumentaba nuestras posibilidades de terminar muertos.

Los radios nos mantenían conectados a todos estos sucesos en la medida en que se iban desarrollando, y nos permitían enterarnos de las noticias lo más posible. El hecho de saber que los comandos de selva habían sido entrenados por Estados Unidos era positivo: si había Fuerzas Especiales de Estados Unidos en tierra en Colombia, eso sería lo mejor. Necesitábamos saber quiénes iban a venir por nosotros para poder planear nuestra respuesta de manera apropiada. Si las FARC pensaban ejecutarnos en caso de presentarse una operación de rescate, los radios eran cruciales para nuestra supervivencia.

El día en que llegaron los de las FARC a confiscar los radios, yo estaba junto a Orlando. Se apareció en nuestro cambuche Dosymedio, y Gloria y Consuelo le entregaron los cuatro radios que tenían. Yo miré hacia la parte de atrás del cambuche y vi que Íngrid estaba metiendo uno de los transistores pequeños dentro de su bota. Ella me vio y señaló la bota para indicar que lo había ocultado. Keith y Orlando también vieron lo que Íngrid había hecho. Mientras tanto, Dosymedio miró desafiante a Keith.

—¿Íngrid tiene radio? —preguntó.

Keith sostuvo la mirada fulminante de Dosymedio.

—No, señor —dijo, impertérrito—. No tiene.

Orlando dijo exactamente lo mismo cuando le preguntaron a él. Dosymedio se encogió de hombros y salió del cambuche.

Al principio me pregunté por qué Íngrid correría el riesgo de que la pescaran escondiendo un radio. Era o bien un acto de coraje o bien un acto de egoísmo, como si creyera que entre todos nosotros ella merecía seguir teniendo un radio. Yo ya había visto tantas cosas en los meses que llevábamos en ese campamento que me era difícil considerar cualquier acción individual como un caso aislado. Decidí esperar a ver qué pasaba. No tuve que aguardar mucho.

Keith había protegido a Íngrid al mentirle a Dosymedio. Yo sabía que lo había hecho para beneficiarnos a todos y no sólo por ella. Ese radio iba a ser nuestro único medio de contacto con la civilización. Desgraciadamente, pocos días después de que nos confiscaron los radios ese contacto se acabó. Antes escuchábamos la radio abiertamente, pero después del decomiso eso ya no iba a ser posible. Íngrid tenía que tener mucho cuidado al escoger cuándo y dónde escuchaba. Todos esperábamos que nos contara las noticias que oyera sobre el desarrollo de eventos en Colombia y que nos transmitiera cualquier mensaje que escuchara de nuestros seres queridos, pero no hizo ni lo uno ni lo otro.

Su comportamiento fue una verdadera sorpresa para todos. Como Keith se había puesto en situación de riesgo por ella, fue el que más se enojó de los tres. Percibió la actitud de Íngrid como otro juego de poder, como un intento de utilizar el radio para controlarnos. Si quería hacernos un favor transmitiéndonos un mensaje, nos sentiríamos agradecidos y probablemente haríamos algo por ella a cambio. Yo no quería creer eso de ella ni de nadie más, pero incluso si analizaba este acto por sí solo, era difícil encontrar otra explicación plausible.

Como si fuera poco, el hecho de mantenernos sin noticias le exigía un gran esfuerzo. Tenía que hacer lo indecible para lograrlo. Estábamos en un espacio tan estrecho y con la misma gente todo el tiempo que era difícil, si no imposible, ocultar algo. Muchas de nuestras barreras o límites ya se habían desplomado. Nosotros tres estábamos tan acostumbrados a vernos acurrucados para vaciar los intestinos que ni siquiera se nos ocurría que fuera algo inusual, no nos acordábamos de que en nuestras vidas anteriores se habrían necesitado circunstancias extraordinarias para que contempláramos siquiera semejante posibilidad.

El solo hecho de dormir en una habitación pequeña con diez personas y de comer con ellas todos los días hacía que uno desarrollara una especie de intimidad forzada e informal que yo únicamente había experimentado en los campamentos militares de entrenamiento. Si uno hablaba con otra persona, de seguro había alguien lo suficientemente cerca para escucharlo. Si susurraba o se iba a un lugar apartado con esa persona, era como si se disparara una alarma o se lanzara una bengala al aire para anunciarles a los demás que algo tramaban los dos.

En cierto sentido, el Campamento Caribe era una especie de campamento militar de entrenamiento. Nos estaban poniendo a prueba, tanto física como mentalmente. Nos estaban despojando de todo y dejándonos al desnudo, destrozándonos al punto de que pudieran emerger unos nuevos yoes. Keith había observado cómo se desarrollaba este proceso en él mismo y en nosotros dos. Decía que el "carácter emergería". En otras palabras, que el cautiverio revelaría la naturaleza esencial de cada cual. La selva nos arrancaría una a una todas las capas de camuflaje. Ahora, en la historia de Íngrid y el radio, parecía como si eso exactamente estuviera sucediendo.

Keith criticaba el egoísmo de Íngrid con quien quiera que estuviera dispuesto a escucharlo, y Orlando estaba completamente de acuerdo con él. Cada vez que Keith decía algo al respecto, Orlando añadía un leño al fuego, irritándolo aún más y diciendo que no podíamos dejarla que se saliera con la suya. Si bien las motivaciones de Keith casi siempre eran claras, Orlando parecía instigar acciones por otras razones, siempre tratando de obtener el mejor beneficio posible para sí. Mientras más fustigaba la rabia de Keith, más me preguntaba yo cómo iba a terminar todo este asunto.

Finalmente, Keith y Orlando decidieron que el mejor curso de acción para todos era confrontar a Íngrid y exigirle que compartiera la información con nosotros. Lucho e Íngrid estaban en su sección del cambuche y supusimos que Orlando había entrado para pedirle que saliera a hablar con todos nosotros. Cuando salió estaba lívida de la rabia, tan furiosa que temblaba. Se sentó en un asiento y cruzó una pierna sobre la otra. Movía la pierna insistentemente y cuando trató de prender un cigarrillo, casi no pudo mantener el fósforo encendido por la fuerza del movimiento. Mirándola a los ojos fijamente, Keith le dijo que a menos que empezara a compartir la información que oía en la radio con todos los demás, iba a tener que delatarla.

Ella le sostuvo la mirada y durante unos instantes ninguno de los dos dijo nada. Antes de hablar con Íngrid, habíamos considerado esta estrategia en particular. Era un bluf, pero nos pareció que valía la pena utilizarlo. No pensábamos cumplir la amenaza. Todos estábamos secuestrados y teníamos que mantenernos unidos, pero como Íngrid era la única del grupo que se negaba a obrar en consecuencia, nos creía capaces de delatarla. Cuando finalmente habló, quedó muy en claro que ni ella ni los demás políticos compartían nuestro sentido de camaradería.

—En vez de preocuparse por mí y por mi radio, más bien les debía preocupar Consuelo —dijo, con la voz a punto de quebrarse—. Al fin y al cabo, Consuelo era la que tenía el radio grande. ¿Cómo creen que lo consiguió?

Según estaba insinuando Íngrid, la única manera en que lo podía haber conseguido era cooperando con las FARC.

Una parte mía tenía que admirar a Íngrid por su rapidez de pensamiento. Su respuesta no tenía nada que ver con la situación que estábamos tratando. Estaba desviando la atención y no era justo de su parte acusar a Consuelo de conspirar con el enemigo. Después de todo, ya ella lo había entregado. Por donde quiera que se mirara era un golpe bajo, y todos nos sentimos furiosos.

Cuando los ánimos se estaban caldeando, Orlando, que hasta entonces había guardado silencio, intervino y, para sorpresa de todos, tomó partido por Íngrid y se puso a decirle cuánto le molestaban las acusaciones de "ellos" y a explicarle cómo él había tratado de defenderla. Al comienzo me sorprendió un poco ver a Orlando jugando de lado y lado de una manera tan obvia. Lo había visto hacer eso mismo de formas mucho más sutiles antes, pero esta vez su actitud doble era francamente abierta. Apenas unos minutos antes de defender a Íngrid él era el que nos había instado a todos a confrontarla, quejándose de lo injusto de su proceder. Ahora parecía haberlo olvidado por completo.

Keith no podía creer lo que acababa de escuchar. Se llevó a Orlando a un lado para hablar con él. El español de Keith no era muy bueno, pero su sencilla y sorprendida pregunta —"¿Qué pasa?"— no requería mayor interpretación. No pude oír la explicación de Orlando, pero Keith volvió al lugar en donde estaba Íngrid y repitió lo que le había dicho antes. Además, le dijo que estaba tan enojado que en ese momento ni siquiera soportaba estar cerca de ella. Se alejó, meneando la cabeza y mascullando.

Yo me quedé ahí apenas lo suficiente para ver a Orlando convencer a Íngrid de que le convenía entregarle a él el radio. De repente, todas las piezas cayeron en su sitio. Orlando, el marrullero por excelencia, se había alzado con el premio gordo. Quería el radio desde el principio y había manipulado nuestra legítima indignación para conseguirlo. Una parte mía tomó distancia y observó la situación con cierta admiración por Orlando. Obtuvo lo que quería: el radio y el poder que éste representaba. Logró quedar bien con Íngrid al defenderla y proponer una solución aparentemente razonable para el problema. Keith quedó como el malo del paseo por haberse enojado, y estoy seguro de que Íngrid creyó que él estaba exigiendo la posesión del radio y no acceso a la información. A ojos de los demás, Orlando terminó siendo el bueno y además obtuvo lo que más quería.

En últimas, este estilo de numeritos caracterizaban la vida en el Campamento Caribe: pequeños juegos de poder, gente compitiendo por control. Yo me sentía en una clase sobre el arte de la negociación y la política del poder. Orlando me caía bien, pero este incidente puso de relieve su dominio de las lides de la manipulación. Lo había visto enfrentando a las personas unas con otras. En varias ocasiones nos había dicho que Íngrid estaba escribiéndole cartas a Sombra en las que le decía que nosotros tres éramos agentes de la CIA o que ejercíamos una influencia peligrosa y negativa en la vida del campamento. Cuando a Clara se la llevaron para dar a luz, nos dijo que Íngrid le estaba escribiendo cartas para instarla a decir que Tom era el padre de su bebé. Había plantado la semilla de que éramos norteamericanos sucios y malolientes que no usábamos ropa interior, que teníamos sarpullidos que acabarían infectando a todos en el campamento y que en general éramos muy poco higiénicos. Era un instigador por naturaleza. Yo sabía que él y Keith eran amigos, de modo que preferí guardar mis percepciones en reserva. Keith solía ser un muy buen juez de caracteres, pero en el caso de Orlando parecía tener un punto ciego... algo que fácilmente habría podido decir —y lo decía— de Tom y de mí.

Las artes manipuladoras de Orlando sí me confundían más de lo necesario en lo referente a las relaciones entre los prisioneros y los guardias. Un par de meses después de nuestro arribo al Campamento Caribe, uno de los guardias principales, Fabio, llegó a nuestro sector seguido de otro guerrillero que cargaba un televisor pequeño, una videograbadora y una planta eléctrica. Instalaron el equipo y metieron una cinta en la videograbadora. Contenía una prueba de supervivencia de los veintiocho secuestrados militares del campamento contiguo y de algunos de los políticos del nuestro: Orlando, Consuelo, Jorge y Gloria. A semejanza de la nuestra, su prueba de supervivencia también había sido filmada por Jorge Enrique Botero. Cuando se terminó el video, insertó otra cinta. Las primeras tomas mostraban un automóvil que se desplazaba en el barrio de mi madre. Reconocí el área de inmediato, y en seguida Fabio apagó el equipo. Sabíamos que era nuestra prueba de supervivencia y le rogamos a Fabio que nos la dejara ver. Orlando nos ayudó a convencer a Fabio de que no habría ningún problema si veíamos la cinta y le aseguró que no se lo diríamos a nadie. Fabio finalmente cedió.

Los tres estábamos sentados frente al pequeño televisor, con Keith a la derecha. Consuelo estaba junto a mí del lado izquierdo e Íngrid se encontraba junto a Consuelo. Cuando prosiguió el video, vimos escenas en las que aparecían miembros de nuestras familias. A los tres nos embargó una gran emoción al ver a nuestros seres queridos después de tanto tiempo. Teníamos un nudo en la garganta y los ojos anegados de lágrimas. Vi nuevamente el mensaje de mi madre, pero en seguida vi a Shane. Tan pronto vi su rostro estallé en llanto allí mismo, enfrente de todos los presentes. Estaba viendo a mi esposa en ese pequeño televisor, tratando de concentrarme lo más posible y de hacer acopio de algún tipo de fuerza telepática mental en mi interior para poderme transportar desde la cárcel en la que me encontraba hasta la sala de estar de mi casa, en donde veía a Shane con la expresión alterada sentada en el sofá. Pero no tenía ese poder, de manera que seguí viendo el video, sollozando y esperando poder ver a mis hijos. Entonces sentí que alguien me consolaba, acariciándome la parte posterior de la cabeza. Cuando terminó la escena de mi esposa, miré hacia la izquierda esperando ver a Consuelo tranquilizándome. Pero no era Consuelo, era Íngrid. La miré a los ojos y vi dolor en ellos. Era mi dolor, ella estaba sintiendo mi dolor y pude ver que su empatía era real. Una vez más me pregunté quién era en realidad esta mujer, cómo podía ser capaz de tanta generosidad y tanto egoísmo.

Todo este show me hizo preguntarme qué tanto podía confiar en lo que me estaban diciendo. Mi español estaba mejorando, pero fácilmente podía interpretar mal algo o alguien podía mentirme sin ambages. Decidí creer que todos estaban siendo sinceros conmigo con respecto a noticias como el Plan Patriota y otros temas que afectaban mi suerte. Sabía que nadie diría mentiras en relación con los mensajes de nuestras familias. Si algo había sagrado para todos, eran esos mensajes. Sabíamos que teníamos que sopesar con sumo cuidado la verdad en cualquier cosa que nos dijeran los de las FARC; no quería tener que hacer lo mismo con lo que dijeran los otros secuestrados.

Algo me dijo que más me valdría mejorar mi español lo más pronto posible. Mientras estuvimos en el campamento político, finalmente me puse a leer un libro que me habían dado allí: la edición en español de *Harry Potter y la piedra filosofal*. Este libro amplió mis conocimientos del idioma. Como todos los habitantes del planeta, yo sabía sobre la existencia de los libros y de las películas basadas en ellos. No los había leído, pero cuando me dieron el libro en el campamento lo llevaba siempre conmigo pensando que como era un libro para niños, podría ayudarme a aprender mejor el español.

Leía el libro y tenía siempre a la mano mi diario. En cada página me topaba con unas quince palabras que no entendía. Las anotaba en el cuaderno para después buscarlas en el diccionario de Gloria. A veces le leía a Tom en voz alta y él me ayudaba a descifrar el sentido, pero como es lógico algunas palabras parecían no ajustarse a la traducción. Mientras Tom me leía, a ambos nos fue absorbiendo el mundo creado por J. K. Rowling. Yo había empezado a leer el libro con una intención entre manos: aprender más español con el fin de disipar algunas de las nubes de engaño y duda generadas por nuestra comunicación con los políticos. Terminé olvidándome de todo eso para simplemente disfrutar la historia.

A comienzos de septiembre de 2004, me enteré por la radio de que mi madre estaba en Colombia. Ya en ese momento Orlando e Íngrid habían ideado un sistema para compartir el transistor. Descubrí que una de las razones por las que Íngrid quería tener el aparato consigo era que recibía mensajes de su madre casi todos los días en que se transmitían los programas. Tenía una relación muy estrecha con su mamá, y la devoción de ésta por su hija se hacía evidente en la frecuencia de los mensajes. Cuando supe esto, me sentí un poco mal por todo ese lío del radio. Mi mamá y la mamá de Íngrid se parecían mucho en su deseo de estar en contacto con sus hijos. Yo escuchaba mensajes de mi madre con mucha más frecuencia que mis dos compañeros.

Cuando supe que mi mamá estaba en Colombia, sentí cierto temor porque no me parecía un lugar muy seguro para ella. Sin embargo, al mismo tiempo me emocionó muchísimo saber que estaba más cerca de mí y me enorgullecía el hecho de que hubiera venido a este país para hablar con gente del gobierno y con familiares de otros secuestrados. Los medios de comunicación colombianos dedicaron mucho espacio a su visita de una semana, y cuando Íngrid oyó la noticia me la contó de inmediato. Parecía genuinamente contenta por mí, y me sorprendí cuando me invitó a compartir su radio durante los programas de mensajes en la madrugada y en la noche. Cuando escuché sus palabras me di cuenta de que esa no era la misma Íngrid con quien había pasado los últimos diez meses. En vez de una mujer egoísta y dominante, parecía un poco más amable, un poco menos incisiva. Con todo, me seguía despertando suspicacia su oferta y me pregunté qué iría a querer de mí a cambio de este favor.

Si estaba utilizando un señuelo para atraerme, había escogido el mejor de todos. ¿Quién podría resistir la oportunidad de escuchar la voz de su madre? Como teníamos que mantener bajo el volumen, nos sentábamos juntos, con las cabezas inclinadas y el radio apretado contra nuestras orejas. La primera noche nos sentamos así durante horas, y aunque yo no recibí ningún mensaje de mi madre, Íngrid sí escuchó a la suya. Tan pronto se oyó la voz, Íngrid contuvo el aliento como si le faltara el aire. Estábamos tan cerca que la sentí tragar saliva al tiempo que intentaba contener una lágrima. Mi español todavía no era lo bastante bueno como para entender el mensaje, pero me pareció mejor así. No quería saber lo que se había dicho. De todos modos, Íngrid me susurró los detalles al oído. Durante el resto de la noche nos quedamos allí, sonriendo juntos, sentados en la oscuridad escuchando el resto del programa, cada cual inmerso en ese pequeño mundo de voces radiales y silencio.

Sólo hasta el día siguiente me puse a reflexionar sobre lo emocionalmente íntimo que había sido ese momento. Había compartido experiencias similares con Keith y con Tom cuando repetíamos mensajes o nos contábamos experiencias dolorosas de nuestro pasado. A primera vista esa noche con Íngrid no parecía ser diferente de otras, pero al mismo tiempo yo sentía que sí era distinta. Tom, Keith y yo no teníamos más remedio que compartir esos momentos unos con otros. En esos primeros meses, sólo estábamos los tres. En cuanto a Íngrid, creía conocerla y la verdad es que hacía algunas cosas que me parecían bastante reprobables. Otras personas que merecían mi confianza la respetaban mucho menos que yo, y en cuanto a Keith, no sentía el más mínimo respeto por ella. Recordaba lo que Keith había dicho sobre cómo se iba revelando gradualmente el carácter. Sabía que él ya había juzgado y condenado a Íngrid por sus crímenes en contra de los demás. Pero tal vez no era la persona que creíamos que era. Tal vez Íngrid era una persona mucho más complicada y multidimensional de lo que nos había hecho creer.

Lo ocurrido esa noche no cambió radicalmente mi opinión sobre ella. Unas cuantas horas de compartir un radio no iban a disipar meses de egoísmo y de orgullo altanero. Así como a todos nos había desconcertado su capacidad de pasar de no querer admitirnos en el campamento en un instante a decirnos, en el siguiente, que debíamos hacer una fiesta para celebrar nuestra llegada, yo no estaba muy seguro de cuál Íngrid Betancourt era la verdadera... si es que, en efecto, había en alguna parte una Íngrid genuina.

Durante el resto de la semana en que mi madre estuvo en Colombia, Íngrid y yo escuchamos el programa muy juntos. Ninguna de esas noches supe nada sobre mi mamá e Íngrid se daba cuenta de mi decepción. Cuando finalizaba la sección de mensajes del programa, solía darme golpecitos en el brazo y procuraba consolarme. Por fin, en la última noche en que mi mamá estuvo en el país, un sábado, el presentador mencionó su nombre. Era muy tarde y para entonces Íngrid y yo estábamos ambos somnolientos; sentados en medio de la oscuridad absoluta en las silenciosas horas de la madrugada, a veces era difícil permanecer despiertos durante todo el programa. Nuestras cabezas habían estado juntas tanto tiempo que me dolía el cuello y desde hacía mucho tenía la espalda rígida.

Todos esos dolores desaparecieron en el instante mismo en que escuché a mi madre mencionar mi nombre. Su voz me trajo de vuelta de las fronteras del sueño y de repente volví a estar sentado en un cambuche en la selva en algún lugar del sur de Colombia con una mujer a quien conocía y no conocía a la vez. Mis ojos se llenaron de lágrimas y se me cortó la respiración. Íngrid debió haber sentido mi emoción. Deslizó su mano en la mía y me la sostuvo, acariciando mi pulgar con el de ella. El mensaje de mi madre fue breve, pero no bien terminó cuando a mí ya se me habían olvidado todas sus palabras. Le pedí a Íngrid que me repitiera lo que había dicho mi mamá. Ella me dijo que mi madre me amaba. Que me extrañaba. Que quería que yo fuera fuerte.

Me mordí el labio con fuerza. Al repetir las palabras, Íngrid había producido en mí las mismas emociones que hacía un momento, como si estuviera oyendo nuevamente el mensaje original. Sentí como si mi madre estuviera allí mismo conmigo, y la terrible añoranza que eso me produjo casi me deja sin sentido. Le pedí a Íngrid que me volviera a decir lo que había dicho mi madre. Ella repitió pacientemente sus palabras por segunda vez. Finalmente, aunque todavía no me sentía satisfecho pero a sabiendas de que ya Íngrid había hecho mucho por mí, me quedé sentado a su lado y escuché hasta que se acabó el programa y la estática se fue debilitando mientras Íngrid bajaba el volumen hasta apagar el aparato.

Me fui a acostar y me quedé en la cama sin poder dormir. La emoción de haber oído la voz de mi madre seguía siendo como un choque eléctrico que me atravesaba el cuerpo. Me acordé de cuando iba a confesarme a la iglesia de St. Paul siendo niño. Tenía que arrodillarme y hablar frente a un pequeño hueco rectangular disimulado por una rejilla. Allí examinaba mi conciencia y le recitaba al sacerdote todos mis pecados. De alguna manera, el hecho de escuchar ese mensaje con Íngrid esa noche me trajo a la mente ese recuerdo con una gran nitidez. Pude sentir el penetrante olor de la almohadilla de cuero que sostenía mis rodillas y la fragancia boscosa del incienso del ritual recién concluido de las Estaciones de la Cruz, así como el olor dulzón de las velas de cera de abejas. Escuché el sonido que hacía el sacerdote cuando abría el panel divisorio y vi la rendija de luz sobre el poyo en que descansaban mis codos, con las manos juntas en oración.

No me había vuelto a confesar desde hacía muchos años. Había conservado mi fe en Dios, pero no en la Iglesia católica. Durante el cautiverio, todos los días había rezado pidiendo consejo espiritual y el regreso sano y salvo a casa. Esa noche incluí a una persona más en mis oraciones. Le dije a Dios que lamentaba haber escogido ver lo malo en alguien y le di las gracias por haber arrojado esa pequeña rendija de luz sobre una persona en quien, hasta entonces, sólo había visto oscuridad.

Durante varios días después de haber recibido el mensaje de mi madre, le pedí a Íngrid que me repitiera las palabras que había escuchado. Ella invariablemente me sonreía y me decía que estaba muy bien que le preguntara. Decía que entendía, y a mí eso me alegraba.

IX
RUINA Y RECUPERACIÓN

SEPTIEMBRE DE 2004 - MAYO DE 2005

TOM

Si el objetivo del presidente Uribe con su Plan Patriota era hacer salir a las FARC de su escondite y ponerlas a huir con el fin de eliminarlas, sus esfuerzos casi logran lo mismo con nosotros. El 28 de septiembre de 2004, después de once meses con los políticos, salimos huyendo del Campamento Caribe.

Ninguno de nosotros se sentía cómodo sabiendo que nuestra suerte estaba tan estrechamente ligada a la de las FARC. La perspectiva de los políticos nos ayudó a entender que estaba comenzando una nueva fase en el conflicto FARC-Colombia. El gobierno de Uribe había perdido toda la paciencia con la guerrilla, exigiendo acción a una nueva escala. Uribe ya no creía en la capacidad de las FARC para negociar en forma justa y honorable, y ahora haría que pagaran el precio de su errónea y sobreestimada visión de sí mismas y de su poder.

La forma en que nos trataban las FARC era con frecuencia reflejo de cómo estaban siendo tratadas ellas mismas, y nuestra precipitada salida del Campamento Caribe no era un buen presagio. Sabíamos que, dada la actividad alrededor nuestro, tendríamos que salir del área, pero la velocidad con la cual partimos nos tomó por sorpresa. Se nos dio poca información acerca de lo que estaba ocurriendo, y aunque esto en sí no era inusual, sí resultaba extraño considerando el alcance de la movilización requerida. Todo lo que nos dijeron fue que empacáramos y nos alistáramos para partir. Todo el mundo se estaba yendo, todos los políticos, todos los militares secuestrados, nosotros tres y todos los guerrilleros, incluso Sombra. No nos dijeron cuánto tiempo estaríamos fuera del campamento ni si regresaríamos a él.

La brutalidad de los cuarenta días de marcha después de abandonar el Campamento Caribe competía con cualquiera de las que habíamos vivido antes. Durante los primeros meses en el campamento, habíamos logrado recuperar, hasta cierto punto, nuestro estado físico. Sin embargo desde junio de 2004, cuando se anunció por primera vez el Plan Patriota, los guerrilleros nos daban tan poco de comer que nos encontrábamos débiles, aun antes de iniciar la marcha. La supervivencia con lo que nosotros llamábamos sopa de tripas de vaca —debido a su fétido olor y a los desagradables trozos que flotaban en la gruesa capa de grasa— y unas pocas cucharadas de arroz o fríjoles, habían hecho mella en nuestro organismo.

Sumado a esto, los tres estábamos marchando con muchas cosas más de las que habíamos llevado de regreso en octubre de 2003. Habíamos acumulado tantos objetos que era imposible llevarlos todos. Aunque dejamos muchos traíamos lo que consideramos necesario. Yo amarré mi colchón al equipo. Consideré que tener un lugar cómodo para dormir haría una enorme diferencia en mi actitud y en mi capacidad para soportar la situación. Me equivoqué. Maniobrar a través de la jungla con ese gran rollo en la espalda exigía que me agachara cientos de veces para poder pasar por debajo de lianas y árboles caídos. Pronto decidí abandonarlo, junto con muchas otras cosas, para aliviar mi carga. Todos los demás hicieron lo mismo, y mientras más tiempo marchábamos, más reducíamos nuestro equipaje.

Si teníamos algo que agradecer, eran las lecciones de generosidad y perseverancia que exhibían los prisioneros militares. Insistían en hacer todo lo posible por ayudarnos, aun cuando no se nos permitía hablar con ellos. Durante varios días, montamos un campamento temporal a unos pocos kilómetros del Campamento Caribe, en donde nos pusieron al lado de los militares secuestrados. Allí conocí a un joven ex policía de nombre John Jairo Durán. Tenía alrededor de treinta y cinco años, aunque parecía mucho más joven, con su pelo oscuro y grueso cortado al rape. Había sido secuestrado seis años atrás y su profunda fe parecía sostenerlo y guiarlo en todas las decisiones que tomaba acerca de su comportamiento. No sé por qué eligió arriesgarse y hablar conmigo, pero me dio una sábana de algodón y una chaqueta forrada estilo parka. Traté de indicarle por señas que no los necesitaría, pero no me hizo caso. También me dio un trozo de lazo y una cuerda, que resultaron vitales en esa marcha forzada.

Todos la pasamos mal, incluso los guerrilleros. Una vez más nos tocó ver a los de menor nivel siendo tratados como bestias de carga. Transportaban pesados cilindros de propano, estufas y grandes bolsas de comida. Llevaban una carga hacia la parte delantera, regresaban y luego se devolvían con otra pesada carga. Repetían este proceso una y otra vez. Nuestro joven amigo, el Cantante, llevaba sus propias cosas y una gran olla amarrada a la espalda además del equipaje de Íngrid, quien se encontraba demasiado débil debido a lo que, según ella, era un ataque de disentería. Ocasionalmente tambaleaba y se caía. Keith lo ayudaba a ponerse nuevamente de pie. Después de algún tiempo, Íngrid ya no podía caminar. La pusieron en una hamaca, como habían hecho con Keith durante nuestra primera marcha. Los guerrilleros no estaban nada contentos con el hecho de tener que cargarla, y cada vez que podían, la mecían accidentalmente contra árboles espinosos que crecían cerca de las quebradas.

Como la mayoría de la gente, me he quejado alguna vez en la vida de punzadas de hambre o he dicho que estaba "muriendo de hambre". Pero hasta esta marcha, jamás había experimentado lo que realmente significa. Un dolor que hacía flaquear las rodillas, semejante a un calambre muscular severo, nos retorcía el estomago. Nos sentíamos tan débiles que la cabeza nos dada vueltas y nuestra visión era borrosa y limitada. Tanto Marc como yo sentíamos un terrible dolor en las rodillas y mis piernas se hincharon hasta el punto de que las rótulas se veían como un pequeño turupe de hueso, en medio de un mar de tejido. Las lesiones de la espalda de Keith seguían atormentándolo, pero rara vez se quejaba. Decía que gran parte de su inspiración provenía de los prisioneros militares, quienes estaban encadenados entre sí por el cuello durante la marcha. Su riguroso entrenamiento físico les ayudaba, pero las cosas no eran fáciles para nadie.

Todos hacían su mejor esfuerzo por ayudar a los demás, pero los guerrilleros estaban sufriendo tanto como nosotros y descargaban sus frustraciones en los secuestrados. En un momento dado, Clara, quien llevaba su propio morral y estaba defendiéndose lo mejor que podía, se cayó en el lodo y perdió una de sus botas. A Emmanuel lo cargaban varias guerrilleras, y Clara estaba luchando sola en aquel profundo caldo de lodo y vegetación espinosa. Yo me salí de la fila y fui a ayudarla. Cada uno de nosotros tenía un guardia al frente y otro detrás. Ambos me gritaron: "¡Vamos!, ¡Vamos!".

Seguí dirigiéndome hacia donde estaba Clara. "Voy a ayudarla. No puede levantarse". Cuando me agaché para levantarla, escuché cómo cargaban sus AK-47 para disparar. Haciendo caso omiso de los ruegos de mi esposa para que no hiciera nada que pudiera poner mi vida en riesgo, les grité:

—¡Adelante! ¡Mátenme! ¡Ustedes no tienen los cojones ni tienen orden de dispararme, entonces adelante!

Terminé de ayudarle a Clara para que se levantara mientras los dos guerrilleros me lanzaban miradas de furia.

Algunos días antes, un grupo de seis helicópteros Blackhawk había sobrevolado la zona donde nos encontrábamos y los guardias habían hecho algo a lo cual ya nos habíamos acostumbrado: nos habían rodeado con sus armas listas para disparar. Ya me estaba cansando de eso, y aunque sabía que se encontraban tan tensos como nosotros y existía la posibilidad de que perdieran el control, ya no aguantaba más aquel trato inhumano. A diferencia del encuentro anterior, cuando estábamos en más o menos buena forma, ahora nos sentíamos abatidos y vulnerables. Yo esperaba que alguien tratara de huir. Afortunadamente, los helicópteros se mantuvieron a distancia, y después de algunos tensos minutos en los que nos apuntaron con las armas listas, terminaron gritándonos: "¡Vámonos!".

Algo que me dio mucha rabia fue cuando vi que las veces que nos daban nuestra ínfima ración de comida, los guardias se aseguraban de que quedara algo para ellos. Tenían órdenes directas de no hacerlo. De habernos quejado, sencillamente habríamos logrado enfurecerlos aún más y quién sabe qué nos habrían hecho para vengarse.

Su falta de disciplina era algo que Keith había observado durante meses. Nos había dicho a Marc y a mí, una y otra vez, que estos hombres y mujeres de las FARC no eran verdaderos soldados. Que cuando las cosas se pusieran difíciles tendríamos que tener cuidado. Estábamos siendo premiados más allá de nuestros límites y arremetíamos contra nuestros guardias cada vez con mayor frecuencia.

En contraste con la falta de compostura de los guerrilleros, y a pesar de su crueldad, los prisioneros militares se comportaban de una manera que nos generaba gran admiración. Uno de ellos, Julián, sufría de una afección dolorosa. Tenía lo que aparentaba ser una gran ampolla de sangre que le subía por las piernas y la ingle hacia el torso. La ampolla era como un río en un mapa de relieve. Después de las dos primeras semanas, los guardias habían levantado la prohibición de hablar con los militares secuestrados, o estaban demasiado cansados para hacerla cumplir. Julián nos contó que, siendo policía, le habían disparado en la cabeza durante un altercado en Bogotá. El Mono, un guardia de las FARC, nos comentó que había estado presente en la toma en la cual Julián fue capturado. Según decía, luchó con valentía y alcanzó a matar a varios guerrilleros.

Después de algunas semanas de enfrentar las privaciones que veníamos sufriendo todos, Julián se cayó mientras marchábamos. Sus guardias le gritaron para que siguiera andando, y así lo hizo. No se podía mantener en pie, y se arrastraba utilizando las manos y la pierna sana mientras arrastraba la otra. Sabía que si suspendía la marcha, todos los demás sufriríamos. Verlo arrastrándose así, mientras otro de los rehenes era transportado en una hamaca, era un espectáculo más doloroso que el hambre que sentíamos. Cuando llegamos a un campamento, John Jairo dejó ver un sentimiento humanitario que nunca vimos en las FARC. Se dirigió a Guillermo, el médico del campamento, y le rogó que le quitara las cadenas a Julián. Por respeto a Julián y a John Jairo, Guillermo aceptó. Julián caminó y se arrastró sin cadenas el resto de los cuarenta días.

Como siempre ocurría, por cada buena obra de las FARC había una mala. Keith necesitó que Guillermo lo ayudara después de cruzar un río con unos lazos: había pisado una mata espinosa y las ortigas se le habían enterrado por debajo de la uña del dedo gordo del pie. En lugar de administrarle algún tipo de analgésico o incluso de limpiarle la zona afectada, Guillermo sacó un bisturí y comenzó a "machetear" el pie de Keith, básicamente cortando y jalando la uña hacia arriba para llegar hasta la espina. Mientras hurgaba en el pie, mascullaba algo acerca de lo débiles que éramos los norteamericanos. Otro guardia de las FARC, Cerealito, se encontraba parado cerca observando. Sabía que Guillermo le estaba causando dolor a Keith a propósito, y sin que aquel pudiera verlo, articulaba palabras de aliento . Por alguna razón, a Guillermo no le gustaba Keith y más adelante insistió en que fuera encadenado a otro rehén para un día de marcha.

Realmente llegamos a nuestro límite en esa marcha. En algún momento nos ofrecieron unos pocos trozos de pata de tortuga y nos los comimos. Cuando finalmente llegamos a un punto de reabastecimiento, nos dieron a cada uno un paquete de cigarrillos y un solo bloque de panela. Nuestros organismos estaban tan agotados que cuando lo comimos fue como si pasara directamente a nuestras glándulas suprarrenales. Después de comernos la mitad del bloque la primera noche, y buena parte de lo que había quedado a la mañana siguiente, sentí que estaba recargado.

A medida que había ido avanzando la marcha, los cien o más miembros de las FARC que nos escoltaban se habían reducido, al igual que nuestro número original de treinta y ocho rehenes. Los primeros en salir después de cerca de dos semanas fueron Íngrid y Lucho y ocho de los prisioneros militares, junto con muchos de los guerrilleros. Diez días después, otros cuatro prisioneros, junto con Consuelo y Gloria —quienes fueron inquebrantables durante la marcha—, Clara, Alan, Jorge y Orlando fueron separados de nosotros. Finalmente, después de siete días, partieron otros diez; en nuestro grupo quedamos nosotros tres y cinco prisioneros militares —Javier Rodríguez, John Jairo Durán, Erasmo Romero, Julián Guevara y Julio César Buitrago—.

Tal como habíamos aprendido a hacerlo desde un principio, encontramos la forma de sobrevivir cada día. Nuestros cuerpos se estaban debilitando, pero en algún lugar encontramos una reserva de fortaleza. Keith la encontró en su carácter desafiante, se negaba a permitir que las FARC ganaran la partida. Marc la encontró en su fe, comenzando cada día con una oración. Yo me refugié en lo que siempre nos mantuvo vivos: la familia y el sueño de regresar a nuestra tierra. En un determinado momento, tropecé, caí y me quedé tirado en el lodo pensando lo fácil que sería quedarme allí donde estaba. Me levanté y seguí poniendo un pie delante del otro. Debiendo sortear el barro que nos llegaba a las rodillas, el agua que nos subía hasta el cuello, las

Marc con sus hijos, Joey (izquierda) y Cody (derecha), un año antes del accidente. Separarse de sus niños durante rotaciones de veintiocho días en Colombia había sido difícil, pero Marc sentía que su trabajo era importante para el bienestar de su familia.

Cody, Joey y la hija de Marc, Destiney (de izquierda a derecha). Destiney tenía nueve años cuando el avión colisionó.

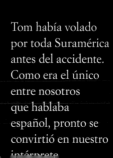

Tom había volado por toda Suramérica antes del accidente. Como era el único entre nosotros que hablaba español, pronto se convirtió en nuestro intérprete.

Desde el momento en que Tommy nació, Tom sintió una estrecha conexión con él. El niño tenía sólo cinco años cuando su padre fue secuestrado por las FARC.

Keith sentado con Lauren y Kyle. No era fácil ser un padre soltero, pero Keith siempre estuvo orgulloso de serlo.

Lauren y Kyle con el padre de Keith y su esposa. Después de la caída del avión, Keith sabía muy poco de lo que pasaba en su hogar, pero contaba con que sus padres velarían por sus hijos.

Esta foto de Lauren y Kyle fue tomada poco tiempo después del accidente.

Esta fotografía de nuestro grupo de California Microwave fue tomada unas semanas antes del accidente, mientras Marc estaba de descanso en su casa. Tom y Keith están en la fila de arriba, segundo y quinto respectivamente, de izquierda a derecha. Tommy Janis, el héroe de nuestro vuelo, cuya habilidad nos permitió llegar a tierra sanos y salvos, está en la fila de arriba con camisa amarilla. También aparecen Ralph Ponticelli (tercero, con la gorra verde) y Tommy Schmidt tercero en primera fila), dos magníficos compañeros de trabajo que murieron cuando su avión se estrelló mientras nos buscaban.

La diversa geografía colombiana incluye desde llanuras hasta selvas montañosas. A pesar de la caída de nuestro avión, fuimos afortunados de no estar cerca de las cumbres más altas del país. Nuestra marcha inicial de veinticuatro horas fue muy dura, pero habría sido imposible enfrentar los desfiladeros de las montañas más grandes.

Como ratas de la selva, los guerrilleros eran increíblemente hábiles al momento de conseguir lo necesario para sobrevivir en su entorno. Con un simple machete, la mayoría de ellos podía construir mesas, sillas o una cama, como la que se ve en la foto.

Algunas noches dormíamos en el piso y otras lo hacíamos en tablas. Esta foto es una buena representación de uno de los tipos de cama que teníamos. A menudo usábamos hojas de palma para suavizar los camastros y formar una delgada capa de amortiguamiento. El marco estaba construido con árboles jóvenes cortados a machete.

Las camas en esta foto representan muy bien la forma en que dormían los guerrilleros. Como podían conseguir todas las materias primas que necesitaban, con frecuencia construían sus camas de una manera más práctica y cómoda.

Este es un sendero que lleva al área de reuniones en un campamento abandonado de las FARC. Debido a las frecuentes lluvias durante todo el año, los guerrilleros acostumbraban hacer sus caminos con árboles y arena que sacaban de los ríos cercanos. Con el tiempo, aprendimos a descifrar sus hábitos de construcción para saber cuánto tiempo permaneceríamos en un campamento. Mientras más construcciones se hicieran, más se prolongaría nuestra estadía.

El área de comida que se muestra acá es un poco más elaborada que aquellas a las que estábamos acostumbrados. Al extremo izquierdo, sobre la tabla de abajo, hay un bloque de panela. Los guerrilleros la usaban para cocinar y para obtener energía durante las marchas.

Este es el tipo de botas que todos (incluidos los miembros de las FARC) usábamos. Como no pudieron encontrar un par que le quedara bien a Keith en los días que siguieron al accidente, y los guerrilleros no querían que sus huellas dieran pistas a los que nos seguían, le cortaron la punta a un par de ellas y lo obligaron a usarlas. Tuvo

Una muestra del típico armamento de las FARC: un fusil de combate FN FAL, un Remington Nylon 66.22 para cacería, una carabina H&K G3 y un lanzador múltiple de granadas. Aunque construimos alguna relación con nuestros guardias, sus armas eran un continuo recordatorio de la amenaza que representaban para nosotros, y de cuáles eran sus verdaderas lealtades.

Las copas de los árboles estaban tan entrelazadas que muy rara vez recibíamos la luz del sol directamente o podíamos tener una visión clara del cielo. Eso hacía que tuviéramos que confiar en nuestros oídos para detectar los aviones o helicópteros que se acercaban.

En todos los campamentos, cigarrillos como estos eran nuestra moneda de intercambio con los guardias. Los usábamos para conseguir lo que fuera, desde suministros extras para el baño hasta radios o información sobre lo que los jefes de las FARC nos tenían deparado.

Radios como estos eran el hilo que nos conectaba con el mundo exterior. Ya fuera para analizar las noticias o para esperar los mensajes de nuestros seres queridos, nunca nos cansábamos de ellos. Las iniciales LJ grabadas al frente corresponden al nombre del guardia de quien Marc obtuvo este radio.

Este era el kit de costura de Marc. Como los guerrilleros casi nunca nos daban ropa nueva, y cuando lo hacían rara vez nos quedaba bien, tuvimos que aprender a manejar el hilo y la aguja.

Siempre teníamos el temor de que un intento de rescate por parte del gobierno colombiano llevara a que los guerrilleros nos ejecutaran. Pensando en eso, cada uno tenía preparado un kit de supervivencia para intentar escapar al primer sonido de un helicóptero que viniera hacia nosotros. Éste contiene un espejo, papel higiénico, un cordel para pescar y un anzuelo, una linterna que tiene una pequeña luz LED en su base, y una cuchilla de afeitar.

Este es el tablero de ajedrez que Marc talló durante casi un año. Cuando lo terminó, en diciembre de 2005, jugábamos maratones en las que Tom casi siempre salía vencedor. El tablero estaba hecho sobre un viejo cartón, y en su reverso escribimos nuestros nombres y este mensaje: "Tres norteamericanos secuestrados el 13 de febrero de 2003. Todavía vivos el 10 de diciembre de 2005".

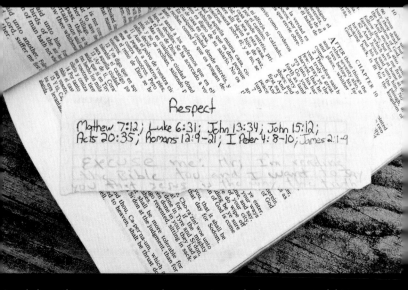

Uno de los militares prisioneros, el sargento Lasso, le dio esta copia del Nuevo Testamento a Marc. Estaba escrito en doble columna, una en inglés y la otra en

Sunday, 12 February 2006 – Day 1097

1:30~ Three years of suffering, it shows. I was checking myself carefully in the mirror this morning. I was looking at the changes that have taken place over these three years. I've lost alot of hair ~~~~~~~~~~~~~~~ on my hair line. Alot of the hair on the sides has turned grey. Wrinkles are starting to form around my eyes, mouth and on my forehead. My teeth are in bad shape, with several chips and visible calculous along the gumline. Their not as white as they used to be, and gums don't look very good. My gums have been hurting lately. Physically I've lost alot of weight, adding to the gaunt appearance in my face. I have several stretch marks on my sides and on the inside of my thighs. I have much more muscle tone and muscle mass, the only positive change I saw. My finger nails are full of grooves, ridges and holes. I have fungus on my toe nails. I have an outbreak of a pimply looking rash on my back. But the most impressive change is in my eyes. I have black rings around each eye, their bloodshot and look sunken in. And there is something else about them thats different, but I don't know how to describe it, their just different. When I look at my face in the mirror I see a person who doesn't look healthy, especially in the eyes.

A few days after my last entry I was told Pajaro and Mono are dead. On the 25th of January we left camp and marched on a dirt road, then a mule trail for two days. On the way we met up with a guerilla named Ernesto who seems to be our guide. Our new camp is located near the mule trail, and our section of camp is close to the guards section. Normally we aren't located so close to them. Our beds are made of logs and dirt. They haven't fenced us in yet, but Milton has threatened to do it several times. He's been coming over and threatening us because we broke a branch on a tree or a plant is knocked over. Usually the damage is something we didn't even do or had to do to put our tents up. The other

Cuando llegamos a nuestro primer campamento, Micolandia, nos dieron a cada uno elementos para escribir. Esa era una de las pocas cosas que nos ayudaba a sobrellevar el secuestro. Esta página del diario de Marc describe el día anterior a nuestro tercer aniversario de cautiverio.

Durante la primavera del 2008, la actividad de los Blackhawk alrededor nuestro se incrementó significativamente. Su presencia siempre provocaba intranquilidad en los guerrilleros. Era como si los helicópteros nos estuvieran arreando, pero no fue sino hasta después de nuestro rescate que entendimos lo que se proponían.

Nos tomamos esta foto con el general colombiano Mario Montoya en el vuelo después de nuestro rescate. El general desempeñó un papel crucial en la orquestación de la Operación Jaque que nos liberó.

Pocas horas después del rescate, volamos de Bogotá a San Antonio, Texas. Esta foto fue tomada a la salida del avión.

Los primeros pasos de Marc y Tom a su regreso a Estados Unidos, el 2 de julio de 2008.

El trato que nos brindaron en BAMC fue increíble; estaban muy bien preparados para manejar nuestra reintegración. Comenzamos con pequeñas salidas de la base a comer hamburguesas. Esta foto se tomó en una de ellas.

Otro de nuestros viajes de un día fue al concesionario local de la Harley en San Antonio, donde volvimos a soñar con la Caravana de la Libertad.

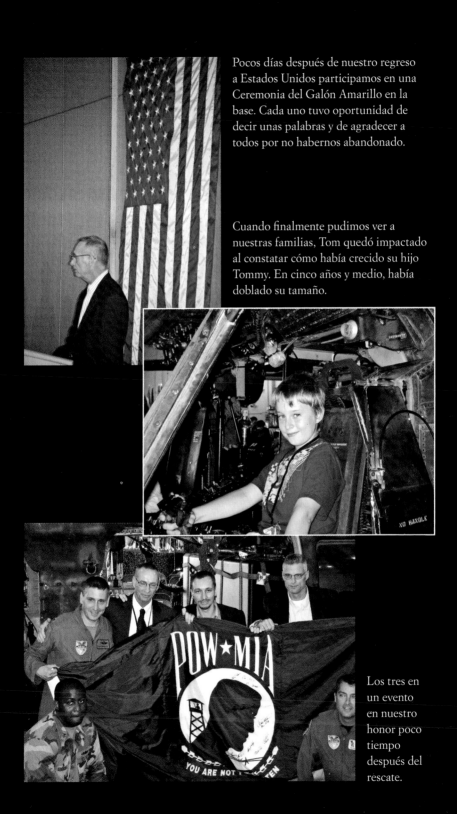

Pocos días después de nuestro regreso a Estados Unidos participamos en una Ceremonia del Galón Amarillo en la base. Cada uno tuvo oportunidad de decir unas palabras y de agradecer a todos por no habernos abandonado.

Cuando finalmente pudimos ver a nuestras familias, Tom quedó impactado al constatar cómo había crecido su hijo Tommy. En cinco años y medio, había doblado su tamaño.

Los tres en un evento en nuestro honor poco tiempo después del rescate.

En el tiempo que transcurrió entre el accidente y el rescate, Kyle, el hijo de Keith, pasó de ser un niño a un joven de gran estatura. El pequeño que Keith había dejado atrás era ahora más alto que él. Su hija, Lauren, que tenía catorce años al momento del accidente, también había crecido y estaba ahora en la universidad.

A pesar de las dificultades, Patricia nunca abandonó a Keith y le envió mensajes por radio durante su cautiverio. Keith, por su parte, logró enviarle uno desde la selva. Con un compañero que liberaron, le hizo saber que quería formar un hogar

La familia de Keith, juntos al fin: (de izquierda a derecha) Patricia, Kyle, Keith Jr., Nick y Lauren.

Marc con Destiney, Joey y Cody el 4 de julio de 2008, dos días después de su rescate. La pequeña niña de Marc, Destiney, ya no lo era más. Ahora, con quince años, era casi una mujer.

Marc con su familia: (izquierda a derecha) su hermanastra, Corina; su madrastra, Monique; su madre, su hermano y su padre. La mamá de Marc jugó un papel decisivo al llamar la atención sobre nuestro secuestro en Estados Unidos y el exterior. Sus constantes mensajes nos levantaban la moral en la selva. Después de que fuimos liberados, Colombia le concedió la ciudadanía honoraria.

subidas y bajadas de los cansa-perros —colinas lo suficientemente altas para cansar hasta a los perros— y las noches congeladas en medio de nuestro déficit de calorías, llegamos a los límites de lo que pensamos que podríamos resistir.

Para todos nosotros, el regreso a nuestro propio país y las libertades que habíamos disfrutado allí desempeñaron un papel vital para perseverar. Keith y Marc me contaron que una de las cosas que hacían para sobrevivir cada día era concentrarse en una fantasía específica. Esas fantasías generalmente se referían a los placeres sencillos de la vida en su hogar, con su familia. Ya fuera un día en la playa o en un parque como espectadores de algún deporte, o cenando en uno de los sitios favoritos de nuestros hijos, no pensábamos en nada exagerado ni complicado.

Cada uno pensaba que la libertad y el regreso a nuestra vida eran la motivación más poderosa que teníamos cuando nos parecía imposible continuar. El querer salir del control de unas personas que nos oprimían y nos negaban nuestros derechos era el deseo más básico que teníamos. Era casi una necesidad primaria, profundamente arraigada en nosotros tras años y años de poder hacer exactamente eso: ejercer nuestra libre voluntad. Era lo que queríamos para nosotros mismos y lo que, como país, queríamos para otras gentes. Muchos de los guerrilleros nos preguntaban cómo era Estados Unidos, y cuando les decíamos que era sinónimo de libertad, no podían creer que nuestra respuesta pudiera ser tan simple. Los guerrilleros aprendieron mucho de nosotros, pero nunca lograron entender que lo que más valorábamos era nuestra libertad. Mientras pudiéramos apoyarnos en lo que llevábamos en el corazón y en la memoria, resistiríamos.

KEITH

Sin duda resultó agradable que después de treinta y nueve días de vivir un infierno, los guerrilleros nos subieran a los ocho en un bote. Para entonces yo estaba hastiado de ver a Sombra, ese gordo hijo de puta, caminando sin equipo mientras que su última mujer, la Mujer Araña, se rompía la espalda como el resto de nosotros. Cada vez que nos deteníamos, otro par de guerrilleras revoloteaban a su alrededor, asegurándose de que tuviera agua, de que sus botas no llevaran piedras, de que sus muslos fofos no estuvieran sufriendo demasiado por el roce al caminar. Imaginaba esto último, así como imaginaba esos muslos creando la suficiente fricción como para quemarle las pelotas. En un sitio de descanso, las esclavas del Gordo corrieron a montarle un pequeño banco para que no tuviera que poner su mantecoso trasero en el piso y siguieron atendiéndolo como siempre. Yo estaba sentado mirándolo fijamente y pensando en el libro *La granja de los animales* cuando el cerdo Napoleón decía: "Todos los animales son iguales, pero algunos animales son más iguales que otros". Me habría encantado tratar a Sombra con una crueldad igual a la que él nos dispensaba a nosotros.

Antes de subir al bote, nos sentamos en el borde del río y nos quedamos dormidos. Desde la distancia, nos llegaba de río abajo el sonido de música carrilera y algo de disco. Yo sabía que no estaba soñando porque nunca permitiría que una nota de música disco penetrara mi conciencia. Después, cuando cayó la noche, iniciamos nuestro viaje en el bote. Pasamos frente al bar. No era gran cosa pero no habíamos visto una señal de civilización desde la prueba de supervivencia de hacía más de un año. Con cigarrillos encendidos en la mano, viajamos río arriba bajo un cielo salpicado de estrellas, y cuando se nos acabaron los cigarrillos, nos acurrucamos uno al lado del otro bajo un trozo de plástico negro, tratando de conservar el calor entre todos.

Poco después del amanecer llegamos a una playa cercana a un camino de madera carcomida que conducía a un claro. En ese lugar había un antiguo campamento de las FARC, como un esqueleto en proceso de desmoronarse. Una de las construcciones había sido bombardeada y a varias de las otras estructuras de madera ya se las estaba comiendo la jungla. En medio de todo esto había una construcción en concreto con techo metálico. Nos llevaron adentro, y mientras caminábamos sobre los sucios pisos de cemento y frente a dos pequeñas salas de cirugía, nos dimos cuenta de que nos encontrábamos en los restos de un antiguo hospital. A nuestro alrededor aún había mesas con monitores y otros equipos. Todo estaba cubierto por polvo de varios años. Quienquiera que hubiese ocupado este hospital se había ido hacía mucho tiempo, pero no teníamos tiempo de especular acerca de lo que había ocurrido allí. Parecía como si la fuerza de la gravedad fuera mucho más fuerte dentro de aquellas paredes, y antes de caer al piso ya estábamos todos dormidos.

Durante la semana siguiente, descansamos y comimos. Nos dieron carne, zanahorias, remolachas y otros vegetales por primera vez en más de un año. Nuestros cuerpos estaban tan desacostumbrados a recibir cualquier cosa sólida que trataban la comida como a un invasor y la despedían tan pronto como nos la metíamos a la boca. Cuando no estábamos comiendo estábamos recostados o durmiendo. En muy contadas ocasiones nos permitían caminar por fuera de este desocupado hospital. Era casi un placer que nos permitieran caminar escoltados por guardias a través de la media docena de cuartos que conformaban la pequeña sede médica. En mi mente, el lugar parecía embrujado por los pacientes que alguna vez estuvieron allí. Como tantas cosas de este paisaje, simplemente teníamos que aceptar estas ruinas sin cuestionarlas. Quienquiera que hubiese considerado este hospital como una prioridad se había ido hacía mucho tiempo. Ahora todo lo que quedaba eran unas pocas piezas de antiguos equipos y nuestras voces que resonaban contra las paredes.

Hacia la mitad de la semana, los cinco rehenes militares que quedaban recibieron la orden de empacar y se fueron con Ferney. Nos dio tristeza pero sin duda el Francés no nos haría falta. Milton, el tipo que suponíamos que era el consentido o mascota de Sombra, quedó a cargo de nosotros. Los guardias parecían mucho más relajados que antes. Creo que estaban tan agradecidos como nosotros de que hubiera terminado la locura de la marcha de cuarenta días.

Al final de esos siete días, hicimos un breve viaje en bote y luego en camioneta hacia la Serranía de la Macarena. Por el camino, pasamos por un pueblo de un tamaño decente, Santo Domingo, en el cual había quizás unas ochenta construcciones, e inmediatamente todos nos que sentimos increíblemente entusiasmados. Algunos días antes de salir del hospital, dos guardias, Rogelio y el Costeño, nos comentaron que habían oído el rumor de que se estaba pagando un rescate por nosotros y que seríamos liberados. Esta información encajaba con lo que habíamos escuchado durante la marcha de cuarenta días —que el gobierno colombiano había liberado unilateralmente a cuarenta y cinco prisioneros—. Pensamos que esto podría tener algo que ver con nosotros. ¿Por qué habría de soltar el gobierno colombiano a sus prisioneros después de tanto tiempo, si no estaban seguros de que habría reciprocidad del otro lado? Ahora que estábamos en un pueblo de verdad, todo parecía aclararse. ¿Por qué otra razón podríamos estar cerca de un pueblo, entre la población, si nos iban a liberar? Los pueblos significaban carreteras y transporte, teléfonos y electricidad para sus computadores portátiles, comunicaciones más fáciles con los líderes de su Frente y su bloque.

Otra posibilidad provino de algo más que habíamos escuchado. El ejército colombiano había capturado a dos líderes de las FARC, Simón Trinidad y una mujer llamada Sonia —no nuestra primera captora sino otra mujer del mismo nombre—. Trinidad era hijo de ricos terratenientes tradicionales que había tomado el camino equivocado. Sus padres eran ellos mismos izquierdistas, pero Trinidad se había ido a la extrema izquierda. Había sido capturado en Ecuador en enero de 2004 y extraditado a Colombia casi de inmediato. Mientras estuvimos con los políticos, escuchamos que Estados Unidos esperaba lograr su extradición para someterlo a juicio en ese país. Marc, Tom y yo estuvimos de acuerdo en que esto no nos favorecería —enojaría mucho a los de las FARC y posiblemente se desquitarían con los norteamericanos— pero era algo bueno para nuestro país y el mundo que este personaje estuviera tras las rejas. Sabíamos que el gobierno de Estados Unidos no negociaba con terroristas. A pesar de lo mucho que nos molestaba ese hecho, también entendíamos que era una buena política. Consideramos brevemente una situación en la cual el gobierno de Estados Unidos pudiera intercambiar a Trinidad o a Sonia, o a ambos, por nosotros, pero sabíamos que esto era sólo pensar con el deseo.

Todo nuestro optimismo desapareció cuando la camioneta ni siquiera se detuvo en Santo Domingo. Por el contrario, simplemente nos dirigimos hacia las montañas. Estábamos apretujados veinte de nosotros en la parte trasera de un *pick-up* Land Cruiser cubierta por una lona. Con cada surco que pasábamos en la carretera, yo iba perdiendo la esperanza. Marc y yo nos miramos. Cada uno estaba entre dos guardianas; una de ellas, Tatiana, se había dormido con la cabeza sobre mi hombro y la otra, la Mona, había hecho lo mismo sobre el hombro de Marc. Ambos deseábamos descansar con esa facilidad, pero viendo alejarse las posibilidades de nuestra liberación, aquella extraña proximidad física con nuestro enemigo me hizo sentir enfermo.

Estuvimos tres semanas en un campamento temporal en las montañas. Todavía estábamos lo suficientemente cerca de Santo Domingo para tener suministros adecuados —incluso llegamos a tener colchones de espuma—. Recibimos nuevas botas, un nuevo toldillo y algo de ropa. El proceso de engorde continuó, y Milton incluso comenzó a cazar en busca de alimento para complementar nuestras raciones. Un día lo vimos caminando por el campamento arrastrando por la cola a dos micos. Uno de ellos aún respiraba y el otro tenía aferrado un bebé vivo. Apartamos la vista con disgusto. Durante gran parte de mi vida he estado alrededor de cazadores. Yo conocía la diferencia entre una matanza humanitaria y una inhumana, pero a Milton esto no parecía importarle. Más tarde esa noche, cuando comimos marimba frita, esos pensamientos acerca de la ética en la cacería desaparecieron ante una saludable porción de carne de mico. Sin importar de dónde proviniera, era la carne que necesitábamos.

No tenía ningún sentido adoptar una posición moral en esa situación, y sólo Marc pareció tener algún resquemor acerca de comer la carne. Unos días más tarde, Milton logró matar un venado. Marc y yo habíamos tenido una serie de conversaciones acerca de la cacería, y él estaba del lado de Bambi, diciendo que los simpáticos y suaves animalitos merecían vivir libres y sin temores. Esto fue antes de descubrir que esos simpáticos y suaves animalitos pueden ser sabrosos y nutritivos. Su mirada de temor se convirtió en alegría cuando probó su primer trozo de venado asado sobre una llama abierta.

Milton parecía mucho más interesado en la cacería que en vigilar las cosas del campamento. Mientras estuvimos en la marcha, los secuestrados militares nos habían dicho que tendríamos suerte si Milton alguna vez llegaba a ser nuestro comandante. Sólo conocíamos a Milton por su mirada en blanco y su actitud servil. Dijeron que él era en el fondo un tipo decente y sencillo a quien le gustaba la vida en la selva. Había dos cosas que Milton parecía saber hacer: cazar y pedir cigarrillos. Si se le hablaba acerca del clima, de cómo las quebradas corrían pendiente abajo o acerca de la cacería, siempre respondía con entusiasmo. No era sino salirse de ese guión y Milton no tartamudeaba ni inventaba babosadas. Simplemente se quedaba callado y luego se alejaba.

Los guerrilleros habían acampado un poco más abajo que nosotros y subían la montaña a intervalos durante el día para traernos comida y hacer el cambio de guardia. Llegamos a conocer mejor a algunos de los guardias en este sitio. Eliécer —el Pájaro— era un tipo decente de algo más de treinta años. Su seudónimo en las FARC, *Jorge Eliécer Gaitán*, provenía de un político populista de izquierda que había vivido entre comienzos y mediados del siglo veinte. Fue asesinado en 1948 y su muerte condujo a la violencia, uno de los períodos de confrontación política más sangrientos de la historia de Colombia.

El Eliécer que nosotros conocimos era cualquier cosa menos violento, pero sin duda era una víctima de la violencia. Había estado con las FARC durante mucho tiempo, y nos dábamos cuenta de que le habían lavado el cerebro. Cuando nos conocimos, nos dijo:

—Todos los gringos son gánsteres y criminales. Nos han advertido que no debemos confiar en ustedes. Ustedes no tienen moral.

—Eliécer —dije yo—, nosotros somos los primeros gringos que usted conoce. ¿Cómo sabe que todos somos iguales?

—Esto es lo que me han dicho y es lo que yo creo. He visto lo que su gobierno le ha hecho a mi gente.

Aunque tratamos de razonar con él, continuó resistiéndose a nuestras palabras. Una noche, varios meses más tarde, se me acercó con ganas de conversar.

—A mí me hirieron en una batalla —se frotó la parte de atrás de la cabeza—. Aquí me dio una bala.

—Tiene suerte de estar vivo, Eliécer. Mucha suerte —le dije.

—A mí no me parece que eso sea suerte —me respondió—. Yo quisiera ser uno de ustedes.

—¿Uno de nosotros? —preguntó Marc—. ¿Un rehén? ¿Está hablando en serio?

—No, no un rehén, sino uno de ustedes, un gringo.

—Yo pensé que nosotros éramos todos sólo una partida de asesinos inmorales, perdedores, gente mala que está arruinando a Colombia.

La expresión de Eliécer era de vergüenza, pero me miró a los ojos y dijo:

—Me equivoqué. Yo creí lo que me habían dicho. Pero ahora creo en lo que veo. Ustedes son hombres buenos. Veo cómo se tratan el uno al otro. Creo que ustedes no harían algunas de las cosas que nosotros nos hacemos unos a otros.

—¿A qué se refiere? —le pregunté.

Eliécer miró hacia otro lado y suspiró:

—Ya no tengo novia. Se fue con otro.

—Eso es duro —le dije—. Las mujeres de acá pueden ser muy crueles.

—Es por mi lesión —se dio un golpecito en la cabeza—. A veces no puedo —se llevó la mano de la cabeza a los genitales—. No se para.

Me sorprendió que pudiera admitir algo así, pero sentí lástima por él. Miré a Marc, quien dijo:

—Tal vez si usted hiciera ejercicio o algo. Si se liberara de un poco de estrés.

Eliécer sacudió la cabeza.

—Eso no va a servir —y se alejó de nosotros.

En ese ambiente, donde los guerrilleros viven en sitios tan estrechos, sabía que de noche estaría acostado, malherido, sintiéndose muy mal acerca de su hombría, y tendría que escuchar a su ex novia haciendo el amor con su nuevo amante.

Habíamos escuchado a alguien en el campamento haciendo ruidos verdaderamente extraños durante la noche, como dando gritos de agonía. Supe entonces que se trataba de Eliécer. Nos dijo que, en especial cuando había luna llena, no podía dormir y el dolor era mucho más intenso. El hombre necesitaba algún tipo de medicina para controlar el problema. Las FARC no se la administraban todo el tiempo. En cualquier otro lugar del mundo, a un tipo en la situación de Eliécer se le habría dado de baja del servicio activo, pero a las FARC les importaba un comino. Estaba condenado de por vida, y por ser un tipo grande, le tocaba cargar un pesado mortero durante esas marchas. Pertenecía a un grupo al cual Tom se refería con frecuencia como las bestias de carga. Nos molestaba profundamente ver cómo se abusaba de esos tipos.

Eliécer no fue el único que nos reveló cosas. Dos de los guardias que fueron muy abiertos con nosotros eran muchachos jóvenes, Cerealito y el Plomero. Este último nos comentó que los disparos que habíamos oído mientras estábamos en el Campamento Nuevo y el grito de la mujer que se oyó después, se debieron al suicidio de un guardia de las FARC. Era el payaso que se había reído cada vez que Marc se caía durante nuestra primera marcha. Mi parte humana se sintió mal por el hecho de que se hubiera propinado una ronda de su AK-47, pero el rehén en mí, el patriota en mí, alcanzó a pensar que uno menos no era algo tan malo.

Sin embargo, el problema era que por cada guerrillero que se iba, aún quedaban muchos alrededor. En ese campamento temporal, nos vimos acosados por garrapatas, pequeñas chupadoras de sangre del tamaño de la cabeza de un alfiler. Las garrapatas se nos metían en lugares que nunca habían visto la luz del día. Se nos aferraban a la piel, y si las hubiésemos dejado permanecer allí el tiempo suficiente, nos habrían chupado la vida. Tenían un solo propósito en la vida. Eran bichos de las FARC.

Cuando llegó la Navidad del 2004, no tuvimos mucho que celebrar, salvo el hecho de tenernos unos a otros. En la noche de Navidad del 2004 nos encontramos sentados en una colina de Colombia hablando acerca de cómo debió haber sido ese día mientras escuchábamos a los guerrilleros en una pequeña celebración entre ellos. El viento era fuerte y nos sentamos abrazándonos a nuestras propias piernas para mantenernos calientes.

De pronto escuchamos pasos a nuestra espalda, y al voltearnos encontramos a Eliécer allí parado.

—¿Por qué no está en la fiesta? —le pregunté.

—Estaba allá. Sólo quise venir a desearles a ustedes una feliz Navidad.

Se paró frente a nosotros y nos ofreció la mano. Yo extendí la mía, y Eliécer la tomó entre sus dos manos grandes y callosas. Asintió con la cabeza y me dijo:

—Feliz Navidad, Keith. Siento mucho que usted no la vaya a pasar con su familia.

Le di las gracias y le pregunté por su propia familia.

—No quiero pensar en ellos esta noche. Más bien prefiero pensar en otras cosas.

Continuó hacia los demás, expresándoles sus buenos deseos a Marc y a Tom, como lo había hecho conmigo.

—Eliécer es un tipo inteligente —comenté mientras lo veíamos alejarse—. Ha descubierto lo que significa la libertad fuera de aquí. Me alegro de que se dé cuenta de que tiene alguna posibilidad de elegir lo que quiere pensar.

MARC

Además de supervisar nuestro encierro, Milton también estaba encargado de dirigir los turnos de trabajo. Desde que llegamos a este campamento temporal, habíamos escuchado el sonido de sierras eléctricas en la distancia. Habíamos visto a algunos guerrilleros cargando lo que parecían ser materiales de construcción a una distancia de casi medio kilómetro. Lo que fuera que estuvieran construyendo, teníamos la sensación de que allí iríamos a parar pronto.

Después de nuestra segunda Navidad en cautiverio y de recibir el 2005, finalmente el campamento en el que había estado trabajando el grupo de Milton estuvo listo para sus habitantes. Mientras caminábamos montaña arriba hacia nuestro nuevo espacio, soplaba un viento seco y corrían las hojas a lo largo del terreno empinado. El sol calentaba pero el aire era frío. Para liberarme de mi depresión posnavideña, cerré los ojos y me sentí de regreso a Connecticut, disfrutando de un día del veranillo de San Martín en Nueva Inglaterra. En mi imaginación, podía percibir los aromas combinados de las hojas en descomposición y el de una fogata en la distancia. Destiney gritaba feliz, sentada entre una pila de hojas que lanzaba hacia el cielo. Éstas volvían a caer y se posaban sobre el gorrito rosado que cubría su pelo crespo. Sonrió revelando la falta de algunos de sus dientes, recordándonos a Shane y a mí que el Ratón Pérez pronto tendría que hacer una parada en nuestra casa. Joey y Cody estaban cerca, sosteniendo en la mano racimos de hojas, listos para atacarnos a su madre y a mí. Me pasé la lengua por los labios y sentí el sabor de la última gota de dulce de la manzana acaramelada que me acaba de comer.

Esa visión tan agradable no fue suficiente para apartarme de la realidad que apareció ante nosotros: encaramada sobre la colina se encontraba lo que parecía ser una gran jaula de pájaros construida con unos pocos postes que sostenían un cubo de alambre de púas. Si el Campamento Caribe tenía un aura de campo de detención de prisioneros de guerra, este cambuche rústico de madera y alambre parecía algo sacado de una casa del terror en Halloween. Yo sabía, pero no quería creer, que nadie esperaría que un ser humano, y mucho menos tres, pudieran vivir en ese producto de la perversa imaginación de una persona. Pensé en el hecho de que nos encontrábamos en la Serranía de la Macarena y en el tonto baile del mismo nombre que durante un breve lapso se apoderó de Estados Unidos. Tenía que ser el mal chiste de alguien.

Milton nos escoltó hasta la entrada, y cuando nos rehusamos meternos allí, nos empujó con la punta de su AK-47. El sitio medía aproximadamente cinco y medio por cinco y medio por dos y medio. En la parte superior había alambre de púas y una cubierta de plástico negro. Los guardias colocaron nuestros colchones de espuma sobre el piso. Mantuvimos nuestros equipos en la espalda, indicando de forma no tan sutil nuestra intención de, como lo diría Keith, "poner pies en polvorosa". Le preguntamos a Milton de qué se trataba esto, e inicialmente, en lugar de decir alguna cosa, nos mostró los dientes e hizo un movimiento como de arañar.

—Tigres —dijo. Y luego nos explicó que los grandes felinos de la selva podrían pasar por encima de casi cualquier cerca—. Entran. Se los comen.

Keith y Tom comenzaron a reírse de él. Milton se enfureció y salió rápidamente. Sabíamos que había gatos monteses en Colombia, los guerrilleros incluso habían matado un jaguar que había invadido uno de nuestros campamentos durante la marcha de cuarenta días. Pero decir que los depredadores eran la razón para construir esta cámara de torturas era simplemente ridículo.

Colocamos nuestros colchones sobre el piso. Keith quedó en el medio y Tom y yo a los lados. Había cerca de quince centímetros entre nosotros, y un área, de aproximadamente dos por cuatro metros a nuestros pies. Decidimos que mantener las camas en una sola área en lugar de distribuirlas alrededor del "cuarto", maximizaría el limitado espacio que teníamos. El pasar de la emoción de esperar nuestra liberación a vernos encerrados en este cubo de alambre de púas fue una verdadera patada en el estómago. Pero dado que no teníamos otra opción, nos acomodamos.

Como ocurrió con los campamentos anteriores, no teníamos idea de cuánto tiempo iríamos a estar allí, pero basamos nuestras suposiciones en la fórmula de que la cantidad de esfuerzo para construirlo era una indicación del período que permaneceríamos allí. Esta no era siempre una ecuación exacta, dado que cualquier presión intensa de aeronaves, generalmente nos ponía de nuevo en movimiento. Aun así, nos imaginamos que como mínimo marcaríamos el comienzo de nuestro tercer año en cautiverio en nuestra nueva pajarera. Aun cuando teníamos mucho menos espacio del que habíamos tenido jamás, y que de nuevo nos veíamos obligados a llamar a un guardia cada vez que necesitábamos utilizar el *chonto* o trinchera excavada para defecar o el agujero para orinar, sobrevivimos con las habilidades que habíamos adquirido a lo largo del camino. Parecía como si mientras más adversas fueran las condiciones, mejor nos la llevábamos entre nosotros. Parte de la razón para ello era saber que si habíamos estado en ollas de presión antes, ahora nos encontrábamos en una lata sellada al vacío. A ninguno de nosotros le interesaba causar problemas.

También hicimos uso de las lecciones que habíamos aprendido de nuestro cautiverio hasta la fecha. Después de veintitantos meses, éramos veteranos de varias marchas intensas y acabábamos de salir de una estadía llena de tensión en el Campamento Caribe. Con toda esta experiencia acumulada, queríamos que la vida en la pajarera fuera lo más libre de tensiones posible. El único momento en que se nos permitía salir de nuestro encierro era la hora del baño, y el agua que podíamos utilizar para beber y limpiarnos era sustancialmente mejor que el agua color chocolate que habíamos tenido en las tierras bajas. Si las cosas se ponían tensas, como sin duda ocurriría, al menos contábamos con un medio para enfriarnos, limpiarnos y no cargar la tensión hasta el día siguiente.

Por esa razón, también produjimos nuestras propias versiones en miniatura de unos equipos de ejercicio. Keith reunió aserrín y astillas de madera del proyecto de construcción de las FARC y adecuó un pedazo de terreno más blando sobre el cual corríamos en el mismo sitio durante treinta minutos. Yo tenía una barra de ejercicios, en la cual tuve que luchar para levantarme hasta la barbilla. Gradualmente, logré repetir el ejercicio varias veces. No había olvidado mi idea de mejorarme a mí mismo físicamente, desarrollada desde los tiempos del Campamento Nuevo, y nuestra reciente marcha forzada me había obligado a dejar atrás, según mis cálculos, veinte kilos con respecto a lo que pesaba antes del accidente —ochenta y seis kilos—. Atrás había quedado el peso, pero yo necesitaba crear músculo, y a medida que aumentaba el número de levantadas en la barra, podía ver los resultados y eso me motivaba aún más.

Tom hacía algo de ejercicio, pero sin la posibilidad de correr, pasaba más tiempo en su hamaca trabajando en sus diversos "proyectos". En lugar de la reparación de una motocicleta o el ensamblaje de un avión, se dedicó a un proyecto de construcción de casas. También amasó un imperio financiero, comenzando con hoteles tipo resort y estableciéndose como un magnate de la finca raíz, que podía ganarle a Donald Trump.

También tuvimos la fortuna de que habernos ganado la confianza de los guardias comenzó a reportarnos dividendos. El Plomero se convirtió en el "proveedor" de este grupo de guerrilleros. Si alguien necesitaba algo, él lograba conseguirlo. La moneda en todos los campamentos eran los cigarrillos, y el negociar diversos suministros nos había ocupado una gran cantidad de tiempo mientras estuvimos en el Campamento Caribe. Ahora que éramos de nuevo sólo nosotros tres y nuestro sentido de competencia estaba menos afilado, nuestra economía se fue a pique de manera grave. Afortunadamente, el Plomero tenía un radio que estaba dispuesto a prestarnos. En el hospital, Tom había conseguido un rollo de alambre de cobre aislado que pudimos utilizar como antena. La colgamos alrededor de la parte interna y externa de nuestro cambuche. El alambre en la parte externa parecía nuestra cuerda para colgar ropa, de manera que nadie nos cuestionó jamás sobre él.

Comenzamos de nuevo a escuchar los programas de mensajes, y Keith y yo nos turnábamos por las noches. La audición de Tom no era lo suficientemente buena para poder escuchar los programas en el bajo volumen necesario para evitar ser detectados. Con el alambre de antena conectado y una vez que se había ocultado el sol, lográbamos una recepción decente. Entre todos habíamos llegado a un acuerdo. Dado que los programas pasaban tarde en la noche y hasta tempranas horas de la mañana, acordamos que si llegaba un mensaje para alguien que no estaba despierto, la responsabilidad del oyente era escuchar el mensaje completo y no arriesgar perder parte del mismo por correr a despertar a su destinatario. Esto era de vital importancia en este campamento porque no debíamos tener un radio y gritar acerca de un mensaje sin duda nos descubriría.

Un sábado en la noche, estaba yo escuchando la radio cuando oí al locutor decir que tenían un reportero de noticias de MTV con un mensaje para uno de los tres norteamericanos. No dijo cuál de nosotros, de

manera que tuve que esperar. Era bien pasada la medianoche, yo estaba
medio durmiendo y medio escuchando. Cuando oí la voz de reportero
de MTV, de inmediato quedé sentado. Inicialmente habló en español.
Mi español de Harry Potter todavía no era muy bueno, de manera que
hice esfuerzos por organizar todo en mi cabeza. Luego comenzó a hablar en inglés. Dijo que había hablado con Lauren y Kyle y que Keith
no debía preocuparse. Ellos estaban bien, hasta donde era posible en
vista de las circunstancias. Siguió hablando durante cerca de un minuto,
diciéndole a Keith que esperaba que aún estuviera vivo y bien. No podía
entender por qué las personas les hacían estas cosas a otras personas y
sentía mucho lo que había ocurrido. Deseaba que las FARC soltaran a
los secuestrados. Había estado viajando por toda Colombia, tratando
de hacerle llegar este mensaje a Keith, y en todas partes a donde iba,
la gente decía lo mismo: que suelten a los rehenes.

Luego llegó por el radio la voz de Lauren. Me concentré en lo que
estaba diciendo, contándole a Keith sobre Kyle y ella misma. Su "te
extrañamos" le salió del corazón y fue muy conmovedor. Lo amaba
tanto que no podía esperar el momento de su reencuentro. Cuando
terminó repasé todo en mi mente. Nuestro acuerdo era que debíamos
esperar hasta la mañana para transmitir el mensaje, pero ésta era como
una mañana de Navidad y no pude esperar. Me arrastré al lado de la
cama de Keith y lo sacudí por el hombro para despertarlo. La selva
se silenció, casi como si quisiera escuchar lo que había dicho Lauren.
Le susurré en el oído todo lo que pude recordar del mensaje.

Cuando terminé, Keith me colocó la mano detrás del cuello y susurró: "Gracias, hermano".

Los ojos se me llenaron de lágrimas. Me sentí feliz por Keith y feliz
por haber podido ayudar a llevarle ese regalo. Sabía que el mensaje
de Lauren era algo especial. Keith siempre había dicho que si había
alguien con quien él podía contar para que hiciera algo por él, era ella.
También sabía que el último mensaje que Keith había recibido llegó
durante nuestras primeras semanas en el Campamento Caribe. Aparte de
la naturaleza errática del recibo de mensajes, más de un año sin ningún
contacto era mucho tiempo, sin importar cómo se mirara.

Durante días después de eso, la felicidad de Keith era visible. Cada
vez que pensaba en el mensaje de Lauren, parecía que hubiera recibido
una súbita inyección de energía en todo el cuerpo. Keith tenía lo que

él llamaba su biblioteca de recuerdos y éste lo colocó en una repisa especial, de fácil acceso. Todos los días entraba a esa biblioteca y elegía un lugar, una persona o un evento agradable para recordar —de su infancia, de su vida con sus hijos, momentos con sus hermanos y sus padres—. La sensación que yo tuve fue que el mensaje de Lauren era uno que revisaba con regularidad.

Lo mismo ocurría conmigo. Me sentí profundamente emocionado con el mensaje de Lauren y saber que había llegado para uno de nosotros tres era como si hubiera sido para mí. El hecho de yo haber podido hacer algo para ayudar a mi amigo era muy satisfactorio. Regresé con frecuencia a esos momentos y a esas sensaciones.

Ya fuera por plan o por coincidencia, a veces parecía que las FARC eran diabólicamente astutas. Apenas alcanzábamos un punto alto, hacían algo para hacernos caer de nuevo. Algunas noches más tarde, escuchamos en las noticias que Colombia había hecho arreglos para extraditar a Simón Trinidad a Estados Unidos, donde debería enfrentar un juicio. El presidente Uribe anunció que si las FARC no querían que esto ocurriera, tendrían que liberar a todos sus prisioneros de inmediato. Sabíamos que esto no iba a ocurrir en ningún momento cercano. La única respuesta que escuchamos de las FARC fue un rumor, pero uno lo suficientemente creíble para enviarnos rodando cuesta abajo después del punto alto de Lauren: las FARC iban a mantener a todos los secuestrados durante la misma cantidad de tiempo de la sentencia que recibiera Trinidad. No conocíamos los cargos formales en su contra, pero parecía factible que le dieran condena perpetua.

Una semana después de la noticia de Trinidad, el Mono, quien se había convertido en uno de los guardias más decentes, vino a nosotros con una oferta. Nos dijo que había estado caminando por la selva y se había encontrado un campamento abandonado en donde había algunas revistas en español. Keith le dijo que nos encantaría que nos la diera. Con excepción de la copia de *El general en su laberinto* de Gabriel García Márquez que tenía Tom, habíamos dejado atrás todo nuestro material de lectura durante la marcha de cuarenta días.

—En otro gesto de bondad, Cerealito había encontrado la copia del libro que Tom había desechado durante la marcha y se lo había devuelto al final de ésta—. El Mono dijo que nos conseguiría las revistas siempre que nos comprometiéramos a mantenerlas ocultas.

El hecho de que no lo acusáramos después de que nos trajo las revistas aumentó la confianza del Mono en nosotros. Comenzó a abrirse ante nosotros, contándonos la historia de su vida. Había comenzado como un ladrón de ganado y luego se unió a las milicias antes de convertirse en guerrillero con todas las de la ley. El Mono era un chico inteligente y bien parecido, con rasgos europeos definidos. También estaba totalmente imbuido en eso del machismo y llevaba su rifle a todos lados. Hablaba con un tono de voz claramente deliberado y bajo. Era cómico y triste a la vez, como un muchacho que representaba el papel de hombre en una obra de teatro escolar.

Una noche, mientras que el Mono estaba de guardia, estábamos hablando acerca de la política de las FARC de secuestrar y mantener rehenes como herramienta política. Le explicamos que si realmente creían que estaban peleando una guerra civil, entonces esos actos violaban las Convenciones de Ginebra. Luego le dijimos que lo único que lograban con esto era ganarse la animadversión de su propio país y del mundo entero. El Mono no nos contradijo. Por el contrario, nos contó que durante algún tiempo había estado asignado a las unidades de secuestro y exigencia de rescates. Ellos se referían a esas víctimas como rehenes económicos. Nos dijo que las FARC tenían una ley, la ley 001, según la cual si una persona tenía más de cierta cantidad de dinero y no pagaba sus "impuestos" a las FARC, se llevarían a esa persona como rehén. La mantendrían hasta que alguien pagara el rescate negociado. Si la familia no pagaba, el rehén tendría que ser ejecutado.

—Mono —le dije—, usted es un tipo inteligente. ¿Cómo puede pensar que una ley que dice que se debe matar a otras personas esté justificada?

El Mono lo pensó un momento.

—Hay los que quitan y a los que se les quita.

—¿Alguna vez ha participado en una ejecución? —le preguntó Tom.

El Mono se sentó un poco más derecho.

—Las he visto. Hice una.

—¿Y cómo lo hizo? —le preguntó Keith.

—El prisionero fue amarrado y conducido a un espacio donde se había excavado un hueco. Tan pronto como el prisionero vio el hueco, lloró. Siempre lloran. Le dije al prisionero que se metiera en el hueco, pero así como los prisioneros siempre lloraban, siempre se negaban a hacer lo que se les ordenaba.

El Mono sonaba como si no pudiera entender por qué la persona que tenía que ejecutar haría cualquiera de esas cosas, llorar o negarse a cumplir una orden, demorando su muerte.

—Cuando finalmente logré que el hombre se metiera en el hueco, le puse la pistola en la cabeza y jalé el gatillo. Luego lo enterré.

Todos nos quedamos en silencio durante unos momentos.

—¿Y cómo se sintió con eso? —le pregunté.

—En realidad, no quería hacerlo —dijo el Mono, encendiendo un cigarrillo—. Pero mis camaradas estaban todos mirando, y si yo no lo hacía, me avergonzarían. Tenía que hacerlo por el bien de la revolución o ellos me matarían.

Nos gustaba el Mono y nos gustaba lo que podía hacer por nosotros, pero la fría indiferencia de esa historia reveló, si no su verdadera naturaleza, entonces en lo que había sido transformado por las FARC. No le dijimos gran cosa. No habíamos pensado que él fuera un asesino, pero lo era. Agregué a mi biblioteca de aleccionadora realidad nuevas e insoportablemente desalentadoras imágenes de las formas como yo podría llegar a morir.

Para combatir esos temores, me senté y observé al Plomero, quien trabaja un trozo de madera mientras nos cuidaba. Utilizaba su cuchillo para transformar el palo en un cilindro y luego en un trompo. Yo había tomado varias clases de taller y me consideraba bastante bueno para los trabajos manuales. Le pregunté si podía conseguirme un trozo de madera; tallar y esculpir parecían una buena forma de mantener la mente ocupada. Al día siguiente me trajo una pieza de madera y su cuchillo. Me pidió que la tallara para hacer un cilindro. Supervisó la operación y quedó complacido con mi trabajo y yo me sentí contento de tener algo que hacer.

Yo no consideraba que mis habilidades fueran aún lo suficientemente buenas para trabajar a escala detallada, de manera que le pedí al Plomero un trozo de madera corto, de unos treinta centímetros. Habíamos pedido un juego de ajedrez y nunca lo habíamos recibido, de manera que decidí tallar un peón. Necesitaba algo sencillo que pudiera tallar y un peón no era muy distinto del cilindro que había hecho para el Plomero. Pasé el día tallando y esculpiendo. Cuando devolví el cuchillo al finalizar el día, se lo mostré a Tom y Keith. Me miraron. Luego miraron mi proyecto. Keith sólo negó con la cabeza y cuando observé objetivamente lo que había hecho, pude ver que mi peón parecía más un primitivo ídolo de la fertilidad que una pieza de ajedrez.

Utilizando mis oxidadas habilidades de dibujante, dibujé mi visión de un peón. Mi dibujo era a escala, pero no quedé totalmente satisfecho. En una de las revistas que el Mono había robado para nosotros había un artículo acerca de una joven rusa muy brillante. Era superinteligente pero también una hermosa modelo. Iba a venir a Colombia. Una foto de ella la mostraba sentada frente a un juego de ajedrez. Decidí copiar el estilo de esos peones. Hice mi dibujo y luego comencé a tallar. Durante los siguientes dos días, terminé mi primera pieza de ajedrez. Se la mostré a Tom y Keith y no me respondieron con ninguna broma, tan solo me dieron la respuesta que yo quería: "Ah, ¡ese sí es un peón!".

Durante los siguientes tres meses, seguí tallando. Traté de no pensar en el significado de la talla de piezas de ajedrez, en particular peones, pero se me vino a la mente la ironía mientras que trabajaba en el quinto peón. Había habido una actividad de aeronaves algo limitada durante nuestra estadía en la pajarera. Una noche, alrededor de cinco meses después de nuestro traslado a la pajarera, entró una aeronave en nuestro espacio aéreo y comenzó a rondar nuestra ubicación. Recibimos la orden de evacuar el campamento y dirigirnos montaña arriba. En la oscuridad de la noche, escuchamos a varias personas gritar: "¡Ninguna luz! ¡Ninguna luz!". No tenía sentido para ninguno de nosotros que nos estuviésemos dirigiendo hacia un punto alto. Si la aeronave tenía cualquier equipo infrarrojo a bordo captarían nuestras señales de calor con mucha más facilidad si estábamos en un claro, en especial si estábamos todos acurrucados uno al pie del otro. Pero las FARC no tenían idea de lo que estaban haciendo, y su confusión era evidente. Insistían en que permaneciéramos en el claro y así, obligados a mantener nuestra posición, los tres nos apartamos hasta donde nos fue posible.

En la distancia, podíamos escuchar el fuerte golpe de los disparos de un arma de alto calibre, pero estaban demasiado lejos para ir dirigidos contra nosotros. El sonido familiar de un avión Fantasma rastreando y volando en órbitas alrededor de un objetivo llegó hasta nosotros. Oímos una camioneta de suministros y luego el ruido de su motor fue reemplazado por el grito del Fantasma y sus cañones. Los sonidos estaban en la distancia, pero no se estaban acercando. Parecía que, afortunadamente para nosotros, los pilotos habían localizado un objetivo distinto de nuestro campamento.

Una vez que terminó el ruido del Fantasma, volvimos a bajar la montaña y hablamos un poco más acerca del ataque. Nos alegramos de no haber oído Blackhawks. Lo que habíamos sobrevivido no era un muy temido intento de rescate; los colombianos no habían hecho ningún esfuerzo, hasta donde sabíamos, de poner hombres en tierra. Pero ahora se nos habían abierto los ojos a un nuevo riesgo que añadimos a nuestra creciente lista: quedar atrapados por error en un ataque aéreo.

Milton decidió que el ataque había ocurrido demasiado cerca para poder sentirnos cómodos y nos dio órdenes de empacar. Salimos esa misma noche, y caminando montaña abajo hacia la selva. Ninguno de nosotros se volteó para darle una última mirada a nuestra jaula de alambre de púas.

X
PONIÉNDOSE EN FORMA

KEITH

Después de haber caminado y dormido en campamentos temporales durante dos semanas, a mediados de mayo de 2005 llegamos a otro campamento abandonado de las FARC. Nos dimos cuenta de que era de su época de gloria, porque aún se mantenía en pie. Cuando las FARC tuvieron su zona de despeje, no tenían necesidad de estar en constante movimiento, por lo que organizaban sus campamentos como algo más o menos permanente. Éste sólo era una variación de lo que habíamos visto a lo largo de los años con una cocina cavada en el suelo y cubierta por un techo de lata. Las otras construcciones estaban hechas de tablas, la mayoría abiertas totalmente, o al menos una parte. Habían construido más de la cantidad necesaria de bancos y mesas bajas y otras cosas. A diferencia de Caribe, aquí no había torres de guardias ni una cerca, lo que nos ayudaba a sentirnos menos intimidados. Sin embargo, todo eso pronto cambiaría.

Luego de que salimos del campamento del alambre de púas, Milton había enviado a un pequeño grupo de regreso a desmontar todo. Había recibido órdenes de no dejar ninguna huella de nuestra presencia. Milton era cada vez más meticuloso en dificultarle el ejército colombiano la tarea de encontrar nuestro rastro. Él parecía no tener ningún reparo en caminar pisando fuerte por la selva mientras cazaba, pero si uno de nosotros llegaba a partir una ramita o a hacer cualquier otro tipo de sonido, o dejaba algún indicio de haber pasado por la zona, nos gritaba y nos amenazaba. Sin embargo, Milton no se detuvo un minuto a pensar que dispararles a unos cuantos micos y arrastrar sus cuerpos por la selva iba a dejar un rastro.

Por más atento que estuviera para asegurarse de que siguiéramos las órdenes de no dejar huellas, le hacía falta rigurosidad, y esta ligereza fue algo que en un momento dado llegamos a agradecer. El grupo que se había devuelto a desmantelar nuestro antiguo campamento había desbaratado nuestra infernal cárcel de alambre de púas, pero habían sido demasiado perezosos para traer los rollos de alambre de regreso a nuestro campamento actual. Por consiguiente, nuestro cambuche estaba de nuevo hecho de madera, al igual que la cerca que levantaron para encerrarnos. A pesar de que sólo teníamos un poco más de espacio que en el campamento anterior, el hecho de no estar encerrados entre alambre de púas fue algo positivo para nosotros, física y mentalmente. El roce con el acero trenzado había rasgado todas nuestras pertenencias, ropa, hamacas, plásticos y cobertores de carpas.

Aunque no estar rodeados de alambre de púas nos favorecía, Milton ubicó nuestro cambuche en una pendiente. Esto quizás no suene como gran cosa, pero lo era. A ninguno de nosotros le gustaba dormir doblado, sin mencionar que cuando llovía, el agua corría cuesta abajo e inundaba nuestra "vivienda". Hicimos lo que siempre hacíamos frente a todas las idioteces y arbitrariedades de las FARC: lo superamos. Durante el primer par de semanas después de nuestra llegada, logramos amontonar suficiente tierra para nivelar nuestra pequeña área. Eso nos facilitó mucho el caminar y hacer ejercicio. Les pedimos palas a nuestros guardias y nos las dieron. Cuando Milton se enteró de nuestro pequeño proyecto de excavación y diseño, se encabronó con nosotros y con sus hombres por ayudarnos. Si la idea en el campamento era no dejar ningún rastro, un parche de tierra lo suficientemente grande para acomodar a tres hombres con tres espacios para dormir, sin duda alertaría al gobierno y le indicaría que éramos nosotros los que habíamos estado allí.

Esta fue tan solo una de las múltiples veces que fuimos testigos de que la tensión subyacente entre Milton y los guardias estaba empezando a salir a flote. Definitivamente había una grieta entre nuestros secuestradores e intentamos aprovecharla de la mejor manera posible. Al igual que nosotros, muchos de los guerrilleros veían a Milton por lo que era: un simplón con delirios de tirano. Él no era el único obsesionado por la caza, pero era el único que parecía creer que mientras menos provisiones tuviéramos, mejor. De vez en cuando venía Efrén, el comandante del frente, a averiguar qué necesitábamos y Milton le respondía: "Nada". Cuando hacía eso, podíamos ver que los hombres de menor rango comenzaban a rabiar. Había una lista enorme de artículos de primera necesidad y otras cosas que les habría encantado tener. Puede ser que Milton pensara que era mejor viajar con el mínimo de equipaje porque con la presión que teníamos encima, íbamos a tener que movernos constantemente. De lo que no se daba cuenta, o no le importaba, era que un ejército no puede movilizarse con el estómago vacío. Si hubiera mantenido a sus hombres contentos y mejor alimentados y dotados, tal vez le habrían sido más leales.

Sin embargo, nunca hubo la posibilidad de un motín, aunque sí hubo varias ocasiones en las cuales un guerrillero decía algo que revelaba en forma explícita el nivel de descontento entre la tropa. Al principio, esas quejas eran sólo comentarios generales. Un guerrillero expresó sus sentimientos tocándose el pie y diciendo: "Milton maneja todo con los pies y no con la cabeza". Esto lo decía en dos sentidos: primero, Milton le pateaba el trasero a sus hombres todo el tiempo. Era estricto pero aplicaba la disciplina arbitrariamente, pues tenía sus favoritos y eso les molestaba a sus hombres más que cualquier otra cosa. Segundo, todas estas caminatas y acampadas temporales los estaban afectando, pues en vez de pensar estratégicamente, parecía que Milton sólo nos tenía correteando de un lado a otro. De pronto sí tenía una estrategia en mente, pero al menos ellos nunca pudieron saber cuál era; y dado el hecho de que él no era conocido por su inteligencia, lo más probable era que ni él mismo supiera cuál era esa estrategia. Los gruñidos entre los hombres indican que no se les está diciendo qué está ocurriendo y el mandamás tampoco parece tener la más mínima idea. Si uno es un buen líder y cuenta con el respeto y la confianza de sus hombres, esto no es un problema. Al fin y al cabo siempre habrá unos cuantos descontentos en cualquier situación. Pero lo que nosotros percibíamos era que la mayoría cuestionaba sus propósitos y sentía disgusto con su jefe. En los cuarenta días de caminata después de Caribe, nos dimos cuenta de que a la guerrilla le desagradaban las marchas forzadas tanto como a nosotros. Ahora había brotado esa semilla de descontento.

Al igual que todos los líderes de mayor edad de las FARC, Milton tenía a una muchacha joven como compañera. Natalia era bajita y rechoncha y no hacía más que atender las necesidades de Milton. Muchas veces los guardias murmuraban ante nosotros y los oíamos quejarse entre sí. A Natalia le dan el mejor champú, dulces y ropa. Natalia no trabaja. Era la más perezosa de todos y le daban los mejores horarios para el servicio de guardia. Lo que los hombres no parecían entender —aunque nosotros sí lo vimos de inmediato— era que el hombre que era oficialmente el segundo al mando en estos campamentos, en realidad no lo era. Siempre era la mujer del líder la que asumía extraoficialmente este papel. Era ella quien manejaba la mayoría de la comunicación por radio, era ella quien organizaba las operaciones del día a día de las provisiones y la cocina. Tenía gente bajo su mando, el "económo", cuyo trabajo era aprovisionar la cocina, y el "racionista", que se encargaba de distribuir la comida. Natalia supervisaba esas labores y si nadie sentía respeto por el jefe, entonces tampoco iba a sentirlo por ella, la novia del jefe. A Natalia no la ayudaba en nada el hecho de que era una perra malhablada y tenía una actitud de "yo soy chévere y ustedes no".

Definitivamente había grupitos entre los guerrilleros. Nuestros guardias "amistosos" —el Plomero, el Mono y Alfonso— también tenían compañeras y eran las parejas con poder allí. En algunos momentos, la moral de las FARC llegó a deteriorarse hasta el punto de que los tres guardias nos hablaron libremente de su plan para matar a Natalia. Querían ahogarla y decir que se estaba bañando y se había ahogado solita o que se había ido a pasear y se la había llevado un felino grande. Nos horrorizaba la idea de un asesinato —aunque yo todavía mantenía el principio de que uno menos siempre sería algo bueno así estuviera horrorizado—. Pero lo que no podíamos creer es que estuvieran dispuestos a contárnoslo. Finalmente decidieron que lo que debían hacer era llevarla a la parte honda del río y amarrarla con piedras para que su cuerpo no flotara a la superficie. Sabíamos que las FARC tenían poco respeto por la vida humana y esta conspiración sólo confirmó y subrayó este hecho.

Más importante aún, nos dimos cuenta de que podríamos aprovechar este distanciamiento y así lo hicimos. No obstante, algunas veces dejamos de lado movidas estratégicas en aras de ser bondadosos. Una de estas veces tuvo que ver con Eliécer.

Un día él estaba sentado cerca durante su turno de guardia, cuando de repente nos confesó: "Saben, yo no estoy de acuerdo con esto".

Lo miramos confundidos y le dijimos "¿Qué?", preguntándonos si se estaría refiriendo a alguna decisión tomada con respecto a nosotros de la cual se hubiera enterado. ¿Sería que nos iban a ejecutar o algo así?

Empezó a abrir un hueco en la tierra con el talón de su bota.

—No creo que debamos secuestrar personas. Yo sé que eso está mal hecho. Lo siento. Algunos de los otros hombres tampoco creen que el secuestro sea la solución, pero no hay nada que podamos hacer al respecto. No tenemos otra opción. Si no estamos de acuerdo o hacemos algo para oponernos a las órdenes de los superiores, nos matan.

Nos quedamos en silencio un momento para digerir sus palabras. Aunque los guardias a veces hacían comentarios acerca de no estar de acuerdo con nuestro encarcelamiento, casi nunca parecían tan sinceros como Eliécer. Y a pesar de que no lo dijo, también entendimos lo siguiente: estaba dispuesto a hacer lo que pudiera para ayudarnos, siempre y cuando no se metiera en problemas o lo mataran por eso.

Eliécer rompió el silencio.

—Keith, yo no quiero seguir acá.

Marc y yo nos miramos para confirmar que estábamos pensando lo mismo. Este hombre no estaba hablando de desertar estaba hablando de suicidarse. Era uno de los muy pocos seres humanos honestos que había en ese sitio y estaba hablando de quitarse la vida. Eso era lo que las FARC hacían a los suyos, ese era su regalo para sus miembros. Si tenías un mínimo de conciencia, tu única opción para salirte de toda esa locura era acabar con todo. Eliécer tenía un sentido de sí mismo lo suficientemente fuerte para saber que lo que estaban haciendo estaba mal. Sabía que lo estaban usando y que lo estaban obligando a cometer actos inhumanos con otras personas. Desafortunadamente, también era lo suficientemente inteligente para entender que le quedaban pocas opciones. Había estado atrapado durante tanto tiempo que ya ni siquiera podía vislumbrar una noción de libertad. Lo peor era que él probablemente ni siquiera había tenido la oportunidad de conocerla. Era en esencia un esclavo y el hecho de que lo supiera sólo hacía todo más difícil.

Mi norma de que uno menos siempre sería algo bueno se fue por la borda en ese momento. Caminé hacia la cerca.

—¿De qué está hablando? Mírenos a nosotros. Mire nuestro futuro y lo que nos depara. Nunca va a vernos sin ganas de vivir.

Oírse a sí mismo decir en voz alta palabras que antes ni siquiera quería pensar era duro —que él tenía más posibilidades de salir de ahí que nosotros, que él sólo debía tomar la decisión de irse y listo—. Quedamos preocupados por él y durante las noches siguientes estuvimos pendientes de si se sentía mal. Algunos días más tarde le tocó a él llevarnos el café y el alimento de la mañana. Se veía muy mal. Tenía los ojos enrojecidos e inyectados de sangre, como si hubiera estado bebiendo durante dos días seguidos, y sus ojeras eran tan grandes que parecía que fueran a jalar hacia abajo todo su cuerpo.

La siguiente vez que pudimos hablar, repitió mucho de lo que ya había dicho. Estaba harto de trabajar como un perro. Sólo quería que lo dejaran ir o que lo mandaran a trabajar a una finca donde pudiera hacer algo que no lo matara. Simplemente, ya no aguantaba más. Durante el resto de nuestra estadía allí, las cosas siguieron iguales. Con cada día que pasaba, nos preocupábamos más por este hombre. Él no se mejoró pero al menos pudo seguir trabajando. Yo sólo esperaba que fuera capaz de aguantar hasta que se le presentara otra oportunidad.

Otro hombre con el que pudimos establecer un vínculo por encima de la opresión de Milton fue Cerealito. Era uno de los que tenían más educación. Sabía leer y escribir y a veces les enseñaba a los demás. De todos los guerrilleros que conocimos, él era el más inquisitivo. Una mañana estaba de guardia, sentado, leyendo una revista llamada *Muy Interesante*. Empezó a preguntarnos sobre el programa espacial de Estados Unidos y en especial sobre las misiones Apolo. Mientras conversábamos, surgió el tema de que él no creía que Estados Unidos hubiera mandado un hombre a la Luna. Yo me había criado en el sur de la Florida y Tom vivía cerca de Cabo Cañaveral. Tratamos de explicarle a Cerealito lo que era un cohete, qué tan grandes eran los que se usaban para ir a la Luna, qué tipo de combustible se utilizaba para impulsarlos, cómo funcionaban los satélites y cómo ayudaban a transmitir señales y todas las cosas que se podían ver en el museo allá. Yo le dije que había visto piedras lunares y él sólo me miró incrédulo, diciendo que eso no era posible.

Marc, Tom y yo debimos quedarnos hablando cerca de una hora, cada uno tratando de hacerlo entender las ideas básicas del programa espacial. Estaba atónito. Y hay que reconocerlo: estaba tratando de aprender. Le encantaba oír radio y siempre llevaba consigo un cuadernillo y tomaba notas a cada rato. Le gustaba la historia y anotaba todo tipo de fechas y de trivialidades. Solía acercarse a preguntarnos cosas como "¿Es cierto que Teodoro Roosevelt escribió un libro sobre la historia naval cuando estaba en la universidad?" o "¿Sabían que John F. Kennedy nadaba dos veces al día en la piscina de la Casa Blanca?".

Yo trataba de acordarme de temas que se relacionaran con sus preguntas, lo cual me sirvió para ejercitar la mente. Tratar de acordarme de otros detalles y otros hechos era como levantar pesas mentales. Un día que estábamos hablando de la diplomacia y reflexionando sobre su pregunta sobre Roosevelt, le conté sobre la Gran Flota Blanca de Estados Unidos. Le conté en detalle la historia de cómo Roosevelt dio la orden de enviar una flota de la Armada de Estados Unidos —cuatro acorazados y sus escoltas— alrededor del mundo. Sus cascos estaban pintados de blanco para mostrar su neutralidad, pero esto también le demostraba a todo el mundo el creciente poder militar de Estados Unidos y su capacidad naval. Roosevelt quería que los demás países supieran que Estados Unidos se mantendría por fuera de los asuntos de los demás, pero que si alguien cruzaba la raya, estaría ahí.

Con esto, el tema pasó de la historia a la actualidad, pues Cerealito empezó a hablar de cómo los norteamericanos eran intervencionistas. Para él era más fácil creer lo que le habían metido en la cabeza las FARC, así como le era más fácil asegurar que no habíamos ido a la Luna. Traté de explicarle que el mundo era más complicado que eso, y aunque yo no podía deshacer sólo con mis argumentos todo el trabajo de las FARC, Cerealito estaba dispuesto a reconocer un punto de vista diferente. Eso era mucho más de lo que se podía decir de la mayoría de nuestros guardias.

Una de las razones por las cuales algunos de los guerrilleros se sentían más cómodos hablando con nosotros era porque estábamos situados más lejos del campamento de lo normal. Nos separaba un pequeño barranco bastante empinado —era como de cinco metros de profundidad y las FARC tuvieron que construir un puentecito de madera para cruzarlo.

Estábamos a algunos cientos de metros de distancia del campamento así que les tocaba esforzarse para vernos y viceversa. Este fue tan solo otro ejemplo de la estupidez de Milton y de la pereza generalizada y del descuido de las FARC.

A pesar de la distancia, Milton se dio cuenta de nuestra creciente cercanía con los guardias. Después de unos cuantos meses en este campamento —el cual llamamos el Campamento del Ejercicio—, el Mono se me acercó un día y me dijo:

—Sólo quiero que sepa que si algún día dije algo malo sobre usted, fue porque me tocó.

Una información que recibimos de los otros guardias nos permitió entender que Milton se había reunido con su equipo para hablar sobre la situación de los prisioneros. Acusó a algunos de sus hombres de respetarnos más de lo que lo respetaban a él. Sabíamos que esto era cierto en unos pocos casos, y que incluso los que no nos tenían más respeto a nosotros, tampoco se lo tenían a su líder. Para salvar el pellejo, los hombres tuvieron que decir cosas malas sobre nosotros en la reunión. Algunos de nuestros canales de inteligencia en el campamento se nos cerraron durante un tiempo, pero al menos nadie informó sobre el radio que el Plomero nos había dado allá en la pajarera inicial. Todos parecían satisfechos con la explicación de que el grueso alambre de calibre seis que teníamos alrededor de nuestras camas, sobre el techo del cambuche y alrededor de nuestro pequeño "patio", era en realidad sólo un alambre para colgar ropa, ¡un alambre rojo, aislado, de cobre para colgar ropa!

El segundo oficial de Milton era Rogelio. A él tampoco lo querían los guardias y nosotros tres llegamos a la conclusión que le faltaba una tuerca. Rogelio era una de las personalidades más volátiles con las que tuvimos que lidiar y era el "racionista", así que si uno quería algo, tocaba vérselas con él. Su comportamiento no seguía ningún patrón y no había lógica que pudiera indicar qué solicitudes iba a aceptar y cuáles iba a negar. Una semana uno podía preguntarle si era posible repetir fideos en la comida, a lo que Rogelio podía responder: "No. Muéranse de hambre. A mí no me importa". Al día siguiente, podían haber matado una vaca y antes del almuerzo llegaba Rogelio con enormes filetes cocinados por él.

Como si no fuera suficiente que Rogelio actuara como si estuviera loco de remate, también era muy difícil comunicarse con él. Hablaba como a doscientos cincuenta palabras por minuto en el español más enredado que hubiéramos oído jamás y tenía la desagradable manía de chuparse los dientes a cada rato. Si se combinan estas tres cosas en una persona —hablar demasiado rápido, hablar enredado y chuparse los dientes— es casi imposible entenderse con alguien en cualquier idioma. Además, si se le agrega a esto unos ojos como de perrito de cuerda y una risa chillona, sí que se obtiene un individuo imposible de manejar.

Marc y Tom se desaparecían cada vez que se nos acercaba Rogelio, de manera que me tocaba a mí entenderme con él. Supuse que el hombre era el número dos, porque era el que nos suministraba todo lo que necesitábamos, así que valía la pena el esfuerzo de aguantármelo. En cierta forma, era como ser amable con el niñito desadaptado del colegio y dejarlo sentarse en tu mesa a la hora del almuerzo.

En el período que siguió a las medidas que tomó Milton contra los guardias por hablar con nosotros, se impuso una política de que un guardia siempre debía acompañarnos a cualquier sitio que fuéramos en el campamento, así fuera a las trincheras que se usaban como baño. A nadie le gustaban estas medidas, incluidos los guerrilleros, porque implicaba que alguno de ellos tenía que echarse el paseo desde el campamento donde ellos estaban, a unos cientos de metros de distancia, y luego echárselo de vuelta. Rogelio era uno de los que tenían que estar más pendientes de nosotros, así que siempre estaba cerca cuando necesitábamos responder a un llamado de la naturaleza.

No era la mejor situación, pero la tolerábamos. Era sólo un poco más de la locura que teníamos que soportar para mantener nuestro statu quo en cuanto al nivel de seguridad. Ya habíamos hecho demasiados avances como para que nos quitaran todo por completo, así que hacíamos lo posible para evitar problemas.

MARC

Después de salir de la pajarera de alambre de púas y dirigirnos hacia nuestro campamento actual, tuvimos que caminar por otro de los serpenteantes senderos de montaña que habían hecho las FARC.

A lo largo de este camino vimos escombros desparramados a intervalos. Habían estado allí durante bastante tiempo —estaban cubiertos de polvo y cualquier cosa orgánica que hubiese habido en ellos estaba podrida o descompuesta—. Más allá de esos escombros, la selva se hacía más tupida y los senderos que llevaban hacia ese sector de árboles y vegetación desaparecían entre el denso follaje.

A esta ruta en particular, Tom la bautizó como el Camino de la Miseria. Señaló que cada pila de escombros probablemente contenía restos de algún campamento de las FARC donde alguna vez había habido rehenes como nosotros. También podían ser de algún laboratorio de estupefacientes o de un campamento donde habían mantenido secuestradas a otras personas antes de que el Mono o alguien como él hubiera terminado con su vida. Costaba trabajo no sentir tristeza, sobre todo cuando pensábamos en los cientos y cientos de secuestrados en Colombia. Sabíamos que no éramos los únicos obligados a caminar ese día ni a esa hora. Esa idea nos hacía pensar, pero también nos ponía a hacer todo lo posible para asegurarnos de no terminar eliminados y llorados.

Como lo habíamos demostrado en los incidentes de los helicópteros en Caribe y en la pajarera, si íbamos a escaparnos de las FARC o sobrevivir a un intento de rescate y a la retaliación mortífera de las FARC, debíamos tener la fuerza tanto mental como física para llevar a cabo nuestro propio plan de supervivencia. La planeación era el único aspecto del escape y la supervivencia del que nos sentíamos seguros. Sabíamos que las circunstancias y la forma como los demás respondieran a ellas estaban en gran medida fuera de nuestro control. Lo que sí podíamos controlar, y de lo que debíamos tener el mando, eran nuestros propios cuerpos y mentes. Necesitábamos tener la fuerza física suficiente para movernos rápidamente y, si era necesario, poder defendernos. Nunca se nos pasó por la mente unirnos para maniatar a los guardias, pero si llegaba el momento en que tuviéramos que luchar con alguno de ellos para poder escapar o para evitar que nos ejecutaran, era mejor estar preparados. Por otro lado, si lográbamos escapar por nuestra propia iniciativa o en medio de un rescate y nos veíamos obligados a sobrevivir en la selva por nuestra cuenta, teníamos que ser lo suficientemente fuertes físicamente para llegar a algún sitio en donde nos pudieran rescatar.

Con esto en mente, bautizamos a este campamento el Campamento del Ejercicio. Cuando llegamos allí, estábamos en mejor forma de la que habíamos estado inmediatamente después de la marcha de los cuarenta días, pero esto no era mucho decir. Nos habíamos acabado tanto durante ese infierno que hasta el poco ejercicio que pudimos hacer en la jaula de alambre de púas había ayudado a mejorar nuestro estado físico. Sin embargo aún nos faltaba mucho camino por recorrer para llegar al estado físico ideal para nuestro objetivo.

Para compensar, montamos nuestro propio pequeño gimnasio y trasladamos allí algunas de las ideas básicas que nos habían surgido en la pajarera. La labor más fácil era siempre montar una barra. Lo único que necesitábamos era un trozo de madera lo suficientemente largo para que alcanzara a llegar de una rama bajita de un árbol a otra. También podíamos ponerla entre dos partes del cambuche que soportaran nuestro peso. Luego con la ayuda de guardias dispuestos a colaborar facilitándonos las herramientas y los elementos necesarios, construimos también un escalón doble por el cual podíamos subir y bajar para mejorar nuestro rendimiento cardiovascular. Milton se quejaba de que estábamos dejando un camino que podía ser rastreado, de manera que nuestro régimen de caminata tuvo que ser reducido. Los escalones eran un ejercicio más fuerte y a Tom y a mí nos dolían las rodillas, de modo que este no era el mejor ejercicio para nosotros, al menos al principio.

Me di cuenta de que mientras más usaba los escalones y más fuertes se hacían los músculos de mis piernas, menos me dolían las rodillas. También utilicé el entrenamiento físico como una forma de organizar el día, de llenar las horas y de liberar el estrés. Todos comentamos cómo al terminar de hacer ejercicio, sentíamos lo que algunos llaman el éxtasis del corredor, que no es más que es una gran producción de endorfinas.

Yo solía decir que nos trataban como a ratas de laboratorio. Pues esas mismas ratas, cuando no estaban siendo utilizadas para un experimento, vivían encerradas en pequeñas jaulas. Y así mismo vivíamos nosotros. Sólo hasta mi cautiverio me di cuenta de lo importante y liberador que era simplemente salir de mi casa, montarme al auto e ir al trabajo. Entendí que en mi trabajo de inteligencia anterior, pararme e ir al dispensador de agua, al baño o al cuarto de descanso, o a cualquier sitio, me proporcionaba un cambio de rutina y un poco de ejercicio.

El movimiento era libertad, y si nos hubieran encadenado y sólo nos hubieran dejado movernos cuando los guerrilleros lo quisieran, no sé cómo habría sobrevivido. Así como estábamos, íbamos a más sitios y llegábamos más lejos con nuestra mente de lo que podíamos llegar físicamente. Hablábamos de eso cuando estábamos haciendo alguna labor mental o recordando algo. En esos momentos estábamos lejos del cambuche. En esos momentos éramos libres.

El ejercicio también nos ayudaba con eso. Cada uno de nosotros tenía su propia rutina y a veces hacíamos ejercicio juntos y a veces por separado, pero en el Campamento del Ejercicio, todos nos enfocamos en nuestro estado físico como no lo habíamos hecho hasta entonces. Si algo bueno tuvo esa marcha de cuarenta días, fue hacernos entender que nunca jamás queríamos volvernos a sentir tan débiles. Ninguno quería repetir esa agonía de sentir que cada paso que daba era una tortura. Como suele pasar con todos los que comienzan una rutina de ejercicio, al principio era difícil motivarse, pero después de un tiempo, empezamos a esperar ansiosamente el momento de levantarnos para hacer ejercicio. También nos ayudó el hecho de que empezamos a proponernos metas. Tom comenzó a levantar más pesas de las que había levantado en toda su vida. A Keith lo que le gustaba era lo del escalón, y comenzó diciendo que quería hacer eso durante treinta minutos al día. Cuando logró llegar a ese nivel y se le hacía cada vez más fácil, subió el tiempo a treinta y cinco minutos. Cuando finalmente salimos del Campamento del Ejercicio, estaba haciendo cincuenta minutos al día con bastante regularidad.

La otra cosa buena de haber instalado nuestro propio gimnasio fue que se trató de un proyecto hecho por nosotros mismos. Tuvimos que construir el banco que usábamos para trabajar. Evidentemente, necesitábamos pedir herramientas y materiales prestados a los guerrilleros, pero hicimos todo el trabajo nosotros mismos. Esta actividad nos ayudó a ejercitarnos, nos dio una sensación de logro y un propósito para cada día. Cuando llegó la hora de poner las barras de la banca, la yunta de sentadillas o la prensa militar, todos contribuimos. Se sentía bien no ser el tallador solitario. Tomamos un tronco relativamente sólido, que tenía como quince centímetros de circunferencia, y lo tallamos hasta que la barra quedó como de dos centímetros y medio de circunferencia, mientras que las puntas seguían con su diámetro original. Nos demoramos entre una y dos semanas en lograr esto, pero todos contribuimos. De nuevo, a veces trabajábamos solos y a veces juntos, pero en todo caso eran "nuestras" pesas. Cuando nos fortalecimos un poco y queríamos una barra más pesada, hacíamos lo mismo pero con un tronco más grande. A modo de juego, lo llamábamos nuestro "Gimnasio Picapiedra", pero también nos enorgullecíamos por haberlo hecho nosotros mismos.

Ninguno de nosotros había sido jamás un adicto al gimnasio, pero descubrimos una buena técnica para hacer ejercicio. Un día, me enfocaría en la parte superior de mi cuerpo haciendo ejercicios de empujar —el banco, la prensa militar y flexiones de pecho—. Al día siguiente también me enfocaba en la parte superior del cuerpo pero haciendo ejercicios de jalar, como rollos y barras. Al otro día, me concentraba en la parte inferior del cuerpo, haciendo sentadillas y abdominales. Nos pusimos metas, lo cual resultó ser algo crucial para mantener el buen ánimo. Sólo teníamos un objetivo a largo plazo —volver a casa—, pero también teníamos que pensar en el día a día y a corto plazo.

Esto no tenía que ver sólo con el trabajo físico sino también con lo mental y lo emocional. Todavía ocupábamos parte de nuestro tiempo escribiendo un diario, aprendiendo español y leyendo. El sargento César Augusto Lasso me había regalado una Biblia cuando estábamos en Caribe y mi meta era leerla de principio a fin. Era una Biblia de Gideón, que incluía sólo el Nuevo Testamento, y la mitad de los libros estaban en español y la otra mitad en inglés. Desde el momento en que la recibí, comencé a leer algunos pasajes cada día. Keith empezó a leerla conmigo. Encontré fuerza y libertad en esas historias.

Antes de ser capturado, a veces sentía que mi fe era una carga. Lo pensaba en términos de lo que me exigía hacer —ir a misa— y las restricciones que me imponía —no mentir o no maldecir— en lugar de ver lo que la fe podía hacer por mí y lo que me permitía. En el Campamento del Ejercicio, logré darme cuenta de cómo mi fe me había ayudado a hacerme más fuerte. Tal vez no habría tenido la fuerza y la determinación para ejercitar mi cuerpo, de no haber sido porque estaba ejercitando mi alma al mismo tiempo. Mis oraciones y la lectura diaria de la Biblia me dieron la fuerza mental necesaria para seguir adelante.

Parte de lo que planeábamos en el Campamento del Ejercicio tenía que ver con evitar que nos encadenaran. Habíamos visto cómo a los prisioneros militares los hacían pasar por esa humillación y esa tensión física. Siempre estuvimos conscientes del riesgo que podríamos correr si estábamos encadenados en el momento de un ataque o de un intento de rescate. El tiempo que gastaríamos durante un intento de rescate tratando de deshacernos de una cadena o de esquivar obstáculos por estar amarrados podría ser suficiente para impedir que alcanzáramos nuestra meta de sobrevivir para volver a casa. Nos decíamos que una de las razones por las cuales estaba bien aguantarse toda la basura de los guerrilleros era ganarnos su confianza para nunca llegar a ver las cadenas.

Además de las cadenas, otra cosa que las FARC podían hacer para castigarnos era aumentar el número de guardias que nos observaban. Ninguno de nosotros quería eso. En caso de que nos intentaran rescatar, y si las FARC trataban de ejecutarnos, mientras menos guardias tuviéramos a nuestro alrededor, mejor.

El hecho de que algunos de los guerrilleros nos estaban suministrando información también era importante para prepararnos para actuar en cualquier posible intento de rescate o escape. Por ellos, supimos que el Campamento del Ejercicio estaba muy cerca del pueblo de Santo Domingo, en el municipio de Vista Hermosa del departamento del Meta. Habíamos pasado anteriormente por Santo Domingo y ahora sabíamos que estábamos del lado oriental de la cordillera de los Andes, muy cerca del centro del país. Según lo que habíamos oído en la radio colombiana, la capital del departamento, Villavicencio, era un refugio para quienes se habían logrado escapar de las FARC y del conflicto. A pesar de que ninguno de nosotros sabía dónde quedaba Villavicencio, al menos teníamos un destino fijo en mente, y eso era mucho más de lo que habíamos tenido antes. Por los informes de inteligencia que leímos cuando estábamos en misiones de vuelo, sabíamos que grandes zonas de Colombia estaban controladas por las FARC. Si lográbamos escapar, teníamos que asegurarnos de no volver a caer de nuevo en manos del enemigo.

Ya habíamos visto cómo se relacionaban todas nuestras preocupaciones. Durante el tiempo de nuestra estadía en el Campamento del Ejercicio, había vuelos nocturnos de los Fantasmas casi todas las noches. Un día de mayo de 2005, escuchamos el sonido inconfundible de un Fantasma que se acercaba.

—Ahí vienen de nuevo —dijo Keith

—Llegó la hora de la redada —Tom cogió algunas de sus cosas y nos quedamos esperando que llegaran los guardias para sacarnos de allí. Nos hicieron bajar por la empinada pendiente del barranco hasta llegar a lo que supusimos que era un escondite seguro. No nos podían ver fácilmente en el barranco, pero escaparnos de las FARC en caso de un rescate era prácticamente imposible. Subir esa pendiente cubierta de rocas habría sido imposible, sin importar en qué tan buen estado físico estuviéramos.

—Veamos qué está pasando —le hice un ademán con la cabeza al Plomero, que se encontraba cerca con un escáner de radio.

Todos estábamos acurrucados con nuestra espalda contra la pared del barranco, como había visto yo que hacían los soldados estadounidenses en las trincheras. Al Plomero no le importaba que oyéramos las transmisiones que él lograba interceptar.

Nos sentamos allí un minuto escuchando al piloto del Fantasma reportarse de vuelta al comando central.

—Estos hombres se oyen cada vez más profesionales —dijo Keith, y arrojó una pequeña piedra contra la pared del lado opuesto. Algunos pedruscos sueltos cayeron en cascada.

—Es sólo una misión de rutina —dijo Tom—. Suena como un día más en la oficina.

Seguimos escuchando cómo el piloto reportaba sus coordenadas. Luego algo cambió en su tono de voz y en la velocidad de sus palabras. Estaba emocionado por algo, pero tratando de mantener su voz bajo control.

—Ahora está hablando con alguien distinto —dije—. No va a regresar a la base.

Algunos segundos más tarde pudimos escuchar encima de nosotros lo que estaba ocurriendo. Se estaba acercando un jet Kfir.

—Este es otro juego —Keith se puso de pie para tratar de ver algo sobre nosotros, pero todo lo que logramos ver fue un pequeño trozo de cielo.

—Él lo está guiando. Es mejor que no se confundan con las coordenadas —dijo Tom. Su voz tenía un toque de nerviosismo porque el Fantasma estaba guiando al Kfir justo hacia una zona de bombardeo. No teníamos idea de cuál iba a ser el blanco, pero definitivamente estaban muy cerca de nosotros, y sólo se requería una demora de algunos segundos o una mala comunicación para que las bombas no le atinaran a su objetivo por medio kilómetro o incluso más.

Miramos al Plomero y Tom dijo:

—Usted va a saber de qué estamos hablando en un momento.

El Plomero frunció el ceño. Nos gustaba demostrarles a él y a los otros guardias que entendíamos lo que estaba ocurriendo en el cielo mejor que ellos. Unos segundos más tarde, sentimos el impacto y oímos el sonido que hace una bomba al chocar contra el suelo. Luego siguió la explosión.

Mi corazón estaba latiendo más fuerte, pero más por emoción que por miedo. El simple hecho de saber que los pilotos militares colombianos estaban cerca y estaban haciéndole daño a alguna instalación de las FARC era razón suficiente para sentirse bien.

—Esperemos que hagan buenos lanzamientos —dijo Keith—. No quisiera que hubiera inocentes heridos.

Volví a enfocarme en lo que se estaba diciendo en la radio y sentí, si no orgullo, al menos satisfacción porque los esfuerzos coordinados de los dos equipos estaban logrando el efecto deseado. Al final del bombardeo, le oímos decir al Piloto del Kfir que habían logrado destruir el puente. Nos alegramos de que el objetivo no hubiera sido otro grupo de las FARC. Seguíamos pensando en los otros rehenes y en su bienestar.

—Es bueno saber que están a salvo —dije.

—Esperemos que así sea —agregó Tom.

Mientras estaba orando esa noche, me di cuenta de que no estaba asustado, como lo había estado antes. Entendía los riesgos y las opciones que teníamos. Sabía que me había estado preparando de la mejor manera posible —en cuerpo, mente y espíritu— para lo que pudiera venir. Con eso me sentí reconfortado.

También me di cuenta de que la mayoría de los guerrilleros no tenían nuestra habilidad para evaluar situaciones e idear planes. Intuimos que con todo lo que estaba ocurriendo —los sobrevuelos diurnos y nocturnos, los bombardeos, el descontento general entre Milton y sus guerrilleros— algunos de ellos, y no sólo Eliécer, querían su libertad tanto como nosotros. Una tarde estaba de guardia el Plomero y estaba hablando de temas de manera indirecta.

Keith nos miró a Tom y a mí y nos dijo:

—Oigan, ¿qué les parece? Puedo preguntarle directamente al Plomero lo que piensa sobre un escape.

Acordamos que el riesgo para nosotros era bajo, por lo que Keith le preguntó:

—¿Usted estaría dispuesto a sacarnos de acá si le dijéramos que podemos ayudarlo?

—Sí —la cara del Plomero se iluminó, pero luego se oscureció con igual rapidez. Hizo una pausa—. Cuéntenme más sobre lo que he escuchado. ¿Es cierto que el gobierno de Estados Unidos está dispuesto a darle una recompensa a los que se entreguen voluntariamente?

—Eso es lo que yo he escuchado —dijo Tom—. Pueden ayudarles con las visas y ponerlos en un programa de protección de testigos. Nadie le haría daño.

—¿Y mi familia qué? —preguntó el Plomero.

Keith se encogió de hombros.

—No conozco todos los detalles sobre la inmigración, pero sí sé que si nos ayudara a liberarnos, se le abrirían todo tipo de puertas.

Hasta donde nosotros sabíamos, la oferta era legítima y muchos de los guerrilleros hablaban de ella.

Nos sentimos bastante bien con la respuesta que nos dio el Plomero hasta que supimos cuál era su plan:

—Tenemos que matar a todos los que están en el campamento. Era la única forma. Si llegara a sobrevivir alguien, nos seguiría el rastro y nos mataría.

Tom, Keith y yo intercambiamos miradas. La cara de Keith lo dijo todo. El tipo en realidad no tenía ningún "plan" ni ninguna estrategia. Para nosotros eso no representaba un problema moral, pero sí un problema estratégico. El Plomero tenía una AK-47. Había diecinueve guerrilleros más con nosotros. Anteriormente durante nuestro cautiverio nos habíamos enterado por nuestros guardias amigables que si intentábamos escapar y ningún guerrillero salía herido, tenían órdenes directas de buscarnos y devolvernos, pero sin matarnos. Sin embargo, si tratábamos de escapar y matábamos a un guardia en el proceso, nos perseguirían y cuando nos encontraran, nos ejecutarían.

Afortunadamente, una vez que el Plomero nos confesó que estaría dispuesto a ayudarnos, podíamos utilizar esta información a nuestro favor. El Plomero también nos dijo cuáles guardias eran de confianza y cuáles no. No íbamos a gastar nuestro tiempo ni nuestra energía tratando de convencer a los guardias en los que no podíamos confiar.

Siempre podíamos confiar en que Milton *no* nos ayudaría. Después de uno de los ataques más fuertes de los Fantasmas —los helicópteros llegaron durante el día y comenzaron a disparar más agresivamente y con más aviones que nunca—, salimos del barranco. Milton estaba aterrorizado. Alguna vez lo habían herido en un ataque aéreo, razón por la cual les tenía pánico a los aviones. Nos obligó a todos a adentrarnos más en la selva. No teníamos suministros. Luego, Milton envió a algunos de sus hombres de vuelta para que trajeran cosas.

Dos semanas después de este incidente, Milton dio la orden de regresar al Campamento del Ejercicio; estábamos demasiado lejos del agua y él quería hacernos la vida un poco más fácil a todos. Cuando volvimos, vimos que Milton había hecho algo que había prometido hacer si no lo respetábamos a él y a sus guerrilleros. Achicó nuestro sitio de encierro. Todo el trabajo que habíamos hecho para crear un área más nivelada había sido arrasado, pero apenas nos volvimos a instalar, comenzamos a rehacer todo una vez más. Como teníamos menos espacio y cuerpos más fuertes, nos demoramos menos tiempo en terminar el trabajo.

TOM

Era como si en cada campamento por el que pasábamos tuviéramos que lidiar con una especie de peste distinta. Rogelio era una de ellas en el Campamento del Ejercicio. Lo que más nos preocupaba era que después de estar dos años en la selva, a todos nos había afectado algún tipo de enfermedad o afección selvática. Con el tiempo, todas se acumularon y acabaron afectándonos como grupo.

Al caminar por la selva, era fácil cortarse o rasparse. En la jaula de alambre de púas, nos rasguñábamos continuamente. Fue allí donde a Keith y a mí nos dio leishmaniasis, una enfermedad muy común en la selva, y que aunque te hace parecer un leproso, no pone en riesgo la vida, siempre y cuando se reciba el tratamiento adecuado. Es causada por un parásito que transportan algunas moscas de la selva. Esas moscas son atraídas por las heridas abiertas; transmiten el parásito cuando te pican y luego aparecen llagas abiertas o úlceras que van creciendo en tamaño. Si no se tratan, las llagas pueden esparcirse y multiplicarse y en últimas pueden poner en riesgo órganos internos. Luego de algunos meses en el Campamento del Ejercicio, poco después de que Eliécer nos hablara de suicidarse, me salieron llagas en la mano y en el pie y a Keith le salió una en el hombro.

Además de ser el "racionista", Rogelio era, desafiando todas las leyes de la lógica y el sentido común, nuestro médico. Estaba en el límite de la sociopatía, pero era a quien debíamos recurrir para que nos revisara. Le dijo inmediatamente a Keith que tenía "leish" y comenzó el tratamiento. Le administraron inyecciones intramusculares unas cuarenta o cincuenta veces para que desapareciera la llaga. Las FARC tenían fácil acceso a un medicamento llamado Glucantime puesto que el problema era relativamente común.

A pesar de que la llaga que yo tenía en el pie era igual a la de Keith, Rogelio y los otros "médicos asesores" decidieron que yo no tenía "leish". Por tanto, no me aplicaron las inyecciones y la llaga creció y se fue volviendo cada vez más profunda. Pensaron que sólo tenía una erupción y me dieron antibióticos. Cuando estábamos en Caribe, oímos decir a los militares que a veces se necesitaban entre doscientas y trescientas dosis de la inyección para eliminar esa cosa. Con esto en mente, empecé a preocuparme y a pedir insistentemente el tratamiento adecuado, pero mi solicitud cayó a oídos sordos. Finalmente, cuando mi llaga del pie tenía un diámetro de diez centímetros, me empezaron a dar el tratamiento adecuado. Sin embargo, Rogelio no se iba a rendir tan fácilmente. Cuando le daba la gana, retenía el medicamento.

Retrocediendo un poco, Rogelio y yo no estábamos en buenos términos. Me molestaba que fuera tan ignorante y no me daba miedo sacar a relucir su ignorancia. Él era uno de los miembros de las FARC a quien cuestionaba todo el tiempo cuando empezaba a soltar frases de propaganda, y eso causaba la confrontación. Yo lo toreaba, preguntándole que cómo iban a hacer para tomarse el país. Le decía que habían estado intentando hacerlo durante los últimos cuarenta años y qué le hacía pensar que lo iban a lograr ahora, sobre todo cuando la cantidad de guerrilleros estaba disminuyendo. También le decía que si se quedaba sentado en la selva, simplemente teniéndonos cautivos, no iba a avanzar en su causa. Él simplemente respondía alguna locura ininteligible, se chupaba los dientes y le temblaban los párpados.

Debido a la dinámica contenciosa entre nosotros, cuando yo lo presionaba en lo que tenía que ver con la medicina, él retrocedía. Eso empezaba un ciclo en el que tenía que intervenir Keith, quien tenía palanca con Rogelio —se la llevaban relativamente bien— para que me dieran los medicamentos. Luego me daban la medicina hasta que a Rogelio le diera por meterse conmigo otra vez. Así siguieron las cosas durante mucho tiempo y, durante uno de los altercados, Rogelio se volteó y le dijo a Keith señalándome: "No me importa si ese viejo se muere". Yo sabía que lo decía en serio y también sabía que sentía lo mismo por él.

No me gustaba que a Keith le tocara enfrentarse a Rogelio por mi culpa, pero parecía ser la única forma de que colaborara. Me había pasado lo mismo con mis medicamentos para la presión arterial, y tener a este guerrillero jugando con mi salud no era algo que pudiera tolerar. Me rehusé a quedarme con los brazos cruzados y a dejarlos que controlaran mi salud. El guardia que nos había tocado antes durante el cautiverio —al que llamábamos Risas— tenía un caso avanzado de leishmaniasis y vi lo que esto le causó. Le abrió una herida enorme. Yo no iba a permitir que esto me sucediera también a mí. Finalmente logramos llegar a un acuerdo en el que Keith me pondría las inyecciones ya que Rogelio no quería tener nada que ver conmigo ni yo con él.

Por la época en que yo le peleaba a Rogelio por los medicamentos para la leishmaniasis, entramos en contacto con otra enfermedad de selva, una que no tiene equivalente en inglés: chuchorros. Nunca estuvimos seguros de qué los causaba. Eran llagas abiertas y dolorosas que se inflamaban y supuraban. La llaga era sólo el síntoma que se veía por fuera. En alguna parte más profunda de los tejidos, se esparcía algún tipo de inflamación y uno se hinchaba. Era como si la llaga fuera sólo la cima de un volcán y la inflamación fuera el centro. Los chuchorros producían un dolor profundo y punzante. La única manera de deshacerse de ellos era presionando la carne alrededor de la llaga. Algunas veces, la cura era peor que el dolor que causaba la infección o lo que fuese que producía pus.

Naturalmente, Rogelio también era el encargado de aliviar los chuchorros. La primera vez que le vi uno de esos a alguien, fue a Keith: parecía como si le hubieran disparado una pistola calibre .38 en el brazo. El hueco tenía la forma exacta de la entrada de un disparo.

Cuando Keith le mostró a Rogelio lo que tenía, éste supo de inmediato qué hacer. Con todas sus fuerzas, Rogelio presionó la herida inflamada de Keith. Parecía como si se le fueran a explotar los ojos y respiraba con dificultad —y eso que era él quien estaba aplicando la curación—. Después de unos cuantos minutos de este tratamiento, lo que parecía como un cruce entre una bala y una babosa salió por la herida abierta. Pero Rogelio aún no había terminado. Dijo que le faltaba sacar "la madre". Siguió presionando. Finalmente, una pepa dura, como una bola de pus endurecida, también salió del brazo.

Rogelio declaró curado a Keith. Los guerrilleros no tenían ningún tipo de ungüento o líquido en ese momento, entonces tomaron el medicamento antidiarréico que tenían y lo machacaron hasta convertirlo en polvo. Luego lo vertieron dentro de la herida y taparon con una cinta. Nos parecía que a Rogelio le causaba un especial placer ser el "presionador" oficial y tal vez por eso cuando a Marc y a mí nos salieron chuchorros no lo buscamos a él. Ninguno de nosotros le caía bien, así que si le había dado tan duro a Keith, sin duda acabaría con nosotros.

Durante el tiempo que pasamos en el Campamento del Ejercicio, también entramos en contacto con una enfermedad que ya habíamos padecido antes durante nuestro cautiverio: algo a lo que llamaban nuche. Como en el caso anterior, nunca habíamos oído esta palabra y supusimos que era parte de un dialecto colombiano y no algo que encontraríamos en un diccionario. Un nuche era una especie de lombriz o de larva que dejaba cierto tipo de mosca. Se parecía a los chuchorros, sólo que su fuente no era una madre dura y redonda. Supusimos que lo que causaba esta herida y la hinchazón era transmitido por una mosca.

La herida de nuche también parecía un balazo, alrededor del cual la carne se hinchaba un poco y luego se endurecía hasta quedar como un pequeño hongo. La primera vez que me sucedió, pensé que sólo era una espinilla o un pelo encarnado. Cuando creció de tamaño y comenzó a botar un líquido amarillo durante un largo tiempo, supe que debía hacérmelo revisar. Todo esto me sucedió cuando aún estábamos con Sombra, quien lo identificó inmediatamente y me dijo que tenía para eso una cura de la selva. Me preguntó si quería que la utilizara. Supuse que si a ellos les había tocado lidiar con este problema mucho tiempo, debía saber qué estaba haciendo, así que le permití que me aplicara el tratamiento.

Me senté en una silla y él se sentó a mi lado y encendió un cigarrillo como si nos hubiéramos sentado a charlar. Tomaba grandes bocanadas de humo antes de botarlo en la palma de su mano recogida. Repitió esta acción hasta que el cigarrillo se acabó y le quedó una mancha amarilla y sucia de nicotina en la palma de la mano. Luego, con eso hizo una bola de engrudo, la cual aplicó a mi herida. Le puso una cinta por encima y me dijo que regresara al día siguiente.

Cuando volví al día siguiente, me quitó la cinta y revisó la herida. Me preguntó si estaba listo y me dijo que si algo me empezaba a doler de verdad, él dejaría de hacer lo que iba a hacer. Sombra acercó un cigarrillo encendido a la herida. Lo puso lo más cerca que pudo sin que yo me quemara. Le pidió a otro guardia que oprimiera el área. En unos cuantos segundos, el guardia sostenía en la mano una lombriz traslúcida como de dos centímetros de largo y un medio centímetro de diámetro. Esta lombriz se había estado comiendo mi carne hasta que la nicotina del cigarrillo la hizo enfermar y así dejó de comer, forzándola a soltar su mordida.

Cuando tuve otro nuche en el Campamento del Ejercicio, repetimos la cura de Sombra, sólo que con más cuidado y poniéndole más atención a esterilizar el área. Keith hizo el papel del extractor. En un momento dado, llegué a tener tres nuches al mismo tiempo. Keith logró sacarlos todos, pero oprimió con tanta fuerza, que uno de ellos salió volando y nunca lo pudimos encontrar. Después de eso, Keith se volvió el experto en la remoción de nuches y bromeábamos diciendo que algún día abriría un consultorio en Colombia y ganaría buen dinero.

A medida que pasaban los meses en el Campamento del Ejercicio, mis disputas con Rogelio trascendieron los temas de los medicamentos y la propaganda guerrillera. Me molestaba mucho la forma como nos trataba a nosotros, pero me molestaba aún más la forma como trataba a Vanessa, que era su compañera. Era una mujer muy joven sin ninguna autoestima. Era la única explicación que podía encontrar para que una mujer estuviera con un personaje tan despreciable como Rogelio. Lo que realmente no entendía era que ella era el único integrante de las FARC en ese campamento que había terminado el bachillerato.

Verla desperdiciar su vida con las FARC y con Rogelio realmente me afectó.

Las FARC tenían el control sobre todos los aspectos de la vida de cada guerrillero —incluidas las relaciones amorosas, aunque vimos mucha promiscuidad e intercambio de parejas, hay que tener en cuenta que la mayoría eran adolescentes y adultos menores de treinta años—, no se podía establecer oficialmente ninguna relación de pareja sin el consentimiento de los superiores. Si querían ser pareja, tenían que obtener un permiso. A las FARC no les interesaba aumentar sus filas con nuevos bebés. A las mujeres se les suministraban pastillas anticonceptivas y si se daba el caso de que una quedara embarazada, debía abortar sin cuestionamientos. Sin embargo, esto no evitaba que los guerrilleros tuvieran relaciones sexuales de manera abierta y constante. Eso no lo podían controlar los comandantes, pero aparte de esto, los guerrilleros tenían poca libertad en cuanto a sus vidas amorosas.

Al hacernos amigos de algunos de los guardias del Campamento del Ejercicio, nos dimos cuenta de que las restricciones estrictas que les imponían a los soldados de a pie desataba una reacción en cadena que nos terminaba afectando. Como tenían tan poco dominio sobre sus propias vidas y podían tomar muy pocas decisiones, nosotros éramos lo único que podían realmente controlar. Aunque nunca podían controlarnos del todo, su necesidad de comprobar que eran superiores a nosotros tenía mucho que ver con su comportamiento cruel y arbitrario. Lógicamente, saber esto no justificaba lo que hacían, pero sí ayudaba a entenderlos mejor. Se me hacía fácil, tanto literal como figuradamente, ponerme de vez en cuando en las botas de aquellos guerrilleros malaclase. No tenía que andar más de un kilómetro en sus zapatos, porque ya había caminado muchos con los que ellos me habían dado. Aunque las FARC se habían rehusado a darme gafas durante tanto tiempo, podía verlos por lo que eran.

Para nadie era un secreto que de los tres, yo era el más problemático para los guerrilleros, y a mí eso no me preocupaba. Si la única manera de afrontar su necesidad constante de controlarme era manteniéndome distante, podrían hacerlo. Cada uno de nosotros tenía su propia manera de aguantarse a los consabidos imbéciles de Keith. Muchas veces la forma como yo los trataba se me devolvía, pero al final lograba desquitarme, como sabía que debía ser. No me iba a rendir por completo, y tampoco lo harían Keith ni Marc. Decidí colaborar con los guerrilleros en mis propios términos aunque, de todas maneras, a la larga todos les seguíamos la corriente porque así saldríamos ganando nosotros. Sobreviviríamos.

Era precisamente esta forma flexible de pensar la que no lograban captar las FARC. Algunas veces, cuando intercambiábamos cosas con los guardias, nos estafaban de alguna u otra forma. Siempre nos llevaban la delantera en eso, pero era más fácil aprender de nuestros errores que armar un drama. Los guardias sabían cuándo nos estaban dando gato por liebre, y su sentimiento de culpa los motivaba a ayudarnos en otros sentidos. Por ejemplo, cuando estábamos caminando y de verdad necesitábamos algo, como bolsas plásticas para que no se nos mojara la ropa si llovía, alguno de los guardias generalmente nos ayudaba a todos, incluyéndome a mí. Creo que realmente les gustaba la idea de ejercer algún tipo de poder sobre nosotros de manera positiva.

Si dejarme engañar en los trueques iba a ser provechoso para nosotros más adelante, entonces valía la pena el sacrificio. Si el hecho de que yo estuviera en malos términos con los guardias iba a beneficiar a Keith y a Marc, no me importaba aguantar cualquier sufrimiento. Si los guerrilleros no querían darme mi ración de comida o de suministros, no había problema. Nosotros tres teníamos una regla tácita y jamás violada de compartir todo de la forma más equitativa posible. Si mi papel iba a ser el del viejito que todos odian y que a nadie le importa si vive o muere, pues que así fuera. A la larga, mientras más confianza le tuvieran a Keith y a Marc, mejor sería para los tres. Al ser el centro de atención de su disgusto y su mala fe, a veces podía distraerlos. Sabía qué tan lejos podía llegar sin que nos castigaran. Creo que en cierta forma, yo también era una peste de la selva, que espera metérseles debajo de la piel y comérselos por dentro lentamente.

Lo que los guerrilleros nunca llegaron a entender fue que casi nunca hacíamos cosas que no redundaran directamente en nuestro beneficio. Aun nuestras reacciones más viscerales, por más crudas e impulsivas que fueran, conservaban algo de cálculo y mesura. En algún momento, todos perdimos el control debido a los actos crueles e injustos de la guerrilla, pero nunca perdimos de vista nuestro objetivo: regresar a la libertad.

Si había una cosa que nos separaba de las FARC, aparte de un alambre de púas y una cerca de madera, era que sabíamos cómo hacer planes a largo plazo. Así estuviéramos jugando golosa por todo el país, y no supiéramos exactamente dónde nos encontrábamos, siempre fuimos capaces de pensar estratégicamente y estar al tanto de nuestra posición en el tablero de juego.

XI
MUERTOS

TOM

Desde nuestra jaula en el Campamento del Ejercicio, nos quedaba difícil saber si el Plan Patriota estaba surtiendo efecto, pero para noviembre de 2005, sabíamos que sin duda estaba en pleno apogeo. Durante el otoño del 2005, habíamos oído que las FARC construían muchas carreteras, y esa actividad debe de haber atraído la atención del ejército colombiano. Para el mes de noviembre, los ataques de los OV-10 y Fantasmas que siempre asustaban a Milton se intensificaron y se convirtieron en algo de todas las noches. Milton le tenía un temor especial al Fantasma, al que llamaba "el Marrano", pero nosotros sabíamos que las cosas eran distintas. Aunque no contaba con las capacidades del sistema de armas mortales del Marrano, desde muchos puntos de vista el avión que los guerrilleros llamaban "la Cruz" en realidad representaba un mayor peligro para nosotros.

La Cruz era de hecho un avión de vigilancia fabricado por Schweitzer Aircraft Corporation. Su fuselaje largo y angosto y sus alas delgadas como las de un planeador le habían dado su nombre. Schweitzer era conocida por la fabricación de planeadores y el Schweitzer SA2 que todos veíamos volando por encima fácilmente podría haberse confundido con uno de ellos. Con su gran envergadura, podía permanecer en el aire incluso después de que el piloto disminuía sustancialmente la potencia del motor. Un sistema especial de silenciadores reducía aún más el ruido del avión, haciéndolo casi silencioso. Debido a que no tenía el silbido distintivo del Marrano, no disparaba cohetes que dejaran cráteres en la tierra ni rociaba balas como el OV-10, las FARC subestimaban su capacidad. Y ello resultaría ser un error fatal. Las FARC les temían a los misiles. Nosotros le temíamos a la inteligencia que adquiriría la Cruz y el intento de rescate o ataque que podría seguir a cualquier detección de nuestra localización.

Nuestra preocupación se derivaba del hecho de que sabíamos que la Cruz contaba con algunos de los equipos de vigilancia más avanzados disponibles. Dado que podía volar tan lentamente y contaba con un sistema FLIR que le permitía penetrar efectivamente en la selva, el piloto y el operador podían identificar blancos con gran precisión. Esos blancos eran entregados entonces a los pilotos del Marrano y los interceptores Kfir y éstos ejecutaban los vuelos de bombardeo de precisión que tanto atemorizaban a Milton. Las FARC no lograban armar el rompecabezas. Si no fuera por el trabajo de la Cruz, los ataques de los cohetes no habrían sido jamás tan precisos. El presidente Uribe no iba a bombardear el campo por saturación. Aunque había dicho que utilizaría sangre y fuego, lo que estaba usando era, por el contrario, el microscopio y el bisturí.

A medida que se acercaba el 2005, huimos del Campamento del Ejercicio hacia las montañas, pero no pudimos evitar enterarnos de una noticia: Lucho e Íngrid habían escapado. Esto hizo que los guerrilleros aumentaran las medidas de seguridad, decomisando nuestras linternas e incrementando el número de guardias de turno. Observamos un cambio de equipo para las FARC. Muchos de ellos comenzaron a llevar brújulas. Sabíamos que estábamos caminando hacia el norte, pero hacíamos paradas frecuentes para que Milton y su grupo de expertos pudieran consultar sus brújulas. Era claro que no tenían idea de cómo seguir el rumbo que les habían dado. El Plomero nos dijo que les habían dado instrucciones de seguir un rumbo 010, básicamente hacia el norte. También confirmó algo de lo que ya nos habíamos dado cuenta: sus problemas con las brújulas habían hecho que nos desviáramos mucho del curso durante los primeros tres días de lo que debía haber sido una marcha de cinco días. Cada vez que caminábamos, sin importar qué tanto nos desviáramos de ese 010 original, siempre retomábamos otro rumbo 010 desde ese punto.

En lugar de viajar en línea recta según las instrucciones, parecía como si estuviéramos subiendo por unas escaleras. Era como si estuviéramos usando el jueguito llamado Etch-A-Sketch para navegar.

Para complicar las cosas, Milton seguía comportándose como era habitual en él, diciéndoles a los demás que él no necesitaba la brújula, que él podía recorrer la selva usando la cabeza —para nosotros, la única forma de que eso fuera cierto era que le quedara alguna metralla en su antigua herida en la cabeza, y que esa metralla estuviera magnetizada—. En un momento dado, estuvimos tan perdidos que Milton envió al Mono y a Alfonso como patrulla de reconocimiento para encontrar nuestro destino.

Dos días después de cuando se suponía que debía terminar nuestra marcha de cinco días, llegamos a un campamento más antiguo, donde debíamos quedarnos y reabastecernos. A pesar de nuestro movimiento, el esquema de implacables ataques de Fantasmas continuó en esta nueva localización casi al mismo nivel del Campamento del Ejercicio. Milton estaba claramente estresado y lo demostraba. Una noche evacuamos el campamento al oír acercarse al Fantasma y nos metimos en una trinchera cercana que habíamos estado utilizando como escondite durante los ataques nocturnos. Nosotros tres nos quedamos rezagados al final de la fila en la trinchera para darnos las mejores oportunidades de correr, si nos veíamos obligados a hacerlo. El Fantasma no había atacado aún. Se encontraba volando en círculos sobre una posición no demasiado lejana a la nuestra.

Milton, con voz chillona, comenzó a gritarles a Rogelio y a Cerealito:

—¿Qué está haciendo ese avión? ¿Qué está haciendo?

Ni Rogelio ni el Plomero respondieron. El propósito del avión era obvio. Al volar en círculos podía recibir más información acerca de sus posibles blancos y luego esperar a que entraran los Kfirs. Milton estaba que rabiaba, mientras les ladraba a su número uno y su número dos.

—Si alguna vez van a ser comandantes, tienen que tomar decisiones. ¡Qué está haciendo ese avión! —Aún así, ninguno de los dos podía decir ni una palabra. O estaban demasiado asustados o sinceramente no lo sabían.

Después de que obtuvimos más provisiones y los guerrilleros se habían calmado, empezamos a caminar. Se nos dijo que el comandante del frente, Efrén, nos había dado una semana para llegar a un punto de encuentro, pero parecía que a Milton sencillamente había dejado de importarle si llegábamos o no a nuestro destino. Detenía la marcha cada vez que le provocaba y se iba de cacería a la selva; desaparecía durante largos períodos mientras nosotros esperábamos su regreso.

Al principio, supusimos que con estas interrupciones simplemente le estaba haciendo a su grupo un favor. Todo nuestro ejercicio había dado resultados, poniéndonos en forma y fortaleciéndonos, pero ahora eran los guerrilleros los que estaban luchando. Nuestra mayor fortaleza y resistencia no pasó inadvertida. Milton hizo varios comentarios con enojo a su cuadrilla por no poder mantener nuestro ritmo, y utilizó la bota en lugar del cerebro para motivar a su gente.

Cuando esto no logró los efectos que buscaba, Milton ensayó otro enfoque. En una de sus paradas para cazar, todos vimos encima un grupo de micos araña. Milton tomó su rifle y bajó a uno de un solo tiro, el cual cayó a pocos pasos del camino. Fue a buscarlo, lo agarró por la cola y lo arrastró hasta el centro de nuestro grupo.

Podíamos ver que el mico aún respiraba. Estaba acostado de espaldas y evidentemente vivo. Milton se acercó a uno de sus guerrilleros y le sacó el machete de la funda. Levantó la herramienta y durante una décima de segundo nos pareció ver que ese gran cuchillo se transformaba en un arma.

Milton miró al mico y luego nos miró a nosotros. Levantó el machete y lo hizo rotar en la mano antes de golpear la cabeza del mico con el plano de la hoja. Al hacerlo, gritó "¡whack!", como si estuviera en una de esas tiras cómicas malas y estuviera narrando los efectos de sonido. La sangre brotó de la cabeza del mico y se le metió en el ojo. Aún así, continuaba respirando.

Milton agarró la pierna derecha del animal y comenzó a serrucharla por la ingle. Algunos de nosotros nos volteamos de espaldas con el primer golpe y otros más lo hicieron después de que le cortó la pierna. Podíamos oírlo machetear a través de la carne y los tendones, y oímos cómo se partía la articulación. Se nos revolvió el estómago. Siguió con la otra pierna. Yo me volteé a mirar, esperando que el animal ya hubiera salido de su martirio. El mico seguía acostado, con los ojos abiertos, aún respirando.

Los tres nos quedamos allí parados mirándonos fijamente. Apartamos luego la vista hacia el piso, los árboles, cualquier cosa que no fuera Milton. No lograba sacar de mi mente la imagen de Milton como el cirujano que le había practicado la cesárea a Clara Rojas. Con razón le había roto el brazo a Emmanuel. Me sentí mal por el mico, pero en ese momento lo que pasó por mi mente fue el sufrimiento de ese niño. Emmanuel con frecuencia estaba acostado mirando al cielo, sin ver y, esperábamos, sin sentir. A pesar de lo horrible de la escena que teníamos ante nosotros, lo que me obsesionaba era la imagen de Clara, parada en la cerca del complejo del Campamento Caribe gritando para que le devolvieran a su bebé.

La carnicería de Milton era demasiado para que cualquiera de nosotros la pudiera soportar. Sabíamos que era un hombre sin educación y empobrecido. Había crecido en un ambiente que le había formado su modo de pensar y su definición de la crueldad, pero no podíamos excusar lo que le estaba haciendo a ese animal, lo que le había hecho al bebé de Clara o lo que nos había hecho a todos nosotros.

Milton llamó a una de las mujeres para que se acercara y luego a uno de los hombres. Hizo que el hombre amarrara la pierna ensangrentada al morral de la mujer. Ella tenía los ojos llorosos y temblaba. Hizo lo mismo con la otra pierna y el otro guerrillero. Luego dio la orden de partir. Su bota y no su cabeza seguía al mando. Todos desfilamos frente al mico acostado de espaldas, con los ojos abiertos, aún respirando.

MARC

Para cuando llegamos a nuestro siguiente campamento permanente, yo había terminado el juego de ajedrez que había comenzado a tallar hacía casi un año. Silenciosamente pasamos la marca de los tres años en cautiverio el 13 de febrero de 2006, en un área adyacente a un antiguo complejo de las FARC que se había convertido en nuestro nuevo campamento. Tom y yo hicimos un tablero de una caja desechada y de un momento a otro tuvimos en las manos el juego que habíamos querido desde nuestros primeros meses de cautiverio. Así como la actividad física había ocupado gran parte de nuestro tiempo en el Campamento del Ejercicio, en el que llamamos el Campamento del Ajedrez, el antiguo juego de guerra y estrategia dominó nuestro tiempo. Jugamos colosales partidas que duraban todo el día. A veces los guardias se reunían a nuestro alrededor para observarnos, y cuando podían hacerlo, jugaban con nosotros una o dos partidas.

Tom resultó ser un jugador de primera categoría, el mejor de nosotros tres. No sólo era bueno, sino que también era un maestro de los juegos mentales. Cada vez que tomaba una de nuestras piezas del tablero, hacía alarde —verbal y físico— para hacernos saber que acababa de pisotearnos a nosotros y a cualquier esperanza que hubiéramos tenido de ganarle. Su sonrisa era malévola, y el goce que le producía aplastar a un contendor era algo indescriptible. Yo apenas estaba aprendiendo a jugar, de modo que en un principio no representaba un gran reto para él, pero me puse como objetivo ganarle algún día. Con el tiempo, me metí tanto en el ajedrez que dejaba pasar la hora del almuerzo si estaba en medio de una partida, para poder estudiar el tablero y planear mis siguientes movimientos. Durante nuestras maratones, que podían durar días, los guardias que habían cambiado de turno al comienzo del juego pasaban a visitarnos más tarde para saber cómo iban las cosas. Estas luchas titánicas entre el maestro y el alumno llegaron a convertirse en algo muy importante en la imaginación de todos. Yo me sentía agradecido por la distracción que nos proporcionaban los juegos; me ayudaban a sacar de la mente a Íngrid y a los demás. Rezaba por ella cada noche y esperaba que estuviera bien.

El Plomero también quiso jugar contra Tom, y aunque era un tipo inteligente, no era un jugador experimentado. Tom no estaba dispuesto a darle ventajas a nadie, y desde un primer momento puso a brincar al Plomero. Cada vez que Tom tomaba una de sus piezas con su distintivo gesto, podíamos ver que el Plomero se ponía más y más nervioso y bravo. Sus jugadas lo estaban poniendo directamente en manos de Tom, quien hacía que su contendor pensara en cualquier cosa menos en lo que debía estar pensado. Tom se comió el alfil del Plomero y en unos pocos movimientos le iba a ganar.

Ofendido porque Tom le había capturado su último defensor vital y lo había lanzado al suelo, el Plomero se levantó y gritó defensivamente:

—¡Aquí no hay violencia!

Al pararse bruscamente, el Plomero tumbó el tablero, haciendo que las piezas salieran volando en todas las direcciones. Estaba claramente molesto, pero todo lo que hizo Tom fue mirarlo fijamente y levantar las manos como diciendo "Tranquilo, no ha pasado nada".

Todo el mundo comenzó a reír y la situación rápidamente se calmó, ya que sabíamos que Milton sufriría uno de sus ataques si se enteraba de que los guardias estaban confraternizando con nosotros de esa forma. Pero a todos nos pareció raro que el Plomero respondiera en forma tan violenta mientras nos decía que en un tablero de ajedrez no cabía la violencia. Habíamos visto muchas pruebas de que casi todos los miembros de las FARC eran capaces de actuar violentamente. Estábamos jugando un juego, pero estos tipos estaban cometiendo verdaderos actos de brutalidad. Esos pensamientos no nos impidieron jugar ajedrez, pero yo siempre guardé en la mente esa imagen del Plomero gritando y tumbando el tablero. El incidente fue un buen recordatorio de lo que era su naturaleza esencial, era un terrorista y siempre lo sería, sin importar cuánto contacto tuviera con nosotros. Era peligroso para nosotros pensar algo distinto.

Poco tiempo después de la explosión del Plomero, irrumpió en nuestras vidas la verdadera violencia. Una mañana nos despertamos con el sonido de bombas que detonaban cerca de nuestro campamento —mucho más cerca de lo habitual—. El sonido de explosión tras explosión tras explosión nos llegaba por encima de las ondulantes copas de los árboles; sabíamos que se estaba librando una batalla, pero no sabíamos dónde ni entre quiénes. Al cabo de algún tiempo escuchamos el sonido familiar de los disparos de un Fantasma y supimos que algo muy grave estaba ocurriendo. Todo lo que podíamos esperar era que le estuvieran dando duro a la guerrilla.

Al día siguiente el Plomero nos contó lo que había escuchado. Estábamos en una región en donde las FARC tenían el control de muchos sembrados de coca. En lugar de utilizar la fumigación aérea para erradicar los cultivos, el gobierno había enviado una unidad para destruirlos manualmente. Las FARC habían emboscado a los trabajadores y habían matado a veintisiete policías. No nos enteramos del número de heridos o muertos entre las FARC. Imaginamos que sus pérdidas tenían que haber sido significativas, debido a la intensidad y la duración de la batalla.

Más tarde ese día el Mono se le acercó a Keith y le susurró: "Keith, ya llegó la mercancía". Al principio, Keith no estaba seguro de lo que eso significaba; los guardias con frecuencia nos entregaban suministros. Cuando le repitió el mensaje, Keith comprendió. El Mono se estaba refiriendo a la cocaína que aún no había sido totalmente refinada. El Mono decía que el Frente había despachado cinco toneladas hacia donde estábamos nosotros.

Durante nuestros años de cautiverio, no habíamos visto de cerca casi nada de la operación de drogas de las FARC. En una de nuestras marchas cortas, habíamos estado dentro de un laboratorio, pero no habíamos visto el producto final. La noticia de este masivo despacho de cocaína explicaba por qué nuestros guardias habían estado en rotaciones más largas. En lugar de estar con nosotros durante dos horas, se estaban turnando cada cinco horas. Era muy probable que los guardias a quienes no estábamos viendo estuvieran cuidando la cocaína. Cuando Keith nos comentó acerca de la cantidad de cocaína que había en ese lugar, todos pensamos en el trabajo que habíamos estado haciendo antes de nuestro cautiverio y cómo había contribuido a la situación en la que actualmente se encontraban las FARC. Tenían las drogas en nuestro campamento, pero no podían movilizarla hacia ninguna otra parte debido a la fuerte presencia militar. Nos sentimos complacidos al saber que los esfuerzos combinados de los colombianos y los norteamericanos en el Plan Patriota estaban surtiendo algún efecto.

A pesar de que para mí era difícil visualizar lo que podían ser cinco toneladas de cocaína en cristal, era fácil imaginar los estragos que esa cantidad de droga podía causar en barrios localizados en Estados Unidos. Yo estaba acostumbrado a ver fotos de jóvenes muertos en tiroteos relacionados con drogas en las calles de prácticamente todas las grandes ciudades norteamericanas. Estaba acostumbrado a ver fotos de bebés, hijos de drogadictos. Estaba acostumbrado a ver fotos de familias que lloraban en los funerales de aquellos directamente, y en la mayoría de los casos indirectamente, involucrados en el comercio ilícito. Estaba acostumbrado a escuchar las impresionantes cifras en dólares que producía el narcotráfico.

Lo que yo había alcanzado a ver durante el tiempo que había estado en Colombia era que también allí había una nueva serie de víctimas del tráfico de estupefacientes. Lamentaba la pérdida de esos veintisiete policías. Lamentaba la pérdida de las víctimas del secuestro que con frecuencia eran asesinadas porque sus familias no podían pagar las sumas que exigían las FARC o se rehusaban a someterse a una práctica terrorista. Recé por esas familias. Recé por todos nosotros. No recé por las FARC.

Nuestra estadía en el Campamento del Ajedrez se caracterizó por uno de los problemas que nos agobiaron durante todo nuestro cautiverio: la poca comida; sólo que esta vez se debió a razones distintas. Según el Plomero, nuestra cadena de suministro había sido cortada por el ejército colombiano. De hecho, los colombianos estaban actuando tanto, entre la sede del Frente, los depósitos de suministros y nuestra posición, que ocurrieron dos cosas: Milton se vio obligado a silenciar su radio y se nos acabaron los alimentos. Para nosotros, esto era motivo de celebración. Significaba que nos iban a dar raciones de hambre, pero también significaba que lo mismo ocurriría con los guerrilleros. Ellos estarían aún más débiles. El hecho de que no pudieran comunicarse con sus superiores sólo aumentaba nuestro regocijo.

Entre tanto, Milton era demasiado bruto para tomar por sí solo una decisión racional. Habíamos esperado que hiciera algo que mejorara nuestras posibilidades de que ellos cayeran en un combate con el ejército. Si el nudo se estaba apretando y Milton continuaba tratando a su gente como a perros, quizás podríamos convencer a algunos de ellos de salir de allí y entregarse. Con ellos como nuestros guías, brindándonos alguna protección, teníamos mejores posibilidades de sobrevivir.

Después de casi tres meses en el Campamento del Ajedrez, la comida seguía estando escasa. En un momento dado nos dimos cuenta de que Rogelio y el Mono llevaban varios días sin aparecer por allí. Rogelio había sido especialmente cruel y loco hasta antes de ausentarse. Su actitud era la de no suministrarle medicinas a Tom y todos estábamos dando de nuevo esa batalla. Al irse él, la actitud del campamento definitivamente mejoró y parece que lo mismo percibían los demás miembros del Frente.

Aparte de disfrutar de la relativa calma, no le dimos mucha importancia a la ausencia de Rogelio, pero cuatro días después de nuestra última confrontación con él vimos que su novia, Vanessa, se dirigía hacia nuestro campamento, llorando. Al poco tiempo, vimos a Tatiana, la mujer del Mono, llorando también. Le preguntamos al Plomero qué ocurría. Normalmente era un tipo optimista, pero en ese momento se veía verdaderamente abatido.

—Señores, les tengo una muy mala noticia —dijo, dando a entender que estaba dudando de si debía contárnosla, porque no quería perturbarnos—. El Mono y Rogelio están muertos.

Nos miramos uno a otro, dudando de cuánta emoción debíamos mostrar frente al Plomero. Él hizo una corta pausa antes de continuar.

—Los enviaron a buscar alimentos y a hacer contacto con los otros miembros del Frente. Iban caminando por la carretera cuando fueron emboscados por el ejército. Ambos recibieron disparos y murieron —bajó la cabeza y miró al piso durante algunos momentos; su expresión solemne lo dijo todo.

No me sentía orgulloso de mis sentimientos, pero la verdad es que me alegré con la noticia de la muerte de Rogelio. Sentí un enorme alivio al saber que una persona tan vengativa y mala ya no estaba sobre la faz de la Tierra. Como cristiano, sabía que no era la actitud que debía adoptar, pero no pude evitarlo. Todos nos sentimos así. Era como si hubiéramos recibido un regalo.

Aunque el Mono nos había tratado mejor que Rogelio, tampoco sentía gran afecto por él. Había matado a gente inocente, algo de lo que hablaba con frecuencia. Nos había contado sobre la ejecución que había llevado a cabo y alardeaba acerca de varias otras muertes y tiroteos. El hecho de que él hubiera participado directamente o no, no importaba, como no importaba tampoco el hecho de que en ocasiones nos hubiera ayudado y hubiese sido amable. De todos modos, era un asesino. No lamenté su muerte, pero sí lamenté el desperdicio de una vida. Sabía que él se había unido a las FARC siendo aún muy joven porque pensó que no le quedaba otro camino. Era triste que sus oportunidades hubieran sido tan limitadas, pero yo tampoco iba a derramar una lágrima por él.

El Plomero se alejó de nosotros, y cuando ya no podía oírnos, todos compartimos el gusto de saber que Rogelio ya no regresaría a nuestras vidas. Recordamos algunas de las cosas que nos había hecho. Me lo imaginé en esa carretera y me pregunté qué habría pensado en el momento en que la primera ronda de disparos le perforaba el cuerpo o mientras estaba tirado en el lodo sabiendo que la vida se le escapaba. Dudé de que hubiera sentido algún remordimiento.

Los tres permanecimos un rato en silencio.

—¿Pueden creerlo? —pregunté, casi pensando en voz alta.

Tom y Keith sabían a qué me refería, porque ambos respondieron:

—No. Pero así son las cosas.

Aunque habíamos sabido de otros guerrilleros de las FARC que habían muerto o desaparecido durante nuestro tiempo en cautiverio, era la primera vez que morían guardias a quienes habíamos llegado a conocer bien. A todos nos sorprendió un poco el hecho de que la muerte de Rogelio nos hubiera producido tanta satisfacción. A mí me perturbaba. Empecé a cuestionarme si era el cautiverio el que había sacado a la luz este aspecto de mi personalidad, o si se trataba simplemente de que yo había cambiado y este evento mostraba el nuevo yo. Quizás una parte muy pequeña de mi alma había muerto junto con Rogelio. Quizás su tratamiento hacia nosotros me había afectado de tal manera que yo había perdido algo de mi humanidad. Quizás yo debía agregar a mi conciencia en nuestra lista de bajas.

No seguí dándoles vueltas a estos pensamientos durante mucho tiempo. Los guerrilleros no hicieron nada para conmemorar a sus camaradas caídos. Vanessa y Tatiana muy pronto se recuperaron y siguieron con su vida. Los demás guerrilleros cayeron sobre las pertenencias de Rogelio y el Mono y se llevaron lo que quisieron, eligiendo pieza por pieza hasta que no quedó nada.

KEITH

Una semana después de enterarnos del de la muerte de Rogelio y del Mono, nos pusimos en marcha de nuevo. Esta vez, en lugar de ser una dura prueba o de perdernos debido a la incompetencia de Milton, en realidad tuvimos algo de buena suerte. Ya fuera porque Milton había perdido a dos de sus hombres o porque alguien de mayor nivel en el grupo se había dado cuenta de que el idiota necesitaba un descanso, nos presentaron a un nuevo personaje. Ernesto se unió a nuestro grupo, y los rumores eran que él era muy cercano al jefe de todo el Frente.

Comparado con muchos de los guerrilleros, Ernesto, quien medía cerca de un metro con ochenta, era bastante alto. Era fornido, con una cara amplia y cabello gris plateado, con un bigote que le hacía juego. Al lado de Milton, parecía sofisticado —un personaje urbano y no un rufián del campo—, pues utilizaba una camiseta como de béisbol y pantalones de sudadera. Mantenía su pistola de nueve milímetros amarrada a un costado en todo momento y se comportaba como un profesional, guardando su distancia y manteniendo una actitud relativamente calmada y agradable.

También él se metió en lo del ajedrez, y en algún momento durante su serie de partidas con Tom —quien ganó nueve de once—, Ernesto hizo un largo relato acerca de la historia del juego. Era evidente que el tipo tenía alguna educación y sabía leer, pero obviamente se había comido el cuento de las FARC. Su historia era que provenía de una familia pobre y, según él, todo lo que había aprendido lo había aprendido de las FARC. Para él, todo el mundo se beneficiaba del tráfico de cocaína y no entendía por qué nosotros queríamos detenerlo. Creía sinceramente que la revolución nivelaría las cosas para todo el mundo y que de eso se trataba todo esto.

Desde un comienzo, clasificamos a Ernesto como un idealista y un verdadero creyente, pero al menos llevaba a la práctica su idea de distribuir la riqueza. Nos trataba de manera justa e intervenía a nuestro favor para asegurarse de que nuestros sitios de encierro fueran un poco más grandes. Refiriéndose a Milton, dijo:

—Algo que a veces se les olvida a las personas que tienen prisioneros a cargo es que los prisioneros son seres humanos.

Era una lástima que las FARC tuvieran una política tan incongruente cuando se trababa de respetar los derechos humanos de las personas. En esta serie de marchas, con Rogelio muerto y Milton algo alejado de la responsabilidad de nuestro cuidado diario, la atmósfera se relajó sustancialmente. Cada día, cuando nos bañábamos, parecía que atraíamos más y más la atención de las guerrilleras. Bajaban a bañarse al mismo tiempo que nosotros y volvimos a convertirnos en animales de zoológico en una exhibición interactiva. Como gringos, todo lo que hacíamos era gracioso. Dado que tanto los hombres como las mujeres de las FARC tenían una tendencia a reírse por todo cuando estaban nerviosos, a veces parecía que fuéramos un grupo de hombres rodeados por unas colegialas tontas.

Un día Vanessa bajó a bañarse, y cuando se quitó la camiseta, quedó claro que aún después de su muerte Rogelio había encontrado una forma de atormentarnos: Vanessa no sólo exhibía un pequeño bulto en el vientre sino que tenía varios meses de embarazo. Tener un hijo era una violación directa de la política de las FARC, pero sabíamos que Rogelio tenía que ser el padre del bebé. Ella había seguido con su vida después de la muerte de él, pero no se había unido a ninguno de los otros guerrilleros. No estábamos seguros de lo que ocurriría con el bebé, pero sabíamos que, fuera lo que fuera, no iba a ser bueno.

Según nuestros cálculos, Vanessa tenía de cuatro a cinco meses de embarazo cuando nos enteramos de que iba a tener que abortar. Tatiana, la antigua novia del Mono, se había hecho amiga de Marc, y nos contó acerca de la situación de Vanessa. Tatiana sabía cuál iba a ser la única salida, pero aún así manifestó su tristeza por el hecho de que Vanessa no iba a poder tener al bebé. Dijo que Vanessa ya se había resignado al hecho de que el feto iba a ser asesinado.

Había una mujer mayor en el campamento, Gira, quien se comportaba como una sabia mamá gallina la mayor parte del tiempo; resultó que también era la que llevaba a cabo los abortos. La mañana en que Gira le administró las drogas a Vanessa para que "espontáneamente" abortara a su hijo fue algo surrealista. Como padre, me sentí enfermo al pensar que estaban poniendo fin a la vida de un feto de cuatro o cinco meses. Marc y yo nos sentimos furiosos y frustrados por el hecho de que no podíamos hacer nada para ayudarla. Sentados en nuestra zona y escuchando las protestas de Vanessa y más tarde sus gritos de dolor seguidos por la tristeza, sentí que había llegado a un nuevo nivel de indignación con las FARC. A pesar de lo mucho que todos habíamos odiado a Rogelio y de que nos molestara la idea de que parte de su ADN se fuera a transmitir a otro ser humano, esperábamos que de alguna manera un toque de humanidad pudiera salvar el mal comienzo que había tenido ese niño. Queríamos creer que con una oportunidad, incluso en esta comunidad increíblemente disfuncional de las FARC, este niño podría llegar a convertirse en un ser humano decente.

La siguiente vez que vimos a Vanessa, era una mujer destrozada. Ningún lavado de cerebro podía extinguir sus instintos maternales. Sabía que no había tenido otra elección, que de una u otra forma las FARC le habrían quitado ese bebé. Así como lo habían hecho con el bebé de Clara, no veían una vida humana en ese niño; veían un potencial para la muerte. Para ellos, un bebé era una responsabilidad, una presencia lloriqueante que podía traicionar su posición. Una boca más para alimentar, un elemento más para transportar a través de la selva. Furioso dentro de mi cambuche, los odié como nunca antes.

Mientras nos alejábamos del Campamento del Ajedrez y del ejército colombiano, y nos dirigíamos hacia las montañas, sabíamos que ésta iba a ser una larga marcha y que iba a haber algunos cambios importantes. Además de Ernesto, conocimos a otro líder de las FARC, a quien llamaban Pirinolo, un hombre joven, delgado, de contextura atlética, que no parecía pertenecer al nido de ratas de material genético humano que conformaba el resto del grupo. Se comportaba como si fuera alguien, y resultó que así era: era la mano derecha del comandante del Frente 27, Efrén. Se decía que Pirinolo era el hombre a cargo de la planeación táctica de las operaciones militares.

A Pirinolo lo acompañaban tres muchachos muy jóvenes, ninguno de ellos mayor de quince años. Todos eran absolutos novatos, niños disfrazados con uniformes nuevecitos y claramente deslumbrados por el hecho de estar en la selva con los adultos. Esta era su oportunidad de jugar a la guerra. Poco después de que Pirinolo y su joven cuadrilla se unieran a nosotros, nos detuvimos un día y él ordenó sacrificar a un cerdo para que pudiéramos darnos una buena comida. Mientras se estaba asando el cerdo, algunos soldados trajeron un racimo de cocos. Resultó que nos encontrábamos en un área agrícola y estábamos rodeados de fincas. Los guerrilleros se estaban devorando los cocos y Eliécer tomó su machete y lo utilizó como si fuera un juego de cuchillos ginsu para cortar un gran pedazo de coco para nosotros tres.

Los meses que habían transcurrido desde el Campamento del Ejercicio no habían hecho nada para aliviar el sentimiento de Eliécer de estar atrapado. Seguía hablándonos de su infelicidad, de lo esclavizado que se sentía, pero aún así lograba levantarse cada día para caminar a nuestro lado. Nos reveló que había sido engañado para que se uniera a las FARC. Durante todo este tiempo nos impresionó con su humanidad y generosidad —el coco fue tan solo una pequeña muestra.

Esa noche, disfrutamos del cerdo y luego nos fuimos a dormir. Dado que nos encontrábamos en movimiento, montamos nuestros cambuches en medio de los guardias de las FARC. A nuestra izquierda dormían Eliécer y uno de los jóvenes asistentes de Pirinolo, Duber. Un buen rato después de caer dormidos, me desperté con el sonido del dispositivo de seguridad de un rifle. Un segundo después, el arma fue disparada y una bala silbó sobre nosotros.

El siguiente sonido que escuché fue la voz de uno de los muchachos gritando.

—¡Duber se mató! ¡Duber se mató!

No podíamos creer que uno de esos jóvenes se hubiera disparado a sí mismo. Ellos tres eran el retrato de la inocencia, o al menos tan inocentes como podía serlo un guerrillero de la FARC. Por encima de la gritería, oímos al Plomero, quien estaba de guardia, preguntando "¿Quién, quién?". Luego escuchamos las palabras que habíamos estado temiendo durante casi un año:

—¡Eliécer se mató! ¡Eliécer se mató!

Mi corazón me dio un salto a la garganta. Supe de inmediato que Eliécer había cumplido la amenaza de suicidarse que nos había hecho meses atrás.

Los guerrilleros se reunieron y a nosotros se nos dijo que debíamos permanecer donde estábamos. Después de unos minutos de conversación, escuchamos a los guerrilleros moviéndose de un lado a otro. Oí que con una sola pala excavaban y golpeaban el piso a unos pocos metros del lugar en donde nos encontrábamos acostados. Este silencioso ritmo continuó hasta que fue interrumpido por el sonido de algo pesado que estaba siendo arrastrado desde el cambuche al pie del nuestro.

Me quedé allí acostado, pensado en Eliécer y en cómo hacía tan solo unas pocas horas nos había dado el coco. La cortada del coco fue para nosotros un gesto sencillo, pero también una demostración de la amabilidad que habíamos llegado a conocer en Eliécer. Mientras que cada uno de sus compañeros estaba disfrutando de su alimento, gozando con la comida, él estaba pensando que nosotros éramos cautivos, que estábamos atrapados. No podíamos disfrutar de la comida porque carecíamos de las herramientas apropiadas. El coco había sido exactamente el tipo de detalle que habíamos esperado de él.

Hacía tan solo unos pocos meses, Eliécer se nos había acercado algo después de la medianoche en Navidad y Año Nuevo, los terceros de nuestro cautiverio. Todos habíamos estado pensando en nuestra familia y nuestros amigos y en el enorme espacio entre ellos y nosotros. Y así como lo había hecho el año anterior, Eliécer fue el único miembro de las FARC en atravesar la oscuridad para darnos la mano y expresarnos sus mejores deseos.

La excavación se detuvo un momento y oímos el fuerte golpe producido por el cuerpo de Eliécer al caer en su tumba poco profunda. Luego continuó el paleo, un latido constante que coincidía con el de nuestro corazón.

A la mañana siguiente, retomamos la marcha. No tuvimos mucho tiempo para quedarnos parados al pie del parche de terreno que los hombres de Milton habían cubierto con hojas y ramas para que no delatara nuestra estadía allí. A mí no me importaba que hubieran hecho eso; sabía que Eliécer había estado allí. Yo estaba usando una camisa que él físicamente se había quitado para poder dármela. Mis piernas se movían gracias al alimento que él nos había brindado la noche anterior, así como había compartido sus escasos suministros con nosotros tantas veces. Esa mañana, hubiera querido conocer su verdadero nombre. Me dije a mí mismo que si tenía la oportunidad de hacerlo cuando regresara a casa, me pondría en contacto con su familia. Quería que ellos supieran que su hijo, su hermano, su amigo se había encontrado a sí mismo participando en una mierda de locura, pero su generosidad de espíritu y bondad humana nunca murieron. Semanas atrás, le había dicho a Marc y a Tom que cuando nos liberaran, si tenía la oportunidad de hacerlo, buscaría la forma de sacar a Eliécer de Colombia. Me habría encantado que ese gran chico campesino, con su amplia sonrisa, viniera a vivir conmigo. Para mí sería un placer compartir mi alimento con él, tomarme con él una cerveza o cualquier trago más fuerte. Conocía a muchas otras personas que le habrían dado la bienvenida y habrían disfrutado de la compañía de una persona tan buena.

Mientras nos alejábamos de ese campamento, me sentí más destrozado que nunca durante todo mi cautiverio. Sentía un nudo del tamaño de un puño en la garganta, y un fuego como el de un horno de carbón calentaba mi rabia. Podía vivir con la tristeza, pero tendría que liberarme de la ira. Fue más fácil de lo que pensé. Solo pensé en Eliécer y en todo lo que había hecho por nosotros. Había muerto, pero lo que él representaba seguía caminando junta a nosotros. Todos renovamos el voto que habíamos hecho anteriormente. Sin importar lo que las FARC nos tiraran, nunca nos agacharíamos a su nivel. Nos pusieron a prueba ese mismo día, cuando Milton se nos acercó para contarnos que había perdido a uno de sus hombres, informándonos que la pistola de Eliécer se había disparado accidentalmente mientras la estaba limpiando a las dos de la mañana en la oscuridad de la noche en la selva.

La oscuridad llega de muchas formas, y la sombra que perseguía a Eliécer, la que finalmente lo había hecho tomar esa decisión, nunca la conoceré. Quizás se tornó en algo demasiado grande. Quizás el ver a los jovencitos de Pirinolo todos alineados y entusiastas le recordó lo vicioso que era el ciclo de las FARC. Sin embargo, al final, no importaba el motivo; todo lo que importaba era la luz que había brillado para Marc, Tom y yo. Como nosotros, Eliécer había elegido, en la vida y en la muerte, tomar el camino de lo bueno y lo difícil.

XII
EL AGOTAMIENTO

MAYO DE 2006 - SEPTIEMBRE DE 2006

MARC

Con nuestra salida del Campamento del Ajedrez en mayo de 2006 se inició un periodo de muchos meses de vida casi gitana, durante el cual nos trasladábamos continuamente de un campamento temporal a otro. Dada la crónica incertidumbre sobre la situación de las cadenas de suministro y de comunicaciones debido al Plan Patriota, muchas veces nos quedaba la duda de si efectivamente llevaríamos algún destino concreto.

Cuanto más caminábamos con Milton sin rumbo definido, más escasas se hacían nuestras provisiones. Prácticamente se había acabado el jabón y el papel higiénico se había convertido en poco más que un recuerdo. Hasta ese momento, la promesa de Ernesto en el sentido de que nos esperaban días mejores había resultado falsa. Nos habíamos convertido en expertos en frugalidad; fuimos capaces de hacer que un tubo de crema dental durara seis meses o más y no dudábamos en proceder siempre que se presentaba la oportunidad de robarles algo a los de las FARC. Ellos nos habían quitado tanto que la sustracción de un trozo de jabón de cocina para bañarnos no parecía tener importancia. Habíamos tenido la esperanza de que al dejar las montañas y adentrarnos en la zona de los llanos nuestras provisiones aumentarían, pero, como había sucedido tantas veces antes, estas esperanzas se vieron truncadas por la penosa realidad. Esta columna de las FARC a duras penas lograba sobrevivir.

A veces teníamos a nuestra disposición espejos para afeitarnos. Muchas veces los guerrilleros nos los confiscaban porque podían ser usados para enviar señales a los aviones y cada vez que yo recibía uno nuevo, me sentía horrorizado de ver cuánto me había deteriorado. Así como a Tom y a Keith, mis ojeras y mi cara cadavérica me daban la apariencia de un indigente. Sabíamos que no estábamos consumiendo la cantidad suficiente de frutas y verduras y el calcio brillaba por su ausencia. Sin mucho calcio y casi sin vitamina D, mis dientes se habían debilitado tanto que se desportillaban continuamente. También mis uñas se habían vuelto quebradizas y cuando crecían estaban llenas de pequeños agujeros.

No disfrutamos estos tiempos difíciles, pero parecía que estábamos mejor preparados para enfrentarlos. Una de las cosas que hacíamos para mantener el ánimo era hablar sobre lo que haríamos cuando finalmente llegáramos a casa. Yo siempre había tenido un interés apasionado por las motocicletas. La noche antes de salir hacia Colombia para iniciar mi última rotación antes del accidente, había sacado mi moto para un último paseo. Los niños ya estaban acostados, le di un beso de despedida a Shane y salí hacia las nueve y media de la noche. Tomé la carretera US1, crucé el Puente de las Siete Millas y me detuve en Marathon Key. El clima era agradable y se sentía una fresca brisa mientras me desplazaba a toda velocidad. A esa hora había relativamente poco tráfico. En el camino de regreso decidí acelerar un poco más. Mi moto era una Yamaha R-6, de esas que andan a gran velocidad y que para algunas personas son como ir a horcajadas sobre un cohete. Aunque no salí disparado a través de la atmósfera y hacia el espacio sideral, sí pude ver cómo subía el velocímetro a ciento sesenta, luego a ciento setenta y cinco y alcanzó a llegar a doscientos veinte kilómetros por hora antes de que yo desacelerara. La increíble emoción de estar en movimiento a esa velocidad, experimentando semejante sensación de libertad, fue algo a lo que me remití muchas veces cuando me veía sometido a una marcha difícil o debía soportar un largo día en un encierro como la jaula de alambre de púas.

A Tom también le gustaban las motocicletas. Tenía un par de motos inglesas; una de sus favoritas era una BSA Golden Flash. Yo nunca había oído hablar de motos BSA. Por la época en que empecé a montar, esa empresa ya no existía, pero Tom describía la apariencia de la moto y la forma en que la vieja pero confiable tecnología de carburación y encendido por magneto podía ser a veces un poco caprichosa, pero era un placer para alguien como él, que disfrutaba casi tanto con el diagnóstico y la reparación como con el mismo hecho de montar. Discutíamos hasta la saciedad sobre la moto que cada uno compraría cuando quedara en libertad: Honda Rebels, Shadows o Nighthawks cuando éramos realistas y Harley-Davidsons cuando estábamos soñando.

Poco a poco nuestras conversaciones se empezaron a orientar hacia un viaje que haríamos los tres, que decidimos llamar la Caravana de la Libertad. Al igual que nuestras ambiciones acerca de las motos que montaríamos, la Caravana de la Libertad empezó a un nivel pequeño. Íbamos a hacer un recorrido por la Florida. Recorreríamos todos los caminos secundarios y Keith insistía en que nos detuviéramos en todos los restaurantes familiares y en todos los asaderos y todos los comederos baratos que pudiéramos encontrar. Tom expresaba su deseo de mantenerlo a nivel local y de que su esposa lo pudiera acompañar; el solo hecho de estar afuera y poder montarse en una moto en el momento en que quisiera hacerlo era suficiente libertad.

Con el tiempo, mientras se desvanecía la probabilidad de recuperar la libertad, empezamos a expandir nuestras ideas sobre la Caravana de la Libertad. Olvídense de motos baratas, vamos a lo grande, tal vez nos compraremos unas Harleys usadas y haremos un recorrido por la zona sureste de Estados Unidos. A medida que crecían las privaciones, necesitábamos sueños aún más grandiosos para compensarlas; pensábamos que podríamos entrar a un concesionario de Harley-Davidson, contarle nuestra historia de cautiverio y lograr un buen negocio en la compra de tres motos nuevas, cero kilómetros. Tomaríamos camino e iríamos de costa a costa.

Incluso cuando nos deteníamos para un descanso de cinco minutos y nos dábamos cuenta de que se nos estaba bajando la moral, uno de nosotros decía algo como: "He oído hablar de una carretera en Tennessee. La llaman la Cola del Dragón. Trescientas dieciocho curvas en dieciocho kilómetros. Vamos a recorrerla". Durante el siguiente trayecto de la marcha me trasladaba mentalmente a esa carretera, recorriendo todas y cada una de las curvas. El nivel de apoyo que nos brindaba esta fantasía y la forma en que la agrandábamos crecían en proporción directa al tiempo de nuestro cautiverio y a la medida en que disminuían nuestras esperanzas de poder salir de allí.

Cuando nos encontrábamos en la selva y las provisiones estaban en su nivel más bajo, parecía que los de las FARC siempre podían encontrar algo para cazar y matar. Los peores cortes de carne se servían inmediatamente después del sacrificio del animal. Decían que la carne cercana al hueso se pudre primero. En muchos sentidos esto se aplicaba también a nuestros estados de ánimo durante los meses de caminatas después del Campamento del Ajedrez. Tal vez se debía a que con mucha frecuencia nos encontrábamos fuera de contacto por radio o tal vez era porque en los momentos en que teníamos acceso a radios nos perdíamos de los mensajes, pero nos empezó a desesperar el hecho de que en ese momento ya habían transcurrido más de tres años desde nuestro secuestro. Durante ese tiempo cada uno de nosotros no había recibido más de tres o cuatro mensajes de nuestras esposas y, en el caso de Keith y el mío, solamente habíamos recibido noticias una vez de Malia y de Shane respectivamente.

Esto nos preocupaba y nos inquietaba tanto a Keith como a mí. El vacío creado por la ausencia de información se llenaba con toda clase de pensamientos negativos. Si las cosas se miraban en términos realistas, entendíamos que era alta la probabilidad de que hubieran seguido adelante con sus vidas y hubieran encontrado a otra persona. No nos gustaba la idea, pero la comprendíamos. Comprendíamos también que, por mucha falta que nos estuviera haciendo la información de nuestras esposas, era probable que ellas se encontraran igual de ansiosas sin saber lo que nos había sucedido. Justo o no, pensábamos que, con todas las responsabilidades que habían tenido que asumir debido a nuestra ausencia, su vida era más fácil en un sentido; por lo menos sus mentes se ocupaban con más facilidad que las nuestras. Tenían menos horas durante el día para pensar en todos los escenarios posibles que nosotros generábamos con una regularidad semejante a una línea de producción.

Para Keith la situación era aún peor, pues tenía que preocuparse por dos "familias". Como padre de dos niños que vivían en Colombia y dos hijos más en Estados Unidos, sus preocupaciones se extendían a lo largo del continente. Yo me seguía preguntando sobre el estado de Íngrid y de los demás políticos y esperaba que Clara y Emmanuel se encontraran bien.

Así como nuestros sueños de motocicletas se expandían en una dirección positiva, nuestro optimismo sobre el retorno a la vida familiar que habíamos dejado atrás se veía cada vez más reducido. Volver a casa probablemente significaría el descubrimiento de que nuestras vidas iban a ser muy diferentes a lo que habían sido antes. Realmente no podíamos saber cuántos cambios habría y cuánto peor sería nuestra existencia en comparación con nuestra vida anterior. Durante los días malos, cuando ni siquiera la Caravana de la Libertad podía penetrar nuestro pesimismo, nos consumían los pensamientos sobre la forma en que se habían fracturado nuestras vidas. Finalmente logré dejar atrás estos pensamientos y ahogarlos en las ráfagas de aire y los ruidosos sonidos que emitía mi motocicleta mental.

Entre las fantasías diurnas y las pesadillas nocturnas, el paraíso de provisiones prometido por Ernesto parecía estar cada vez más lejano para las FARC. Tal vez lo único positivo para nosotros durante esos nebulosos meses que siguieron al Campamento del Ajedrez era el hecho de que nos trataban mejor sin la vigilancia de Milton. En un campamento Ernesto nos dio radios. En otro campamento provisional nos prestó machetes. Estábamos tratando de armar nuestras caletas, nuestros pequeños sitios estilo carpa para dormir, cuando Ernesto nos entregó los enormes cuchillos.

Lo miramos como si nos hubiera entregado las llaves de una nueva motocicleta.

—Bueno, pues vayan y corten un árbol —Ernesto puso las manos en las caderas y meneó la cabeza lentamente como si no pudiera comprender nuestro comportamiento.

Nos alejamos un poco en dirección de la selva y lo miramos como preguntando "¿está bien si nos alejamos hasta acá?". Estábamos rodeados por guardias armados.

Ernesto emitió un largo suspiro.

—¿Qué les pasa?

Señaló un lugar más alejado del sitio en el que nos encontrábamos, donde crecía material más adecuado para estacas a unos veinticinco o treinta metros de distancia. Todos caminamos en esa dirección, mirando a los guardias, pero con una emocionante sensación, si no de libertad, por lo menos de apertura.

—¿Puedes creer esto? —me preguntó Keith con incredulidad a medida que nos alejábamos cada vez más del campamento con nuestros nuevos cuchillos—. Ya ni siquiera podemos caminar unos pocos metros sin pensar que alguien nos tiene que dar el visto bueno. Hombre, nos estamos acostumbrando a esta mierda.

Hasta ese momento ninguno de nosotros se había dado cuenta realmente de cuánto nos había afectado psicológicamente la privación de la libertad. Habíamos llegado a aceptar como "normales" cosas de esta vida que nunca habríamos aceptado en nuestras vidas anteriores. El hecho de que alguien nos pudiera ordenar cuándo nos podíamos bañar, cuándo podíamos comer, a dónde podíamos ir y cuándo debíamos empezar y detener una marcha, había producido un efecto invisible en nosotros. Por mucho que hubiéramos pensado sobre los efectos físicos de nuestro cautiverio, aquel incidente con los machetes nos sirvió como un importante recordatorio: al igual que los animales sacrificados, nos pudriríamos de adentro hacia afuera. Debíamos mantenernos tan alerta como fuera posible para detectar cualquier otra señal de encarcelamiento mental.

Uno de los efectos psicológicos del cautiverio que nunca experimentamos fue el síndrome de Estocolmo. Todos sabíamos a qué se refería; cuando un prisionero empieza a identificarse y a simpatizar bien sea con las personas que lo mantienen cautivo o con su causa. El hecho de saber de qué se trataba, nos permitía defendernos de sus posibles consecuencias. En realidad era remota la posibilidad de experimentar algo parecido al síndrome de Estocolmo debido al horrible trato que recibíamos de las FARC.

Uno de los indicios de que nuestra esperanza ya no tenía la intensidad de antes era la disminución de nuestra fe en que se presentara alguien para ayudarnos, así fuera por hacerse acreedor a la recompensa por esa información. Mientras estuvimos en las montañas de la Serranía de la Macarena, oímos rumores de que se estaba ofreciendo una recompensa por nuestra liberación. Más tarde vimos volantes que se habían distribuido entre los campesinos instándolos a colaborar con las autoridades para lograr nuestro rescate. Inicialmente pensamos que era una maravillosa noticia porque comprobaba que, a pesar de nuestra ausencia de casi dos años, todavía había alguien interesado en sacarnos de allí. Pero la euforia se veía empañada por la realidad: habíamos visto pocos campesinos y los guardias nos habían dicho que, antes de llegar a zonas pobladas, las FARC habían amenazado con asesinar a cualquier persona que se atreviera a mirarnos. Por la radio habíamos escuchado la noticia de una familia de cinco personas que había sido ejecutada por las FARC. Recordamos que una noche, al bajarnos de las lanchas, pasamos frente a una pequeña vivienda al lado del río en la cual había una familia de cinco personas ocupadas en sus propios quehaceres. Las piezas de la historia concordaban y se sumaban al número de muertos que se podían atribuir a nuestra presencia.

Como si eso fuera poco, los volantes nos hicieron recordar la primitiva forma de vida de las FARC y de la mayoría de los campesinos. La recompensa total era de trece mil millones de pesos alrededor de cinco millones de dólares. El gobierno tenía que saber que esta suma era tan enorme que la mayoría de los campesinos ni siquiera se podían imaginar su verdadera magnitud. Para ayudar en eso, los creadores del volante habían incluido ilustraciones sencillas de jeeps, mulas y vacas para que las personas que consideraran la posibilidad de colaborar pudieran entender mejor los beneficios.

La oferta también había sido difundida por la radio y nuestros guardias de las FARC la oyeron. El Plomero parecía ser uno de los pocos que la había entendido. Nos dijo que pensaba en esa recompensa todas las noches. Nosotros le decíamos que todas aquellas cosas, carros, artículos electrónicos, relojes y otras joyas finas, podrían estar fácilmente a su alcance. Tendría la oportunidad de vivir como un rey con esa cantidad de dinero. Algunos días después se nos acercó y preguntó:

—¿Podría conseguir a alguien que me administre ese dinero? Creo que yo no sería capaz de manejarlo con prudencia.

Le expresamos nuestra admiración por plantear una pregunta tan inteligente y nos alegramos de tener a nuestra disposición ese elemento único que hace podrir a la gente de adentro hacia fuera: la codicia. Sin embargo, lamentablemente se presentó otro hecho corruptible para el Plomero. Fue ascendido a oficial. Esto quería decir que, en lugar de ser un guardia común y corriente, era nuestro comandante directo. Siempre habíamos sido de la opinión que, en el mundo de las FARC, el Plomero era la persona con mayor potencial de convertirse en una celebridad. Era un tipo bien parecido y a partir de su ascenso empezó a darle mayor importancia a su apariencia física. Dejó de ponerse pantalones de sudadera y camisetas y comenzó a usar su uniforme de camuflaje a todas horas. Un día se presentó con un collar de plata, una bufanda tipo Arafat, un cuaderno y un bolígrafo. En la Fuerza Aérea ese esfuerzo por mantener una óptima apariencia se denominaba "estar muy bien puesto" y eso era exactamente lo que había hecho el Plomero.

Durante esta etapa de caminatas pudimos ver pruebas adicionales de la podredumbre que había corrompido los valores de las FARC. A medida que en nuestro recorrido quedaban atrás las montañas y nos adentrábamos en los llanos, pasamos por una cantidad cada vez mayor de campos cultivados. Eso quería decir más áreas de plantación de coca. Empezamos a pasar muchas noches durmiendo en laboratorios de drogas que se encontraban temporalmente abandonados. Cuando llegaba la cosecha de una región, las FARC se trasladaban a esa zona para la recolección y procesamiento y dejaban atrás los campos que acababan de ser cosechados. No vimos a nadie llevando a cabo el proceso en sí, pero los equipos y los edificios estaban allí.

El hecho de ser testigos presenciales de todo esto no hizo más que reafirmar muchas de las informaciones que habíamos recopilado y deducido desde el aire. Nos sentíamos enormemente orgullosos de haber comprobado lo que en nuestras vidas anteriores habríamos llamado la "verdad en tierra". Que los redondos montones de desperdicio que habíamos visto desde el aire y que aparecían en nuestras fotografías y videos eran realmente subproductos de la producción de cocaína. Además veíamos que el procedimiento de identificación que usábamos nosotros para ubicar las jóvenes plantas de coca por su color, un color verde casi limón, diferente de toda la vegetación restante, era más que exacto. Al pasar por estos campos era evidente que las zonas estaban recién sembradas. Las plantas crecían vigorosamente, pero yo esperaba que alguien las tuviera en la mira. Esperaba que fuera sólo cuestión de tiempo hasta que llegara el momento de su identificación y eliminación. Parecía que la esperanza seguía existiendo. Solamente me hacían falta unas cuantas verdades fundamentales más para hacerla realidad.

TOM

Llevábamos muchos meses jugando una interminable partida de ajedrez con el ejército colombiano, moviéndonos a lo largo y ancho de todo el tablero, pero sin que ninguna de las partes tomara muchas piezas. Aunque me habría encantado pensar que era inminente un jaque mate, la única base que tenía para apoyar esta esperanza era mi propio optimismo. Desde mi punto de vista, la razón para nuestras erráticas e impredecibles marchas había pasado de ser consecuencia de la ineptitud de Milton a convertirse en una estrategia deliberada de demora. Al comienzo de la partida no había podido darme cuenta claramente de esto pero, a medida que las jugadas empezaban a seguir un cierto patrón, podía detectar, si no la lógica, al menos la forma en que estas jugadas encajaban en una mayor estrategia general. Para mí, las demoras eran algo bueno. Querían decir que existía una razón para esperar y yo mantenía la esperanza de que cada una significara que llegaría algo mejor.

Pero después de muchos meses de marchas y campamentos temporales, nuestra situación difícilmente podía ser peor. Sin embargo, por extraño que parezca, cuanto peores se ponían las cosas, mayores razones teníamos para mantener la fe. Si las cosas se tornaban tan complicadas para las FARC, tal vez estarían dispuestas a llevar a cabo alguna negociación económica por nosotros. O tal vez el gobierno estaría dispuesto a ofrecerles una zona de despeje a cambio de la liberación de algunos secuestrados.

Un día fuimos informados por una guerrillera que nos iban a entregar a un grupo nuevo de guardias. Se trataba de una joven casi adolescente, así que decidimos que era importante corroborar su afirmación. A pesar de su nueva severidad, logramos presionar al Plomero para que nos diera algo de información y nos contó que hacía algunos días había ido a caballo a una reunión con el Mono Jojoy, Joaquín Gómez y algunos otros altos mandos. Según lo que había logrado escuchar, el Mono Jojoy quería tenernos lo más cerca posible, incluso tan cerca, que Marc, Keith y yo le seríamos entregados directamente al Mono Jojoy y a sus hombres en cualquier momento.

Cada vez que se mencionaba en una misma frase el nombre del Mono Jojoy y el nuestro, nos asaltaba la curiosidad. Se nos había dicho que, además de estar a cargo de las operaciones militares, el Mono Jojoy era responsable por los muchos secuestrados de las FARC. Si íbamos a ser puestos bajo su responsabilidad directa, se trataba de un asunto importante. Habíamos escuchado mucha actividad aérea y nos encontrábamos cerca de muchas fincas y pueblos de algún tamaño, lo cual hizo crecer nuestra esperanza de que se acercaría una liberación. Llevábamos como veinte semanas jugando esta loca partida de ajedrez y era muy agradable poder pensar que por fin acabaría. Bien fuera que se tratara de una liberación o de alejarnos de Milton, en cualquier caso sería una victoria muy importante para nosotros.

En nuestro último campamento temporal con el grupo de Milton realmente nos llevamos la impresión de que se iba a presentar un cambio importante. El Plomero se acercó a Keith y le entregó uno de los radios "panelones" que tanto habíamos deseado. Yo lo llamaba el Chevrolet de los radios de la selva. Se trataba de un modelo Sony AM-FM y era tan confiable como cualquiera de los otros que había allí, especialmente si se querían sintonizar emisoras AM colombianas. Le entregó el radio a Keith, le dijo "acuérdese de mí" y se fue.

El Plomero nunca hacía nada sin un motivo. Cuando llevábamos un par de años de cautiverio tuve una conversación con él en la cual me dijo que si algún día nosotros podíamos salir de allí y si él podía salirse de las FARC —existía el peligro de que perdiera un pie por una mina antipersona o algo así—, quería saber cómo se podría poner nuevamente en contacto con nosotros. Le dije que la única manera en que me podría contactar sería a través de mi dirección de correo electrónico. Le dije que podría ir a Villavicencio y buscar un café internet. Le di toda la información posible, aunque sabía que las probabilidades de que ello sucediera eran bastante remotas.

No tenía ninguna duda de que el Plomero era un intrigante. Si sentía algún asomo de respeto por él, era porque parecía ser el miembro de las FARC que estaba más cerca de entender la situación en que se hallaba. No le gustaba la tarea de vigilancia de prisioneros, pero sabía que era una labor más segura que la de otras unidades. El peligro de que lo mataran mientras se encontraba con nosotros era menor que en las acciones militares en el campo o protegiendo laboratorios de coca.

Había visto morir en acción a su mejor amigo y esa dosis de realidad lo había afectado. El Plomero entendía los riesgos y, así como sólo actuaba de manera limitada para ayudarnos, también se limitaba en los actos que pudieran poner en peligro su propia vida.

Cuando le preguntamos qué pensaba sobre su futuro, nos dio un dato muy revelador. Nos dijo que en muchos sentidos la situación era peor para él que para los demás. Comprendía que al unirse a las FARC prácticamente había entregado su vida. A los guerrilleros los mataban y las FARC sencillamente reclutaban más muchachos para reemplazarlos. Tarde o temprano le tocaría su turno. El hecho de haberle regalado el radio a Keith era su forma de hacernos saber que todavía conservaba alguna esperanza de que su destino pudiera ser distinto. Pensamos que era su manera de decirnos "si algún día logran salir de aquí, acuérdense de mí y busquen la manera de llevarme a Estados Unidos".

No tuvimos que esperar mucho tiempo para enterarnos del paso siguiente. Habían llegado algunas caras nuevas de las FARC a nuestro campamento temporal y cuando recibimos la orden de empacar, nosotros fuimos los únicos que lo hicimos. Todos los guerrilleros que estaban bajo el "mando" de Milton nos rodearon y nos miraron empacar. Luego formaron una especie de fila desordenada y se despidieron. Tatiana tenía un pequeño pollito y quería que Marc se lo llevara para que algún día por fin pudiera tener su propia producción de huevos. Sentí una extraña emoción al pensar que nos íbamos separar de este grupo. Habíamos estado juntos durante dos años y ahora había llegado el final. No se trataba exactamente de ese viejo dicho de que te sientes mejor cuando dejas de golpearte la cabeza contra la pared, pero sí había algo de eso combinado con un poco de auténtica nostalgia.

Todas esas emociones cambiaron bruscamente cuando Milton nos llevó a un lado. Empezó por explicarnos que nos iba a entregar a un grupo diferente. Nos dijo que Jair, un guerrillero rubio de corta estatura a quien habíamos visto en el campamento durante los últimos dos días, iba a hacerse cargo de nosotros. Supusimos que eso era todo lo que Milton tenía para decirnos, pero entonces entró en su modalidad de protegerse el pellejo. Nos dijo que como ser humano había cometido algunos errores, de lo cual no nos cabía la menor duda, considerando todos sus defectos. Era consciente de que nos había negado aquellas cosas que más deseábamos, tales como radios y libros, y nos dijo que le había dado instrucciones a Jair para que nos proporcionara esos elementos. Dijo también que nos había recomendado con el nuevo Frente. No le habíamos causado problemas. Nos ofreció su mano. A pesar de lo mucho que lo odiaba, pensé que no tenía sentido hacerlo cabrear. Le di la mano y Milton se retiró, de regreso a la selva y a la vida que parecía disfrutar tanto.

Caminamos con Jair unos diez minutos y nos encontramos con un grupo más grande. Jair parecía ser un tipo inteligente y lleno de energía. Con su cabello rubio y su corte de pelo casi rapado parecía un gringo transportado a la selva en un avión. De todas maneras nos preocupaba la pérdida de nuestras conexiones con los guardias del grupo de Milton y de los canales de información que habíamos desarrollado con tanto esfuerzo. El Plomero y los demás habían sido importantísimos para ayudarnos a conseguir lo que necesitábamos y para estar pendientes de nuestra situación. Nos preocupaba un poco la posibilidad de que tuviéramos que volver a empezar de cero.

De inmediato pudimos percibir un cambio de actitud en este nuevo grupo. De pronto sentimos nuevamente las miradas puestas en nosotros. Éramos una atracción novedosa en exhibición para que todos la pudieran ver. Habíamos estado con el grupo de Milton tanto tiempo que habíamos olvidado la sensación de ser los niños nuevos del barrio. Pero también había buenas noticias. A pesar de la dificultad que nos generaba la pérdida de las conexiones que habíamos establecido para obtener información, el estilo de liderazgo de Jair era muy superior al de Milton y descubrimos que reaccionaba de forma mucho más favorable a nuestras necesidades. De inmediato me llevé la sensación de que se trataba de un enorme paso positivo para nosotros. Habían preparado una plataforma para bañarnos en el arroyo y eso era más de lo que jamás habríamos podido esperar de la partida de perezosos del grupo de Milton. Dada la disponibilidad de cosas simples como papel higiénico y jabón nos pudimos dar cuenta de que este grupo estaba mejor abastecido. La comida era más abundante y eso siempre ayudaba a subirnos la moral. Sin embargo, cuando mencionamos el tema de los radios, Jair se mostró sorprendido. Hasta allí había llegado la supuesta colaboración de Milton para informarle sobre lo que necesitábamos y queríamos.

La noche siguiente recibimos la orden de salir de allí. Jair y su grupo guerrillero estaban en condiciones físicas muy superiores y era claro que se encontraban mucho mejor equipados que el grupo de Milton. Llevaban una pesada carga de provisiones, pero cuando salimos con ellos empezamos a desplazarnos a gran velocidad. No habíamos recorrido un trayecto muy largo cuando llegamos a un gran campo abierto donde se encontraba un miembro algo más viejo de las FARC a quien reconocimos de la época cuando se había llevado a cabo nuestra prueba de supervivencia. Se llamaba César. Era el líder del Frente Primero y había sido uno de los combatientes más sanguinarios en toda la historia de las FARC. Cuando nos acercamos nos dijo "*Good morning*" en inglés.

No tuvimos mucho tiempo para preguntarnos qué estaba haciendo allí. Este grupo nos mantenía en movimiento, presionándonos para salir de esa zona caliente lo más rápido posible. Marc se había lastimado una rodilla y las mías todavía estaban dolorosamente hinchadas; además me molestaba un problema en el tendón de Aquiles. No obstante, ambos queríamos congraciarnos con el nuevo grupo, así que hicimos todo lo posible por mantener el ritmo de la marcha. En ocasiones incluso nos hacían correr y calculamos que nos estábamos desplazando a una velocidad cercana a los veinte kilómetros diarios durante los primeros tres o cuatro días. Lo curioso era que, a pesar de la velocidad a la cual nos estábamos moviendo y de lo difícil que era para nosotros mantener ese ritmo, los guerrilleros eran amables con nosotros. Continuamente decían:

—Esto no es una marcha forzada. Si necesitan detenerse podemos parar. Sólo díganlo.

Desde el momento en que Sonia y su cuadrilla nos capturaron hasta este punto, casi tres años y medio más tarde, nadie nunca me había dicho eso. El solo hecho de saber que podía descansar cuando lo necesitara sin pagar un precio por ello facilitaba la continuación de la caminata. Los guerrilleros también estaban cargando buena parte de nuestro equipo para aliviarnos las cargas. Con el grupo de Milton había sido exactamente al contrario; éramos nosotros quienes teníamos que ayudarles continuamente llevando comida adicional y otros elementos esenciales en nuestro equipo.

Cuando llegamos a un punto de reabastecimiento nos dieron ropa y botas nuevas. La comida era más abundante que antes, pero llegaba a horas irregulares sin ninguna lógica. No nos íbamos a quejar, pero sí era un poco extraño recibir una cerveza con pan a las ocho de la mañana. En la selva habíamos aprendido que no era conveniente el cuestionamiento excesivo de las cosas. Sencillamente recibíamos la comida o los elementos que nos entregaban porque nunca podíamos saber cuándo volveríamos a tener acceso a ellos.

Mientras nos encontrábamos allá, volvió a aparecer César. Parecía que le gustaba bromear y mantener el buen humor. Antes de salir hacia la selva con otra cuadrilla de las FARC nos dijo que no nos preocupáramos y que de ahí en adelante recibiríamos mejor atención. Nos dijo que tendríamos la oportunidad de ver películas y de leer y que, cuando llegáramos a nuestro destino, nos estarían esperando los radios. Asumimos una actitud de expectativa al respecto, pero hasta ese momento era claro que estos tipos habían cumplido sus promesas. Pasamos algunos días en el sitio de reabastecimiento con el grupo de Jair, donde nos enteramos de que una de las razones de nuestra acelerada carrera era que nuestro nuevo grupo se había visto sometido a un ataque aéreo apenas unos pocos días antes de habernos recogido. No hablaron de bajas, pero era claro que querían salir de la zona caliente lo más rápidamente posible.

Mantuvimos el mismo ritmo intenso durante algunos días más y, esta vez, todos llevábamos nuevamente cargas pesadas. Marc y yo tuvimos que cargar de nuevo nuestras cosas porque los de las FARC llevaban toda la comida y otros materiales que necesitaban. Finalmente disminuyeron el ritmo y llegamos a un campamento en la ribera de un ancho y turbulento río. Al otro lado del río vimos a César y su campamento. A pesar de que habíamos estado en poder de la guerrilla durante más de tres años, había una imagen en particular a la cual nunca me había podido acostumbrar. Al igual que los demás líderes de las FARC, César compartía su alojamiento con una joven mujer. Él debía tener alrededor de cuarenta y cinco años y ella no tenía más de dieciocho o diecinueve. Me traté de convencer de que, dado lo que sabíamos sobre las FARC y la terrible monotonía de sus vidas, probablemente lo mejor para ella era unirse a alguien de su rango, pero de todas maneras me molestaba que estas jóvenes mujeres estuvieran desperdiciando sus vidas.

Desde ese punto en adelante nos seguimos desplazando por el río. Incluyendo a todos los de las FARC, éramos alrededor de cuarenta, más todas nuestras provisiones. Las FARC solamente contaban con dos pequeñas canoas de río. En consecuencia viajábamos río abajo por algunas horas y nos deteníamos. Las lanchas retornaban río arriba para recoger a los que se habían quedado y luego regresaban. Mientras tanto nosotros armábamos el campamento y descansábamos.

De esta manera gradualmente avanzamos río abajo y, aunque nos seguíamos desplazando, el movimiento era mucho menos riguroso que lo que habíamos experimentado con Milton. Nuestro régimen alimenticio era muy superior gracias a la abundancia de pescado caribe. A mí me había gustado desde el comienzo y tanto Marc como Keith habían comenzado a probar bocados. Por primera vez desde hacía tiempo había períodos prolongados de tiempo libre que me daban la oportunidad de observar los alrededores. A pesar de que era un prisionero en ese lugar todavía me sentía encantado por la belleza de Colombia. En un momento dado nos detuvimos a acampar en una curva del río. Me pareció que nos encontrábamos en territorio completamente virgen. Teníamos a la vista el enorme codo del río y más allá aparecía un extenso paisaje de valles y colinas cubiertas de numerosos árboles que continuaban hasta que se perdían en el horizonte.

Descubrimos después que la vista era más que simplemente un bello paisaje. Era una señal de cambio en el río. En vez de tener la tupida selva a lado y lado, entramos en una zona con paredes verticales de pura roca y enormes peñascos que aparecían en el río sin ningún orden. Los guerrilleros habían recorrido estas aguas muchas veces y habían bautizado algunas de las rocas: el Elefante, la Ventana, etc. Podíamos escuchar el particular sonido que produce el agua blanca. En vez de correr el riesgo que representaban los rápidos, desembarcábamos y caminábamos a lo largo de unos senderos que las FARC obviamente habían venido utilizando desde hacía años. En las aguas menos tempestuosas, algunos de nosotros nos quedábamos en la lancha y enfrentábamos los rápidos, mientras que otros caminaban y eran recogidos nuevamente. A veces abandonábamos las lanchas del todo porque el nivel del agua era demasiado bajo. Los guerrilleros parecían conocer perfectamente estos lugares y se anticipaban a ellos. A veces viajábamos a pie durante varias horas, en ocasiones durante varios días, antes de embarcarnos nuevamente en lanchas diferentes que se encontraban ancladas esperándonos. Se notaba la enorme diferencia entre estas labores coordinadas y las caminatas sin rumbo fijo de Milton.

Como piloto que soy, admiro a toda persona que pueda manejar habilidosamente cualquier embarcación. Las veces anteriores, cuando habíamos estado a bordo de una lancha, los pilotos simplemente la forzaban a atravesar cualquier obstáculo. Pero eso no se podía hacer con rocas y rápidos. Nuestro piloto no parecía un miembro de las FARC. Su cabello largo que le colgaba por la espalda y su chivera le daban la apariencia de una estrella de rock. Era un tipo grande y, tal como sucedía con Rogelio, no era fácil entender lo que decía. Con lo poco que pudimos comprender nos dio a entender que era un verdadero revolucionario converso. Su apodo era Mantequillo. Keith no podía resistir las ganas de molestar a nuestro regordete conductor. Le preguntaba por qué todos los conductores de lanchas estaban excedidos de peso y si habría estado robando en vez de entregarnos las provisiones de comida. Mantequillo no se reía. Tomaba su trabajo muy en serio y se había tragado entera toda la supuesta ideología según la cual las FARC reformarían al país.

A pesar de estar mejor organizado, de alguna manera este nuevo grupo lograba mantener el ya habitual surrealismo de la situación. Una noche, casi al final de nuestro viaje por el río, una de las guerrilleras más veteranas nos ofreció una serenata de canciones de propaganda antinorteamericana. Mientras tanto, estábamos pasando dificultades para encontrar la entrada a un campamento cercano al río. El follaje y la vegetación eran tan densos que, aún con reflectores, los guerrilleros no podían encontrar el punto de ingreso al río tributario. En uno de los campamentos habíamos visto la pésima película de terror *La noche del duende* y la apariencia de uno de los nuevos guerrilleros era idéntica a la del malvado enano de la película. Era una especie de sabelotodo y fumaba como una chimenea. Se mantenía parado en la proa de la lancha, utilizando una rama para mantener el equilibrio. Con ayuda de los reflectores podíamos ver su silueta, señalando con su corto brazo y su pequeño dedo meñique la dirección que él creía correcta. Sus agudos gritos ayudaban a crear un aire que nos era familiar y al mismo tiempo extraño. Tratándose de las FARC, mientras más cambiaban las cosas, más se mantenían iguales.

KEITH

No supe si fue porque Mantequillo alcanzó a percibir el olor de la comida casera de su mamacita o por qué razón, pero finalmente logró encontrar la entrada al río que estaba buscando en la selva. Avanzamos solamente unos pocos metros y recibimos instrucciones de descargar la lancha. Empezamos a marchar por un sendero claramente marcado, aproximadamente a las dos de la mañana, y caminamos alrededor de una hora hasta que finalmente nos detuvimos. Después de una rápida cena de arroz al estilo de la guerrilla —su versión del arroz instantáneo Rice-A-Roni— y un huevo, nos retiramos para pasar la noche. Logramos dormir sólo unas pocas horas, cuando nos despertaron y recibimos instrucciones de volver a empacar. Tom y yo pudimos empacar nuestras cosas con relativa rapidez porque habíamos dormido en hamacas, pero Marc, quien venía con dolores de espalda desde el accidente, tuvo que desarmar su carpa, así que estaba retrasado.

Caminamos durante un par de horas hasta llegar a un gran campamento de las FARC. Al igual que tantos otros que habíamos visto, probablemente había sido construido en la época de la zona de distensión, cuando los desplazamientos de la guerrilla eran mucho menos frecuentes que ahora. El lugar tenía alguna similitud con Caribe, con algunas estructuras de paredes permanentes y pasarelas para que los guardias pudieran evitar los lodazales. Las demás estructuras eran principalmente pequeñas edificaciones al aire libre con techos, típicas de la selva. La selva había tratado de recuperar el terreno, pero buena parte del campamento se encontraba todavía intacto. Mientras caminábamos por la pasarela y pasábamos el lugar donde acampaban los guerrilleros, nos pareció que había algo inusual y extraño. Al comienzo estaba demasiado cansado para notarlo, pero de pronto caí en la cuenta: en los tendederos que se veían en este campamento había ropa de civiles. La distribución de los cambuches era diferente a la que tenían las FARC en su campamento.

Aún en nuestro estado de extremo cansancio y falta de sueño, rápidamente nos dimos cuenta de que habíamos sido trasladados a un campamento con otros rehenes. Cuando vi al primero de ellos, experimenté una sensación combinada de emoción y tristeza. Me alegraba el hecho de reencontrarme con algunos de los militares de quienes habíamos sido separados en el transcurso de la marcha de cuarenta días después de Caribe. Armando Castellanos, uno de los primeros en vernos, daba saltos de alegría. Era un tipo muy emotivo y cuando nos abrazó empezó a llorar. Cuando le devolví el abrazo tuve la sensación de estar abrazando un talego de escobas. Armando siempre había tenido un excelente estado físico pero se encontraba extremadamente delgado. Me dijo que tenía hepatitis y, aunque en su piel no se notaban los síntomas, estaba prácticamente irreconocible. Pero a pesar de su condición física, era el mismo tipo optimista y positivo.

Como siempre sucedió durante todo el tiempo de nuestro cautiverio, esta era una situación con cosas buenas y malas. Por una parte, me alegraba ver sus caras conocidas; por la otra, era devastador descubrir que estos ocho prisioneros militares todavía se encontraban en cautiverio. Todos ellos habían sido secuestrados varios años antes que nosotros. Durante el tiempo transcurrido desde la marcha de los cuarenta días, nos habíamos planteado infinidad de preguntas sobre lo que les habría sucedido. También nos habíamos preguntado muchas veces cuándo nos volverían a reunir con un grupo de más rehenes. Los ocho también parecían estar contentos de vernos y nuestro pequeño reencuentro fue una combinación de apretones de manos, golpecitos en la espalda, preguntas y respuestas y un tumulto de parloteo emocionado. Aún más satisfactorio era el hecho de que descubrimos que nos iban a reunir con un grupo de militares y policías. Según lo que había aprendido durante el tiempo que pasamos en el campamento político, tenía claro que la forma como ellos se comportaban era como yo quería manejar mi cautiverio.

Después de terminado el saludo con los ocho, vi a dos personas más. Se trataba de Íngrid y de Lucho. La vida no había sido fácil para ninguno de nosotros durante los dos últimos años y ese hecho se reflejaba en nuestras caras, en nuestros ojos y en nuestro porte. Íngrid y Lucho parecían encontrarse tan disminuidos como nosotros, pero lo que más había cambiado en ellos era su actitud. Estaban realmente contentos de vernos y su cálido saludo contrastaba ampliamente con su comportamiento cuando nos habían visto por primera vez dos años antes. Marc utilizó el término *aplastados* para describirlos y yo estuve de acuerdo, pero pensé que les venía bien su nueva actitud de humildad. No me parecía que su sufrimiento físico hubiera sido mayor que el nuestro, pero sus egos habían sufrido unos cuantos golpes y a mí eso me parecía muy bien.

Infortunadamente, al poco tiempo me di cuenta de que sus personalidades no habían cambiado tanto como lo esperaba. En el lugar que muy pronto empezamos a llamar el Campamento Reunión, continuaban algunos de los mismos problemas que nos habían causado dificultades en Caribe. La feliz pareja nos recordaba a algunos compañeros de colegio con quienes se realiza un reencuentro diez años más tarde. Físicamente se ven diferentes pero siguen siendo tan insoportables como siempre. Seguía desconfiando de ellos tanto como antes, pero estaba dispuesto a hacerme el amable mientras no empezaran de nuevo con las pendejadas de la primera vez.

Descubrimos que Íngrid y Lucho ya habían sido separados del resto de los prisioneros e incluso el uno del otro por haber causado algunos problemas. Nunca supimos los detalles pero eso no importaba. Todo lo que sabíamos era que el cambuche de Íngrid se encontraba en un extremo del campamento, a la mayor distancia posible de los demás rehenes. Normalmente no se le permitía el contacto con ninguno de ellos y sólo se le permitía cruzar algunas pocas palabras con Lucho todos los días. Sus tiempos de seres inseparables habían llegado a su fin.

En el transcurso de nuestra separación de dos años habíamos escuchado un rumor de que la pareja había intentado escapar. En su momento no le dimos mayor credibilidad porque la estúpida guerrillera que nos lo había contado parecía pertenecer a la sociedad de quienes todavía creen que el mundo es plano, pero en el Campamento Reunión pudimos confirmar que Íngrid y Lucho efectivamente habían escapado y habían sido recapturados. Se habían evadido y habían viajado río abajo durante la noche. El estado de salud de Lucho era precario debido a su diabetes, de manera que en los mejores días solamente podían flotar por unas cuantas horas. El agua estaba helada y por eso tenían que limitar su tiempo en ella para evitar la hipotermia. Cada día se debilitaban más y disminuía el tiempo que podían permanecer en el río. Finalmente los recapturaron.

Al oír esta historia empecé a sentir algo más de admiración por ellos. Si los habían separado porque representaban una amenaza de evasión, entonces me alegraba por ellos. No me gustaba la forma en que las FARC los habían sometido a mayores medidas de seguridad, encadenándolos de noche, pero al menos si se habían "ganado" ese mayor nivel de seguridad, era debido a un fallido acto de valentía y no simplemente por su mal trato a los demás.

Marc, Tom y yo habíamos hablado infinidad de veces sobre posibles planes para escapar y la visión retrospectiva siempre es perfecta, pero tuve que reconocer que sentía admiración hacia Íngrid y Lucho por haber tenido los cojones para hacer el intento. Nosotros siempre habíamos hablado sobre los cojones y el cerebro. Si se iba a utilizar uno de los dos, más valía que fuera en proporción con el otro. No íbamos a hacer nada que pudiera desembocar en mayores medidas de seguridad contra nosotros. Si íbamos a escapar, tenía que tratarse de un plan lo más seguro posible. O eso, o nuestra situación tenía que ser tan desesperada que los riesgos de ser recapturados compensaran los riesgos de seguir en cautiverio. Nunca supe si Íngrid y Lucho habían estado en una zona caliente como nosotros, pero si habían tomado su decisión sin tener en cuenta el riesgo de las cadenas en una zona como esa, entonces su plan había tenido serias fallas. Yo no iba a permitir ni por el demonio que me encadenaran y correr el riesgo de encontrarme impedido para moverme en caso de un rescate o un ataque. El mantra que siempre mantuve era: No hagas ninguna tontería.

Claro que de todas maneras hice tonterías, pero al menos estaba consciente de esos momentos y me esforzaba porque fueran lo menos frecuentes posible. Cuando intercambiábamos historias sobre los dos años anteriores me di cuenta de lo mucho que había extrañado el contacto humano. Por mucho que tratáramos de mantenernos ocupados, no era posible llenar el día entero cuando solamente estábamos los tres. El hecho de tener a diez personas que necesitaban actualizarse mutuamente nos mantuvo bastante ocupados. Cuando Miguel Arteaga no tenía una pregunta o se le ocurría otra anécdota para contarnos, Juan Carlos Bermeo quería empezar con las clases de inglés. Nuestros días pasaron de ser extremadamente aburridos, a medianamente ocupados y finalmente a estar atareados todo el tiempo.

Habíamos escuchado fragmentos de lo sucedido en nuestras respectivas vidas a través de los programas de mensajes. Como todos habíamos tenido acceso ocasional a la radio, todos nos actualizábamos con lo que habíamos oído. Probablemente la peor noticia fue la de Gloria Polanco. Las FARC habían ejecutado a su marido. Para ninguno de nosotros era fácil nuestra situación de rehenes, pero esa pobre mujer estaba secuestrada, dos de sus hijos habían estado secuestrados y su esposo había sido asesinado por estos mismos terroristas. Todo esto era más de lo que yo habría podido soportar y todos decíamos con absoluta sinceridad que habríamos deseado estar con ella o poderle enviar alguna clase de mensaje de apoyo. Marc la mencionó en sus oraciones y también yo agregué algunos pensamientos positivos.

Pero no todo eran malas noticias, para mí en particular. Desde que había escuchado el primer mensaje de Patricia, me había preguntado sobre ella y los mellizos. Cuando llegamos al Campamento Reunión supe que Patricia se había impuesto la tarea de enviarme más mensajes. Juancho me transmitió lo que había escuchado mientras yo no había tenido acceso al contacto por radio. Tanto Keith Jr. como Nick estaban bien y todavía vivían con ella en Colombia. Lógicamente me preocupaba el hecho de que se encontraran en el país, pero estaban con Patricia y eso me alegraba.

Esta buena noticia contrastaba con el hecho de que hacía años que no sabía nada de Malia. Era difícil enfrentarlo, pero había empezado a suponer que este silencio solamente podía tener una explicación: mi relación se había acabado. Había amado a Malia y había querido que fuera mi esposa. Era una mujer maravillosa, pero la adversidad proporciona muchos indicios sobre la manera de ser de una persona. Marc me recordó que se había quedado a mi lado cuando supo sobre mi relación y tenía que abonarle eso. Lamentablemente nuestro accidente sucedió antes de que mi relación con Malia hubiera tenido la oportunidad de hacer el suficiente recorrido por el Camino del Perdón.

En medio de todo esto estaba Patricia. Por lo visto había sido capaz de superar todas mis metidas de pata, mi infidelidad, dejarla embarazada, enojarme con ella por quedar embarazada, decirle que se olvidara de cualquier futuro conmigo, para informarme cómo se encontraban los muchachos. Para eso se requería ser valiente y no solamente me había contado cómo se encontraban los muchachos, sino que también me había dicho que esperaba mi pronto regreso. Me dijo que los muchachos me necesitaban.

Esta última afirmación me dio muy duro. Cuando se está en cautiverio durante un tiempo prolongado hay que depender de muchas otras personas para mantenerse seguro y vivo. Yo tenía a Marc y a Tom y sabía que en algunos sentidos ellos también me necesitaban a mí, pero la verdad era que, en el caso de que yo por alguna razón ya no estuviera allí, ellos se las arreglarían sin mí. Me alegraba saber esto pero también me gustaba la idea de que alguien me necesitara. Pensaba continuamente en Kyle y Lauren y sabía que quería volver a verlos, pero en septiembre de 2007 ya no sabía con certeza si realmente me necesitaban. Tenían doce y diecisiete años; yo tenía catorce cuando murió mi madre. Sabía que no es fácil perder a un padre a ninguna edad pero pensaba que iban a estar bien.

Con Patricia y los mellizos no estaba tan seguro. Colombia era un lugar bastante volátil. Cuando yo había estado con ella, Patricia trabajaba como auxiliar de vuelo. Eso significaba que estaría fuera de casa con frecuencia. Yo no sabía cómo reaccionaría su familia ante el hecho de que diera a luz a dos niños medio gringos sin estar casada. No sabía cómo serían sus vidas cuando llegaran a la edad escolar. Por experiencias de mi juventud sabía muy bien que no faltarían algunos estúpidos que los tildarían de bastardos. Por anticuado que sonara ese concepto en la mayor parte de Estados Unidos, Colombia era un lugar bastante conservador en esos temas.

De todas maneras, no dejó de impactarme el hecho de que Patricia, de quien me había separado en malos términos, me hubiera expresado su lealtad. Era difícil creer que ella realmente me quería, mientras que mi novia no se tomaba el trabajo de coger el teléfono para enviarme un mensaje. El hecho de que Patricia parecía quererme tenía su importancia, pero nadie podía adivinar lo que eso significaría cuando me liberaran.

—Espero que esto no sea por dinero —le dije a Marc el día después de que Juan Carlos me contó sobre los mensajes de Patricia—. Le dije a Patricia que yo respondería por los niños. No tiene necesidad de hacer esto por dinero.

—¿A quién le preocupa el motivo? Es de admirar que ella siga estando ahí —señaló Marc. Pensé por un momento en sus palabras y recordé el hecho de que la esposa de Marc tampoco había enviado mensajes.

—Eso realmente significa algo, ¿no es cierto? —le respondí, haciéndome la pregunta tanto a mí mismo como a él.

Desde que nos encontrábamos en cautiverio, había tenido mucho tiempo para pensar sobre mi pasado. Había pensado mucho en las razones del fracaso de mi primer matrimonio, en por qué me había demorado seis años para tomar la decisión de casarme con Malia y por qué a veces era más fácil para mí reconfortarme en los brazos de otras mujeres que en mis propias relaciones. Estaba evadiendo algo, siempre pensando que si mis jugadas eran cortas y sueltas, no me vería atrapado en situaciones de expectativas y exigencias. La verdad sea dicha, yo era un hijo de puta bastante egoísta. Pensaba que el hecho de ser un buen padre para mis hijos y de haber asumido como cabeza de familia la responsabilidad conjunta de sostén económico y de protección afectiva, me daban derecho a algunos momentos de esparcimiento para encontrar placer donde pudiera.

Aunque suene algo raro, fue necesario que sucediera el secuestro para que yo empezara a darme cuenta de que mis decisiones antes del accidente me habían privado de la libertad tanto como lo habían hecho las FARC. También me di cuenta de que el mundo no me debía absolutamente nada. Lo que tenemos en esta vida es igual a lo que damos. No pensaba que fuera justo el hecho de encontrarme en cautiverio, pero con absoluta certeza me había servido como una llamada de alerta que me advertía que, aun si hubiera cumplido con el procedimiento estándar de operaciones antes del accidente, de todas maneras se habría desencadenado una crisis de otra índole. Era hora de enfrentar la situación y de aplicar a mi vida los principios que me había inculcado el Cuerpo de la Marina y que yo había dejado desvanecer. Me pareció que Patricia estaba haciendo una buena labor de enseñanza a través del ejemplo. El solo hecho de que se cometa un error no significa que te debas retirar; al contrario, te quedas y tratas de solucionar la situación.

Bien fuera por Patricia o por el orden de las cosas, me encontraba
en una etapa positiva en términos de esperanza. No puedo decir que
las acciones de la bolsa se encontraran en su punto más alto, pero no
había duda de que se habían recuperado con este nuevo grupo que
nos vigilaba. El campamento era uno de los mejores de todos aquellos
donde habíamos estado. El solo hecho de tener guardias localizados
en el perímetro sin sentirnos encerrados por cercas era algo psicológicamente positivo para mí. Además, los límites del campamento podían
ser penetrados fácilmente, lo cual hacía más fácil aceptar algunas de las
otras circunstancias de la vida de un rehén. También ayudaba el hecho
de poder bajar al río para bañarnos cuando quisiéramos. Nuestros horarios eran menos rígidos que antes. Enrique, nuestro nuevo carcelero,
resultó ser un comandante bastante decente. Sus guardias eran mucho
más rígidos que él, pero al menos teníamos algunas libertades. Eso me
gustaba y me abrió el deseo de lograr más todavía.

Los guerrilleros habían construido un par de canchas de voleibol al
pie de nuestro campamento. Básicamente habían cortado los árboles de
una zona y habían tendido una malla de voleibol entre dos árboles que
habían dejado en pie. En la otra cancha habían hecho lo mismo pero
habían tendido una liana en lugar de la malla. Nunca había sido un
gran fanático de ese deporte pero decidí participar de todas maneras.
El hecho de que estuviéramos jugando contra los de las FARC o de que
hubiera rehenes y guerrilleros jugando en el mismo equipo me importó
menos de lo que había pensado.

La primera vez que jugamos quedé aturdido. En los últimos tres
años y medio había tenido la oportunidad de hacer ejercicio, había caminado muchísimo e incluso había tenido necesidad de correr en varias
ocasiones. Lo que me sorprendió fue el hecho de tenía la oportunidad
de moverme libremente pero no podía hacerlo. No estaba encadenado
pero mis pies parecían revestidos de piedra. Sabía que mi estado físico
era lo suficientemente bueno para moverme con agilidad y tratar de
alcanzar la pelota, pero a mi mente le faltaba la agilidad para hacerlo.
Siempre me había encantado estar en movimiento. Bien fuera que
me encontrara en alguna parte del bosque con mi escopeta Baretta o
paseando en bicicleta con mis hijos o totalmente quieto con las manos
en los intestinos de un motor Pratt & Whitney bajando el torque de
un tornillo para llevarlo al punto especificado, yo no era un tipo que

disfrutara estar sentado. El ajedrez es un juego que no implica movilidad y llegué al punto de aprender a jugar y disfrutarlo, pero antes del secuestro había sido una persona mucho más activa que ahora.

Las nuevas libertades que habíamos adquirido en el Campamento Reunión me hicieron recordar todo lo que me estaba perdiendo. Pero en vez de irritarme por ello, tomé la decisión aún más firme de terminar con este juego y buscar la manera de salir a la mayor brevedad de este lugar. No me iba a contentar con jugar un partido en el mismo bando de estos tipos. Quería ganar, ganar a lo grande e irme a casa.

XIII
DE NUEVO JUNTOS

SEPTIEMBRE DE 2006 - ABRIL DE 2007

TOM

Entramos al Campamento Reunión llenos de esperanza, así fuera sólo porque parecía tratarse de una estructura más permanente. Habíamos estado desplazándonos durante tanto tiempo desde que habíamos dejado el Campamento del Ajedrez, que todos estábamos ansiosos por encontrar una rutina más estable. Después de muchos meses en movimiento ansiábamos condiciones de vida que nos hicieran sentir un poco más en casa y, aunque éramos conscientes de los riesgos que implicaba el hecho de estar con otro grupo de prisioneros, confiábamos en que la estabilidad nos convendría a los tres.

Aunque ya conocíamos a los rehenes militares y de la policía por el tiempo que habíamos pasado juntos en Caribe y la marcha de los cuarenta días, en el Campamento Reunión logramos familiarizarnos mucho más con sus personalidades y su dinámica de grupo. Cuando llegamos allí en septiembre de 2006, la mayoría de los prisioneros militares y de la policía estaba llegando a su noveno año en cautiverio. El año de 1998 no había sido particularmente positivo para los militares. Tres de los hombres que nos acompañaban, José Miguel Arteaga —a quien llamábamos Miguel—, William Pérez y Ricardo —"díganme Richard"— Marulanda, habían sido capturados en el transcurso de una batalla ese año, en la cual las FARC mataron a ochenta hombres y tomaron cuarenta y tres rehenes.

Cada uno de los demás rehenes había visto cómo era asesinado o secuestrado un gran número de sus compañeros. Jhon Pinchao era el menos afortunado del grupo. Durante un ataque a la ciudad de Mitú, había sido capturado en compañía de sesenta compañeros de la policía. Como parte del proceso de paz, las FARC habían liberado a la mayoría de los policías que habían secuestrado. Sólo seis seguían en cautiverio y Jhon era uno de ellos.

Raimundo Malagón, otro de los rehenes militares y de policía, fue uno de los personajes más inolvidables que pudimos conocer. Medía un metro con sesenta, era bastante fornido y su intensa personalidad se reflejaba en su tenacidad. Tan pronto como llegamos al campamento se empecinó en que le enseñáramos inglés. Por otra parte, Juan Carlos Bermeo era uno de los rehenes de mayor jerarquía que tenían las FARC y, por una diferencia de pocas semanas, era el rehén que había estado en cautiverio el menor tiempo. Quería que lo llamáramos "Juancho" y desarrolló una estrecha relación con Keith.

Desde el comienzo nos quedó claro que estos hombres habían sufrido mucho. No nos podíamos imaginar lo que podía representar un cautiverio tan largo como el de ellos. Nuestros tres años y pico habían sido de por sí bastante difíciles. Ninguno de ellos estaba completamente loco, nada de eso, pero habían desarrollado sus propias mañas muy peculiares. En privado, comparábamos a este grupo con los personajes de la serie de televisión *Los héroes de Hogan*. Pocas semanas después de nuestro arribo nos quedó claro que Miguel Arteaga era uno de los prisioneros favoritos. Trabajaba para las FARC y era recompensado con cosas como bolsas de leche en polvo, fariña —yuca seca molida— y una cantidad de otros objetos pequeños y comida. Tenía una pequeña mesa de trabajo y herramientas. Las FARC le proporcionaban tela de camuflaje para la selva y él la cortaba, la cosía y la convertía en gorros. Su destreza era excelente e incluso fabricó un sombrero para Keith. A ninguno de nosotros le gustaba la idea de que estuviera colaborando con las FARC y recibiendo favores a cambio, pero en ese punto de nuestro cautiverio no éramos nosotros quienes íbamos a juzgarlo. No habíamos estado secuestrados tanto tiempo como ellos. Si la fabricación de sombreros y la realización de otras actividades para las FARC satisfacían su necesidad general de mantenerse ocupado, eso estaba bien. Solamente estaba haciendo lo que hacíamos todos;

se estaba adaptando a su entorno y a las circunstancias para poder soportar mejor la situación.

No era el único que había asumido ese papel de "ordenanza". William Pérez, otro prisionero militar, también desempeñaba algunas labores para la guerrilla. Las FARC nunca les asignaron ese título formalmente a Arteaga ni a Pérez, pero, por la forma en que los trataban, era evidente que habían asumido algunas de las funciones del ordenanza de una prisión. Al igual que los presos de una cárcel que reciben privilegios especiales de un guardia, Pérez y Arteaga eran mejor alimentados, gozaban de mayor flexibilidad en su comportamiento y parecían ser mejores "amigos" con los guardias que nosotros. Pérez pasaba la mayor parte de su tiempo trabajando en la creación y fabricación de los chalecos de cuero para armas que usaban los guerrilleros, pero también laboraba arreglando sus radios y como paramédico extraoficial, papel que también había desempeñado en el ejército colombiano. Pérez era uno de los tipos más callados que habíamos conocido y nunca tuvimos la impresión de que quisiera hacer alarde de su relación con los guerrilleros. Con Arteaga percibíamos la necesidad de ser un poco más cuidadosos. No estábamos seguros de la naturaleza exacta de su relación con los de las FARC. Su ostentación de las cositas especiales que recibía de la guerrilla era un poco más evidente que la de Pérez.

No obstante, debo admitir que nunca supimos que uno de ellos hubiera hecho nada para hacer quedar mal al resto del grupo y, como no teníamos información sobre la forma en que se había iniciado su acuerdo con las FARC, decidimos no hacer comentarios sobre el tema. Era posible que los guerrilleros hubieran sido los de la iniciativa para el comienzo de la relación o que sólo estuvieran demostrando su agradecimiento por el trabajo realizado. Inicialmente asumimos una actitud de no preguntar y no comentar; no nos importaba que ellos recibieran privilegios especiales siempre y cuando nosotros no fuéramos maltratados.

Siempre teníamos que caminar con pies de plomo en nuestra relación con nuestros captores. Pensábamos que lo habíamos hecho bastante bien con nuestro grupo anterior al no ayudarles a ganar su guerra. Dentro de ese contexto nos parecía que la fabricación de sombreros y cinturones para armas, el arreglo de radios y el tratamiento de pacientes se podían considerar acciones relativamente inofensivas. A pesar de que nosotros no habríamos hecho nada de eso para las FARC, tampoco estábamos dispuestos a criticar con demasiada severidad. Parecía que Arteaga y Pérez no se la llevaban muy bien entre ellos; aparentemente se mantenían en un estado de permanente competencia. Yo me los imaginaba como un par de lambones en cualquier trabajo compitiendo por el título de lambón principal. Todo lo que nos hacía falta era un botellón de agua y un salón de descanso para que las intrigas políticas de oficina nos hicieran sentir como si estuviéramos en casa.

El nuevo ambiente en el que nos encontrábamos nos obligaba a ser cuidadosos con nuestros compañeros de cautiverio y con los guardias. Tal como lo habíamos hecho con el grupo de Milton, evaluamos la forma de aprovechar ventajosamente nuestras relaciones con estos últimos. Resultó que no había mucho para discutir. Este grupo de las FARC era mucho más profesional y la posibilidad de interacción con nosotros a un nivel que no fuera lo meramente superficial era mucho menor. Esto era particularmente notorio en el trueque de artículos. Con los fanáticos de la nicotina de Milton era posible negociar directamente. Aunque la "moneda" era la misma en el Campamento Reunión, el método de intercambio era completamente diferente. Teníamos que acudir a Arteaga para canjear cigarrillos por lo que necesitáramos. Arteaga en particular disponía de más provisiones de las que requería, especialmente pilas para los radios, bolsas de leche en polvo y paquetes de galletas. Eso no le impedía querer acumular aún más. Aprovechaba al máximo su papel de intermediario. No era codicioso; se sentía aburrido y necesitaba algún estímulo.

Nuestros compañeros de cautiverio no eran los únicos que parecían disponer de un exceso de materiales y comida. El Frente Primero de las FARC era el grupo mejor equipado que habíamos visto. Contaban con reproductores portátiles de DVD y una de las primeras noches en el campamento vimos una película de Jackie Chan. Estábamos fascinados. Después de tanto tiempo sin ver una imagen móvil en una pantalla el efecto fue casi hipnótico. Si hubieran mostrado una película de hora y media con vacas pastando, también la habríamos visto. Las FARC obtenían la energía para la mayor parte de sus equipos electrónicos, tales como computadores portátiles, reproductores de DVD y radios de comunicación, mediante baterías de motocicleta conectadas en serie o un generador portátil a gas marca Honda. Usaban también un panel solar para recargar sus baterías. Como ya no nos encontrábamos en la montaña rodeados de follaje, podían colocar los paneles en un espacio abierto para que recibieran luz solar directa durante algunas horas del día.

Como siempre, para nosotros también era estimulante esa mayor cantidad de luz solar. Habíamos disfrutado del clima fresco en la profundidad de la selva, pero la luz brillante parecía levantarnos el ánimo. Nos llenamos de optimismo al pensar que la reunión de nuestros grupos tenía algún significado. ¿Por qué iban a mantenernos separados durante tanto tiempo y después volvernos a reunir si no existía una razón para ello? Uno o dos días después de nuestra llegada encendimos el radio. Enrique nos había prestado su radio multibanda y por primera vez en varios años tuvimos acceso a AM-FM y a frecuencias de onda corta. Estábamos los tres reunidos con algunos de los otros oyendo las noticias. Yo estaba un poco distraído cuando de pronto escuché la palabra *despeje*. Miré a Keith y a Marc.

—¿Estoy oyendo cosas raras?

Los dos me miraron con una amplia sonrisa.

—No, señor, escuchaste bien. Uribe acaba de anunciar que ha aprobado un despeje. Quiere que las FARC regresen a la mesa de negociación, así que les concedió su zona de despeje —Keith aplaudía y golpeaba el piso con los pies.

—Gracias, Dios —Marc se reclinó, miró hacia el cielo y exhaló un enorme suspiro.

—Podríamos estar de regreso en casa para la fiesta de Acción de Gracias. Me podría estar amarrando el saco de comida Stansell. ¿No les parecería fantástico?

Todo el mundo empezó a hablar. Los otros prisioneros se abrazaban, se estrechaban las manos y se daban golpes en la espalda. De un momento a otro, parecían varios años más jóvenes. A veces se me olvidaba que la mayoría de los colombianos que se encontraban allí habían sido secuestrados cuando tenían poco más de veinte años. Habían pasado en cautiverio la mayor parte de los que deberían haber sido los años más agradables y productivos de sus vidas. La noticia de que Uribe, un hombre de línea dura, estuviera dispuesto a otorgarles una zona de despeje a las FARC a cambio de negociaciones de paz nos convirtió de repente a todos en niños.

Después del anuncio permanecimos pegados al radio. El país se encontraba totalmente alborotado; la posición de Uribe contra las FARC había sido tan firme durante tanto tiempo que los conservadores no podían creer que estuviera cediendo ante sus demandas. Los moderados esperaban que un proceso de paz negociado pudiera ponerle fin al conflicto armado y los de izquierda reclamaban una monumental victoria de las FARC. Lo que menos me interesaba en ese momento eran las implicaciones políticas. Me iba a casa a ver a mi hijo y a mi esposa y eso era todo lo que me importaba.

Permanecimos dos días más en el Campamento Reunión antes de recibir la orden de marcharnos. Me sentía tan seguro de que íbamos camino a la liberación que regalé parte de los chécheres que había acumulado a lo largo de varios años. Caminamos unos días, armando campamentos temporales en el camino. El tercer día se me acercó Enrique y me dijo:

—¿Cómo le parece? Llego a este campamento y me encuentro con tres norteamericanos sonrientes, que se entienden muy bien. También tienen buenas relaciones con los demás. Qué bien.

No conocía muy bien a Enrique pero me daba la sensación de que se sentía más cómodo y relajado que cuando lo había visto antes. Le costaba trabajo disimular su enorme sonrisa.

—¿Usted sabe algo sobre el despeje que no sepamos nosotros? —le pregunté.

Meneó la cabeza de un lado al otro como si fuera un muñeco de cabeza resortada, levantó una ceja y me miró de reojo.

—Todo lo que sé es esto. Tengo órdenes de estar aquí con ustedes esperando que lleguen los Catalina. Eso es todo lo que sé.

—¿Catalinas llegando hasta acá? ¿A dónde nos van a llevar?

Enrique levantó las manos para evitar más preguntas.

—Si recibo la orden de subirlos a un Catalina, eso es lo que haré.

Aunque era difícil creer lo que estaba diciendo, las palabras de Enrique me ayudaron a quitarme varias de las capas de cinismo y desconfianza que habían endurecido mi nivel de esperanza durante tanto tiempo. Esta vez era en serio, sin nada de las estupideces de Milton. Enrique mantenía contacto directo con los altos mandos de las FARC. No llevábamos mucho tiempo con él pero hasta ese momento había cumplido con todo lo que nos había prometido. No pensé que fuera un actor tan consumado como para hacernos creer de todo corazón que faltaban sólo pocos días, quizás horas, para nuestra liberación.

Marchando ahora con Enrique y con todos los demás, nos sentíamos más livianos, la comida tenía mejor sabor, el paisaje selvático parecía más exuberante y vivo. Nos íbamos a casa. Era difícil darles forma a las palabras en mi mente y en mis labios. Todos los días, a medida que marchábamos, nos mirábamos, sonreíamos y movíamos la cabeza. Cada tarea asumía un nuevo significado. Un día estábamos los tres desarmando las cosas en un campamento después de una noche en la selva. Observé que Marc había terminado mucho antes que yo, lo cual no sucedía a menudo. Así que le dije:

—Te has vuelto bastante experto en esto.

—He tenido muchas oportunidades de practicar —Marc levantó su equipo, se lo colgó primero en un hombro y luego pasó el otro brazo por la otra correa.

—Ya ni siquiera necesitas ayuda con eso —le dije.

—Hoy voy a viajar con poco equipaje, Tom —fue la respuesta de Marc.

Yo estaba haciendo lo mismo.

KEITH

Desde antes de recibir la noticia sobre el despeje, yo venía deshaciéndome de algunas cosas que ya no necesitaba o que habían dejado de tener valor para mí. Entre éstas estaba la esperanza de que la relación con mi prometida aún fuera viable. En el Campamento Reunión había escuchado por la radio algunas menciones de Patricia y de su relación conmigo. Yo era el rehén gringo que era el padre de dos hijos con la colombiana. No me podía imaginar que esto fuera fácil de escuchar para Malia, si era que todavía estaba escuchando algo. Cuando recibía mensajes, de mis hijos, de mis padres, de mi hermano e incluso de mi ex esposa, ninguno de ellos había mencionado jamás el nombre de Malia. Llevábamos juntos seis años cuando Tom, Marc y yo fuimos secuestrados y, después de encontrarme en cautiverio más o menos la mitad de ese tiempo, decidí deshacerme de algunos de aquellos recuerdos y de los pensamientos sobre lo que habría podido ser nuestra vida juntos.

Lo más pesado, lo más agobiante, lo más difícil de empacar con mi equipo y cargar cómodamente era la casa que Malia y yo habíamos pensado construir. Había escuchado a Tom hablar de su nueva casa y de todas las cosas que pensaba hacer con ella. Nunca dije mayor cosa sobre la casa de mis sueños puesto que no existía en forma distinta a una esperanza y un catálogo de imágenes; los muebles que me gustaban, poderme acomodar frente a un televisor de pantalla gigante. Lo curioso del caso era que, cuando recibimos la noticia sobre el despeje y descubrí que se acercaba mi regreso a casa, fue tan fácil deshacerme de todos mis sueños, la casa, los muebles, el televisor, las motocicletas y el bote de pesca, como salir de viejas máquinas de afeitar, camisetas usadas hasta convertirlas en harapos y toda la demás mierda de la que nos deshicimos cuando supimos que estábamos esperando un avión para largarnos de allí.

Yo no me consideraba un acumulador de cosas en ningún sentido pero, en vez de simplemente botar todo, empecé a pensar en sustituir algunos de esos artículos de "mi hogar". Cuando habían transcurrido unos pocos días desde nuestra llegada al Campamento Reunión pude nuevamente escuchar en directo uno de los mensajes de Patricia. Debía haber establecido una buena relación con las estaciones de radio porque le habían concedido tiempo suficiente para expresar todo lo que sentía. Me decía cuánto me extrañaba y reiteraba lo mucho que los niños me necesitaban como padre. Terminó diciendo que yo era el hombre de su vida.

Este término, dicho en inglés, no alcanza a describir el significado de estas palabras para un colombiano. Suena demasiado estereotipado, con sabor a novelita rosa barata, pero yo conocía su verdadero significado. Es más, el solo hecho de escuchar la voz de Patricia me causó un profundo impacto. Una cosa era que Juancho me relatara sus pensamientos y otra muy diferente era escucharlos directamente de ella. Mientras la oía podía percibir en su voz una verdadera expresión de cariño y una auténtica preocupación. De pronto empecé a deshacerme también de algunas capas de escepticismo respecto a su motivación y sobre nuestro futuro.

Aunque me sentía feliz por el sonido de la palabra *despeje* y por el mensaje de Patricia, sabía que no sería posible simplemente dejar atrás toda la maldita situación de mierda que habíamos vivido. Esas experiencias eran parte de mí y de mi personalidad, en la misma forma en que lo era todo lo sucedido antes de que fallaran los motores del avión. Todo ello iba a regresar conmigo a Estados Unidos. No me iba a sentir agobiado por eso, porque consideraba que nos habíamos comportado de manera honorable. Las palabras de Enrique a Tom habían confirmado lo que veníamos pensando. Nos habíamos comportado de la manera más honorable posible dadas las circunstancias. Habíamos resistido y habíamos logrado triunfar. Durante esa marcha de cinco días después de salir del Campamento Reunión, me sentía bastante bien al pensar que me iba a reunir con partes de mí que había tenido que guardar para poderlas proteger durante los largos años de cautiverio. Era como reencontrarse con viejos amigos, buenos amigos y los mejores amigos de quienes me había separado durante un largo tiempo.

Al quinto día de nuestra salida del Campamento Reunión nos habíamos alejado un poco de la selva seca y llegamos a un campo de corte y quema relativamente grande. Las FARC habían pasado por allí hacía poco y era claro que lo estaban preparando para operaciones de siembra de droga. Sentía un sabor a vegetación quemada y a gasolina. Me detuve y escupí. Marc y Tom se detuvieron a mi lado.

—Oye, Tom, estamos en un espacio abierto; ¿por qué no enciendes ese aparato? —preguntó Marc.

Tom sacó el multibanda, levantó las antenas y le dio unas cuantas vueltas al dial para lograr la mejor señal. Miró a su alrededor; parecía que los guardias de las FARC no tenían inconveniente en que nos tomáramos un corto descanso. Cuando finalmente logramos sintonizar la señal, escuchamos la voz del presidente Uribe y la palabra que primero me llamó la atención fue *denuncie*. Esa palabra no era una buena señal. Era claro que Uribe estaba molesto por algo.

El día anterior, 19 de octubre, había explotado un carro bomba en las afueras de una academia de entrenamiento militar en Bogotá con un saldo de veintitrés personas heridas. Uribe estaba enfurecido. Miré a Tom y a Marc y su apariencia reflejaba lo que yo sentía, como si alguien me acabara de patear las pelotas; una vez para hacerme daño, una segunda para recordarme cuánto dolía y una tercera para que nunca deseara volver a experimentar esa dolorosa sensación.

—Malditas FARC. Maldito Uribe. ¡Nos metieron el gesto de paz por el culo!

Marc, Tom y yo nos sentamos con una sensación de absoluto desaliento. Pasaban los minutos. Se acercaron algunos de los militares y se nos unieron.

—¿Ya se enteraron? —preguntó Marc.

Todos asintieron con la cabeza y todos se veían tan abatidos como nosotros. Juancho se sentó a mi lado y colocamos brevemente nuestros brazos sobre los hombros del otro.

—¿Qué opinas? —le pregunté.

—Uribe fue claro. Ya no habrá intercambio de prisioneros.

Marc se mordió el labio.

—Hombre, yo lo oí. Lo escuché con toda claridad. "La única alternativa que queda es el rescate militar".

El fantasma de un rescate militar fallido por parte de las Fuerzas Armadas colombianas o de la mortífera respuesta de las FARC era nuestra versión de la Cruz, dando vueltas y vueltas en lo alto y proporcionándoles inteligencia y coordenadas. No era la primera vez que le decía a Marc:

—Estamos jodidos.

Tom agregó:

—No solamente por las FARC. Francia. Suiza. España. Uribe les pidió que suspendieran sus esfuerzos diplomáticos y reemplazaran a sus enviados de paz por presencia militar.

Íngrid se acercó a nuestro decaído grupo y expresó su opinión.

—Entonces queda alguna esperanza. Un esfuerzo unificado. Tal vez los franceses puedan hacer entrar en razón a Uribe.

—El culpable es Estados Unidos —la voz salía de algún lado y era la de William Pérez—. Escuché que las FARC están culpándolos a ustedes. Dicen que lo hizo Estados Unidos para poder iniciar una mayor ofensiva militar contra las FARC.

Yo no lo podía creer. Miré a Íngrid y a Lucho y luego a los militares. Ninguno de ellos me miraba a los ojos. Era cierto que las FARC nunca antes habían utilizado carros bomba, pero habíamos escuchado rumores de que tenían contactos con otros grupos rebeldes y con otras organizaciones terroristas. Les recordé a todos lo que habíamos escuchado respecto a una explosión en un campo de municiones que había matado a un poco de guerrilleros. No se estaban metiendo con esa ojiva con el solo propósito de mandar un recuerdo a casa.

—Las FARC nunca han reconocido nada —dijo Tom—. ¿Por qué iban a asumir la responsabilidad por esto? Por Dios, estábamos en un campamento donde un tipo se suicidó disparándose un tiro en la cabeza y las FARC nos dijeron que había sido un accidente al limpiar su pistola. Ellos nunca dicen la verdad.

Finalmente los guardias nos hicieron retomar nuestro camino. Empezamos a caminar adelante de los demás.

—Esto ya lo hemos vivido —dijo Tom.

Sabía lo que estaba diciendo y sabía también que no tenía nada que ver con nuestra ubicación.

—Tom tiene razón —dije yo—. Somos tipos de teflón. Nada se nos pega. Esto de verdad nos da muy duro, aunque ya hayamos vivido antes la misma situación.

—Completamente de acuerdo. *Déjà vu* de nuevo. Las FARC o Uribe van a ceder. Tienen que hacerlo. Esto no puede continuar así —Marc pateó un terrón de tierra.

—Es lo que les he dicho antes —agregó Tom—. La política colombiana es como el clima. Si no te gusta lo que hay, espera un par de días. Con seguridad cambiará.

Marc estaba listo con su vendaje imaginario:

—Estaba pensando en la Caravana de la Libertad. Si regresamos antes de Navidad, va a hacer mucho frío. Probablemente tengamos que viajar por el sur para llegar a la costa oeste.

—Yo no puedo hacer planes con tanta anticipación, Marc —le respondí—. En diez días es Halloween y estoy pensando en triqui-triqui.

Es posible que el 20 de octubre de 2006 no haya sido el peor día de la historia para el resto del mundo, pero a nosotros nos dio por el culo sin misericordia. Nuestro intercambio de palabras en la selva fue apenas nuestro primer intento por restaurar el orden. Sabíamos que estábamos corriendo el riesgo de volar demasiado alto. Ya estábamos acostumbrados al fenómeno de caer en picada y estrellarnos contra el piso y sabíamos que tendríamos que buscar una salida a la crisis. Ya nos habíamos acostumbrado a esa labor; eso no quería decir que nos gustara hacerlo pero sabíamos lo que se requería para lograrlo. Uno o dos días más tarde, Uribe reveló que los colombianos habían interceptado un mensaje telefónico del Mono Jojoy que comprobaba que las FARC habían estado involucradas en lo de la bomba y de esa manera quedaba casi cerrado el tema de la participación de Estados Unidos.

Para colmo de males, en ese momento no nos encontrábamos en un campamento permanente. Ahora que había fracasado el despeje, habíamos vuelto al mismo punto donde estábamos antes del Campamento Reunión, en movimiento continuo, atravesando la selva sin rumbo fijo. Para recuperar nuestra moral colectiva retomamos nuestra rutina, en la medida de lo posible. Los guerrilleros habían construido un campamento temporal a unos pocos kilómetros de donde nos habíamos detenido y allá habían escuchado la mala noticia. De inmediato despejaron una zona para hacer una cancha de voleibol. Un factor que los tres teníamos todavía a nuestro favor era que aún nos encontrábamos en el período de luna de miel con Enrique. Habíamos comenzado a llamarlo "Gafas", por los grandes anteojos que usaba, y pensábamos que era uno de los pocos miembros de las FARC con quienes habíamos tenido contacto que tenía una visión bastante clara sobre la forma en que se debía tratar a los rehenes.

El grupo de Enrique también nos había proporcionado tablas para dormir. Marc era el único de los tres que todavía se resistía a dormir en hamaca. Su espalda simplemente no se lo permitía. Por lo general dormía debajo del lugar donde yo había colgado mi hamaca. De esa manera se abría un poco de espacio para todos los demás. Dormíamos en dos filas con un pasillo entre ellas. A Íngrid y Lucho los mantenían en extremos opuestos del campamento. Sus horas de visita se cumplían estrictamente y los cuatro guardias que los vigilaban en todo momento hacía casi imposible cualquier diálogo con ellos.

A pesar de las secuelas del carro bomba, pasábamos el tiempo de forma muy parecida a como lo habíamos hecho en el Campamento Reunión. Todavía dábamos clases de inglés a algunos de los militares secuestrados. De alguna manera, además de ser rehenes, éramos participantes de un programa de intercambio de aprendizaje de idiomas. Cada uno tenía su grupo de estudiantes y había desarrollado su propio método de enseñanza. Debido a la destreza adquirida por el largo tiempo de inmersión en el idioma español, pocas veces nos veíamos obligados a aclarar algo con los colombianos.

Además de las clases, el ejercicio físico, la lectura y las partidas de ajedrez y de póquer, el radio seguía siendo un elemento vital para nuestra supervivencia. Aunque podíamos entender las transmisiones radiales en español, siempre disfrutábamos la oportunidad de escuchar emisoras en inglés. El radio de onda corta de Enrique nos permitía sintonizar más programas en inglés y a pesar de nuestros crecientes conocimientos del español, de todas maneras era agradable poder escuchar emisiones en nuestro propio idioma. Emisoras como la BBC y la Voz de América nos proporcionaban una perspectiva diferente sobre los sucesos en el mundo. En el transcurso de nuestro cautiverio habíamos obtenido pequeños trozos de información sobre lo que estaba sucediendo en el mundo en general, pero siempre parecíamos concentrarnos más en las noticias sobre secuestrados en otras partes del mundo. Quedamos horrorizados al enterarnos de que el empresario norteamericano Nicholas Berg había sido decapitado en Iraq. Recordamos que antes también había sido secuestrado un periodista norteamericano en Pakistán, quien había sufrido la misma suerte. Aunque las pérdidas de vidas nos hacían horrorizar, estos hechos nos recordaban que nuestra situación podría haber sido mucho peor.

Muchas veces obteníamos fragmentos de información a través de la radio, que nos daban tema para muchas horas, a veces incluso días, de conversación. Nos sorprendió enterarnos de que el precio del barril de petróleo crudo había aumentado a setenta y cinco dólares. Agarramos ese tema y lo desmenuzamos, discutiendo nuestras respectivas teorías sobre geopolítica y petróleo y la factibilidad de fuentes alternativas de energía como etanol, electricidad e hidrógeno. Habíamos visto anuncios de nuevos computadores Dell a precios de ochocientos cincuenta dólares y muchísimo más poderosos que los equipos que nosotros habíamos comprado al triple. Uno de los programas que escuchábamos incluía un informe sobre tecnología y así nos enteramos de la existencia de un aparato de música llamado iPod. Escuchamos el anuncio de un concesionario de vehículos que ofrecía un iPod gratuito con cinco mil canciones por la compra de un auto nuevo. Con base en eso empezamos a elaborar una lista de las canciones que grabaríamos en nuestro iPod, como ejercicio para pasar el tiempo.

Por la misma época, Marc y yo empezamos a escuchar un programa en la Radiodifusora Nacional de Colombia que se especializaba en la transmisión de jazz y blues. No era un experto, pero me encantaban los blues. Pensé que podría despertar en Marc el gusto por esta clase de música y lo logré. Acostados en la oscuridad de la noche escuchábamos la voz de Muddy Waters saliendo de esa pequeña cajita de plástico. De pronto sentimos que habíamos trasplantado a la selva una pequeña parte de nuestro hogar. También oíamos Radio Netherlands de Holanda y un programa semanal llamado *La naranja curiosa*. Después de un día de largas caminatas era agradable tener algo para relajarnos. La música nos mantenía mentalmente activos durante el día; la sola mención del título de una canción por parte de uno de nosotros hacía despegar nuestras mentes y nos permitía salir de manera imaginaria del lodazal.

Una noche estábamos oyendo Radio Netherlands, esperando el comienzo de *La naranja curiosa*. El programa era en inglés y escuchamos una mención sobre Colombia y las FARC. Una joven holandesa había abandonado a su familia a la edad de veintidós años. Les había dicho a su familia y a sus amigos que viajaría a Colombia para convertirse en maestra de niños pobres. Durante los dos años siguientes nadie volvió a saber de ella. Era de una familia bastante adinerada, había vivido en Colombia durante un semestre y hablaba perfectamente español, inglés, alemán y holandés.

—Te acuerdas... —me dijo Marc.

Lo interrumpí.

—Sé perfectamente a qué te refieres. Aquella joven bonita, durante la prueba de supervivencia. Yo sabía que era extranjera. Pensé que era cubana, pero ¿quién iba a saber?

—Era ella. ¿Cuántas mujeres de apariencia europea andan con las FARC?

¿Cómo carajos llega una joven holandesa a mezclarse con esta pandilla? Pensé de nuevo en Lauren y agradecí que, sin importar lo demás, podía estar seguro de que no se habría unido a ninguna organización terrorista, a menos que se hubiera presentado un cambio dramático en la hermandad femenina Delta Delta Gamma.

Seguimos escuchando un rato más y nos enteramos de que el nombre de la joven era Tanja Nijmeijer. La descripción que oímos concordaba con lo que recordábamos. No estaba claro cómo había acabado en las FARC. Había dicho todas las pendejadas correctas respecto a las FARC y prácticamente no podía respirar sin soltar alguna andanada antinorteamericana. Todo eso se ajustaba al perfil de la joven idealista descrita por su familia y sus amigos, que estaba tan preocupada por la injusticia social y económica que había visto en Colombia, que había regresado para ayudar a corregir las fallas.

Hacia finales del 2006 todavía no habíamos logrado recuperarnos del todo de las frustraciones de comienzos de octubre, pero con los radios y el apoyo mutuo habíamos logrado evitar la depresión total. Si hubiéramos sido un barril de petróleo, nos habríamos vendido por aproximadamente cuarenta y ocho dólares, lo cual no estaba mal pero tampoco era ninguna panacea. Ninguno estaba particularmente feliz de tener que reanudar las marchas, pero mientras el año llegaba a su fin logramos disfrutar algunos momentos, así los placeres nos llegaran de manera indirecta. El día de Navidad del 2006, los guerrilleros nos permitieron descansar en nuestro campamento temporal. Nos ofrecieron un poco de su bebida alcohólica a base de frutas elaborada en casa. El brebaje estaba bastante bueno y no nos vinieron mal algunos tragos para celebrar la fiesta y el alivio de no tener que marchar ese día. Los guerrilleros estuvieron de fiesta todo el día, jugando voleibol y bebiendo. Los partidos se fueron volviendo más ruidosos a medida que avanzaba el día. Tratamos de no hacerles caso y nos alegraba oírlos gritándose "¡Pare la bulla!" entre ellos, en vez de mandarnos callar a nosotros.

En un momento dado, uno de los guardias jóvenes que parecía ser un buen tipo se nos acercó para asumir su puesto. Estaba claramente borracho y cuando se sentó en la plataforma le costaba trabajo mantener la cabeza erguida. Sus amigotes trataban de enderezarlo pero volvía a caerse hacia uno y otro lado, medio dormido y completamente ebrio. Finalmente se dieron por vencidos y lo arrastraron de regreso a la cancha de voleibol. Me alegró tener la distracción de observar a los demás guerrilleros dándole un fuerte regaño. Marc estaba sentado a mi lado leyendo y Tom se encontraba en otro lado jugando ajedrez. Le di un codazo a Marc en el brazo.

—Feliz Navidad, hermano— señalé el lugar donde estaban jugando los de las FARC.

—Y feliz Año Nuevo también. Ese es Ferney. ¿Qué está haciendo aquí?

—Mira quién está con él.

—¿Y Dosymedio también? Supongo que están haciendo su propia fiesta.

—Tal vez sea verdad lo que hemos escuchado.

Nos causó sorpresa ver a algunos de los guardias que habíamos dejado atrás en el hospital abandonado después de la marcha de cuarenta días. En uno de nuestros campamentos, algunos de los militares habían visto un grupo de cuatro prisioneros en la distancia. Sospechábamos que este otro grupo podrían ser los secuestrados de quienes nos habíamos separado en el hospital. Ahora, viendo a esos guardias socializando con el grupo de los de Enrique, a cargo de nosotros, era posible que nos encontráramos con más gente de Caribe.

Marc se paró con las manos en las caderas y observó el campamento. Meneó la cabeza y miró hacia el cielo. Estaba empezando a ponerse el sol y todo alrededor reflejaba el color dorado del final de la tarde.

—Espero que sean cinco. Lo que quiero como regalo de Navidad es que sean cinco.

—Yo también, hermano —me levanté y me paré a su lado—. De todas maneras Julián era un excelente tipo. Tenemos una deuda con él y con todos los demás que no lo lograron. Tenemos que salir de aquí.

Poco antes de que nos apartaran del grupo de Milton, Tatiana nos había contado que había oído que Julián Guevara, el rehén militar a quien habían obligado a arrastrarse durante la marcha de cuarenta días, había muerto en cautiverio. Julián era uno de los rehenes más valientes que habíamos conocido. Sufría de tuberculosis y las FARC le habían negado el tratamiento necesario. Cuando Tatiana nos contó que había fallecido, yo no lo podía creer. Cada vez que, durante una caminata, sentía que estaba pasando por un día especialmente difícil, me acordaba de él y de todo lo que le había sucedido: un tiro en la cabeza, tuberculosis, cadenas durante tantos días con sus noches y de todas maneras haciendo el esfuerzo de marchar. En comparación, no me podía quejar demasiado.

Marc estaba muy callado, pensando en Julián y en lo que yo le había dicho.

—Todo lo que necesitábamos eran los Catalina, ¿sabes? Enrique dijo que solamente estaba esperando la orden para subirnos a ese avión. Un avión y una oración, Keith. Yo me había encargado de lo segundo; solamente nos hacía falta lo primero. Tan cerca. Tan cerca.

—Lo sé, ya estaba saboreando el pavo, de verdad.

—Tengo un paquete de galletas con nuestros nombres. Busquemos a Tom y celebremos.

MARC

A medida que el 2006 se convertía en 2007, todavía teníamos al menos una bendición que agradecer. Con excepción de las cuerdas de poliéster que nos habían obligado a llevar durante un tiempo, nunca habíamos estado encadenados como lo estaban nuestros compañeros colombianos. Nadie sabía con certeza la razón por la cual las FARC no nos habían encadenado, pero suponíamos que tenía mucho que ver la opinión de Enrique sobre nuestro buen comportamiento. Después del fracaso del despeje en octubre de 2006, el presidente Uribe le volvió a recordar al mundo que la única alternativa viable para los secuestrados era un rescate militar. Tom, Keith y yo nos reiterábamos mutuamente la importancia de mantenernos libres de cadenas. Los colombianos habían sabido manejar bien la diferencia en el trato y nunca se quejaron con las FARC de que ellos tuvieran que estar encadenados durante la noche y nosotros no. Una cosa era quejarse por la mala situación propia; otra diferente era hacer algo para perjudicar a los demás.

Pocos días después de Año Nuevo, William Pérez y yo estábamos jugando ajedrez en mi caleta. A veces William era algo impredecible y sospechábamos que podría ser bipolar. En algunos momentos era huraño y callado y en otros se mostraba lleno de energía y entusiasmo. Ese día se encontraba en uno de sus períodos positivos. Había llegado caminando por el campamento gritando: "Marc, ¿me tienes miedo hoy?". Jugaba bien al ajedrez y me ganaba todo el tiempo, pero a mí me gustaba el reto. Mientras jugábamos, se acercaron Moster, nuestro nuevo oficial, junto con el guardia de las FARC responsable por nosotros y empezaron a conversar con Richard Marulanda. Estábamos ocupados con nuestra partida pero los miramos y nos dimos cuenta de que Moster estaba molesto con Richard por alguna razón. Nos dirigían la mirada y de inmediato miraban hacia otro lado. Richard y William compartían una caleta y de noche los encadenaban juntos. Por lo que pude percibir, habían tenido alguna clase de discusión y Moster había intervenido.

Cuando Moster terminó de conversar con Richard, se acercó para hablar con William. Moster sonrió y dijo:

—¿Cómo está, camarada?

Yo sabía que William era un ordenanza pero era sorprendente la diferencia entre la forma como Moster se dirigía a William y como lo hacía con los demás. Parecería que los dos fueran amigotes en lugar de guardia y prisionero.

—¿Qué hizo Marulanda? —pregunté.

Me di cuenta de que Moster realmente no estaba investigando la causa de la disputa sino que ya había tomado su decisión sobre lo sucedido. William esencialmente culpaba a Richard del problema que había surgido, pero no era necesario. Moster dijo simplemente:

—Sí, sí. No se preocupe. Yo me encargo de todo.

A la mañana siguiente, cuando llegaron los guardias a abrir las cadenas de los colombianos, dejaron encadenado a Marulanda. Otro guardia cavó una pequeña zanja cerca de su cama, tomó la cadena de William y la sujetó a la de Richard.

Estábamos todos sentados comiendo cuando Keith preguntó:

—¿Qué sucede? ¿Qué fue lo que hizo el idiota de Marulanda esta vez?

Le expliqué lo que había visto. Marulanda podía hacer desesperar a cualquiera y sin duda no gozaba de la simpatía de Keith, pero era difícil justificar algo como esto.

—Eso no está bien. Solamente por lo que dijo Pérez el tipo tiene que cagar y orinar allí mismo —veía las pulsaciones de una de las venas en la sien de Keith y sabía que quería confrontar a William. Miró a Marulanda y después a Pérez, quien seguía sentado comiendo como si no hubiera ocurrido nada. Keith se levantó y me tensioné, pensando que se iba a enfrentar a William. No lo hizo; solamente caminó hasta el lugar donde habían colocado nuestra comida, llenó un plato con sopa y se lo llevó a Marulanda. Marulanda permaneció encadenado durante toda la semana siguiente. No se quejó y simplemente se mantuvo callado. Yo siempre había pensado que era un tipo fuerte y podía aguantar bastante. Marulanda nunca nos quiso decir cuál había sido la causa de la pelea pero en algún momento nos contó que William estaba molesto porque Marulanda se movía demasiado de noche. Sus movimientos hacían sonar las cadenas y despertaban a William. Había habido un intercambio de insultos y eso era todo. Al menos lo había sido hasta cuando William decidió actuar por su propia cuenta.

Desde que llegamos al Campamento Reunión habíamos sabido que William era un ordenanza, pero después de ver lo que Enrique y Moster le habían hecho a Richard, nos dimos cuenta de lo que era capaz. No nos gustaba ver a nadie en cadenas y nos asqueaba la idea de que el culpable fuera otro secuestrado. Después de ese incidente dejé de jugar ajedrez con William. Parecía haber vuelto a caer en uno de sus períodos negros y yo me preguntaba si no sería más bien sentimiento de culpa.

Incidentes como éste hacían difícil predecir la dinámica continuamente cambiante de los secuestrados. Cambiaban las alianzas, se movían las posiciones jerárquicas y lo único que podíamos hacer nosotros era observar el flujo variable de las personalidades. De todos los rehenes, Jhon Pinchao parecía ser el que menos se integraba al grupo. Al igual que los demás militares y policías, se encontraba en poder de las FARC desde 1998 pero, a pesar de que habíamos estado juntos durante bastante tiempo, ninguno de nosotros realmente lo conocía. A medida que iba aprendiendo el idioma, traté de establecer alguna clase de contacto con Jhon. Me simpatizaba y era una buena persona pero no puedo afirmar que yo, ni ninguno de nosotros, hubiera establecido un lazo de amistad con él. La única persona con quien parecía tener algún contacto era Íngrid y me parecía muy positivo que ella le hubiera brindado su amistad.

Jhon siempre parecía mantenerse marginado de cualquier grupo y su cara tenía una expresión de intensidad que nos hacía pensar que, o estaba pensando cosas muy profundas, o no estaba pensando en nada. En uno de nuestros campamentos relativamente permanentes durante esa primavera del 2007, teníamos acceso a un río en el cual incluso se podía nadar. Generalmente los ríos y arroyos eran muy poco profundos, pero la época invernal había inundado las riberas de este río en particular. Cuando fue secuestrado, Jhon no sabía nadar, pero había empezado a aprender con la ayuda de otros rehenes y en esa primavera parecía obsesionado con el tema. Tom era quizás el mejor nadador de todos nosotros y no podíamos menos que sonreír cuando veíamos a Keith tratando de enseñarle a nadar y a Jhon pataleando con tanta fuerza que el agua salpicaba por todos lados. No avanzaba mucho, en comparación con la energía que invertía pero, según Tom, el motor del tipo era sencillamente ineficiente, mucha potencia pero sin torque. Pero eso no lo detenía en sus esfuerzos por practicar. Al igual que los jugadores de ajedrez y de naipes, había encontrado algo para entretenerse.

Aunque nadábamos y jugábamos ajedrez cuando podíamos, había ocasiones en las que los guerrilleros nos ponían tareas para trabajar en proyectos para nuestro "beneficio". Según la política de las FARC, en nuestra calidad de rehenes no se nos podía pedir realizar ninguna clase de trabajo para ellos. Enrique tenía una forma de eludir esta regla diciéndonos que, si queríamos algo, teníamos que colaborar en su construcción. Un caso así se presentó en abril de 2007 cuando Enrique nos dijo que, si queríamos una cancha de voleibol, tendríamos que llevar la arena. Todos nos unimos y empezamos a llevar sacos de arena del río al campamento. Todos colaboramos. Tom había estado muy enfermo las últimas semanas pero también estaba allí, contento de poderse mover después de haber pasado semanas en su hamaca.

El hecho de que todos estuviéramos trabajando juntos, incluso Lucho e Íngrid, era bueno para nuestra moral pero, a pesar de que Íngrid cargaba arena a la par con nosotros, todavía no nos era permitido hablarle; durante la construcción de la cancha de voleibol Moster se aseguraba de que no olvidáramos esa regla. Mientras cargaba la arena, traté de imaginarme lo que significaba sentirse aislado de esa manera. La prohibición a Íngrid de interactuar plenamente con el grupo parecía un castigo tan severo como el que se le había impuesto a Richard, pero en vez de tratarse de una semana, ella llevaba muchos meses de castigo. Después de varios años de cautiverio, yo sabía que el estado de ánimo o de energía de una persona producía un profundo efecto en los demás. Viéndola estremecerse ante las reprimendas de Moster, nos quedaba claro que Íngrid estaba luchando, que las consecuencias de su cautiverio estaban haciendo mella.

Al igual que Tom, yo también había sufrido una enfermedad tropical bastante grave por la época en que estábamos construyendo la cancha de voleibol. Aunque mi estado de salud me permitía participar en las aventuras de natación y en la construcción del campamento, el malestar me había llevado a pensar seriamente en mi cautiverio y el impacto que había tenido en mí. Mientras me agarraba el estómago y levantaba bultos de arena, me había dado cuenta de algo doloroso: no había sabido de mi esposa Shane en varios años. Mi madre participaba continuamente en los programas de mensajes y también había tenido noticias con regularidad de mis hijos, de mi padre y de mi hermano. Pero Shane se había silenciado. Hice uso de la fortaleza que me daba la fe y me dije que había ocurrido lo que tenía que suceder. No quería creer que Shane hubiera encontrado otra relación pero no había nada que indicara lo contrario. Keith y yo hablábamos constantemente sobre el tema y llegué a la conclusión de que, para efectos prácticos, había vuelto a ser soltero. Todavía estaba decidido a ser un buen padre para Destiney, Cody y Joey, pero ya no podía ocultar la realidad: mi esposa había escogido un nuevo rumbo para su vida.

En el transcurso de los últimos tres años en cautiverio me había trazado un plan de reforma en mi vida que había puesto en práctica desde los días del Campamento Nuevo. Uno de los pasos indispensables en ese plan era enfrentar la realidad de mi relación con Shane. No podía hacerme ilusiones de ninguna índole. En relación con el mismo tema, también tenía que enfrentarme a los prejuicios que había desarrollado en el campamento. Las noches que había pasado escuchando la radio con Íngrid me habían abierto los ojos sobre la manera en que me había apresurado a juzgarla. Me di cuenta de que mi primera impresión había sido bastante impulsiva y quería abrirme a la posibilidad de que hubiera más en ella de lo que había pensado.

No había tenido la ocasión de darle una segunda oportunidad debido a que Íngrid había estado prácticamente aislada desde nuestra llegada al Campamento Reunión. Quería pensar que la persona con quien había compartido el radio, la mujer que me había consolado cuando había visto el video de Shane, era la verdadera Íngrid. De alguna manera, necesitaba creer que la gente era esencialmente buena y que ocasionalmente hacía algunas cosas malas. A esa conclusión había llegado respecto a mi esposa y, si podía sentirme así respecto a alguien a quien conocía desde hacía casi veinte años, también lo podía hacer con alguien con quien sólo había compartido algunos meses.

Pocos días después de haber terminado la construcción de la cancha de voleibol decidí enfrentar el tema y me acerqué a Enrique.

—Quiero tener el derecho de hablar con quien yo quiera. A ninguno de nosotros le gustan estas restricciones que solamente nos van a generar problemas a todos.

Enrique meneó su cabeza y me dio la respuesta que esperaba:

—He recibido la orden de que a los otros prisioneros no les está permitido hablar con ella.

Pero yo no me iba a dar por vencido con tanta facilidad.

—Le hablaremos en español para que todo el mundo entienda. Haremos lo que sea, pero lo que está haciendo usted es cruel y va a ocasionarnos muchos problemas a todos.

Enrique se quitó los anteojos y se frotó las protuberancias en forma de riñón que tenía a cada lado de la nariz.

—La orden es esta: ustedes estarán a un lado del campamento. Íngrid permanecerá en el otro. No habrá comunicación con ella —y con eso, se alejó.

El 15 de abril —un día fácil de recordar, sin importar en qué selva te encuentres— estaba sentado en mi caleta desbaratando el pantalón de una sudadera. Había hecho un canje por un bisturí y lo estaba utilizando con unos hilos del pantalón para reducir la cintura de unos pantalones nuevos que había recibido. Estaba distraído en esa actividad, cuando de pronto vi un par de manos femeninas frente a mis ojos. Íngrid se sentó a mi lado y comenzó a ayudarme con mi labor. Nos susurramos un saludo y miramos para ver si los guardias se habían dado cuenta. Aparentemente no era el caso, así que Íngrid y yo seguimos conversando, esencialmente averiguando cómo nos encontrábamos y cómo estaba nuestro estado de ánimo. En un momento dado dejó de jalar los hilos y colocó sus manos en su regazo.

Sus ojos se llenaron de lágrimas:

—Estoy muy preocupada por mi madre. No se encuentra bien. Está frustrada. Escuché en las noticias que cuando Uribe canceló las negociaciones del intercambio, ella le dijo que nos había condenado a muerte a todos.

—Estoy seguro de que está tratando de seguir presionando al gobierno. No creo que lo debas tomar al pie de la letra.

—De todas maneras me temo que lo que dijo es cierto.

Tomé de la mano a Íngrid y dije:

—Vamos a salir de aquí —y le relaté la historia del arco iris que había visto al poco tiempo de nuestro secuestro y la sensación de tranquilidad que había sentido.

—Es una bonita historia. Una especie de cuento de hadas. Muy lindo para creer en ella pero sin relación con la realidad.

Nuestra conversación fue breve y no volví a hablar con ella hasta cuando, pocos días después, me pidió prestado el bisturí. Se lo presté con gusto. Buscaba una oportunidad de volver a hablar con ella, de poder evaluar cómo estaba. Me volvió a solicitar el bisturí varias veces durante las siguiente semanas y cada vez lográbamos intercambiar unas cuantas palabras de conexión y aliento. La última vez que me trajo de vuelta el bisturí noté que tenía algo diferente pero no tuve tiempo de determinar con exactitud de qué se trataba. Lo volví a colocar en el escondite donde guardaba mis cosas y me lancé a una partida de ajedrez con Tom. Pasamos el resto del día absortos en una de nuestras epopeyas ajedrecísticas.

A la mañana siguiente nos sacó de la cama el sonido de los guardias corriendo por todos lados. Nos encontrábamos ahí parados, medio dormidos, cuando Moster entró corriendo, seguido por Enrique. Los dos estaban completamente equipados, con armas, chalecos, arneses, cadenas y sus rifles. Se pararon todos al lado del cambuche de Jhon Pinchao.

—¿Qué demonios sucede? —preguntó Keith.

—Algo pasó con Pinchao —me encogí de hombros—, ¿tú has oído algo? —le pregunté a Tom.

—Lo único que se me ocurre es que se haya volado.

—¿Cómo demonios podría hacerlo? Todas las noches lo encadenan con Juancho —Keith se acercó un poco más para tratar de ver el cuerpo de Jhon en la caleta. Para entonces, Enrique había terminado su revisión. Se volteó a mirarnos a todos; luego se dirigió a sus hombres y la voz le temblaba de rabia—. Si lo encuentran, dispárenle en los pies. No volverá a hacer esto.

Los grupos de guardias cargaron sus armas y se fueron corriendo.

—Espero de todo corazón que haya logrado escapar —le dije a Keith.

—Es un tipo desesperado o loco o más inteligente que todos los demás —eran evidentes las señales de admiración y de esperanza en la expresión de Keith.

Algunos minutos después se me acercó Íngrid y me dijo:

—Increíble, ¿no?

—Sí, fantástico. ¿Cómo logró zafarse de las cadenas? Deben haber cometido un error cuando les echaron llave. Tal vez el candado no agarró bien cuando lo cerraron o algo así.

Íngrid había estado mirando a los guardias correr. Se volteó hacia mí y sonrió, y lo único que se me vino a la mente fue la imagen de la *Mona Lisa*.

—Sí. Tal vez eso fue lo que hizo —me di cuenta de que sabía mucho más de lo que me estaba diciendo. El bisturí había perdido su filo y me sentí muy bien por habérselo prestado a Íngrid, sabiendo que de alguna manera había podido colaborar en la fuga de Jhon. También me alegró ver el brillo en sus ojos.

XIV
EL PANTANO

Abril de 2007 - agosto de 2007

KEITH

Los días posteriores a la desaparición de Pinchao, el campamento vivía un estado de conmoción. Los guerrilleros estaban tensos, y el canalla de Moster parecía fuera de sí. A pesar de todo, estábamos encantados de la vida. Aunque no sabíamos bien qué había hecho Jhon o cómo había logrado escabullirse dejando atrás sus cadenas, hacíamos fuerza por él sin importarnos lo que su fuga implicara para nosotros.

Por lo pronto, generó que el Día Internacional del Trabajo, tres días después de su partida, tuviéramos una jornada especialmente agitada. Nunca supimos si era consecuencia de su escape o si estaba previsto con anterioridad, pero nos ordenaron empacar nuestras cosas y esperar en la cancha de voleibol. Marc, Tom y yo observamos cómo los de las FARC desmantelaban el campamento. Era la misma actividad para cubrir sus huellas que ya habíamos vivido con Milton.

—Ya he visto esto —dijo Tom.

—Parece que nuestra zona fría se está comenzando a calentar, muchachos —comenté.

Entre tanto mirábamos cómo los guerrilleros arrastraban hojas y ramas para ocultar el camino.

—Deben temer que Jhon haya llegado a alguna parte e informado nuestra posición al ejército —dijo Marc.

Y tal vez era así. Sería una proeza sobrehumana que Pinchao, saliendo desde la mitad de la nada, en que nos encontrábamos, hubiera podido contactar a los militares, pero, a estas alturas, ¿quién sabía?

Tom hizo otro aporte a nuestro "canto de alabanza":

—¿Recuerdan que se la pasaba pidiendo y pidiendo ayuda para aprender a nadar? ¡Y ninguno de nosotros vio lo que se venía! Es increíble que se haya arrastrado fuera del campamento y que haya nadado en medio de la noche. ¡Eso requiere cojones!

Si bien yo no conocía el plan exacto de Jhon, me había dado cuenta de que estaba detrás de algo desde hacía un tiempo. Durante semanas se había entrenado, tanto física como mentalmente. Además, había conseguido que Tom le diera un encendedor y algunas lecciones de natación, y yo mismo le había dado clases de navegación. Jhon me preguntó si queríamos ir con él, y alcancé a considerarlo por unos pocos minutos. Sin embargo, pensé que las posibilidades de éxito eran muy escasas y le dije que no era una buena idea. Él entendió, pero se mantuvo en su decisión. Durante los tres o cuatro días antes de su fuga continuó preguntándome sobre asuntos de navegación, y el día antes a su partida me pidió que olvidara todo lo que me había dicho. Fue entonces cuando supe que lo iba a intentar.

Un disparo interrumpió nuestro recuento del "Evangelio de Jhon". Le siguieron cinco más, en rápida sucesión. Nos quedamos atónitos. Moster parecía el más sorprendido, y gritaba todo el tiempo: "¿Qué pasó? ¿Qué pasó? ¿Llegó el hombre?". Pasó corriendo a nuestro lado y unos guerrilleros comenzaron a reírse nerviosamente. Un rato después, uno de ellos, que tenía un ojo nublado, vino hasta nosotros y nos dijo:

—Les tengo malas noticias. Estábamos buscando a Pinchao, escuchamos unos gritos que venían del río y vimos que una anaconda se lo tragó.

En el momento en que la palabra *anaconda* salió de su boca, nos dimos cuenta de que la historia de la serpiente era un pobre intento para encubrir algo más. Nos quedamos parados en silencio, estupefactos, preguntándonos si lo habían encontrado y luego le habían disparado. Sin embargo, ese escenario no parecía plausible; era poco probable que él se hubiera quedado cerca del campamento en las setenta horas que habían pasado desde su fuga.

—Keith, yo quiero creer que lo logró, pero no estoy seguro.

Marc levantó su equipo y lo dejó colgando de su mano.

—Tengo la esperanza de que recuerde algunas de las cosas que le enseñé. La navegación terrestre ya es bastante difícil cuando uno la aprende por primera vez, en suelo firme, pero en este pantano de mierda, ¡yo no sé!

Todavía con la fuga de Jhon dando vueltas en nuestras mentes, todos —prisioneros y guerrilleros— salimos al río y nos embarcamos otra vez en los grandes *bongos* o canoas. Era evidente que Enrique no estaba feliz con lo que había pasado y que le preocupaba que nos pudieran ubicar. Los primeros días viajamos mucho de noche. Las FARC querían que nos mantuviéramos en movimiento por lo que muchas veces acampábamos en las mismas lanchas o improvisábamos campamentos de hamacas a la orilla del río. Con las intermitentes lluvias torrenciales de la temporada, las aguas habían crecido y casi todo a nuestro alrededor estaba inundado. Los botes pasaban rozando las copas de los árboles y nuestra situación era tremendamente precaria.

Cada vez que llegábamos a un área poblada, Enrique encontraba tierra supuestamente "seca" y nos hacía marchar a través de un lodo apestoso que se tragaba las botas. Rodeábamos la aldea y regresábamos al río, otra vez a las lanchas. Era muy difícil saber hacia dónde nos dirigíamos, pero me parecía que íbamos hacia el sur, río abajo. Me preguntaba qué tan lejos podíamos seguir sin salir de Colombia.

Yo había sospechado por mucho tiempo que Venezuela era un refugio seguro para las FARC. No creía que la admiración que le profesaban a Hugo Chávez se basara únicamente en que les gustaran sus políticas o la forma en que utilizaba las reservas petroleras para lograr sus propósitos. Los guerrilleros no eran tan sofisticados en su comprensión de las políticas de la región. Para mí, tenía que haber un vínculo más directo entre Venezuela y las FARC.

El apoyo directo a un grupo terrorista es algo fácil de sospechar y difícil de probar. Desde hacía rato sabíamos que nuestros uniformes venían de Venezuela y estábamos convencidos de que las armas y municiones de la guerrilla también venían de allá. Incluso antes de que hubiéramos visto los suministros venezolanos, nosotros considerábamos a Chávez como alguien que, si no estaba a favor de las FARC, al menos las usaba para su propio provecho. Al fin y al cabo, si el ejército y otros recursos de Colombia estaban ocupados combatiéndolas, eso los debilitaba en otras áreas.

Durante mi estadía en Colombia había llegado a la conclusión de que Chávez quería ser el mandamás no sólo de Venezuela sino también de toda la región. Nuestras conversaciones con los políticos y lo que escuchábamos en la radio nos convencían aún más de esto. No me gustaba que Chávez describiera a Estados Unidos como una potencia interventora y corrupta. La misma basura la había escuchado de las FARC y, en lo que a mí concernía, no veía mucha diferencia entre Chávez y ellos. Como muchos de los políticos me habían explicado, el presidente venezolano creaba estas polémicas para desviar la atención en su país del fracaso de sus políticas domésticas, a través de una simple estrategia: muestre sus músculos, presente un buen espectáculo, deje saber a la región que no va a dejar que nadie le falte al respeto, y construya la unidad y el orgullo nacional a costa de vidas inocentes. ¡Maldito grandulón!

Cuanto más avanzábamos por el río, más claro parecía que las FARC estaban aprovechando la aparente simpatía de Chávez por su causa para atravesar la porosa frontera entre Venezuela y Colombia. De pronto comenzamos a captar emisoras venezolanas en la radio, como nunca antes lo habíamos hecho. La señal no era confusa ni distorsionada, sino nítida y con buen volumen, y se hacía más fuerte cada día en la medida en que nos movíamos hacia el sur. Mi instinto me decía que ya habíamos cruzado la frontera, y una breve mirada al GPS de Enrique me lo habría confirmado. Tomé nota del hecho de que los guerrilleros parecían tan acostumbrados al terreno en esta región fronteriza como lo estaban en sus bastiones, en la parte central de Colombia.

Una noche, después de dos semanas y media de marcha en la lancha, nos acostamos a dormir. De repente, la voz de Lucho rompió la quietud del aire nocturno:

—¡Marc! ¡Marc! Pinchao está vivo. ¡Está en Bogotá!

Marc era el que estaba más cerca de él, y se levantó para escucharlo mejor. Su cara se partió en una gran sonrisa. Tiró la cabeza hacia atrás y levantó sus puños con júbilo. Todos lo mirábamos, él le contó a Íngrid y la noticia se regó como pólvora: ¡Jhon lo había logrado! Según decían en la radio, había deambulado en la selva por diecisiete días hasta que se topó con un grupo de nativos colombianos que lo llevaron hasta un comando jungla de la Policía, que estaba en el área destruyendo laboratorios y cultivos de coca. Jhon estaba a salvo en Bogotá, deshidratado y desnutrido pero vivo.

Salté de mi hamaca y me junté con los demás, ignorando las órdenes de los guardias de que me quedara donde estaba. Tom se unió a Marc y a mí, y nos sentamos a disfrutar el momento. Nos palmeábamos unos a otros en la espalda con exclamaciones de alegría, pensando que Jhon estaba libre de toda esta mierda y de regreso con su familia. Estábamos cerca del río, la brisa era fresca y el aire tenía un sabor a libertad. No importaba que fuera una libertad de segunda mano; era lo más cerca que habíamos estado de ella en cuatro años. Además, nos imaginamos que, estando Jhon libre, podría dar al ejército colombiano datos ciertos para nuestra ubicación. En la radio mencionaron que lo habían encontrado en el municipio de Pacoa cerca al río Papurí. A pesar de que nos habíamos estado moviendo hacia el sur desde su fuga, ese poquito de información nos daba más esperanza.

Así como estábamos felices por el éxito de Jhon, Enrique estaba furioso. A la mañana siguiente dio la orden de que nos inspeccionaran a todos. Odiábamos esas requisas. Era realmente molesto reunir los cachivaches que habíamos acumulado por años y volcarlos para que los de las FARC pudieran constatar lo miserables que éramos. Para colmo de males, estaba lloviendo, así que tuvimos que soportar que todas nuestras cosas se empaparan y embarraran. Protestamos sin éxito. Los guerrilleros nos despojaron de todo lo que pudiera ser útil para escapar, incluyendo cualquier comida extra, medicinas, cuchillos y limas. Nos registraron tanteándonos, revisaron la ropa que estábamos usando e incluso dentro de las botas, al mejor estilo de la Gestapo.

Luego levantamos el campamento y nos montamos a las lanchas. Una vez a bordo, no dejaron que nos acomodáramos holgadamente sino que nos confinaron en la mitad del espacio disponible. Los guerrilleros estaban más agresivos que antes y tensaron con fuerza la cubierta de plástico sobre nosotros. Eso nos protegía de la lluvia pero también nos dejaba expuestos a los vapores de los barriles de gasolina de cincuenta y cinco galones, y a los gases del motor. Nos sentíamos mareados y con ganas de vomitar, pero no nos permitían salir de la plástica burbuja tóxica. Estábamos apretujados en ese espacio cerrado. Sólo los que tenían algo de suerte y estaban cerca al borde del bote podían levantar un poco el extremo del plástico para respirar algo de aire fresco.

Peor aún, los recorridos terminaban ahora alrededor de las tres de la mañana. La guerrilla no nos dejaba desempacar nada ni armar nuestras tiendas. Además, dejaron de limpiar el terreno para nosotros, por lo que nos tocaba dormir en la selva virgen por una hora más o menos, para volver a arrancar. Una vez matamos un par de serpientes de coral que, si bien no eran las gigantescas constrictor, eran verdaderos demonios de sesenta a noventa centímetros de longitud, con la mordida más venenosa de la jungla. A ninguno nos gustaba la idea de dormir en la total intemperie, y la amenaza de las culebras, las tarántulas y tantos otros insectos que hay en la selva hacía casi imposible cerrar el ojo a pesar del poco sueño que se nos permitía.

En medio del maltrato que nos daban los de las FARC ninguno se lamentó de que el endurecimiento de nuestras condiciones se debiera a la fuga de Jhon. Si alguien hubiera expresado la más mínima queja en ese sentido, estoy seguro de que los tres lo hubiéramos hecho callar de inmediato. La forma en que nos comportamos antes, durante y después de que Jhon logró la libertad fue un motivo de orgullo para todos. No lo verbalizamos ni lo comentamos el uno al otro, pero sentíamos que una parte de nosotros había escapado con él. Tenía la esperanza de que la mía estuviera sentada en algún agradable sitio nocturno de Bogotá, disfrutando un relajante bourbon y dando unas pitadas a un buen cigarro cubano *belicoso*.

MARC

La fuga de Jhon y el consiguiente endurecimiento de las condiciones de cautiverio decretado por Enrique nos hicieron recordar que todo ascenso viene acompañado por un descenso. Desde hacía tiempo había aprendido a lidiar con las altas y bajas de la vida en la selva y, en lugar de quedarme en los valles, trataba de mantener mi mente enfocada en lo que estaba directamente frente a mí. Anticipar los malos tiempos sólo servía para hacerlos más largos. Por eso, en lugar de preocuparme por lo que vendría, decidí que era mejor disfrutar de la vista cuando estaba en lo alto antes que estresarme por la inevitable caída.

En las travesías en bote que siguieron a nuestra partida del campamento del que se había fugado Jhon estuvimos todos juntos en los espacios más estrechos que nos hubieran tocado jamás. Una noche nos dijeron que acomodáramos nuestras cosas para dormir en la embarcación. Para mí seguía siendo muy difícil dormir en hamaca a causa de mi espalda, por lo que prefería dormir en el suelo. Me estaba quejando con Tom sobre mis problemas de sueño cuando Moster nos interrumpió:

—Usted —dijo señalándome—. A la proa.

Tom frunció el entrecejo y replicó:

—¿Ahora qué? ¿No podemos hablar más entre nosotros?

Moster lo ignoró y siguió señalándome mi nueva ubicación.

—Gracias, Tom. No vale la pena. Me voy para allá.

Seguí la dirección que me indicaban el brazo y el dedo extendidos de Moster. Me correspondió un lugar próximo a Íngrid. Normalmente ella estaba separada de nosotros pero, como Moster me había mostrado ese preciso lugar, supuse que podíamos hablar, y me dio gusto tener esa oportunidad. Tal vez Íngrid tenía problemas para dormir en hamacas como yo o simplemente estaba contenta por la compañía, pero lo cierto es que acabamos charlando, preguntando cómo estábamos cada uno. Finalmente, empezamos a hablar sobre Jhon.

—Estoy feliz de que se haya ido y agradecida con Dios porque lo logró —dijo Íngrid.

Detecté un tono nostálgico en su voz, como si quisiera decir algo más y no se atreviera a hacerlo.

—¿Pero? —le pregunté.

Íngrid me miró y noté que sus pupilas se hacían más pequeñas. Sentí un estremecimiento en el estómago; era el mismo sentimiento que tenía en la escuela cuando un profesor me preguntaba algo y estaba esperando mi respuesta. Me pareció como si estuviera siendo evaluado de alguna manera.

—Yo quisiera haberme ido con él. Quisiera estar lejos de aquí.

Me sentí impactado por la llana honestidad de sus palabras y la forma en que reflejaban mis propios sentimientos. A todos nos caía bien Jhon y nos maravillábamos de lo que había hecho, pero no dejábamos de sentir un sabor amargo cuando pensábamos que él estaba libre y nosotros no. Llámenlo envidia, o sólo realidad; lo cierto es que le dije a Íngrid:

—También quisiera haber sido yo.

—Es difícil mantener la fe en que mi momento llegará.

Ya que ella había abierto la puerta al tema, me decidí a preguntar:

—¿Es muy duro estar afuera todo el tiempo?

Ella miró al cielo y dijo:

—No está lloviendo.

Entonces se rio suavemente:

—Sé lo que quiere decir, y sí, no es nada fácil ser tratada como una paria, sobre todo cuando uno no ha hecho nada para merecerlo.

—¿Se refiere a que fueron dos los que trataron de escaparse pero a Lucho no lo separaron de los demás?

—En parte sí. Lo que pasa es que como yo soy la única mujer aquí, las FARC se aprovechan.

No estaba muy seguro de qué quería decir con eso. Dudé un poco antes de volver a preguntar:

—¿Será que están preocupados de tener otra Clara? ¿Otro niño?

—No, no es tanto eso. Es difícil de explicar.

Percibí algo de entusiasmo en su voz. Traté un par de veces de ponerme en los zapatos de Íngrid, pero sus comentarios sobre lo que implicaba su condición de mujer me hicieron entender que no podría ir mucho más allá para entender la forma en que vivía su cautiverio.

—¿Extraña estar con otras mujeres? ¿Tener alguien con quien hablar, que pueda entenderla?

—No mucho. Algo. Yo he estado rodeada de hombres la mayor parte de mi vida. Hombres ambiciosos, poderosos, que han intentado controlarme. Los guerrilleros son más ordinarios pero se ve que sienten lo mismo, que piensan que debería mantenerme en mi lugar, que no sé ni dónde estoy parada. Extraño mucho a mis hijos, a mi mamá. Tengo tanto en común con ellos…

Nuestra charla derivó hacia nuestras familias. Me sorprendí al saber que Íngrid había estado un tiempo en California y que había tenido a su primer hijo por el método de la inmersión.

—Eso parece muy *hippie*, ¿no?

—¿*Hippie*? —se rio, y sus ojos volvieron a brillar—. Es la forma más natural de llegar al mundo. Desde el agua hasta el agua.

Luego me preguntó acerca de Destiney y Shane, y, por alguna razón, me abrí un poco a ella. Supongo que es más cómodo para un hombre hablar de estos temas con una mujer. Le dije que me dolía que mi esposa no hubiera hecho esfuerzos para mantenerse en contacto. No quise ahondar más en esto y ella puso su mano sobre mi antebrazo.

—Entiendo. Es algo complicado, pero creo que sé lo que quiere decir y cómo se siente.

Yo estaba seguro de que ella entendía.

Lo que más me impactó no fue que me comprendiera sino lo fácil que había resultado hablar con ella y compartir cosas que había mantenido en mi fuero íntimo por tanto tiempo. Me gustaba la forma en que la selva y los demás desaparecían cuando los dos estábamos hablando. Para un secuestrado, son muy pocos los momentos en que uno puede olvidarse de que está preso. Así como deseaba tener la libertad que ahora disfrutaba Jhon, también quería tener más de esos momentos con Íngrid, en los que se atenuaba nuestra dura realidad y surgía una perspectiva más alentadora.

Después de esa noche, Íngrid y yo hablamos con más frecuencia. De alguna forma lo que había pasado en el bote, sobre el río, nos hacía sentir como si estuviéramos lejos de todo y de todos. El ruido del motor, el agua corriendo bajo la proa y el soplo de la brisa creaban una especie de cápsula para dos personas que estaban tan próximas una de la otra. Sólo gritando o preguntando qué estaban diciendo se podía conversar con un grupo grande. Yo sabía que Íngrid y Lucho tenían una relación muy cercana, pero en ese momento no podían hablarse. Por eso, estando Jhon fuera también, sentí la necesidad y el deseo de llenar ese vacío en la vida de Íngrid. Su posición marginal frente a los demás tocaba una zona vulnerable de mi vida. Cuando conocí a Shane, ella estaba lidiando con algunos asuntos personales que pude ayudarla a manejar, y eso me hizo sentir muy bien. Todos tenemos una visión de nosotros mismos, y yo me consideraba una persona accesible y confiable. Si Íngrid necesitaba a alguien que la ayudara a superar los horrores y la tristeza del cautiverio, yo trataría de ser esa persona.

Pero, además de querer ayudar, realmente disfrutaba nuestras charlas. Me sentía muy bien cuando decía algo que la hacía sonreír; era como si todo su dolor y sufrimiento se borrara por un momento. Pasamos muchas horas agradables sólo hablando. Ella me contó sobre sus viajes y sobre su educación en un internado. Me fascinaba la idea de alguien que había sido enviada a tan corta edad a un país extranjero. Yo me había educado en una escuela pública y, a pesar de que me había unido a la Fuerza Aérea, la verdad es que no conocía mucho del mundo. Casado desde los diecinueve años, no había tenido ocasión de pasar parte de mi vida adulta en aventuras que me llevaran más allá de mis obligaciones y responsabilidades como hombre de familia. No me arrepentía, pero eso no me impedía sentir un gran placer al escuchar las historias de una vida tan diferente de la mía.

Después de veintiocho días de montar en bote y caminar en el lodo, nuestro deambular llegó a su fin. Sentíamos en nuestros cuerpos los efectos de esos últimos meses de campamentos improvisados, y estábamos agradecidos de quedarnos al fin en un lugar más permanente. Cuando nos dijeron dónde levantar nuestros cambuches, a Íngrid la ubicaron al final de la línea, aunque no tan lejos de mí como había estado en el pasado, por lo que aprovechamos esta cercanía para charlar aún más que antes.

A Lucho no le permitían ningún contacto con Íngrid y no se necesitaba ser especialmente sensible para notar que estaba molesto por el tiempo que yo pasaba con ella. Nosotros ya habíamos conocido su naturaleza celosa en el Campamento Caribe. De mi parte, hubiera querido evitar cualquier clase de conflicto con él, pero no me parecía justo con Íngrid o conmigo. Éramos una pareja de adultos que nos estábamos convirtiendo en buenos amigos. Compartíamos algunos momentos de intimidad y teníamos intereses similares. Una tarde pasé a saludarla a su caleta.

Íngrid se sobresaltó, un color rosa subió a sus mejillas y su labio inferior tembló levemente.

—Hola, Marc.

Recuperó su compostura y sonrió. Me di cuenta de que estaba nerviosa y me sentí halagado al pensar que una mujer tan poderosa pudiera perder un poco su equilibrio por causa mía.

Charlamos un rato de cosas sin importancia y acabamos hablando de la Biblia. Le dije que creía que María, la madre de Jesús, estaba en la tumba el día de la Resurrección y que, cuando retiraron la piedra para descubrir el sepulcro vacío, ella estaba presente para atestiguar que las vestiduras con las que lo habían sepultado seguían allí, pero su cuerpo no. Íngrid no estuvo de acuerdo. Entonces releímos los respectivos pasajes de la Biblia, en cada uno de los cuatro evangelios, cada quien defendiendo su posición. Yo había leído y releído la Biblia del sargento Lasso y me pareció grandioso encontrar a alguien con quien poder hablar sobre estos temas. No me sentía tan conectado con ninguna otra persona en el campamento que pudiera entender mi necesidad de pensar y hablar sobre asuntos espirituales. Íngrid sentía lo mismo. El cautiverio era la más grande prueba de fe que cualquiera de nosotros hubiera enfrentado, y tener a alguien para compartir esto iba más allá de la conexión que tenía con Tom o Keith.

Pronto fue obvio para nosotros que los demás se habían percatado de que nuestra amistad era cada vez mayor y que pasábamos mucho tiempo juntos. Íngrid nunca se había integrado al grupo realmente, y para alguien como yo, que me esforzaba por llevarme bien con todos, resultaba lógico intentar aproximarme a ella o que ella se acercara a mí. Teniendo en cuenta su comportamiento en los campamentos anteriores, los otros nos veían como "el agua y el aceite", pero la verdad es que éramos mucho más complementarios de lo que parecía.

El hecho de que Lucho y los otros colombianos estuvieran celosos de nosotros me parecía ridículo. Trataba de no prestarles atención pero a veces era difícil. Cuando Íngrid se sentaba conmigo para ayudarme a emparchar el toldo —ella era muy buena costurera mientras que mis intentos para coser apenas eran pasables—, Lucho o cualquiera de los otros se sentaban a observarnos. Ella nunca me dijo qué había pasado entre ellos, pero era claro que habían tenido alguna clase de brecha en su relación. Como no me incumbía, no la presioné para que me contara detalles. No me gustaban los chismes que rondaban el campamento ni las alianzas que las personas hacían entre sí. Prefería pasar por alto todo eso y hacer simplemente lo que consideraba correcto y lo que quería.

Supongo que lo que los otros estaban experimentando era otra forma de la envidia que habíamos sentido cuando Jhon se había escapado. Veían cómo Íngrid y yo disfrutábamos de nuestra mutua compañía. Para nosotros dos, reírnos con otra persona, compartir nuestros temores y preocupaciones, y conectarnos en un profundo nivel emocional era algo que deseábamos y necesitábamos para sobrevivir. Infortunadamente, los guerrilleros también notaron que estábamos pasando mucho tiempo juntos y que a menudo nos enfrascábamos en conversaciones que nos aislaban del mundo. Por eso, y aunque fue una decisión difícil, optamos por limitar nuestros encuentros. La mentalidad de "divide y vencerás" de las FARC, así como la continua alerta en que vivían desde la fuga de Jhon, nos llevaron a esta conclusión.

—No es que yo quiera —me dijo Íngrid—, pero es mejor que no nos metamos en problemas por esto.

—Tienes razón, pero ésta es una injusticia que se añade a todas las que ya vivimos.

Íngrid asintió con la cabeza, y pude ver que estaba conteniendo las lágrimas. Apreté su mano por un minuto hasta que Moster pasó a nuestro lado y le gritó:

—¡Si sigue hablando con los gringos, la voy a encadenar a un árbol!

A mí, en cambio, no me dijo nada.

Íngrid entornó sus ojos y sacudió su cabeza.

—¿Qué pasa con estos tipos? ¿Por qué me ven como una amenaza?

—Tampoco lo entiendo, ¡si sólo estábamos hablando! Incluso les ofrecí que hablaríamos en español si eso los hacía sentir más cómodos.

Íngrid volvió a mover su cabeza.

—Antes de que Jhon se escapara, o de mi intento de fuga, ya era así. No es sólo contigo. Ellos no saben qué hacer conmigo. Si yo fuera débil y sumisa, seguro que les encantaría, ¡pero no soy así!

Sentí otra vez su vulnerabilidad y su deseo de hacer creer que podía manejar cualquier situación. Estaba muy furiosa, y entonces entendí por qué representaba una amenaza para los guerrilleros. Íngrid era una mujer fuerte e implacable, y no iba a dejar que nada ni nadie le dijera cómo comportarse. Yo tampoco, pero no quería ser responsable de que le impusieran más castigos.

—Tom, Keith y yo hemos hablado mucho sobre esto. Yo detesto a Moster y a muchos de esos guerrilleros, pero hay que aceptar que no se trata de ganar o perder estas pequeñas batallas. No podemos ganarlas todas, ni podemos perder de vista el objetivo principal. Nosotros ganaremos cuando salgamos de aquí y regresemos con nuestras familias.

Íngrid cerró los ojos. Me di cuenta de que hacía un esfuerzo para sonreír. Lentamente, palabra por palabra, me dijo:

—Gracias, Marc. Gracias por recordármelo. Si no tuviera a alguien que estuviera pendiente de mí...

Hizo una pausa y dejó en suspenso su pensamiento.

Tal vez habría entendido la decisión arbitraria de las FARC de aislarla y de prohibirle que hablara conmigo si alguna vez yo hubiera representado una amenaza para ellos. Pensaba que una de las razones por las que Moster no me había gritado era porque nunca le había causado ningún problema. Aun así, los guardias trataron de separarnos, pero no lo lograron. Ellos no entendían que Íngrid y yo estábamos desarrollando una relación que trascendía nuestras circunstancias y las condiciones que las FARC nos imponían, una relación similar a la que tenía con Keith y Tom.

Le escribí una nota después de que nos separamos, en la que reiteré lo que nos habíamos dicho, y concluí así: "Gracias por las buenas conversaciones. Sé fuerte. Saldremos de esto".

Íngrid escribía bellamente y su mensaje de respuesta me hizo sentir que ya no era un secuestrado y que no estaba solo en mi intento de entender lo que me tocaba vivir por razones que no alcanzaba a vislumbrar. Estaba aprendiendo sobre la profunda conexión que se puede tener con una persona, y sobre cómo las circunstancias pueden sacar a flote lo mejor o lo peor de nosotros. Yo había tenido una parte de lo mejor, y no quería dejarla ir tan fácilmente.

Al día siguiente, salí de mi caleta y vi a Íngrid sentada en el área que le habían asignado. Nuestros ojos se encontraron y con una simple mirada entendí que no necesitábamos hablar para transmitir nuestros sentimientos. Con sólo ver en sus ojos, podía sentir su dolor y lo desesperada que estaba por mantener viva nuestra comunicación. Aun sin palabras compartíamos un vínculo que las FARC no podían romper.

Para mantener la comunicación teníamos que ser muy selectivos sobre los guardias frente a los cuales podíamos hablar. Cuando no podíamos decir palabra, nos saludábamos de lejos con la mano o nos comunicábamos con una mirada; algunas veces tan solo vernos era suficiente para continuar. Cuando nos cruzábamos, nos entregábamos cartas, deslizándolas el uno al otro, usando los métodos que Keith, Tom y yo habíamos desarrollado al comienzo de nuestro cautiverio, durante nuestros meses de forzoso silencio. Las cartas que intercambiábamos eran muy importantes, no sólo porque eran una especie de lazo salvavidas sino porque eran nuestra oportunidad para hablar sin las miradas fisgonas de los guerrilleros. Nos permitían airear nuestros sentimientos sobre nosotros y sobre la vida en cautiverio. En ellas éramos honestos el uno con el otro y con nosotros mismos.

Me molestaba ver que no sólo los guardias no querían que habláramos, sino también los demás prisioneros. Cada vez que hablaba con Íngrid o que ella se sentaba al lado mío, uno de los militares, Amaón Flórez, estaba allí. Trataba de escuchar a hurtadillas y luego se escabullía para contarle a Lucho. Al comienzo fue casi divertido; estábamos en un espacio tan pequeño que era muy difícil para él hacer su tarea en sigilo. Sin embargo, la diversión se convirtió en disgusto cuando una tarde Moster vino a decirme: "Usted estuvo hablando con Íngrid hoy. Eso no está permitido. Usted lo sabe".

No me molestó tanto que Moster interviniera en mis asuntos como el hecho de que él no había estado en el campamento durante todo el día. En el único momento en que lo vi, estaba hablando con Amaón a las afueras del campamento. No era la primera vez que Flórez nos delataba, ni mucho menos. Finalmente a Íngrid la alejaron aún más, a unos veinticinco o treinta metros de nosotros, que a mí me parecían millas. Comencé a distraerme con pequeños experimentos. Me iba a mantener cerca al área de Íngrid para ver cuánto tiempo le iba a tomar a Amaón acusarme con los guerrilleros. Normalmente no sería mucho.

Nuevamente no me podía explicar por qué sancionaban a Íngrid y no a mí. Es cierto que Tom, Keith y yo nos habíamos comportado bien, pero nada de lo que le ocurría a ella parecía justo. Unos días después de que hubieran apartado a Íngrid del grupo principal interpelé a Enrique:

—¿Cuál es el problema? ¿Por qué Íngrid y yo podíamos hablar antes y ahora no?

El sol daba sobre las gafas de Enrique, y no podía ver sus ojos. Me moví hacia la izquierda con la esperanza de que se volviera para poder encontrar su mirada. Pero no lo hizo.

—Esas son las reglas.

—Pero ¿por qué esas son las reglas ahora, si antes eran diferentes?

Me moví otra vez para pararme directamente en su línea de visión. Él se cruzó de brazos y me respondió:

—Son órdenes de arriba.

Estaba harto de oír eso y, para evitar hacer algo de lo que luego me arrepentiría, me alejé de allí. Odiaba esa sensación de impotencia de estarle hablando a una piedra. Esa noche me fui a dormir con una oración en mis labios para pedir un poco más de paciencia.

La mañana siguiente, después de hacer ejercicio, tenía el tiempo que usualmente destinaba a un pequeño descanso y un refrigerio. Estaba pensando en buscar una taza de café cuando oí gritos unas cuantas caletas abajo. Lucho y Malagón estaban increpándose. Me puse las botas apresuradamente y corrí hacia ellos. Mientras me aproximaba, pude ver que Malagón tenía a Lucho aprisionado contra el suelo. Estaba arrodillado sobre él y le había inmovilizado los brazos. Lucho pataleaba y torcía su torso para tratar de liberarse. Siguiendo un impulso, entré a la caleta, agarré a Malagón y lo saqué de encima de Lucho. No pensaba ni oía nada en ese momento. De pronto vi que Lucho estaba incorporándose como si quisiera volver a lanzársele a Malagón. Miré hacia un lado y descubrí a Íngrid, llorando. Tenía unos papeles arrugados en la mano, se los tiró a Malagón y salió como una tromba de la caleta.

Lo siguiente que recuerdo con claridad fue la voz de Keith que me decía que saliera de allí. Caminé de regreso hacia nuestro toldo; Keith me puso el brazo sobre el hombro y me sentó en su hamaca. Yo no estaba herido, pero estaba tan aturdido por lo que había pasado que no sabía qué pensar. Keith esperó a que todo estuviera calmado antes de hablar.

—Marc, no quisiera verte involucrado con esos tipos. Es un maldito pantano, y nadie puede salir limpio de allí.

—No quería ver cómo pateaban a Lucho.

—Yo sé, pero Lucho es un adulto. Si decidió tirarse al piso con alguien, fue su elección. Él siempre está hablando de más, y tal vez necesitaba aprender una lección.

—Pero el hombre siempre está contando lo mal que se siente.

—Todo está mal. Estos tipos están muy enredados; son como víboras persiguiéndose sus colas. O tal vez debería decir una cola. Tú sabes…

Me dio un tiempo para que asimilara la idea.

—No sé qué pasa con Amaón, hermano. Últimamente parece que estuviera acechándote siempre. Y Malagón… ¡se pasó de la raya!

—¿De qué hablas?

Al comienzo las afirmaciones de Keith me confundieron pero después recordé algo que había pasado durante una de nuestras marchas. Malagón había agarrado a Íngrid un par de veces. Él decía que sólo estaba jugando pero Íngrid estaba furiosa. Siempre pensé que eran cosas como éstas las que llevaron a Íngrid a enviarme una nota únicamente para agradecerme que la hubiera tratado con decencia. Tal vez esta vez Malagón había ido demasiado lejos.

—Armando vino esta mañana —me respondió Keith—. Está preocupado por Malagón. Me mostró unas notas obscenas e irrespetuosas que le había escrito a Íngrid. Malagón ha estado merodeándola desde hace rato, tú sabes. Pero perdió el control. Yo se lo advertí; le dije que él era un oficial y que tenía que comportarse como tal.

—No te hizo caso. ¡Íngrid tenía las notas!

Recordé con dolor la visión de Íngrid rasgando esos pedazos de papel y llorando. Si no era Lucho fingiéndose enfermo, era Amaón interfiriendo en sus relaciones de amistad o Malagón haciendo estupideces. Era como si ella no pudiera pasarla bien, no importaba con qué hombre estuviera tratando.

—Marc, tú sabes que a mí no me gusta Íngrid ni un poquito, pero en este caso ella no merecía ser tratada de esa manera. Ahora escúchame, hermano. Estamos en este pantano apestoso con estos tipos y con ella. Todo lo que vas a hacer es enterrarte aún más. Si sigues revolviéndote en esta mierda vas a resultar herido. Lo que has tratado de hacer es lo más difícil y lo correcto, pero eso no cuenta en medio de tanta porquería.

Me levanté para aclarar mis pensamientos. Había trabajado muy duro para hacer cambios en mi vida, y no sabía si podía simplemente alejarme y dejar que estas cosas continuaran. Tampoco me veía como un caballero de blanca armadura que iba a rescatar a una dama en apuros. Como la misma Íngrid me había dicho en una de nuestras primeras conversaciones, todo allí —todas las relaciones entre los rehenes— era complejo. Yo quería ver las cosas en blanco y negro. Quería creer que eran sólo los guerrilleros, las FARC, contra quienes teníamos que pelear. Por eso las disputas frecuentes entre nosotros e incluso la lucha para refrenar nuestros propios impulsos, que podían llevarnos a tomar el camino fácil y errado, me resultaban tan difíciles de afrontar.

El panorama era aún peor cuando comprendí que mis acciones también podían generarles problemas a Keith y a Tom. El sonido de las cadenas de los colombianos en las noches era un recordatorio de las consecuencias que acarreaba el mal comportamiento. Además, parecía como si las cadenas hubieran producido algunos cambios en los militares. Alguna vez los habíamos visto como ejemplos para emular, pero las fisuras habían comenzado a ensancharse y permitieron que las mezquindades salieran a la superficie.

Íngrid y yo nos habíamos metido en ese revoltijo de pasiones. Éramos dos personas en la selva que tratábamos de salir adelante a través de una precaria química de sentimientos. Aunque no me resultaba muy claro, podía entender por qué las FARC querían separarnos, pero ¿por qué nuestros compañeros no querían que fuéramos felices? Parecía que nadie entendía lo que pasaba. Yo hubiera querido reunirlos a todos y decirles de una vez que Íngrid y yo nos sentíamos atraídos el uno por el otro, y que disfrutábamos nuestra compañía inmensamente. Eso debía ser obvio para ellos, como también debía serlo que en ningún momento habíamos expresado nuestros sentimientos mediante alguna clase de intimidad física; nada que fuera más allá de una breve caricia o tomarnos de las manos. Siempre tratamos de no causar ningún daño y de hacer lo mejor para nosotros, en un delicado balance. Lo que no sabíamos era si seríamos capaces de mantenerlo.

La mañana siguiente a la confrontación de Lucho y Malagón me quedé acostado rumiando lo que pasaba. Quería hablarle a Íngrid, hablar con alguien que entendiera. Normalmente a esa hora desencadenaban a los colombianos, pero, en lugar del sonido que se producía al abrir los candados y enrollar las cadenas, oí que alguien las arrastraba por el suelo. Me deslicé por debajo de la hamaca de Keith y salí al campamento.

—¡Dios mío! —las palabras salieron roncas de mi garganta—. ¡Íngrid!

Corrí al lugar donde la habían ubicado y vi la gruesa cadena de acero que envolvía su cuello. Sentí arcadas y deseos de vomitar.

Al otro lado del camino estaba Íngrid sentada, deprimida y sollozando. Las cadenas le bajaban del cuello y serpenteaban hasta un árbol. Moster había cumplido su amenaza. Deseé ahorcar y asfixiar a ese repugnante animal hasta arrebatarle su inútil vida.

Me rompía el corazón ver a alguien a quien quería tanto en una situación tan dolorosa. Me sentía impotente y sabía que la imagen de Íngrid sentada allí me perseguiría por mucho tiempo.

Poco después de la pelea entre Lucho y Malagón, Tom, Keith y yo estábamos acostados en la oscuridad. Vi la luz de unas linternas que se movían y luego escuché el entrechocar de unas cadenas. Por el sonido supe que esas no eran las cadenas normales que usaban las FARC. En lugar de un sonido de tintineo, éstas hacían un ruido sordo metálico. Pensé en las cadenas que la gente llevaba en sus carros en Nueva Inglaterra para sacar a otro auto de las cunetas en los caminos resbalosos por la nieve. La amenaza de las cadenas había pendido sobre nuestras cabezas por mucho tiempo, y ahora pensé que se iba a cumplir.

Pero resultó que las cadenas no eran para nosotros. Unas semanas atrás, durante una marcha, Enrique había discutido con Juancho, se había salido de sus casillas y lo había amenazado con traer grandes cadenas de acero para los militares y policías. Les dijo a todos que si lo hacía sería por culpa de Juancho. Pues bien: finalmente cumplió su amenaza.

Escuché a un guerrillero llamado Asprilla hablando con Keith:

—Dígales a sus amigos que, si se siguen comportando como lo vienen haciendo, no les pondremos cadenas. Tenemos órdenes de arriba de no ponérselas a menos que sea absolutamente necesario. Sígannos respetando y las cosas continuarán así.

Keith le dijo que no íbamos cambiar nuestra forma de actuar y le preguntó si era realmente necesario imponer ese castigo a los demás, pero no obtuvo ninguna respuesta.

Una mañana, poco después de que les pusieran las nuevas cadenas, Tom escuchó una conversación entre Amaón y Lucho, que estaban encadenados el uno al otro en su caleta. Al comienzo pensó que estaban sufriendo alguna clase de pesadilla conjunta o que ambos tenían alucinaciones, pues se la pasaban murmurando sobre "los diputados", orificios de bala y búsqueda de cuerpos. Lucho estaba muy agitado y Amaón hacía lo que podía para calmarlo, aunque tampoco estaba mucho mejor que él.

Tom nos contó a Keith y a mí lo que había escuchado. Nos pusimos entonces a buscar en la radio y finalmente nos enteramos de qué era lo que tanto inquietaba a Lucho. En el 2002, doce políticos locales del

Valle del Cauca, a los que se referían como los diputados, habían sido secuestrados. Nosotros habíamos oído hablar de ellos, pero la radio nos confirmó un macabro giro de los acontecimientos: once de los doce diputados habían sido asesinados.

Las FARC expidieron un comunicado diciendo que habían sido atacadas por un grupo desconocido y que los diputados habían caído en el fuego cruzado. No sabíamos cómo había sobrevivido uno de ellos, pero lo que sí tuvimos claro es que ese comunicado no era más que una farsa. El gobierno, por su parte, respondió a las afirmaciones de la guerrilla aclarando que no había habido ningún intento de rescate. Las FARC estaban en una situación crítica desde hacía un buen tiempo, por lo que supusimos que se habrían topado con cualquier otro grupo en la selva, creyendo que era el ejército colombiano. En medio de la confusión habían ejecutado a sus prisioneros. Las familias estaban pidiendo que les devolvieran los cuerpos pero parecía improbable que las FARC accedieran, pues estos proporcionarían una evidencia clara sobre los asesinatos.

No tuvimos mucho tiempo para preocuparnos por la masacre, pues al día siguiente nos dijeron que empacáramos. Bajamos nuestros equipos al embarcadero y uno de los guerrilleros comenzó a decir nuestros nombres; señalaba al lado izquierdo o al lado derecho de la lancha, y nos íbamos sentando de acuerdo con sus instrucciones. Nosotros tres, junto con Lucho, Juancho y Miguel Arteaga, quedamos en un lado, y los otros —incluida Íngrid— se sentaron en el lado opuesto. Íngrid y yo nos miramos. Esto sólo podía significar una cosa: nos iban a separar. Entonces caminé hasta ella.

—La guerrilla está separando los grupos porque no quieren que nosotros dos estemos juntos.

Ella me miró y asintió. Nos sentíamos cada vez más exaltados; ellos hacían todo esto para apartarnos. Entonces decidimos escribir cartas de protesta al Mono Jojoy para pedirle que nos pusiera otra vez en el mismo campamento. En ellas le dejaríamos claro que no íbamos a tolerar este trato abusivo y que no podían mantenernos separados, negándonos hacer nuestra voluntad.

Cuando estábamos todos a bordo de los botes, los guerrilleros buscaron distanciarnos poniendo nuestros equipos en el medio. Íngrid quedó en un lado de la barrera y yo del otro. Comenzamos a navegar en la noche iluminada por la luna, sintiendo que nuestros caminos se iban a dividir. Pasé mi brazo sobre los equipos y sentí la suave mano de Íngrid en la mía.

—No dejaremos que nos hagan esto —dijo.

—No pueden impedir que nos hablemos. No pueden impedir que nos comuniquemos de alguna forma.

Pasamos gran parte de la noche en el río antes de que llegáramos a un campamento provisional preparado por la guerrilla. Después de dormir por unas horas, los seis de mi grupo nos despertamos y levantamos nuestras tiendas mientras los demás observaban sentados. Cuando terminamos, llegó el momento de decir adiós.

En los últimos cuatro años me había acostumbrado a estas partidas apresuradas, pero esta vez era particularmente difícil. No sabía si volvería a ver a Íngrid otra vez. Ambos nos prometimos que haríamos lo que estuviera a nuestro alcance para volver a reunirnos, pero en el fondo sabíamos que no había mucho que hacer. Nos abrazamos y reiteramos que debíamos escribir las cartas de protesta. Un minuto después, el grupo de Íngrid subió al bongo. Todo lo que pude hacer fue quedarme de pie, observando cómo el bote se iba perdiendo de vista. Sentí que una parte de mí también se estaba alejando.

TOM

No me alegró la partida del otro grupo pero la asumí sin problemas. Al final, mi voto siempre era por tener un poco de paz. Si esto significaba dejar atrás algunas de las tensiones que se habían vivido en el campamento, yo estaba de acuerdo. Uno de los guerrilleros explicó las cosas a su manera: "Los complicados se van y los que no son complicados se quedan. No queremos que haya más problemas".

Nos reubicaron en un lugar a unas cuatro horas de donde nos habían separado de los otros. Hacia el mediodía, después de levantar el campamento, Asprilla, el mismo que le había prometido a Keith que no nos pondrían cadenas si seguíamos comportándonos bien, vino hasta nosotros.

—Esta noche los van a encadenar.

—Pero usted nos dijo que si nosotros seguíamos…

Asprilla continuó sin dejarme finalizar mi objeción:

—Sólo será por las noches. No tendrán cadenas de día. No quería que se sorprendieran después.

No parecía que se sintiera incómodo al ser el portador de esas malas noticias. Tan pronto se fue, nos reunimos en corrillo.

—Bueno, ¡ahí lo tienen! No me sorprende —dijo Keith.

—Esperemos que sea cierto que nos las quitan mañana por la mañana —agregó Marc.

—Miren. Nosotros ya habíamos hablado de esto —continuó Keith— y no podemos dejar que nada nos quiebre. No importa lo que estos cabrones nos hagan, no nos quebrarán. Si las cadenas son una mierda, nos cagamos en ellas. Los militares han vivido con ellas por años. Vamos a superar esto.

—Tienes razón, Keith —agregó Marc—. Mantengamos nuestras rutinas. Mañana por la mañana cuando tengas tu clase de inglés con Juancho, yo te acompaño. Podemos extender las cadenas para que yo llegue a la mesa de trabajo de Miguel, y después del desayuno hacemos ejercicio como siempre. Ahora es cuando más necesitamos trabajar juntos.

—De acuerdo. No podemos dejar que nos dividan. Cualquier cosa que pase entre nosotros, no vamos a dejar que las cadenas la cambien.

Observé a Keith y a Marc. No estábamos a gusto con esta novedad, pero tener a otras personas en la misma situación, en las que confiábamos y a las que respetábamos, hacía un poco más fácil lidiar con ella.

—Vamos a hacerlo. No pienso dejar que ninguna de estas cosas me comiencen a joder.

Me gustaba la actitud de Keith y esperaba que fuéramos capaces de recorrer el camino que nos habíamos planteado.

La primera vez que sentí el frío metal alrededor de mi cuello pensé en las cadenas pesadas que se usan para remolcar vehículos. Pesaban bastante, aunque no tanto como imaginaba. Pero el problema no era tanto el peso sino la forma en que apretaban y generaban una sensación de asfixia. Cada vez que pasaba saliva, mi manzana de Adán rozaba con el acero. A Keith y a Marc los encadenaron el uno al otro, y a mí me encadenaron con Lucho. Desde ese día, él y yo compartimos una caleta al lado de la de Keith y Marc. Finalmente, la proximidad resultó positiva.

Poco después de que los guerrilleros ajustaran las cadenas alrededor de nosotros, Lucho y yo decidimos que teníamos que llevarnos bien a toda costa, y teníamos buenas razones para confiar en que así sería. En todo el tiempo que habíamos estado juntos —los seis meses desde cuando nos reunieron— nunca habíamos tenido ni un sí ni un no. Además, ahora que no estaba Íngrid para exacerbar sus celos, supuse que él era la mejor persona, aparte de Marc y de Keith, con la que pudiera estar atado.

Tal como temíamos, no nos quitaron las cadenas en la mañana ni en el resto del día. Incluso teníamos que llevarlas cuando íbamos a bañarnos. Entonces tuvimos una charla con Asprilla y le hicimos ver que los candados chinos de baja calidad terminarían por oxidarse y trabarse. Para nuestra sorpresa, entendió la conveniencia de no arruinar los candados y nos pudimos bañar sin el peligro de que las cadenas se engancharan con cualquier objeto debajo del agua.

De alguna manera las restricciones nos ayudaron a ser más flexibles. El tema de la privacidad estaba siempre sobre el tapete aunque, por fortuna, la longitud de las cadenas nos permitía tener casi cinco metros de espacio propio. Unas horquetas o palos con la punta en forma de tenedor resultaban muy útiles para sostenerlas. La primera mañana que tuvimos las cadenas vi cómo Marc y Keith caminaban a ritmos diferentes gracias a que las cadenas les bajaban del cuello hasta una horqueta estratégicamente situada entre ellos. Lo mismo hicieron para utilizar la barra de ejercicios. Incluso Marc intentó buscarle un lado bueno a las cadenas: "El peso extra me va a ayudar a ponerme más musculoso". Él había perdido casi veintitrés kilos en el cautiverio, pero a nuestros ojos parecía estar en forma y saludable. Por supuesto, me imagino que cualquiera que no hubiera visto su proceso gradual de adelgazamiento habría quedado impactado al ver su escuálida apariencia.

Durante las primeras semanas que llevamos las cadenas fuimos aprendiendo pequeños trucos para hacerlas más soportables. No es fácil dormir con una cadena alrededor del cuello y hay que realizar algunas pequeñas proezas de ingeniería para lograrlo. En mi caso, utilicé un trozo de cuerda de paracaídas que Jhon Jairo Durán me había dado en la marcha de los cuarenta días, y lo enrollé alrededor de los eslabones y de mi cintura, de forma que hiciera tensión sobre la cadena para que no quedara tocando el cuello.

Afortunadamente, además de Keith y de Marc, tenía otro ser vivo en el que podía confiar para sobrevivir al salvajismo de las FARC. Poco antes de que llegáramos al Campamento Reunión se nos había unido un perro pequeño y macizo que habíamos encontrado merodeando en uno de nuestros asentamientos provisionales. De inmediato me identifiqué con él, que, al igual que nosotros, estaba plagado de nuches y picaduras de insectos. El animal me recordaba a un labrador retriever, de patas cortas y color amarillo, por su característica "sonrisa" y su actitud siempre complaciente. Debajo de su pelaje a parches y de su piel expuesta se le veían las costillas, y apestaba como un mastín del infierno, pero esas características no hacían otra cosa que unirlo más a nosotros.

Le di el nombre de Tula —igual que los morrales de lona— por su color y por su pelaje tosco y carcomido. No creía que el perro estuviera a mi lado únicamente porque lo alimentaba, y lo cierto es que, con el tiempo, parecía disfrutar tanto de mi compañía como yo de la suya. Coloqué un poco de plástico negro sobre el piso, y allí dormía Tula todas las noches. Ya en el Campamento Reunión, todos empezaron a encariñarse con el perro, que yo consideraba mío. Tula era como cualquier otro perro, un verdadero comelón, aunque era respetuoso y nunca robaba comida sino que esperaba pacientemente a que le lanzáramos algunas sobras. Arteaga, a quien también le gustaban mucho los perros, me ayudaba a mantener a Tula en buena forma. Así logramos liberarlo de los nuches; además, los guerrilleros nos dieron aceite de motor usado para que le quitáramos la sarna. Después de unas pocas semanas, ya no olía tan mal y había comenzado a engordar. Sin duda, para todos fue una grata distracción que nos hacía olvidar el estrés de la vida del campamento.

Tula era un verdadero aventurero y disfrutaba de los viajes en el bongo, parado al frente de la lancha, erguido a su máxima altura con su nariz levantada orgullosamente en el aire, como si fuera el mascarón de proa de un velero. Finalmente, Enrique decidió que Tula estaba mejor con él y, como tenía más acceso a la comida que yo, se fue granjeando al perro y lo apartó de mí. Tula siguió merodeando por el campamento y estando con todos, pero no volvió a dormir conmigo. No me molestó mucho; al fin y al cabo Tula, al igual que nosotros, estaba haciendo lo mejor que podía para sobrevivir.

Al principio, la compañía de Tula y la decisión de mantener vivas nuestras rutinas hicieron que las cosas fueran un poco más llevaderas, pero luego de unas semanas me di cuenta de que las cadenas me estaban afectando más de lo que pensaba. Más o menos un mes después de que nos las pusieran, cuando se aproximaba la festividad del 4 de julio, estaba sentado leyendo *El Quijote*. Entonces escuché que LJ, un guardia, y Arteaga, que era el prisionero de más confianza con ellos, estaban diciendo que las FARC, aunque habían decrecido en número de integrantes, tenían todavía capacidad de matar a los soldados del ejército, uno por uno, y de tomarse el país, lo cual no dejó de parecerme irónico. Mientras yo leía un libro sobre un iluso pero admirable idealista, estos dos tipos estaban hablando paja sobre las posibilidades de que las FARC cumplieran con sus objetivos. Me molestó que uno de ellos fuera un prisionero y que no le aclarara las cosas al guerrillero.

—¡Ustedes no son más que un grupo de asesinos! Van por ahí agarrando a personas inocentes y, a la menor señal de peligro, las matan. ¡Esas son sus acciones militares!

LJ me miró y me confrontó:

—¿Qué dice? ¿Usted tiene idea de lo que está diciendo?

Su tono de macho me sacó de casillas.

—Claro que sé lo que estoy diciendo. Y usted debería coger toda esa basura comunista y llevársela a otra parte del campamento. ¡No quiero oírla!

—Usted tiene que respetarme, Tom. ¿O quiere que reporte lo que me acaba de decir?

—No me importa. Vaya si quiere y dígale a Enrique.

LJ se fue y volvió a los pocos minutos con Enrique. Yo estaba en mi hamaca y él me dijo que saliera de la caleta para que habláramos.

—Yo no voy a salir. Si me necesita para algo, que entre.

Para mí cada uno de los comandantes —así fuera Sombra o Enrique o Milton, con un rango más bajo— no era más que un minidictador, y Enrique era el peor de todos. Él hablaba todo el tiempo de igualdad pero yo lo veía siempre sentado en una silla, como si fuera el amo de la casa, con una jovencita a su lado. Mantenía su computador portátil con él y sus hombres se reunían a su alrededor para echarle un vistazo a la película que había seleccionado el jefe.

Al no someterme a sus órdenes yo quería dejar en evidencia al pequeño dictador al frente de sus tropas. Él no estaba acostumbrado a que nadie lo hiciera callar y por eso sentía un placer malvado al ponerlo en su lugar ante sus guerrilleros. Se alejó pisoteando y volvió al rato con un rifle .22, de los que las FARC usan a menudo para cazar. Entonces envió a su "oficial", Mario, adentro de mi caleta. Yo seguí sentado en la hamaca.

—¡Salga! —me ordenó Mario.

—¡No! Si Enrique quiere algo conmigo, que venga acá.

Me di cuenta de que Enrique, además del rifle, había traído otro juego de cadenas. Keith y Marc aparecieron, y el cabecilla comenzó a hablar con ellos. Eso me enfureció todavía más y empecé a insultarlo, echándole en cara cada uno de los agravios que había recibido de él. Por encima de mis propios gritos, alcancé a escuchar lo que Enrique le decía a Keith:

—Tiene que razonar con él, Keith. Tiene que mantener a sus hombres bajo control.

Keith lo interrumpió:

—Nosotros no le decimos a Tom ni a nadie qué es lo que tienen que hacer.

—Bueno, pues si él no se calma y deja de gritarme a mí y a mis hombres, voy a hacer que le disparen en el pie, y si eso no lo calla tampoco, lo obligaré a que cave un hoyo para él mismo y a que viva en él.

No creía que Enrique me fuera a disparar pero tampoco lo podía descartar. Era consciente de que había perdido el control pero no me importaba; estaba harto de ser tratado como una basura y de ver que personas como Arteaga obtenían un mejor trato. Estaba hastiado de que me amarraran, de que me mintieran diciendo que las cadenas sólo las tendríamos en las noches y luego nos obligaran a llevarlas todo el tiempo. Había guardado tantos sentimientos en mi interior que había terminado por explotar.

No fue más que una victoria pírrica. Me había resistido a Enrique y me había desahogado, pero al final él me castigó. Durante unas semanas me soltaron de Lucho, me pusieron una cadena adicional y donde quiera que estuviera me mantenían atado a algo —un poste, un árbol o una banca—. Cuando me iba a bañar envolvía la cadena alrededor de mi cuello y parecía como si tuviera puesto un enorme suéter de cuello de tortuga confeccionado en acero. Igual no me importaba porque yo sabía que era capaz de sobrevivir a Enrique.

Marc y Keith esperaron unos días a que me calmara antes de hablarme. Me dijeron que si no cooperaba, los guerrilleros iban a cavar un hoyo, meterme en él y cubrirlo con tablas.

—Tom, tú no quieres estar en ese hoyo. Si vienen a rescatarnos, sólo serías una rata en una caja y te dispararían sin más. No tiene sentido que sigas presionando —me dijo Keith.

—Imagino lo que sentiste y rezo por ti, aunque no lo necesites. Tú vas a superar esto.

Miré a Marc y asentí.

—Gracias. Ya pasó. Cumpliré mi castigo y saldremos adelante.

XV
POLÍTICOS Y PEONES

TOM

La tercera semana de agosto, poco después de mi enfrentamiento con Enrique, estábamos escuchando la Voz de América y nos enteramos de que la madre de Íngrid y otros familiares de los secuestrados habían ido a Caracas a encontrarse con el presidente de Venezuela, Hugo Chávez, quien había declarado que estaba dispuesto a actuar como intermediario entre las FARC y el gobierno colombiano.

—¿Por qué diablos ese bastardo izquierdista camisa-roja se entromete? —exclamó Keith apenas escuchó la noticia—. Me parece bien que cualquiera intervenga en esto, pero ¿por qué tiene que ser este tipo? Si Uribe se va a reunir con él, será para cagarse en su boina y devolverlo a Caracas con ese recuerdito.

Keith tenía razón en su escepticismo. Poner a Chávez y a Uribe juntos era como juntar la gasolina con los fósforos. Era muy difícil que la reunión de un socialista y un conservador, de dos países que han estado en los peores términos por décadas, concluyera en una conversación productiva.

—Recuerden que a esos dos les tomó dos años superar el tema de la captura de Granda —dijo Marc—. Pero por mucho que odie a Granda y a todos los de las FARC, ¿cómo más se podía esperar que actuaran Chávez y Venezuela cuando les habían violado su frontera para hacer el arresto? Uno no puede ir por ahí cruzando la frontera sin permiso, como lo hizo Colombia, sin atenerse a las consecuencias.

Lucho asintió:

—Esa es la arrogancia de Uribe. Que Granda sea miembro de las FARC no significa que el gobierno pueda ignorar la soberanía de una nación. Si Chávez quiere superar el tema, yo creo que es una buena cosa, aunque dudo que lleve a ninguna parte.

Había visto venir la respuesta aguda pero contradictoria de Lucho. Con él la vida siempre era o un banquete o una hambruna, y algunas veces ambas cosas a la vez. Sin embargo, así diera muchas vueltas, uno siempre sabía su posición.

—¡Vamos, Lucho! —replicó Keith—. Uribe dejó que Chávez creyera que había ganado en el caso de Granda, pero la verdad es que simplemente consiguió lo que quería y luego retrocedió. Chávez debe estar pescando algo más.

—Pongamos las cosas en perspectiva —dije—. Si hay una oportunidad para que todos se reúnan a hablar del intercambio humanitario, ¡qué nos importa que le metan política!

Vi que Marc asentía:

—Esperemos a ver qué hace Uribe. Confiemos en que esto vaya para alguna parte.

Nuestros temores de que la situación se dañara disminuyeron cuando supimos que Chávez iba a ir a Bogotá en las próximas semanas a hablar con Uribe. Si Uribe no desechaba la idea de plano, eso nos daba razones para creer que nuestro cautiverio no pasaría de los cinco años. Siempre me había fijado ese tiempo como una especie de límite después del cual no me sentiría capaz de seguir. Aunque no me había obsesionado con esta idea, tal vez sí había influido inconscientemente para que yo explotara con Enrique.

Diez días más tarde, el 31 de agosto de 2007, nuestros prospectos mejoraron cuando Uribe anunció que le iba a permitir a Chávez que representara al gobierno colombiano ante las FARC para negociar un intercambio de prisioneros. Chávez contó que había recibido una carta de un alto mando de la guerrilla que le pedía que se involucrara en el proceso. Además, las FARC dijeron que, en una demostración de buena fe, llevarían a una delegación de la Cruz Roja al lugar donde estaban los cuerpos de los once diputados masacrados, los cuales serían devueltos a sus familias luego de los exámenes forenses. Varios días después de cumplir esta promesa, Raúl Reyes, el número dos de las FARC, declaró que la intervención de Chávez era un buen primer paso, pero que cualquier intercambio de prisioneros tendría que realizarse en Colombia. Chávez juró que, si era necesario, iría a lo más profundo de la selva a encontrarse con los líderes guerrilleros. Había rumores de que Marulanda no se encontraba bien y que no podía viajar. De cualquier forma, sin importar dónde y cuándo Chávez tuviera sus reuniones, eso sólo podía ser bueno para nosotros.

Todos en el campamento nos sentíamos con más energía por las noticias. Incluso Lucho estaba prudentemente optimista:

—Ésta es la primera vez en veinte años que veo que las relaciones entre Venezuela y nosotros son, así sea remotamente, positivas. Ha pasado mucho tiempo para esto. Yo no confío en los motivos de Chávez pero, si puede ayudarnos a salir de este infierno, estaría dispuesto a darle la mano al mismo diablo.

La radio informó que Chávez había prolongado su estancia en Bogotá por doce horas más de lo previsto, y que él y Uribe habían conversado ampliamente sobre diversos temas de mutuo beneficio. A mí no me importaba si el presidente venezolano estaba pescando algo más, como había pronosticado Keith; todo lo que quería era salir de la selva, así me usaran como a un peón en un juego mucho más grande.

Por la misma época en que Uribe anunció la participación de Chávez, nos enteramos de que habían nombrado a un nuevo embajador de Estados Unidos en Colombia llamado William Brownfield. Él iba a remplazar a William Wood, lo que sólo podía ser bueno para nosotros. Durante su periodo como embajador, Wood no hizo otra cosa que hablar de drogas y lucha contra las drogas, y nunca dijo nada acerca de nosotros, los secuestrados. Brownfield era diferente. En un discurso a los colombianos dejó muy claro que sabía acerca de nosotros tres y que tenía la esperanza de trabajar en una solución.

La llegada del nuevo embajador era estimulante, pero las largas demoras para que las negociaciones empezaran ponían freno a nuestras esperanzas. Septiembre ya tocaba a su fin y las dos partes seguían regateando sobre toda clase de cosas, como siempre lo hacían. Las FARC pidieron una zona desmilitarizada en el sur, más o menos donde imaginábamos que estábamos, a lo largo de la frontera entre Colombia, Venezuela y Brasil, y Uribe rechazó esta propuesta. Colombia quería que se entregaran pruebas de supervivencia de los secuestrados antes de seguir adelante con las negociaciones, pero, hasta donde sabíamos, las FARC no las habían ordenado todavía.

Mientras continuaban las discusiones, Uribe nos sorprendió una vez más al nombrar a Piedad Córdoba, miembro de uno de los partidos más liberales de Colombia y una estridente crítica de su gobierno, como mediadora en las negociaciones para la liberación de los secuestrados. Ella no ocultaba su simpatía por las FARC, aunque nadie sabía qué tan profunda era su cercanía con la guerrilla. En algunos círculos de Bogotá había toda clase de sospechas sobre ella. Lucho era su amigo y la defendía diciendo que era una mujer seria, trabajadora y carismática, y que tenía buenas intenciones. Que si alguien podía ayudarnos era ella. Además, alguna vez había estado secuestrada por grupos paramilitares de derecha y eso haría que tuviera más empatía con nuestra situación. Frente a un personaje tan cuestionable como Chávez, o como la misma Córdoba en menor grado, a nosotros no nos importaba quién llevara las conversaciones, sino que hubiera conversaciones. Incluso Keith, que detestaba a Chávez y todo lo que representaba, dijo que estaba dispuesto a besarle el culo si nos sacaba libres.

La mañana del 20 de octubre estábamos bañándonos en el río cuando Enrique bajó corriendo por el terraplén:

—Les quedan cinco minutos. Tienen que ponerse su mejor ropa porque tengo órdenes de preparar una prueba de supervivencia de cada uno de ustedes.

Nos miramos el uno al otro. Aunque habíamos oído que esa era una de las demandas del gobierno colombiano, no sabíamos que esto iba a pasar. La cuestión ahora era decidir cómo debíamos reaccionar.

—Miren —dijo Keith, volviéndole la espalda a Enrique—. Las FARC se la pasan diciendo que quieren hacer un intercambio de prisioneros. Uribe cambió su posición y logró que Córdoba y Chávez se involucraran. Nuestro embajador comenzó a hablar sobre nosotros. Algo está pasando. Mantengámoslo así de simple y enfoquémonos en eso.

Marc estaba absorto en sus pensamientos, y le pregunté qué estaba pensando.

—De acuerdo, tenemos que mantenerlo tan simple como sea posible. No podemos controlar lo que los gobiernos o los ministerios de estos países hagan o digan. Pero ¿nosotros queremos hacer esto?

—Yo creo que debemos hacerlo —dije—. La última vez no estaba preparado, pero ahora sí quiero que mi familia sepa que estoy bien. Los asuntos políticos o lo que nuestro gobierno esté reclamando o lo que les sirvan las pruebas de supervivencia a las FARC es nada en comparación con eso. Tengo que decirle a mi familia que estoy bien y que estoy vivo.

Ninguno de nosotros habló por unos segundos.

—Sé cómo te sientes —dijo Marc—. Yo también estoy desgarrado y quiero que mi familia sepa que estoy bien, pero después de lo que el periodista Botero hizo con nuestras primeras pruebas de vida, no sé si voy a dejar que las FARC me vuelvan a utilizar.

Otra vez hicimos una pausa, rumiando nuestros recuerdos sobre la forma en que Botero nos había manipulado con la noticia de las muertes de nuestros amigos

—Yo no soy el mismo que era entonces —continuó Marc—. Ya no les temo y, después de todo lo que nos han hecho pasar, no estoy seguro de querer hacer algo para ayudar a su causa.

Se sentó con la quijada apoyada en sus puños cerrados, todavía moviendo su cabeza; se veía como un hombre dispuesto a hacer lo correcto y lo más difícil, así se odiara a sí mismo por tener que hacerlo. Keith decidió intervenir:

—Estoy contigo, Marc. Yo tampoco voy a hacerlo. Ellos quieren usar nuestro dolor y el de nuestras familias para su causa, y no me parece bien. A ti, Tom, te admiro por ser capaz de enfocarte en tu familia, y sabes que no necesitas decírmelo, pero yo no lo voy a hacer de todas formas. Haz lo que consideres mejor para ti y te estaremos apoyando, hermano.

—Yo sé, Keith —le respondí, seguro de que cada uno haría lo que fuera mejor para nosotros.

—Marc, no estoy tratando de influenciarte. Sólo escúchame. Aquí no somos más que moneda humana, todos lo sabemos. El secretariado de las FARC debe estar que rompe botones de orgullo por eso. Tienen a varios países interesados en tratar con ellos, lo que a sus ojos les da legitimidad. Ahora somos más valiosos para ellos que antes, así que no creo que vayan a ponernos en riesgo. ¿Por qué lo harían?

Esperamos a Enrique dentro del agua. Cuando regresó, le dijo a Marc que él sería el primero. Marc no lo dudó ni un segundo:

—No voy a hacerlo. No quiero que me graben y no quiero hablar. No voy a responder a sus preguntas.

Cuando terminó de hablar, tenía apretada la mandíbula y una vena sobresalía en su frente. Sus ojos estaban fijos en los de Enrique.

Enrique mantuvo su mirada un momento, antes de responderle:

—Está bien. Pero sepa esto: voy a tener un video suyo gústele o no. Así sea acurrucado en el *chonto* o bañándose en el río, como ahora, yo le saco un video. No me importa: o hago un video suyo en mis términos, o coopera.

Enrique se alejó unos metros.

—Sé que él puede filmar lo que se le dé la gana, y no voy a darle ese control. Así que voy a hacer el video. ¡Pero no voy a hablar!

Marc salió fuera del agua y subió la colina, seguido por Keith y por mí. Se puso una camiseta negra y unos pantalones de sudadera, nada que ver con la "mejor ropa" que Enrique le había pedido que usara. Estaba decidido a que el video mostrara la verdadera forma en que nos trataban y no lo que las FARC querían hacer creer a todo el mundo. Enrique merodeó unos minutos a su alrededor con su videocámara tratando de obtener las mejores tomas. Marc, mientras tanto, sacó un pedazo de camiseta que usaba como pañuelo y aplastó unos cuantos mosquitos. No sonrió nunca ni miró a la cámara.

Keith era el siguiente, así que Marc y yo tuvimos oportunidad de hablar:

—Realmente quería decirle algo a mi familia —dijo Marc—. Realmente quería. Esto duele muchísimo. Me siento como si me hubiera tragado un ladrillo y lo tuviera en mi garganta. Mis hijos… ¿Qué pensarían de esto si supieran?

Keith hizo lo mismo que Marc, y también Lucho.

Lo que a mí me motivaba era el deseo de salvar mi matrimonio y no tener a alguien que me esperara a la salida únicamente por pena. No sabía de Mariana desde hacía un buen tiempo y no estaba seguro de cuál era nuestra situación, pero quería que ella y mis hijos supieran lo que sentía por ellos.

Estar sentado ahí con Enrique filmando parecía surrealista. Tenía al frente a un sujeto al que odiaba con toda el alma y al que sólo quería escupir en la cara, un tipo que ordenó que me pusieran cadenas y, aun así, estaba diciendo palabras de amor a mi esposa, mirando a la cámara y tratando de ignorar quién estaba detrás del lente. También le entregué a Enrique una carta que había escrito a mi esposa. Básicamente era un testamento para que, en caso de no salir con vida, mi familia tuviera lo necesario. Quería saber que las cosas iban a manejarse bien y dejar la menor cantidad posible de asuntos pendientes. Por mi carácter práctico, necesitaba tener ese poquito de seguridad en mi bolsillo. No es que estuviera especialmente preocupado acerca de la muerte, pero cubrir todas las bases era algo que me ayudaría a descansar mejor.

La carta también incluía una lista de cosas que mi esposa debía hacer para mantener la casa en buenas condiciones. Había que limpiar las canaletas por lo menos una vez al año para que no se rebosaran de agua y arruinaran los revestimientos de madera. De hecho, desde antes del accidente ya había algunos daños causados por el agua y le había dicho que los hiciera arreglar por un carpintero. Era una extraña mezcla de cosas románticas y prácticas, propias de todo matrimonio. Sabía que ella entendería y que, además, de alguna forma, le serviría para saber que la carta no era falsa. El cautiverio me había cambiado, pero esos rasgos esenciales que hacían de mí un piloto y alguien a quien le gusta poner los puntos sobre las íes permanecían intactos.

Después de las pruebas de supervivencia, el campamento volvió a su normalidad durante el otoño del 2007. Enrique no estaba contento con que nos hubiéramos negado a decirle al mundo que nos oponíamos a un rescate militar, pero no nos apretó más los tornillos. De hecho, algunas veces nos permitió quitarnos las cadenas para jugar voleibol. Nosotros nos manteníamos pegados a la radio y estábamos atentos a todos los nuevos desarrollos. Chávez tenía al gobierno francés de su lado por causa de la doble nacionalidad de Íngrid, y el presidente de Francia, Nicolás Sarkozy, hacía lo que podía por alentar las negociaciones. Mientras tanto, las FARC habían anunciado una liberación unilateral de secuestrados como señal de buena voluntad.

Desde nuestro punto de vista, todo era una cantidad de conversaciones, vuelos y visitas, pero no había ningún progreso. Chávez había prometido las esperadas pruebas de supervivencia al gobierno francés antes de su visita a Francia, pero cuando llegó allá no las tenía en su poder. No sabíamos por qué las FARC se habían demorado con ellas y nuestra frustración por el ritmo en que se movían las cosas aumentaba. También comenzamos a tener evidencias de que los motivos de Chávez eran egoístas y de doble filo. En una alocución en la radio, elogió a Marulanda, el fundador de las FARC, y lo exaltó como un gran revolucionario, mientras nosotros lo veíamos como lo que realmente era: el líder de una organización terrorista.

Todos los días de ese otoño las noticias en Colombia se referían al tema de los secuestrados y las FARC. Y teníamos otras razones para la esperanza. En Estados Unidos la campaña presidencial estaba en pleno desarrollo. Con los senadores Hillary Clinton y Barack Obama punteando por un lado y el senador John McCain repuntando por el otro, pensábamos que, fuera cual fuera el resultado, nuestras perspectivas pintaban bien. Los liberales tendían a estar más pendientes de nuestra causa y el senador McCain, que había sido un prisionero de guerra él mismo, estaría dispuesto a prestar más atención a nuestra situación. Un congresista de nuestro país, Jim McGovern, había estado muy activo para promover una negociación con las FARC, y teníamos la esperanza de que otros funcionarios se unieran a él. Adicionalmente, Simón Trinidad había sido declarado culpable el pasado mes de julio en Estados Unidos por nuestro secuestro, así que, cuando nos enteramos de que su sentencia había sido pospuesta, tuvimos la esperanza de que tuviera que ver con alguna posible negociación del Departamento de Justicia con miras a nuestra liberación.

El 20 de noviembre, Enrique nos informó que teníamos que hacer otro video como prueba de supervivencia. Le preguntamos por qué y adujo una vaga excusa acerca de que algo le había pasado al primero que había enviado. Parecía típico de las FARC que hubieran perdido algo que estaban esperando varios jefes de Estado. No teníamos ni idea de qué había ocurrido pero, con la cantidad de bajas y heridos que habían tenido las FARC en los últimos años, todo era posible. Con la creciente certidumbre de que esta prueba de supervivencia era algo que otros, aparte de la guerrilla, estaban requiriendo, esta vez estuvimos de acuerdo en que lo mejor sería enviar a nuestras familias un mensaje de tranquilidad y satisfacer una condición para las posibles negociaciones. Si no hubiéramos sabido que los gobiernos de Francia y

Colombia estaban pidiendo esa evidencia de que aún estábamos vivos, y si no hubiéramos escuchado nosotros mismos que nuestro embajador estaba ansioso por trabajar para nuestra liberación, habría sido mucho más fácil rehusarnos a lo que Enrique nos pedía.

De mi parte, estaba contento de tener otra toma para mi prueba de supervivencia porque sentía que la primera había quedado apresurada. Tenía algunas ideas de lo que hubiera querido cambiar y las incorporé en la versión de noviembre. Incluso le robé una línea a mi autor favorito, Gabriel García Márquez, que sonaba mejor en español que en inglés, y le dije a Mariana: "La quiero resueltamente". También puse esa frase en la carta de amor escrita. Me sentí contento de enviar este mensaje en lugar de hablar de las mejoras de la casa, sobre todo si tenía en cuenta que no sabía si tendría un hogar al cual volver.

KEITH

Nunca confié en Chávez. Pensaba que cualquier militar capaz de refugiarse en Cuba no valía mucho. Cuando se apareció en París con las manos vacías para su encuentro con Sarkozy supe que esas negociaciones no durarían. Por supuesto, las FARC no ayudaban tampoco. Si de algo estaba seguro era de que entre Chávez y los cabezas de chorlito de las FARC se las ingeniarían para dañarlo todo. Tomó un tiempo, pero finalmente lo hicieron.

Esas pocas noticias por poco eclipsan otro asunto del que nos enteramos. Entre los familiares que habían ido a Caracas estaba Patricia. Y aunque yo no estuviera en la rueda de prensa que dio Chávez, mis gemelos sí estuvieron. Aparentemente, habían ido con su madre, y "los tigres", como les decían, se escaparon de sus brazos, corrieron por el palacio presidencial de Chávez e interrumpieron la conferencia de prensa, tanto así que Chávez abandonó el podio para ir tras ellos. Finalmente los alcanzó y jugaron un poco a las escondidas alrededor de un gran globo que estaba sobre una base. A la prensa le encantó esto y los niños sirvieron como un recordatorio de que "los americanos" estaban aún secuestrados, así uno de ellos tuviera unos gemelos indomables.

Escuchar en la radio que "los tigres" habían hecho destrozos en el palacio presidencial me levantó la moral, especialmente porque comprobé aquello de que "de tal palo tal astilla". También me alegró oír que los colombianos habían acogido a Patricia y los niños como propios. Cualquier preocupación que hubiera tenido de que a los niños los hacían a un lado por causa de los pecados de su padre se disipó. Todo lo que necesitaba hacer era buscar la mejor forma de expiar esos pecados y dejar de ser un "chavezco" estúpido pedazo de mierda yo mismo.

El 22 de noviembre, dos días después de nuestra segunda prueba de supervivencia, escuchamos en la radio que Uribe había retirado oficialmente a Chávez y Córdoba su condición de enviados ante las FARC. ¡Feliz maldito Día de Acción de Gracias para nosotros! Ya podían pasarnos los arándanos y el puré de papas. Cuando escuchamos la noticia sostuve mi cadena en mi mano y dije: "Estamos jodidos. Se acabó".

Nos sentamos alrededor del radio a escuchar el breve y triste relato de sentimientos heridos y estupideces. Aparentemente, Chávez y Córdoba se habían crecido demasiado. Durante un vuelo tuvieron la gran idea de que podían hacerse cargo por completo de la situación y llamaron al comandante del ejército colombiano, el general Montoya, y trataron de acordar una reunión con él para discutir el tema de los secuestrados y de las FARC. Lo que se les olvidó es que una de las condiciones para su designación como representantes de Uribe era que no contactaran a nadie o citaran reuniones sin consultarle primero. Él tenía que aprobar todos los movimientos que hicieran. ¡Vaya! ¡Parece que no leyeron la letra pequeña del contrato! Como querían acaparar los reflectores, nosotros continuamos secuestrados.

Lucho estaba tan furioso con Uribe como yo con Chávez, ¡y no es que yo no pensara que todos tenían algo de culpa!

—Lo único que Uribe buscaba era una oportunidad para rescindir el acuerdo. Él quería avergonzar y desacreditar a Chávez desde el principio, y se aprovechó del primer tecnicismo para hacerlo.

Lucho se había puesto colorado y parecía como si fuera a lanzarse con uno de sus discursos antiderecha. Por fortuna, Marc lo interrumpió antes de que se pusiera más hiriente.

—Lucho, el tipo es el presidente de Venezuela. ¿Cómo puede esperar que Uribe no haga nada cuando él estaba hablando con el máximo mando militar de Colombia sin aclararlo antes con él? ¡Uno no puede pasar así sobre la cabeza de nadie!

Lucho parecía a punto de llorar y yo mismo no me quedaba atrás.

—Pudo haberle reprochado en privado, pero darle la oportunidad de que siguiera haciendo lo que le había pedido que hiciera. ¡Pero lo que no se hace es una declaración pública para retirarlo! Uribe está tratando de rebajar a Córdoba y a Chávez ante los ojos de los colombianos y los está usando para avanzar en su agenda.

Para mí, Uribe había hecho muchas cosas mal, y odiaba tener que defenderlo. En sus declaraciones destituyendo a Chávez de su encargo había dicho que el venezolano era el único en el mundo al que las FARC respetaban y al que le entregarían los secuestrados. Si Chávez salía de escena, ¿qué significaba eso para nosotros?

En los días que siguieron, Chávez y Uribe dejaron a un lado la tolerancia y se cruzaron duras críticas. Chávez le dijo a Uribe mentiroso y puso las relaciones con Colombia "en el refrigerador". Uribe acusó a Chávez de estar del lado de las FARC y de tener intenciones expansionistas. Chávez fue aún más lejos diciendo que Uribe era un mal presidente que no quería la paz para su pueblo y que era "un triste peón del imperio". Al mismo tiempo, los analistas en la radio especulaban que Uribe sólo había cooperado con Chávez porque el Congreso mayoritariamente demócrata de Estados Unidos no aprobaba el Tratado de Libre Comercio con Colombia. Según ellos, Uribe sabía que asociarse con el peor enemigo de Estados Unidos en la región le podía generar algún apalancamiento frente a nuestro país, o al menos le permitiría darnos un jalón de orejas.

Estábamos enfermos de tanta retórica. Lo que esos políticos olvidaban era que sus acciones, sus acusaciones y sus manipulaciones nos mantenían a nosotros encadenados. Estábamos muy furiosos, pero también sabíamos que las cosas podían cambiar otra vez. Éste sólo era el último capítulo en las idas y venidas que habíamos vivido por casi cinco años. Estábamos atravesando por una estación seca y las aguas estaban literalmente desvaneciéndose alrededor nuestro, pero sabíamos que eso era parte de un ciclo natural. Así como el clima político pasaba ahora por una época difícil, volvería a favorecernos en su momento. Por lo menos la gente estaba hablando sobre los secuestrados y los intercambios. Eso era más de lo que habíamos visto por años.

Cuatro o cinco días antes de Navidad, un guardia nos dijo que celebraríamos la festividad con anticipación porque íbamos a estar en marcha. En este punto del cautiverio, sentíamos que la Navidad o cualquier otra fiesta no eran más que nombres en el calendario; al no estar con nuestras familias, estos días no tenían el mismo significado. Los guerrilleros parecían compartir este punto de vista, aunque normalmente hacían alguna reunión para ellos en esa fecha.

Nuestra celebración navideña anticipada del 2007 comenzó muy calmada. Después de un tiempo, un guardia nos trajo una botella de un licor colombiano llamado aguardiente, anisado y muy potente. Por educación, tomé un solo trago con el resto de los muchachos. Tom y Marc bebieron un poco más. Yo estaba preocupado por ellos porque no habíamos comido todavía, y Marc, que no se venía sintiendo bien, no se había alimentado adecuadamente por un par de días. Al fin, los guerrilleros nos trajeron la comida y esta vez, en lugar de dejarnos una olla grande para nosotros, los cocineros nos sirvieron. Nuestra cena especial de Navidad fue pollo, que para la guerrilla era alta cocina. No era un pollo suculento de domingo por la tarde; estaba más bien seco y fibroso, y, sin embargo, era lo mejor que habíamos comido en mucho tiempo.

Enrique apareció y lucía muy contento. Tenía oculta una mano detrás de él y le dijo al guardia que nos soltara las cadenas para que estuviéramos más cómodos comiendo, sentados en el piso. Sabíamos que algo se traía y así era. Tan pronto nos sentamos, sacó la videocámara que había estado ocultando detrás de sí. ¡Qué importaba ya! Si quería filmarnos para mostrarle al mundo lo bien que comíamos y que éramos sólo unos alegres campistas libres de cadenas, que lo hiciera. Por supuesto, eso no nos parecía bien, pero si él se arriesgaba a hacerlo tendría que atenerse a las consecuencias. Tom estaba esa noche con la lengua bien afilada, y le espetó a Enrique:

—¿Cree que por traernos comida y bebida le vamos a besar el culo? ¿Qué carajos le pasó a usted para volverse así? Usted debió haber sido un niño normal. ¿Qué le pasó? ¿Cuándo se le puso negro el corazón? ¿Cuándo decidió seguir el camino de la oscuridad?

Enrique siguió filmando, como si no hubiera escuchado nada. Estaba haciendo una toma general del lugar cuando Tom comenzó a preguntarle sobre cómo había sido su proceso de decadencia hasta llegar a ser el abusivo canalla que ahora era. Yo estaba sentado atrás, feliz con lo que pasaba, cuando vi que Marc se levantó. Agarró algunas de nuestras cadenas que estaban sobre el piso, se las envolvió alrededor del cuello y comenzó a caminar con ellas y a hacerlas sonar como si fuera un fantasma salido del relato de Charles Dickens *Canción de Navidad*. La idea era dañarle a Enrique su pequeño video nostálgico de "lamentamos no estar en casa para Navidad". Los demás nos reíamos y aullábamos para completar la función. Tom seguía adelante con el "memorial de agravios" y Marc se le metía a Enrique en medio del video. La ira comenzó a crecer en Enrique; la cámara le temblaba y cada vez que la movía en otra dirección Marc saltaba para seguir saliendo en la toma con su bufanda de cadenas.

Tom hablaba por nosotros en ese momento. La desilusión por la forma en que se habían enredado nuestras expectativas, y la frustración acumulada por haber sido encadenados, habían salido a flote. Era una clásica pieza de rebeldía. Habíamos apilado todos nuestros resentimientos bajo nuestro tropical árbol de Navidad. Finalmente Enrique se escabulló del campamento como si fuera un personaje de tiras cómicas con vapor saliéndole de las orejas.

Sabíamos que él se iba a vengar por esto pero no imaginábamos que su venganza la fuera a distribuir de una forma tan desigual. Le puso a Tom un nuevo juego de cadenas pero a Marc y a mí no nos hizo nada. Tom entendió que esa era la naturaleza de la bestia. El oscuro camino que transitaba Enrique siempre lo conducía hacia él.

Pasada la peculiar "celebración" de Navidad, nos preparamos para partir. Enrique vino a vernos el 24 y nos informó que la marcha comenzaría ese mismo día.

—Tenemos mucho camino por recorrer. Como ustedes saben, estas marchas son difíciles, así es que tienen que preocuparse por estar en buena condición. Ustedes son responsables de ustedes mismos, y nosotros de nosotros.

De manera indirecta, nos estaba diciendo que debíamos ayudar a cargar las provisiones de comida. Ya habíamos pasado por esto antes. Técnicamente, como cautivos, no éramos responsables por nosotros mismos, y eran las FARC las que tenían que alimentarnos y darnos los elementos básicos. Pero lo que Enrique insinuaba era obvio: si no nos ayudan llevando su comida, aparte de sus cosas, no van a comer bien. En otras palabras: las primeras raciones que suspenderían serían las nuestras. No teníamos mucha opción. Estábamos encadenados y rumbo a una marcha. Las cadenas pesaban cerca de diez libras y nuestros morrales mucho más, pero, si queríamos tener la única cosa que nos podría dar energías, tendríamos que llevar un peso adicional.

—Llevaremos *su* comida —dije—, pero necesitamos a cambio leche en polvo y panela. Si nos las dan, pueden amontonar lo que quieran sobre mí.

Con este ofrecimiento, conseguía no sólo la leche y el azúcar que necesitábamos, sino también algo potencialmente más valioso: la buena voluntad de los guerrilleros rasos. Con los años nos habíamos dado cuenta de que una de las mayores fuentes de descontento de los guerrilleros de base era la percepción de que algunos tenían que cargar más que otros, y tenían toda la razón. Nosotros habíamos visto a algunos, cómo Eliécer, cargados hasta el cuello, mientras otros avanzaban tranquilos con cargas muy livianas. Mientras más largas eran las marchas más contrariados estaban, y nos contaban a nosotros de su frustración. Me imaginé que si nos veían cargando grandes pesos también, sería más probable que alguna vez nos hicieran algún favor. Normalmente, cuando uno transportaba comida en una marcha, el peso se iba aligerando cada día en la medida en que se consumían las provisiones. Sin embargo, en esta marcha, me encargué de pedir que me repusieran los alimentos, de forma que siempre tuve una carga pesada.

Cuando salimos, Tom no estaba en condiciones de llevar ningún peso adicional. Enrique le había puesto cadenas dobles para la marcha y eso ya era suficientemente duro, sobre todo porque Tom sufría de una rodilla. Marc hizo lo que pudo, pero su rodilla también estaba mal y además acababa de pasar por una enfermedad. Yo tenía la fortuna de estar en buena condición física, dentro de las circunstancias. No me emocionaba la idea de ayudar a los guerrilleros pero, si eso significaba salvarnos del hambre, estaba dispuesto a hacerlo. Con casi los cinco años de secuestro, nos habíamos vuelto un poco más sabios sobre cómo sobrevivir al cautiverio. Éramos más resistentes física y mentalmente, y sabíamos bien cuáles eran nuestros límites.

Al comienzo, con la carga extra, la marcha fue muy difícil, pero algunas noticias nos ayudaron a seguir adelante. El 28 de diciembre supimos que la Cruz Roja y otras agencias estaban presionando a las FARC para que liberaran a Clara Rojas y a su hijo. Lo que nadie sabía era que la guerrilla, de alguna manera, se las había arreglado para que Emmanuel estuviera en un orfanato. No fue sino hasta la fuga de Jhon Pinchao que las autoridades colombianas empezaron a seguirle la pista a un niño de su misma edad con un detalle revelador: que también tenía un brazo partido. Emmanuel se convirtió en una causa célebre en Colombia, y las FARC habían corrido un riesgo serio con él por la condición del niño cuando lo entregaron al cuidado de otras personas y por el equivocado tratamiento que habían dado a su problema del brazo.

Cuando Emmanuel apareció, las FARC, según su costumbre, siguieron alargando la situación y se negaron a liberar a Clara argumentando que el gobierno había encontrado un niño cualquiera y estaba diciendo que era Emmanuel. La mamá de Clara se sometió, entonces, a un examen de ADN y las pruebas confirmaron que el niño sí era su nieto. Sólo cuando Uribe anunció el resultado de las pruebas genéticas, las FARC finalmente accedieron a liberarla. Dieron las coordenadas del lugar de ubicación de Clara y Consuelo a dos helicópteros venezolanos, y la Cruz Roja supervisó la operación. Finalmente, el 10 de enero las dos mujeres fueron liberadas.

Necesitábamos esa dosis de buenas noticias. Para el 10, habíamos estado marchando por trece días, y el único desarrollo positivo que tuvimos fue saber que otros grupos de secuestrados estaban cerca. Nosotros íbamos adelante, así que teníamos que armar el campamento siempre que nos deteníamos, pero en lugar de echarlo abajo cuando salíamos, lo dejábamos en pie para los grupos que venían detrás. Los guardias nos confirmaron nuestras sospechas cuando nos dijeron que había dos grupos que nos seguían, uno de los cuales incluía a Íngrid: el de los cinco de los que nos habían separado, y el de otros cuatro militares prisioneros.

Cada uno de nosotros tenía diversos padecimientos con los pies, pero Lucho era el peor de todos. Como era diabético, tenía problemas de circulación en las piernas y los pies, lo que impedía que incluso las más pequeñas heridas se sanaran pronto. Una ampolla se le había reventado y se le había infectado. Una noche, estando encadenado con Tom, Lucho creyó que estaba sufriendo un ataque cardíaco hasta que Tom le dio una aspirina, y se calmó. Los guerrilleros, a pesar de que él les había contado acerca de su diabetes, lo seguían tratando implacablemente y, mientras más lo forzaban, peor se ponía su pie. La infección se profundizó y Lucho era consciente de que a muchos diabéticos les tenían que amputar los dedos de los pies o los pies, e incluso las piernas. A pesar de que no entró en pánico por esto, todos podíamos ver una justificada angustia en su rostro.

Sabíamos que Lucho podía ser muy escandaloso sobre sus problemas de salud, pero esta vez resultaba claro que el problema era realmente serio. Por fortuna, los guerrilleros finalmente se dieron cuenta. El pus y la sangre que supuraban de su pie eran lo más fétido que jamás he olido en mi vida. No podía imaginarme cómo hacía él para continuar. Pronto llegamos a un viejo campamento, uno de los primeros en los que habíamos estado con Enrique, que estaba bastante igual a como lo habíamos dejado.

Mientras nos establecíamos, noté que Enrique y otros guerrilleros estaban hablando con Lucho, quien se veía muy agitado. Se acercó a nosotros y, siendo como era una persona con las emociones a flor de piel, nos dimos cuenta de inmediato que había recibido malas noticias.

—Me van a sacar del grupo, caballeros. Lamento decirles que no sé nada más, pero ésta puede ser la despedida. Ya no puedo vivir más en Plenitud.

Marc y yo nos reímos por el uso de este nombre que le habíamos dado al hogar de jubilados/cambuche que Tom y Lucho compartían.

—Bueno… los que estamos en el nido de serpientes extrañaremos su presencia.

Le devolví a Lucho el apunte, haciendo referencia al nombre que él y Tom le habían puesto al cambuche que compartíamos con Marc. Pero no lo captó, y dijo:

—Le deseo lo mejor, Tom. Si es posible decir esto en semejantes circunstancias, quiero decirle que ha sido un placer. ¡Quién iba a decir que las cadenas podían unirnos y también podían separarnos!

Lucho estaba batallando con sus emociones. Marc y yo nos retiramos para dejar que Tom y él tuvieran un momento en privado.

Cuando se lo llevaron, Tom se acercó a nosotros y lo vio partir. Yo podía sentir que estaba pasando algo en su interior. Se quedó parado, restregándose la nuca con las manos de manera inconsciente.

Marc le preguntó si estaba bien. Tom frunció los labios y exhaló:

—No me esperaba esto. Ojalá que lo estén llevando hacia la libertad.

Ninguno de nosotros realmente lo creía, pero en ese tiempo la incertidumbre se había vuelto parte de nuestras vidas, así que compartimos la esperanza de Tom.

Un par de días después, quedamos asombrados cuando vimos que Lucho regresaba, esta vez acompañado por los dos grupos que nos habían estado siguiendo. Los guardias nos mantuvieron separados en nuestros grupos de marcha. Podíamos saludarnos de lejos con la mano y decir hola, pero no más. Fue bueno volver a ver a Romero, a Jhon Jairo, a Buitrago y a Javier después de tanto tiempo. Cuando llegamos a otro viejo campamento, los guerrilleros todavía nos mantuvieron separados en grupos, más o menos a un kilómetro cada uno.

Una noche, dos semanas después de que Lucho regresara, él y Tom estaban escuchando el programa radial de mensajes en la caleta al lado de la de Marc y mía. Lo escuché decir algo que sonaba como "Hwmphr". Un momento más tarde nos dijo, tan calmado como si estuviera dándonos la hora: "En las noticias dijeron que me van a liberar".

Tardamos un segundo en registrar sus palabras. Todos —incluido Lucho— quedamos en estado de *shock*. A la mañana siguiente, otra vez era el de siempre. Estuvo al lado nuestro estimulándonos a que escribiéramos cartas, tantas como quisiéramos, pues estaba seguro de que las podría sacar. Todos nos pusimos a escribir y, además de las cartas, Marc le pidió que le llevara otro par de cosas para su familia. Él había tallado una placa de madera con la palabra *familia* y también había hecho algunos parches con los nombres de su esposa, su hija y sus dos hijos. Tom y yo teníamos cartas para enviar a casa, y además escribí otras dos: una para Patricia y otra para su padre.

Desde que escuché el primer mensaje de Patricia, tuve muy claro que ella hacía lo más difícil y lo mejor, a pesar de las duras circunstancias. A partir de entonces, sus mensajes me daban un apoyo que ni siquiera yo sabía que necesitaba. Con el accidente, yo había salido de la realidad, pero ella no. Incluso después de tanto tiempo sin tener noticias mías, Patricia estaba cuidando a "los tigres" y me daba su respaldo de una manera que ya hubiera querido yo hacerlo por ella.

Esta situación ponía a prueba mi resolución sobre si realmente había cambiado durante el cautiverio. ¿Qué clase de persona iba a ser cuando saliera de aquí? No había nada que pudiera hacer acerca del pasado y el gran vacío que mi ausencia había creado en las vidas de mis seres queridos, pero sí podía hacerle saber a Patricia lo que planeaba para el futuro. Podía hacerle saber que veía las cosas de forma diferente. Le dije a ella y a su familia que iba a hacer lo mejor por ellos y que iba a ver si podíamos ser una familia, todos juntos de alguna manera.

Antes de irse, Lucho se me acercó y me preguntó sobre mis intenciones con Patricia:

—¿Le digo que quiere casarse con ella?

—Dígale que quiero hacer los cosas bien, y respaldarla a ella y a los niños. Que me gustaría que fuéramos una familia.

—No me diga más, Keith. Yo sé cómo manejar esto. Yo soy colombiano, y sé qué hacer.

Me imaginé que nadie mejor que él, un diplomático y un senador, podía ayudarme a transmitir mi mensaje. Pensé que le debía una confesión:

—Lucho, cuando nos conocimos, yo no me lo aguantaba, y debo decir que me disgustaron mucho las cosas que nos hizo a nosotros tres. Pero ¿sabe qué? Estoy contento de haber pasado estos seis meses con usted, el verdadero Lucho. Me gusta la persona que veo ahora y me siento contento de haber conocido este lado suyo.

Así como nos habíamos puesto felices por Lucho, también nos llenamos de júbilo cuando nos enteramos de que liberarían a Jorge, Gloria y Orlando. Pensar que cualquiera —dejando atrás a un grupo tan grande— fuera a regresar a casa era emocionante. Además, saber que las FARC estaban haciendo esto unilateralmente, de la misma forma que habían liberado a Clara y Consuelo, nos daba esperanzas de que nuestro momento llegaría pronto.

El 26 de febrero de 2008 Lucho nos dijo adiós, pero esta vez su partida no nos dejó un sabor amargo. Aunque una parte de mí creía que las FARC no cumplirían con lo convenido, por una vez esto no pasó. Con sus morrales llenos y su esperanza recuperada, Lucho salió caminando del campamento y no volvió.

MARC

El primero de marzo, el gobierno colombiano anunció que había descubierto y atacado un campamento de las FARC en la región del Putumayo, sobre la frontera con Ecuador. Los primeros reportes decían que habían muerto dieciséis guerrilleros y que entre ellos estaba Raúl Reyes, el primero del secretariado que caía en combate desde la fundación de las FARC. Keith, Tom y yo nos regocijamos con esta noticia. Reyes era un componente vital en la maquinaria de las FARC. Había rumores de que Marulanda estaba enfermo y a punto de entregar su cargo como comandante en jefe, y Reyes era el siguiente en la línea de sucesión. Además, su muerte tendría impacto en toda la organización guerrillera.

Aunque éste era un hecho positivo, podría ser perjudicial para nosotros, sobre todo por la forma en que había ocurrido. En los días siguientes, la radio dio más reportes sobre la muerte de Reyes y la controversia que había sobrevenido. Reyes y su grupo habían ingresado al Ecuador y habían sido muertos en territorio de ese país. Algunos en Colombia y en Ecuador estaban ofendidos por el hecho de que los militares hubieran cruzado la frontera. Después de uno o dos días de furiosas acusaciones y negativas, Uribe explicó que su ejército había lanzado un ataque con cohetes desde Colombia y que sólo cuando creyeron que habían dado en el blanco atravesaron la frontera de Ecuador, con el permiso del presidente ecuatoriano, Rafael Correa. Junto a los cuerpos, recuperaron los computadores portátiles de Reyes. Pronto comenzaron a circular una serie de acusaciones basadas en la crítica información que los computadores contenían, incluida la confirmación de la prolongada alianza de Chávez con las FARC. Si esto era cierto, podía tener enormes implicaciones para nosotros, que nos preguntábamos cómo se verían afectadas las negociaciones para nuestra liberación.

No sabíamos si era por la muerte de Reyes, la liberación de Lucho o alguna otra circunstancia de la que no éramos conscientes, pero, en los días posteriores a la partida de Lucho, notamos una intensa actividad de vigilancia aérea. Nosotros nos desplazábamos, unas veces por lancha y otras a pie, siguiendo el curso del río. Un día, al final de la tarde, en medio de una difícil travesía, a unos cuantos cientos de metros del río, Keith se detuvo y paró oreja como si fuera un perro cazador:

—¿Oyen eso?

Agucé el oído y capté algo débilmente; las ondas de sonido hacían vibrar los huesos en mi pecho.

—Oigo algo pero no sé qué es.

—¡Blackhawks! Estoy seguro.

Keith se veía como si fuera la primera vez que recibiera un mensaje radial de su familia.

—Si los vemos, y esos *pájaros* tienen las unidades FLIR en sus trompas, entonces sabremos. ¡Dios mío! ¡Las mismísimas fuerzas de Estados Unidos podrían estar cerca!

Mientras hablábamos, escuchábamos lo que esperábamos fuera el sonido característico del poder armado de nuestro país. Nos miramos el uno al otro y, en ese mismo instante, algo terrible pasó por nuestras mentes. Si sabíamos que los Blackhawks estaban en el área, también lo sabrían las FARC. Y con la presión de Estados Unidos sobre ellos, ¿cómo reaccionarían?

El plan A de la guerrilla fue correr. El ritmo de nuestras marchas se incrementó, nos alejamos más del río y nos adentramos en la selva. Una noche, mientras nos preparábamos para dormir, llevaron a Keith a donde Enrique. Durante la marcha, los guerrilleros habían descubierto algunos tubos metálicos en el suelo, con una cubierta plástica clara en una punta y un enchufe Cannon en la otra. Keith a duras penas contuvo la risa cuando le preguntaron qué eran esos aparatos. Se dio cuenta de inmediato que había una pequeña cámara en el tubo ligeramente presurizado. No quería que los guerrilleros armaran un lío del asunto así que les dijo que era una cámara, lo cual era tan obvio que cualquiera de ellos finalmente lo habría descubierto. Pidió que lo dejaran examinarla y descubrió la dirección de un fabricante de Carolina del Norte impresa en las baterías.

Para alguien como Keith eso sólo podía significar una cosa: Fort Bragg. Pensó que los Blackhawks y las cámaras eran indicios de que algunas unidades de las Fuerzas Especiales estaban posiblemente en el terreno y definitivamente en el espacio aéreo. A pesar de lo mal que me sentía, me emocioné por la noticia. Teníamos que quedarnos callados. Convencimos a uno de los guardias para que pasara una nota en inglés a los otros secuestrados, en la que los alertábamos sobre el hecho indudable de que algo se estaba tramando. Era clave que estuvieran preparados para moverse en caso de un rescate y frente a una respuesta de las FARC.

Los días fueron pasando y teníamos la sensación de que estábamos siendo arriados por los Blackhawks. Nunca estuvieron suficientemente cerca como para que los viéramos pero su presencia se podía sentir y oír. También nos dimos cuenta de que la guerrilla estaba siendo rodeada por el ejército colombiano. Habíamos estado avanzando río abajo por un tiempo y de pronto cambiaron sus planes y nos hicieron devolver río arriba. Se notaba en ellos una sensación de emergencia; además, nos estábamos comenzando a quedar sin provisiones. Afortunadamente para mí, que estaba enfermo, Keith consiguió comida extra e hizo un trato con los guardias para conseguir algunos de los últimos paquetes de leche y azúcar. Ahora nuestras comidas eran apenas cuatro o cinco cucharadas de arroz por lo que, sin esa ayuda extra, hubiéramos estado muy mal.

Los guerrilleros no estaban en mejores condiciones que nosotros. Estaban siempre a las carreras, y en el tiempo que estuvimos sobre el río las cosas no fueron más fáciles que en las marchas. Tratar de hacer avanzar los botes río arriba era una verdadera faena. En determinados puntos, no querían o no podían prender los motores, y les tocaba a algunos guerrilleros saltar de la embarcación y remolcarnos con una cuerda. Exhaustos y con cara de sueño parecían abejas al borde del colapso.

Y si el cansancio no les podía, el miedo sí. Un día estábamos en movimiento cuando nos enteramos de que dos guerrilleros que Enrique había enviado como avanzada habían sido dados de baja. El cabecilla se desesperaba cada vez más. Teníamos provisiones limitadas, había perdido a dos hombres, los Blackhawks nos seguían y su gente se comenzaba a inquietar. Un par de días después, dos Blackhawks retumbaron sobre nuestras cabezas. Nos quedamos parados mientras nos sobrevolaban, deleitándonos con la mera exhibición del poderío estadounidense. Sentíamos como si estuviéramos en la cubierta de un portaviones mientras un F-18 era catapultado en el espacio. En más de cinco años no habíamos estado tan cerca de otro compatriota y la verdad es que, así como extrañaba a mi familia, extrañaba a mi país. Incluso un aparato sin rostro como un helicóptero tenía un inmenso significado para nosotros.

Para los hombres de las FARC los Blackhawks producían el efecto contrario. Estaban aterrorizados. Ante la presencia de los helicópteros, Milton había intimidado a sus tropas y los había increpado respecto a su habilidad de tomar decisiones. Enrique tuvo una reacción diferente.

Después del sobrevuelo, cuando parecía claro que los helicópteros no iban a regresar, reunió a sus hombres y les dio instrucciones para que sacaran las ollas.

—¿Por qué vamos a comer ahora? —preguntó Tom.

—No sé, no lo entiendo. Tenemos apenas menos que la mitad de las raciones —dijo Keith encogiéndose de hombros.

Un rato después oímos que algo más que arroz estaba siendo vertido en las ollas. A los pocos minutos, percibimos el característico sonido y el olor de las palomitas de maíz. Nos sentamos en corrillo a observar cómo los guerrilleros, con los ojos bien abiertos y casi temblando, tomaban el café o el chocolate de la tarde mientras masticaban sus palomitas.

—Esos tipos están realmente conmocionados —dije mientras comía.

—Los Hawks hicieron su tarea. Esa demostración de fuerza me hizo un nudo en la garganta.

Keith sonrió, lanzó una palomita al aire y la atrapó con la boca:

—¡Qué buena matiné!

—Esto se está acabando —dijo Tom con un tono de determinación y pavor en su voz—. El tiempo se les está agotando.

Su entonación subió al final como si estuviera preguntando o dejando un espacio que nosotros teníamos que llenar.

—No creo que haya estado nunca tan orgulloso como hoy, cuando esos helicópteros vinieron. Ha sido lo más impresionante que he visto en cinco años.

A la siguiente mañana, muy temprano, la tensión regresó al campamento. Habíamos pasado como zombis la noche anterior, y Tom había regado un poco de sopa en su hamaca. Estaba tratando de limpiarla cuando los guardias se acercaron y comenzaron a fastidiarnos para que nos pusiéramos en marcha. Tom dijo:

—¿Por qué más bien no nos despiertan a la medianoche?

La voz de Enrique irrumpió en el gris amanecer:

—¿Quién dijo eso?

Tom respondió calmadamente:

—Yo fui.

Enrique se dirigió a grandes zancadas hacia él, apuntándole con la pistola y nivelándola a la altura de Tom:

—Lo voy a matar.

—¡Pues hágalo! Yo sé que no tiene órdenes para hacerlo. ¡Veamos si es capaz de hacer algo por usted mismo!

Enrique bajó el arma, como si quisiera darle un disparo en la ingle.

—Eso no me va a matar. Si va a dispararme tenga al menos la decencia de hacer un asesinato limpio.

Enrique bajó aún más el arma y apunto al pie de Tom. Yo no sabía qué hacer o qué decir, pero Tom permaneció calmado.

—Haga eso y no podré caminar.

—Entonces le dispararé en el brazo —dijo Enrique.

—Eso les dará nuestra posición. Gracias.

Enrique estuvo a punto de perder por completo el control, pero se fue. Un minuto después, Tom estaba otra vez con doble cadena. Mirando a las caras de los guardias supimos todo lo que necesitábamos saber. Ya habíamos visto esta incredulidad y resignación en las caras de los hombres de Milton. Los guardias se habían dado cuenta de que Enrique estaba perdiendo el dominio de sí mismo y de sus guerrilleros. Sabían que había cruzado la línea de la crueldad innecesaria y excesiva, y que, si él se estaba desmoronando bajo la presión, ellos serían los próximos en la fila.

Uno de los guardias tomó las cadenas de Keith y se las adicionó a Tom. Hasta ese momento no habíamos marchado con cadenas, excepto cuando Tom estaba castigado, y ahora le daban dos vueltas alrededor del cuello. Estábamos furiosos. Keith sacó unas cuantas cosas del morral de Tom, incluida la capota de su caleta, y las puso en el suyo. Tom también tuvo que desechar algunas cosas que alguna vez habían sido muy valiosas para él.

Keith trató de aliviar el ambiente:

—Piensa en todos los cigarrillos que tuviste que intercambiar por esta basura.

Tom sonrió:

—Ahora que no está Lucho, ya no es divertido. Nosotros teníamos el mercado acaparado, fijábamos los precios y teníamos a todos de las pelotas.

—Sólo asegúrate de no perder las tuyas con el maldito Enrique. Él tipo ya no está bien. Si jugamos con inteligencia nuestras cartas, podremos salir de aquí, pero las cadenas no van a ayudarnos.

Me acerqué lentamente a Keith y Tom:

—Varios de los que nos rodean son amistosos, eso lo puedo sentir. Todo lo que necesitamos son cinco minutos con esos tipos —señalé con mi cabeza a los guardias— y podríamos salir de aquí. Mis pies están que se vuelan.

Parece que nuestras conclusiones eran apresuradas, porque los guardias trajeron una nueva cadena para Keith. Ya no habría más marchas sin ellas. A ambos nos las pusieron y, en lugar de un solo guardia, nos asignaron dos durante los próximos días.

Justo cuando parecía que la guerrilla estaba en una situación de quiebre y que los Blackhawks estaban llegando al punto cero para localizarnos, la actividad de los helicópteros se detuvo. Para fines de abril, parecía como si alguien hubiera accionado un interruptor y se hubieran desaparecido. Eventualmente, alcanzamos un punto de rea- provisionamiento y, por unas pocas horas, simplemente nos sentamos a esperar, demasiado exhaustos para hacer nada distinto que comer. Apenas si estábamos conscientes cuando, de repente, Íngrid y William Pérez salieron de la selva.

—Y ahora, ¿qué es *eso*? —preguntó Keith, sin disimular su irrita- ción al verlos.

Me sentí aliviado al constatar que Íngrid estaba tan bien como podría esperarse después de este último mes de carreras. Era la primera vez que nos veíamos desde la noche en el bote. Estaba encantado de verla otra vez pero, cuando me saludó, me di cuenta de inmediato que algo había cambiado. No era la misma mujer con la que me había tomado de las manos aquella noche en el bongo. La luz que había visto en sus ojos ya no estaba.

Dada la forma en que William me miraba, sentí que su cambio tenía algo que ver con él. No es que Íngrid me tratara con frialdad, pero ahora había una distancia que no había existido antes. Me parecía que miraba a William y que actuaba con él en la misma forma en que lo había hecho conmigo, salvo que con él sí era abiertamente afectuosa.

Íngrid me había dicho lo difícil que era ser una mujer en este cauti- verio. Habíamos visto la manera sencilla y casual en que los guerrilleros se emparejaban, literal y metafóricamente. De la misma forma, desde un comienzo, parecía que Íngrid se aliaba con un hombre en cada uno de los campamentos. Tal vez era su forma de buscar protección, o tal vez se debía a la soledad; sin embargo, ella se había quejado conmigo de que no le gustaba verse reducida a una situación de impotencia, y lo había reiterado en las cartas que me había escrito. Yo había tratado de ser honesto con ella y le había dicho que, así como me daba cuenta de lo que otros le hacían, también ella era responsable de sí misma. Ella era una mujer fuerte y podía erguirse frente a cualquiera; además, me había dicho que estaba harta de sentirse temerosa e intimidada. Sin duda, era bien capaz de estar sola y de no depender de nadie más.

Ahora que parecía que estaba con William Pérez, me sentí triste al ver que, si bien había recuperado su forma, las fuerzas que obraban sobre ella en la selva de nuevo la habían rebajado a buscar refugio en otra persona en lugar de confiar en ella misma o en su fe. Siempre tuve el impulso de ayudar a los demás. No es que considerara a Íngrid un proyecto, pero me preguntaba si parte de su fragilidad se debía a que estaba sola por primera vez en su vida. A pesar de que sus viajes y su experiencia de joven en un internado la habían ayudado a ser independiente, al igual que les pasa a muchos adultos, nunca había estado realmente sola. Lo que veía en ella también valía para mí. Habiéndome casado a los diecinueve años, mi cautiverio fue el más prolongado periodo de confianza en mí mismo que jamás haya vivido. Descubrí una fuerza dentro de mí que jamás habría conocido si no hubiera sido probado de esta manera.

No podía presumir que conocía el pasado Íngrid, pero lo que veía era a alguien que había tenido una vida que, hasta el momento de su secuestro, podría considerarse, para los estándares de la mayoría de la gente, como relativamente fácil. Todos habíamos sido puestos a prueba y parecía como si ella hubiera tomado el camino menos duro, cayendo en los mismos hábitos que decía que quería romper.

Durante su tiempo en cautiverio, William Pérez hizo lo que pudo para hacer su vida más llevadera. Con todos los favores que recibió de la guerrilla y actuando como su prisionero de confianza, Pérez siempre se apoyaba en alguien más para sobrevivir. Yo no entendía por qué Íngrid se había visto atraída hacia un hombre como él. Siempre dijimos que la vida como cautivos en la selva terminaría por dejarnos desnudos y revelar quiénes somos en realidad. La talentosa, carismática y ambiciosa Íngrid, que yo conocía, que me gustaba y a quien respetaba tanto, parecía coexistir con la soberbia, altanera y muy insegura Íngrid por la que sentía pena. Pude no ser justo al juzgarla, trataba de ser benévolo, pero no podía evitar la sensación de que todas las cosas que habíamos hablado, las visiones que habíamos compartido de una mejor vida y una mejor Colombia, ahora parecían falsas. No estaba seguro de si estaba desilusionado de la política o de la mujer, pero igual parecía imposible separarlas.

En los días que siguieron a nuestra reunión, Íngrid se acercó a mí para explicarme lo que había pasado y por qué había cambiado. Me dijo que el otro campamento había sido muy, muy difícil, y que William había sido el único del grupo con el que le permitieron hablar. Y ella necesitaba a alguien allá.

Al escucharla, me mordí la lengua. Me preguntaba cómo sería capaz de arreglar un país que ella creía que necesitaba arreglo cuando no estaba dispuesta a hacer el esfuerzo de ayudarse a sí misma. Mientras tuviera alguien que hiciera cosas por ella, nunca podría conciliar la imagen de lo que quería ser y lo que realmente era.

XVI
CAMPAMENTO DE ENGORDE

Mayo de 2008 - junio de 2008

KEITH

No comer es extraño. Cuando falta la comida, se vuelve uno más consciente de sus procesos internos. La intensa sensación de vacío hace olvidar las consecuencias en la apariencia.

Cuando William e Íngrid se nos unieron a comienzos de mayo de 2008, nos dimos cuenta de que habían pasado por las mismas circunstancias difíciles que nosotros. Al fin y al cabo su grupo había estado siempre pisándonos los talones. Si uno se ve a diario, mientras se padecen los efectos del hambre, los cambios se perciben gradualmente; pero cuando se vuelve a ver a alguien, después de un par de meses de marchas de hambruna, la transformación resulta alarmante. Verlos a ellos dos nos hizo pensar en cómo estaríamos nosotros. Yo me encontraba definitivamente en mi peso más bajo. Algunas veces se dice que alguien tiene rasgos cincelados, pero en nuestro caso parecía que más bien tuviéramos rasgos tallados. Éramos como trozos de madera a los que alguien les hubiera vaciado las mejillas y los cuellos con un cuchillo.

A pesar de lo mal que los tres nos veíamos, la que más parecía haber sufrido los efectos del hambre era Íngrid. Todos teníamos los mismos cuerpos esqueléticos pero, en su caso, parecía como si algo se hubiera estado extinguiendo dentro de ella, tal vez el espíritu de lucha en su mirada. Antes, si alguien decía algo con lo que no estuviera de acuerdo o que no le gustara, sus ojos despedían fogonazos de rabia e indignación; ahora esos relámpagos se habían convertido en la tenue chispa de un encendedor vacío.

Dado nuestro estado de desnutrición, fue una suerte que el campamento estuviera ubicado en una pequeña finca junto al río. En más de cinco años de cautiverio habíamos comido frutas y vegetales si acaso una docena de veces. Ahora, en este campamento, teníamos una cosecha abundante. Pronto nos dimos cuenta de que las FARC tenían el objetivo de engordarnos, lo cual me preocupó y me hizo pensar que estaba en peores condiciones de lo que creía. Todo el día los guerrilleros nos traían comida. Teníamos cajas de galletas con crema de vainilla, y más arroz y fríjoles que nunca. Comíamos hasta que ya no éramos capaces de probar otro bocado y los guardias se burlaban de nosotros porque no podíamos con todo lo que nos servían. Nos sentíamos como si nuestras madres estuvieran allí, ordenándonos comer.

Por una vez no nos enfrentamos intencionalmente a los deseos de las FARC. Aunque nuestros estómagos se fueron acostumbrando poco a poco a la idea de que podían alojar algo más que unas cuantas cucharadas de arroz y algunos sorbos de un caldo cualquiera, no éramos capaces de consumir todo lo que nos traían. Comenzamos a almacenar provisiones, algo que no habíamos podido hacer en mucho tiempo, y tratamos de ser frugales para guardar para los próximos periodos de escasez.

Pero la comida no fue la única recompensa que recibimos. Una mañana, Enrique vino a nuestra sección del campamento. Nosotros seis estábamos en el mismo lugar con los demás secuestrados, pero no podíamos verlos. Tom y yo estábamos hablando y "Gafas" me dijo:

—Keith, esto es para usted.

Me entregó un radio multibanda Sony. Habíamos pedido radios por más de cinco años, y ahora Enrique me entregaba nada menos que al rey de los radios. Lo recibí y sentí como si me hubiera dado media libra de oro. No es que estuviera a punto de besarle el trasero, pero le dije:

—¡Esto es genial!

Enrique miró a Tom y sonrió:

—También tengo uno para usted.

Se sacó de atrás un radio verde muy pequeño como los que uno les da a los niños para que simulen que están escuchando algo. Tenía forma de cubo y un panel solar desplegable para recargar las baterías.

Tom no cayó en el anzuelo. En lugar de enfrentarlo por lo que era claramente una bofetada, prendió su minirradio. Algún pastor cristiano debía haberlo fabricado porque sólo cogía dos estaciones y, en lugar de dial, tenía un pequeño botón que se oprimía para cambiar de una a otra. Ambas estaciones pasaban programación religiosa las veinticuatro horas del día. Apenas salió la primera palabra del aparato, Tom le sonrió a Enrique con todos los dientes. Sin que Enrique lo supiera, en la pasada marcha Marc había cambiado unos cigarrillos por un radio, así que, con el de Tom y el mío, ahora teníamos tres. Ya no teníamos que depender de otros para escuchar las noticias.

Durante la mayor parte de abril la señal de radio llegaba con muchos ruidos, pero alcanzamos a enterarnos de que las FARC estaban enfrentando las consecuencias de sus acciones, al igual que Chávez. El ejército colombiano había incautado los computadores que Raúl Reyes tenía consigo al momento de su muerte, y la inteligencia los estaba analizando. De acuerdo con el director general de la Policía, los computadores contenían evidencia de que los venezolanos habían ofrecido trescientos millones de dólares a las FARC. El oficial también acusó a Chávez de haber aceptado ayuda económica de las FARC durante quince años, desde cuando había estado en prisión por intentar un golpe de Estado. Para neutralizar las acusaciones de que Uribe había plantado evidencia en los computadores, estos fueron sometidos a un examen por la Interpol, que determinó que no habían sido manipulados.

Todos sabíamos que trescientos millones de dólares no era propiamente un aporte para los almuerzos de los guerrilleros; Chávez debía esperar algo a cambio. Íngrid dijo que ella creía que tenía intenciones de dominar la región y unificar las naciones en una sola Gran Colombia Bolivariana. Pero yo me imaginaba que, con su inmenso ego, él habría preferido llamarla Chávezlandia.

Aparte de eso, nos enteramos de que el secretariado de las FARC había sido golpeado de nuevo, esta vez en cabeza de Iván Ríos, el comandante del bloque central, que había sido asesinado por su propio jefe de seguridad. Éste se entregó a los oficiales colombianos con la mano derecha de Ríos amputada, su identificación y su computador, para demostrar que el cabecilla estaba muerto. Finalmente, las huellas dactilares confirmaron que la mano pertenecía al miembro del secretariado. Los Estados Unidos habían ofrecido cinco millones de dólares por Ríos, por lo que el jefe de seguridad que lo había entregado —o al menos a parte de él— pidió que le dieran la recompensa. Nunca supimos si la recibió pero de lo que sí estábamos seguros era de una cosa: un jefe guerrillero menos era algo bueno para nosotros, sobre todo si era uno importante como Ríos.

Nada podría describir adecuadamente nuestra reacción cuando nos enteramos de que el número uno de las FARC, Manuel Marulanda, había muerto en marzo. La guerrilla había dicho que había fallecido de un ataque cardíaco, lo cual era bien posible. Al fin y al cabo tenía setenta y ocho años, y, además, habíamos escuchado desde hacía un tiempo que estaba en malas condiciones de salud. Se rumoraba que el hombre que lo remplazaría sería Alfonso Cano, que era psiquiatra y había recibido una buena educación, y que, de acuerdo con lo que algunos guerrilleros nos decían, era de una línea "más suave". Nos dijeron que era el encargado de las "ideas" de las FARC y que había fundado el Partido Comunista Clandestino Colombiano, cuyas iniciales en inglés serían CCCP, las mismas que habían identificado a la Unión Soviética, lo que resultaba de alguna manera ingenioso. Teníamos la esperanza de que la inyección de nueva sangre, y el derramamiento de más sangre de gente de las FARC, trajeran algunos cambios positivos que pudieran conducir a nuestra liberación.

MARC

Descubrir que Marulanda, Reyes y Ríos habían muerto en un breve periodo de tiempo nos ayudó a entender muchas cosas. Ahora parecía claro por qué la guerrilla nos había hecho correr y por qué Enrique se había vuelto aún más cruel con nosotros, especialmente con Tom.

Es más fácil celebrar la muerte de alguien, a quien se considera malvado, cuando no se le conoce personalmente. En el caso del nefasto guardia Rogelio nos sentimos contentos de saber que no estaría más por ahí acosándonos, pero nos causaron más placer las muertes de aquellos tres líderes de la guerrilla, porque entendíamos que las FARC, como una organización viable, estaba muriendo. Tal vez para alguna familia empobrecida en alguna lejana montaña de Colombia Marulanda pudiera ser un héroe, pero para nosotros, y para el resto del mundo, no era más que un asesino. Bajo su conducción, las FARC habían secuestrado a miles, asesinado a miles y destrozado las vidas de otros miles de su propio pueblo. Como Keith frecuentemente señalaba, "este tipo renunció a su derecho a ser tratado como un ser humano desde hace tiempo; ahora no es nada más que alguien que roba oxígeno a los demás".

Aparte de debatir las implicaciones que estos desarrollos tenían para nosotros, nuestro tiempo en el Campamento de Engorde fue uno de los pocos periodos en que no nos dedicamos nada más que a comer, leer y oír la radio. Necesitábamos recuperar nuestra energía. Nos ejercitábamos pero no con la intensidad que lo habíamos hecho en el Campamento de Ejercicios. Jugábamos ajedrez, pero no con la pasión con la que lo hacíamos en el Campamento del Ajedrez. Sentíamos que ya estábamos haciendo la fila para dejar nuestro cautiverio, y la guerrilla misma trabajaba a media marcha. Nuestro periodo de calma compensaba el frenesí de actividades que había ocurrido, políticamente, en Colombia.

Nos alentó saber que el gobernador de Nuevo México, Bill Richardson, había viajado a Colombia para discutir nuestra situación. No sabíamos si lo hacía porque él mismo era de origen latino y se sentía cómodo con el idioma, o porque alguno de nuestros familiares había concitado su atención, pero igual estábamos agradecidos. Agregar un nombre más a la creciente lista de estadounidenses que intentaban ayudarnos nos sirvió para atenuar la desilusión que nos había quedado por el hecho de que los Blackhawks hubieran dejado de volar alrededor nuestro.

La guerrilla ahora le prestaba mucha atención a Íngrid. Incluso Enrique, que no había tenido antes ninguna consideración con ella, la trataba más amablemente. Por supuesto, tener a William en su esquina también la ayudaba, porque Íngrid se benefició del tratamiento especial que desde hacía tiempo los guerrilleros le daban a él. No más en el hecho de poder ver una película de DVD, Íngrid y William nos llevaban la delantera. Pero, aparte de la presencia de William, era fácil imaginar por qué la guerrilla hacía lo posible para complacerla. En el video que le tomaron en noviembre como prueba de supervivencia, ella lucía en un estado en extremo débil y precario, que, sin embargo, era infinitamente mejor que el que había llegado a tener en mayo de ese mismo año. Así que, si ellos estaban pensando en hacerle otro video, tenían que hacer lo posible para que se viera saludable.

Yo también estaba preocupado por Íngrid pero veía la situación desde una perspectiva positiva. La guerrilla había dispuesto este campo de descanso para que recuperáramos nuestra forma, y yo también necesitaba estar bien mental y espiritualmente. Por eso decidí que las opciones y decisiones que tomara Íngrid, así no me gustaran, eran sólo de ella. Yo tenía suficiente con tratar de enderezar mi propia situación.

Los seis de nuestro grupo estábamos instalados debajo de las capotas de nuestras tiendas en un área reducida. Cuando dormíamos, a duras penas había de treinta a cincuenta centímetros entre nosotros. Por lo mismo, el contacto con Íngrid era algo inevitable que, por cierto, no me molestaba, pero que tampoco buscaba. Después de unas pocas semanas dedicadas a engordar, me di cuenta de que estaba más pendiente de mí. Fui cordial, pero cauteloso. Cuando comprendió que ya no reaccionaba ante ella como antes, dejó las sutilezas a un lado y me dijo lo que quería:

—Marc, quisiera que me devolvieras las cartas y notas que te envié.

La miré y pude ver que algo de la antigua y original Íngrid había vuelto. Aunque me había dicho que "quisiera" sus mensajes de vuelta, era claro que había querido decir "démelos". Cuando fuimos cercanos, ella había abandonado su tono de "yo soy alguien y usted no es nadie". Ahora había vuelto, no en toda su intensidad, pero sí lo suficiente para hacerme sentir incómodo.

—No te entiendo, Íngrid. Lo que me enviaste es mío. No puedes pedirme que te lo devuelva, porque tú me lo diste.

Íngrid insistió y le pedí que por favor respetara lo que habíamos compartido y que dejáramos así. Por algunos días no pudo hacerlo y me di cuenta de que se ponía cada vez más furiosa. Ella y William se apartaron de los demás tanto como podían y el ánimo en el campamento se vino abajo. Habíamos vuelto al punto en que estábamos antes y ninguno estaba a gusto con eso. Algunas viejas rencillas entre los secuestrados colombianos salieron a la superficie, y entonces Juancho hizo lo que creyó correcto. Se le acercó a Keith y le dijo:

—Tengo la impresión de que todo va a empezar otra vez. No sé por qué las cosas tienen que ponerse así cuando hay una mujer en el campamento. Yo me mantengo lejos de ella, y creo que todos deberían hacerlo.

A mí no me gustaba la idea pero entendí que, por mi bien y por el bien de los demás, tenía que evitar más confrontaciones con Íngrid.

Estábamos dispersos en nuestro pequeño espacio, cada cual en lo suyo, cuando Mario, el guardia que estaba a cargo de nosotros, vino hasta donde estábamos Keith, Tom y yo, y nos dijo:

—Muchachos, recojan sus cosas.

Nos condujo de regreso a nuestro cambuche.

—¿A dónde vamos? —pregunté, después de haber empacado todo.

—Vengan conmigo y traigan sus morrales.

Mario nos llevó hasta un campo abierto y señaló un lugar donde los guerrilleros habían extendido unos plásticos negros.

—¡No puede ser esto otra vez! —mascullé.

—¡Esto es ridículo! ¡Si nos acaban de requisar!

Keith y yo compartíamos la indignación de Tom. Sabíamos que iban a venir unos civiles a hablar con nosotros y que los guerrilleros podrían querer requisarnos por razones de seguridad pero, desde cuando nos habían separado de los otros cautivos, no habíamos estado en contacto con nadie más. No había manera de que hubiéramos puesto nuestras manos sobre algo nuevo.

—Mario, ¿qué está pasando? ¿Por qué nos requisan otra vez? —le pregunté.

Mario miró alrededor y adujo cualquier excusa sobre Enrique y su obligación de cumplir órdenes.

—Vacíelo.

Hice lo que me pidió.

Me había arrodillado y comenzado a sacar todas mis cosas de mi bolsa cuando vi que Íngrid se aproximaba. Caminaba con la cabeza agachada y los brazos cruzados. De pronto levantó la cabeza y llamó mi atención, sosteniendo mi mirada por un segundo, y luciendo tan desafiante y arrogante como nunca la había visto. Era porque ella sí sabía lo que realmente pasaba. Mario me había dicho una cantidad de patrañas acerca de Enrique y las órdenes de arriba, pero lo cierto es que la que había ordenado la requisa había sido Íngrid.

Mario cogió cada pedazo de papel, cada nota, cada cuaderno y dio un vistazo a las páginas antes de entregárselas a Íngrid. Entonces le preguntó:

—¿Son esos los documentos que buscaba?

Íngrid miró todo y dijo:

—No

—No van a encontrar lo que están buscando —les dije—. Yo lo quemé todo.

Mario continuó escarbando y entregando cada pedazo de papel a Íngrid. Su impaciencia iba creciendo y comenzó a tirar mis cosas al piso, indiscriminadamente.

Yo estaba furioso y no podía creer lo que pasaba. Mario finalmente se detuvo:

—Aquí no hay nada

—Yo sé que él las tiene y que no las ha quemado. Él me dijo que me las devolvería.

—Mario —insistí—. Yo no las tengo. Las quemé.

Íngrid soltó un suspiro de rabia e incredulidad.

—Yo se las habría devuelto si ella me hubiera entregado las mías.

Íngrid salió iracunda, su largo pelo ondulando como un péndulo. De alguna manera, podía entender por qué estaba tan furiosa. Cuando me rehusé a devolverle sus cartas, ella me devolvió algunas de las mías. Yo había decidido que si nos las devolvíamos todas, esa sería la solución. Su respuesta fue hacer que los guardias me requisaran y someter a mis amigos al mismo infame tratamiento.

Después de que requisaron a Tom y a Keith, ellos volvieron a la caleta. Yo todavía estaba estupefacto, y Keith estaba realmente furioso.

—En mis cinco años y medio de cautiverio, nunca había visto nada como esto —dijo Keith, que apenas estaba comenzando a calentarse—. He tenido cadenas por meses, he pasado hambre, me han forzado hasta el límite de mi resistencia física, han violado todos y cada uno mis derechos humanos, pero nada puede compararse a lo que se siente cuando alguien que supuestamente está del lado de uno colabora con el enemigo. ¿Y por qué? ¿Por qué quería que le devolvieras unas notas y unas cartas? Tú le habías dicho que no podía tenerlas, y al no poder sonsacártelas, como una niña de escuela, ¡fue a delatarnos con el profesor!

—Yo sé, yo sé —le dije—. Yo creo que fue William. Tú sabes cómo es él.

Esa violación fue más allá de lo que hubiera visto antes. Con unas pocas excepciones, la más notable de las cuales fue cuando William hizo que encadenaran a Richard, los prisioneros "de confianza" nunca habían usado sus conexiones con la guerrilla contra otros compañeros de cautiverio. Con este golpe se había borrado la línea entre ellos y nosotros. Estábamos tratando con terroristas, nuestras vidas estaban amenazadas por ellos, y ahora ella los utilizaba para conseguir unas notas y unas cartas. No podía creer que Íngrid se comportara como una aliada de las FARC. No parecía algo propio de ella, pero yo creía que William la había instigado.

Peor aún, esas cartas contenían nuestros pensamientos, sentimientos y emociones. Pedirme que se las entregara era como pretender que se los devolviera. Si algo había aprendido en mi cautiverio era que todos escapábamos de nuestra realidad alguna vez. Ya fuera la Caravana de la Libertad, o el pensamiento de nuestro regreso a casa, o cualquier otra cosa, todos teníamos lugares soñados para evadirnos. Íngrid y yo habíamos ido a uno de esos lugares juntos, por lo que desechar lo que habíamos compartido inocentemente o arrojarlo lejos como si fuera algo de lo que deberíamos arrepentirnos, o que podría causarnos daño en el futuro, era una distorsión de la realidad. No habíamos hecho nada malo y no me gustaba lo que significaba que ella me pidiera las cartas de regreso. Yo no era uno de esos muchos que Íngrid imaginaba que la perseguían o querían herirla. La había ayudado, a riesgo de mí mismo y de mis relaciones con los otros rehenes, y no podía negar esto.

—Marc, hermano, lo siento. Esto ha sido lo más asqueroso que he visto aquí. Te ha traicionado alguien a quien te acercaste con el corazón en la mano cuando a los demás les importaba un pito. Tú hiciste lo más cristiano, lo más caritativo, difícil, correcto y solidario en el mundo, ¡y ella te paga con esta requisa!

—Así son algunas personas. Parece como si ella no pudiera contenerse. Su imagen y su temor de ser dañada están por encima de nuestra amistad. Realmente no lo entiendo.

Empecé a hablar casi susurrando, pero mi voz fue ganando intensidad mientras hablaba:

—Estoy tan molesto que no puedo pensar bien. Si hay algo que uno nunca hace es acudir al enemigo como ella lo hizo. ¡Es increíble!

—¿Y consiguió lo que estaba buscando?

Dudé por un momento antes de que una sonrisa surgiera en mi cara. Sacudí la cabeza:

—No, no. No pudieron poner sus manos sobre nada. Nada ni nadie puede tocarme ahora.

Más tarde ese mismo día, nuestro jefe de guardia vino a decirnos:

—Empaquen que los vamos a mover.

No estábamos preparados para otra marcha. Guardamos nuestras cosas y esperamos la orden de partir. El jefe de guardia y otros tres se acercaron a nosotros. No pensé nada especial pues casi siempre teníamos cada uno a una persona que nos vigilaba. Pero no nos marchábamos del campamento. En lugar de eso, nos dijeron:

—¡Requisa!

—¿Otra vez? —suspiró Tom—. ¡Si acabamos de guardar todo!

—Me pregunto qué significa —dije.

—¿Crees que hubo otra fuga?

Keith levantó su morral y sacudió su contenido sobre el plástico negro que los guardias colocaron. ¡Por lo menos nuestras cosas no se iban a ensuciar! Las requisas, según habíamos notado, no eran especialmente profesionales ni exhaustivas. Las que hacían en cualquier fila de un aeropuerto de Estados Unidos eran mucho más invasivas y fructíferas que las de las FARC. Sin embargo, esta vez la requisa fue un poco más completa. Cuando terminaron, los seis caminamos unos cincuenta metros hacia el bosque para levantar campamento.

TOM

La requisa que Íngrid hizo que nos practicaran a Keith, Marc y a mí tuvo un resultado. Comprendimos que, no importaba lo que pasara, siempre podíamos contar el uno con el otro. Tal vez la experiencia compartida de la reciente marcha del hambre, y todo lo que hicimos para apoyarnos y salir adelante, contribuyó a esta conclusión. Nos unimos en una forma en que no lo habíamos estado antes. No quise pensarlo mucho tiempo ni analizarlo; sólo quise disfrutar la buena voluntad entre nosotros y mantener la energía positiva en el ambiente.

En lo que a nosotros concernía, cualquier tensión que hubiera en nuestro grupo de seis no era causada por algo que hubiéramos hecho. Decidimos dejar pasar la molestia de que nos hubieran seleccionado para otra requisa, adicional a la que Íngrid había promovido. Ya nos habían requisado muchas veces antes y parecía que sucedería otra vez más.

—Dado todo lo que les ha pasado a los guerrilleros —las fugas, los muertos—, parece lógico que quieran ponerse un poco en forma —dije.

—Un poco tarde para esos imbéciles. Ellos nunca van a estar en forma. ¿Cómo diablos se atreven...

—...a llamarse soldados? Cuando yo estaba en los cuerpos...

Nos reímos todos al ver que Marc podía recitar palabra por palabra uno de los sermones favoritos de Keith.

Marc dijo:

—¿Recuerdas la vez en que estabas usando ese material de instructor de vuelo con Jhon y Juancho? Los tipos estaban que se caían del sueño y tú seguías y seguías como si nada.

Era bueno poder reírse algunas veces con esas cosas. Habíamos estado juntos mucho tiempo; es difícil hacer remembranzas de una experiencia tan dolorosa como lo es el cautiverio, pero con aquellos dos era posible.

Las semanas que siguieron a nuestra breve separación de los otros tres pasaron de manera muy similar a todas las que estuvimos en el Campamento de Engorde. Escuchábamos la radio pero las noticias sobre nuestra liberación habían comenzado a estancarse. Todavía comíamos bien. Una noche, Marc se sirvió demasiado arroz y fue a botar las sobras al hoyo de la basura. Cuando regresó me di cuenta de que algo pasaba. Keith debió haberlo notado también, porque le preguntó:

—¿Qué pasa, hermano?

Marc se sentó cerca y se fijó si había guardias alrededor. Moví los ojos, pero mantuve la cabeza hacia él.

—Había una caja de cartón, con unas letras cortadas en ella que decían "Acuerdo Humanitario Ya". Y no sólo las habían cortado, sino que parece que las habían calcado y usado como plantilla. Tenía pintado aerosol rojo en los bordes.

—¿Será que están haciendo carteles o camisetas o algo? —preguntó Keith.

—Acuerdo Humanitario Ya... —solté las palabras que daban vueltas a mi cabeza. Eso era lo que estábamos esperando, pero parecía extraño que los guerrilleros las copiaran si no era para mostrárselas a alguien.

—Keith tiene razón. Tienen que ser carteles o camisetas.

—¿Será que nos van a hacer usarlas en otra prueba de supervivencia? —dijo Marc.

—Si están tan desesperados como parece, ¿por qué no?

Me imaginaba que, como propaganda, un video con todos los secuestrados vistiendo camisetas o cargando carteles solicitando un intercambio de prisioneros sería impactante.

—Bueno, ya lo habíamos dicho, con toda la comida y el buen trato ellos nos estaban preparando para las cámaras —anotó Keith.

—Y además nos preguntaron otra vez las tallas... Deben estar haciéndonos una camisa a cada uno.

La voz de Marc tuvo un tono concluyente.

Estuvimos de acuerdo en que debíamos aprovechar la próxima prueba de supervivencia. A estas alturas, era mejor no hacer nada que disminuyera nuestras oportunidades. Como no teníamos influencia sobre los videos, nos concentramos en las cartas para nuestras familias. Creíamos que habría alguna forma de hacerlas llegar. Los siguientes dos días, hicimos muy poco aparte de comer y escribir. Los guardias tomaron nota de nuestro repentino interés en la actividad literaria, pero seguimos escribiendo a pesar de eso.

Cuando llegaron nuestras ropas para las pruebas de supervivencia no había camisetas con el lema de "Acuerdo Humanitario Ya". Mario nos las trajo y nosotros casi perdimos el control. Al principio parecía chistoso, pero luego nos molestamos al pensar que Enrique estaba tratando de hacernos parecer como si ya estuviéramos al otro lado. Nuestra nueva indumentaria eran bluyines baratos, de los que habíamos visto que los colombianos más pobres usaban cuando iban a la ciudad con sus mejores pintas, y camisas de manga larga estilo ranchero del oeste. Sólo faltaba un sombrero de paja para parecer salidos de una película mexicana de baja calidad de las que habíamos visto en los reproductores de DVD.

—Yo no voy a usar esto —dijo Marc, sacudiendo la cabeza y tirando la ropa al piso.

Mario lo miró sorprendido.

—¿Por qué no? ¿Qué pasa con la ropa? ¡Si es de su talla!

Actuaba como si él mismo hubiera ido a hacer las compras para nosotros.

—Porque así no es como me visto aquí, y quiero aparecer como me veo ahora.

Marc se jaló el pantalón de su sudadera y tiró del cuello de su camiseta.

—¡Yo no podría marchar usando bluyín y camisa! Tenemos demasiado peso para eso. Así que ¡ni voy a usarlos ni voy a cargarlos!

Si yo fuera Marc, habría tenido la misma reacción. Mario le había traído una camisa rosada espantosa.

Keith tiró los suyos también.

—Yo tampoco voy a usarlos.

Mario sacudió su cabeza y se fue.

Estábamos seguros de que Enrique vendría más tarde y nos cantaría la tabla, pero no fue así. Dos días después, vino a nuestro campamento, pero estaba calmado.

—Les tengo noticias. Va a venir una comisión internacional. Vienen a revisarlos y a comprobar que están bien. Chequeos médicos. También querrán hablar con ustedes.

Nos dimos una rápida mirada el uno al otro. Esta era la oportunidad para enviar las cartas que habíamos escrito a nuestras familias fuera del país. Sólo teníamos que arreglárnoslas para hacerlas llegar a manos de la comisión sin que las FARC se dieran cuenta.

Enrique continuó:

—Se les va a permitir escribir cartas, pero tengan cuidado con lo que escriben. Si dicen cualquier cosa que ayude a localizarnos, les prometo esto: si ustedes nos joden, nosotros los jodemos.

Las pupilas de Enrique se contrajeron detrás de sus gruesos lentes.

—¿Me entienden? Nosotros estamos tratando de ser amables con ustedes. Les trajimos ropa y algunos no la aceptaron. Si no la quieren, tendremos problemas.

Marc habló con tono fuerte:

—Yo soy el que no aceptó la ropa. No se meta con los demás por eso. Yo no voy a usarla. Soy un americano, así que déjeme vestirme como americano. No soy colombiano, ni soy campesino.

Enrique apretó la mandíbula y frunció los labios.

—¡Pues sería muy afortunado si fuera un campesino en lugar de ser un imperialista!

Siguió hablando por un rato, pero nos desconectamos. Pensábamos en las magníficas noticias. ¡Podríamos enviarles mensajes a nuestras familias! Por muchos años les habíamos escrito cartas en nuestras cabezas y en el papel, pero sólo hasta ahora tendríamos la oportunidad de hacerlas llegar. Esta vez sería diferente. Habían pasado casi cinco años y medio desde cuando escribí algo pensando que otros lo leerían. Ahora todo lo que tenía que hacer era poner mi pluma sobre la hoja y hacerme oír.

XVII
LIBERTAD

2 DE JULIO DE 2008

KEITH

Llegó el mes de julio y ya veíamos próximo el momento en que cumpliríamos cinco años y medio de cautiverio. La noticia de que, por primera vez, observadores internacionales, miembros de alguna organización humanitaria, o lo que fuera, iban a venir a vernos significaba una de dos cosas: o las FARC habían cedido a la presión para tener una prueba de supervivencia más contundente, que aumentaría nuestro valor, o habían hecho un negocio sobre nosotros y nuestros nuevos "dueños" querían asegurarse de que no los timarían antes de entregar la plata. Para mí, cualquiera de estas opciones era buena. Desde el frenesí de actividades que se produjo alrededor de la mediación de Chávez y Córdoba, me había imaginado que nos quedaba más o menos un año para salir. Después de ver cómo las FARC dilataban todo, cómo se enredaron con las primeras pruebas de supervivencia —luego nos enteramos de que el ejército colombiano las había incautado—, y el mal momento que pasaban por la muerte de sus líderes, mi estimación del tiempo que nos restaba de cautiverio parecía conservadora, pero me sentía cómodo con ella.

Al igual que todos en el campamento, estaba entusiasmado por la visita. Tener la posibilidad de hablar cara a cara con alguien ajeno a nuestra situación era suficiente para sentirse bien. Todos estábamos ocupados escribiendo nuestras cartas y consultándonos sobre lo que era apropiado decir o no. No es que nos preocupara la advertencia de Enrique, pero queríamos estar seguros de que no diríamos nada que alarmara a nadie.

El primero de julio nos acercó un día más a nuestra festividad favorita, que era el 4 de Julio, día de la Independencia de Estados Unidos. Un guerrillero nos había pasado el rumor de que los miembros de la comisión internacional ya se encontraban en nuestra área tratando de hacer contacto con las FARC. Si estaban así de cerca, nos figuramos que no tendríamos que esperar mucho. Cada vez que los guardias venían a darnos nuevas instrucciones parecían más relajados y nos daban un poco más de información. Nos dieron a todos una pequeña mochila y nos dijeron que empacáramos en ella dos mudas de ropa y algunos elementos básicos, y que recogeríamos el resto de nuestras cosas cuando regresáramos. Uno de los guardias me dijo que nos llevarían a una construcción donde había unos colchones, una mesa para jugar pool y buena comida. Me sonaba muy bien, y no pude evitar reírme cuando los guerrilleros me contaron que el lugar donde pernoctaríamos era un antiguo burdel.

Volvimos a la casa donde habíamos estado al comienzo con los otros colombianos. Todos estábamos ansiosos por salir y las ilusiones estaban en su punto máximo. Se nos unieron los otros cuatro secuestrados —Jhon Jairo Durán, Julio César Buitrago, Javier Rodríguez y Erasmo Romero—, con los que el número de rehenes en el campamento se elevó a quince. Nos dio mucho gusto ver que más militares y policías estarían con nosotros. Si alguien merecía la oportunidad de estar en contacto con su familia, eran ellos. Habían estado cautivos por tanto tiempo y, sin embargo, mantenían la dignidad y el carácter. Durán era la persona más desinteresada que jamás hubiera conocido. Desde el comienzo había sido estupendo, y había desarrollado un vínculo especial con Tom, que no dejaba de asombrarme. Eran dos personas de diferentes edades y formación, uno un devoto cristiano y el otro un confeso ateo, pero nada de eso importaba. Durán vivió su experiencia de tal manera que incluso me avergonzaba. Fue el único que no quiso sacar comida extra de las provisiones de las FARC.

Nos burlamos entre nosotros por la ropa de civiles que la guerrilla nos había hecho usar. Parecía como si estuviéramos listos para un baile de colegio. Íngrid se mantenía apartada con William y no se mezclaba con los demás, mientras nosotros andábamos por ahí chanceando, hablando de lo que iba a pasar y quemando una buena cantidad de energía.

Arteaga les contó a todos sobre mis planes de boda.

—Según dicen las noticias, Patricia ha invitado a una cantidad de gente, y cada día agrega uno más. ¡Va a ser una celebración en grande!

La conversación derivó hacia mi nueva situación, y dejé que los muchachos gozaran a costa mía.

Al parecer, Lucho había asumido la responsabilidad de hacerle una propuesta de matrimonio a Patricia en mi nombre. Cuando se encontraron en el aeropuerto, en Bogotá, la saludó con un ramo de flores y mi "declaración de intenciones". Yo me enteré de esas intenciones en un programa de radio. Cuando escuché que un norteamericano secuestrado le había propuesto matrimonio a su novia colombiana quedé atónito, pero conociendo a Lucho, y después de lo que me había dicho —"Yo sé cómo manejar esto; yo soy colombiano"—, debí haber imaginado lo que estaba tramando. Después de la proposición, los mensajes de Patricia tenían un tono todavía más tierno y sus declaraciones de amor me llegaban directo al corazón. No estaba seguro de que una boda estuviera en nuestro futuro inmediato pero estaba ansioso por verla otra vez, y ella no iba a ser simplemente una anotación en mi cuaderno; era alguien con quien quería pasar, de verdad, un tiempo importante.

Los guerrilleros nos dieron almuerzo y había tanta bulla en ese pequeño recinto como si se tratara de una cafetería escolar. Arteaga y Armando eran los más expresivos al manifestar su alegría por la posibilidad de enviar otras pruebas de supervivencia. Todos especulábamos sobre cómo serían esos cooperantes internacionales que vendrían. Yo no pensaba mucho en eso, pero cada vez que los guerrilleros mencionaban a los visitantes usaban la palabra *internacional*. Como era típico en ellos, se sentían crecidos porque estaban recibiendo atención y "buena prensa".

Después del almuerzo, nos embarcamos en un bongo e hicimos un largo trayecto por río. Aunque nos movíamos a la luz del día, esta vez los guerrilleros no nos cubrieron y pude observar el paisaje. A pesar de las muchas veces que había estado en el río, siempre apreciaba el hecho de no estar más debajo de las copas de los árboles. De alguna manera, esos trayectos me recordaban los Everglades; el aire olía muy parecido, como una mezcla de barro, pescado y vegetación descompuesta. No era propiamente un buen olor; simplemente parecía como si todo fuera o totalmente vivo y floreciente, o muerto y en decadencia. Recortábamos camino a buen paso y la fresca brisa me hacía sentir que el mundo entero respiraba con nosotros.

La construcción a la que nos llevaron pudo haber sido un burdel alguna vez pero ahora parecía más una bodega. Nos condujeron a una especie de depósito, con largos y anchos estantes contra las paredes. Encima de ellos había unos colchones delgados en los que nos indicaron que debíamos dormir. No había suficientes, así que algunos de nosotros tuvimos que compartirlos pero, considerando que no habíamos dormido en uno por años, me imaginé que iba a ser como dormir sobre una nube. Nuestro viaje de campo apenas comenzaba y pasamos buena parte de la noche hablando animadamente, como si fuéramos niños que se quedaban en casa de sus amigos.

En la mañana tuvimos otra sorpresa. En lugar de traernos el desayuno en una gran olla de metal de la cual sacábamos nuestras porciones, los guerrilleros nos trajeron la comida en tazones de porcelana. Marc, Juancho y yo nos sentamos juntos, y cualquiera pensaría que nos habían servido en reliquias familiares de plata por la forma en que reaccionamos. También nos dieron unos cubiertos decentes. Se sentía raro estar tocando algo que no había sido picado, carcomido o abollado. Marc se guardó su nueva cuchara.

—Eso es muy mala educación, hermano. Nuestros anfitriones sacan su mejor porcelana y sus mejores cubiertos, ¿y tú se los vas a robar?

Marc se rio, pero luego se puso serio.

—Yo voy a necesitar la cuchara. La primera que tuve me duró cinco años. ¡Quién sabe cuánto tiempo voy a tener que comer con esta!

Después del desayuno, Tom y yo nos sentamos un rato a ver la partida de ajedrez que jugaban Marc y Jhon Durán. Nadie sabía qué iba a pasar a partir de este momento; sin embargo, Arteaga parecía ser el centro de atención dentro del grupo. Finalmente, caminó hasta nosotros y nos dijo:

—Hoy nos van a subir a un helicóptero. Uno de los guardias me dijo que estaban esperando los helicópteros.

—¿De verdad? ¿Helicópteros? ¿Nos van a sacar de aquí para hacernos los exámenes y todo lo demás?

Me dieron súbitas ganas de orinar y me alejé del grupo. De repente, mientras estaba parado allí, escuché el sonido familiar de los helicópteros aproximándose.

—¡Keith! ¡Helicópteros! ¡Keith! ¡Helicópteros! —escuché que Marc me gritaba.

Subí mi cremallera, más confundido que el diablo. Por años, uno de los peores sonidos que podíamos escuchar en la selva era el *bhwhup bhwhup bhwhup* de las hélices cortando el aire. Sentí una descarga de adrenalina y que los pelos de mis brazos se erizaban. Miré sobre las copas de los árboles que rodeaban el claro en que nos encontrábamos, y vi dos helicópteros M-17, de fabricación rusa, que descendían suspendidos en el aire.

Si Arteaga no me hubiera dicho unos minutos antes que iban a venir helicópteros yo habría salido corriendo. Aún así, no sabía qué esperar. Miré a los guardias esperando que se abrieran y nos cubrieran disparando pero, en lugar de eso, comenzaron a llamarnos: "Raimundo, conmigo", "Erasmo, conmigo", "Flórez, conmigo", "Tom, conmigo", hasta completar la lista. Me pregunté si esa era la forma en que lo harían; si a todos nos habían asignado un guardia que se encargaría de dispararnos. Me di cuenta de que se habían preparado y que esperaban por nosotros. Por una vez en la vida, la guerrilla parecía disciplinada y organizada. Tal vez para eso era para lo que eran buenos: para matar rehenes cuando los helicópteros aparecían. Pusieron a Tom cerca a la cabeza de la fila, y Marc y yo quedamos al final. Marc me miró.

—¿Vamos?

Me encogí de hombros.

—Hasta este punto, sí. Pero tenemos que estar alertas.

Nos embarcamos en un bote, cruzamos el río hasta la otra orilla y nos hicieron esperar cerca a un pequeño rancho, al borde de un sembrado de coca. Parado allí estaba César, a quien no habíamos visto en más de un año, esperando por nosotros mientras observaba los helicópteros que se preparaban para aterrizar.

No entendía por qué estaba allí el jefe del Frente Primero, pero tenía una preocupación más inmediata en mi mente. Ahora que los helicópteros estaban cerca, me di cuenta de que estaban pintados de blanco y que los compartimientos del tren de aterrizaje estaban pintados de rojo, pero había algo que faltaba.

—¿Dónde están las cruces? —le grité a Marc por encima del ruido de los motores.

Marc frunció el ceño y alzó sus hombros, señalándome que no podía oír lo que decía. Uno de los helicópteros aterrizó y dejó su motor funcionando al ralentí. Llevé a Marc hasta el final de la irregular fila que se había formado de secuestrados y guardias. Tom continuaba al frente, cerca a Durán y a Juancho.

—Si esa es la Cruz Roja, entonces ¿dónde diablos están las cruces?

Marc miró al helicóptero y luego a mí.

—¿Qué estará pasando?

—No sé, hermano, pero de pronto nos van a joder.

MARC

Keith y yo nos quedamos quietos, sopesando nuestras opciones. Sentí el impulso de salir corriendo, pero algo me hacía quedarme. Tal vez era la idea de que, hasta donde sabíamos, las FARC no tenían helicópteros. Cualquiera que viniera tendría que ser mejor que la guerrilla.

—No puede ser malo que nos subamos al helicóptero. Ya veremos cómo sigue la función cuando nos bajemos —dijo Keith, haciendo eco a mis pensamientos.

—De acuerdo.

Al comienzo, cuando escuché el sonido de los helicópteros aproximándose, había pensado que era el sonido de la libertad. Ahora que esperábamos que sus puertas se abrieran, no estaba tan seguro. Cuando los miembros del equipo internacional se bajaron y caminaron en una especie de fila, vimos que llevaban chalecos cafés, pero uno en especial llamó mi atención. Tenía el cabello rubio y una espesa sombra de barba, típica del final de la tarde. Sus lentes de espejo Ray-Ban oscurecían sus ojos y reflejaban la selva detrás de nosotros. El sol hacía brillar un arete que llevaba y, cuando levantó su brazo para hacer sombra sobre sus ojos, vi que tenía una bandana envolviendo su muñeca. Detrás de él venían un periodista con un micrófono y otro con una videocámara profesional grande. Los dos caminaron directamente hacia los guerrilleros y comenzaron a entrevistarlos.

Uno que llevaba unas gafas de marco cuadrado irrumpió a nuestro grupo. Se aproximó a nosotros y nos dijo en español:

—Yo soy médico. ¿Están todos bien? ¿Hay alguien que necesite de atención inmediata? ¿Alguna emergencia?

Todos dijimos que no con la cabeza. Tal vez fue la visión de alguien distinto a un secuestrado o un guerrillero, o el olor del aceite de aviación, lo que me impactó, pero de repente me sentí entusiasmado con el prospecto de volar a alguna parte.

—Marc, esto tiene que ser bueno —insistió Keith—. Ellos no estarían aquí con estos helicópteros ni nos llevarían a alguna parte, si no fuera para algo bueno.

Uno de los trabajadores humanitarios se acercó a nosotros.

—Crucen el alambre de púas y los subiremos al helicóptero.

Pasamos por encima de los cables, que no estaban muy altos, y vimos que estaban entrevistando a César. Me di cuenta de que la cámara tenía el logo de Telesur, un medio de comunicación venezolano. Dimos unos pocos pasos hacia el helicóptero. Entonces, uno de los cooperantes alzó los brazos y tres más, incluida una mujer, se pararon a su lado.

—Una de las condiciones que nos impusieron para tener sus pruebas de supervivencia y hacerles una evaluación, es que tenemos que esposarlos.

Él sostenía en sus manos unos lazos de plástico para amarrarnos, como los que usan los policías en Estados Unidos en lugar de las esposas de metal.

—No hay manera, Keith —dije—. No voy a dejar que me hagan eso. ¡Se supone que estos son trabajadores humanitarios! Hemos estado encadenados por la guerrilla ¿y ahora quieren hacernos esto? ¿Qué pasa?

Estábamos al final de la fila y ya otros habían sido amarrados. Entonces escuché la voz de Tom sobre el ruido del motor:

—Todos estén calmados y cooperen. Esto es sólo una precaución. Entremos rápido al helicóptero para que no se queme mucho combustible.

Jhon Jairo Durán estaba sollozando y gritando.

—He estado secuestrado por diez años. ¿Por qué me hacen esto? ¿Cómo son capaces de amarrarnos?

Se tiró al piso; Tom se arrodilló junto a él, hablándole y tratando de tranquilizarlo. Cuando Jhon se paró, estaba tan agitado que tenía espuma y saliva secas en sus labios. Tom le pasó el brazo por encima y trató de mantenerlo calmado. Jhon había sido tan incondicional durante el cautiverio que verlo así me afectó mucho; de todos, era el último que hubiera pensado que se fuera a quebrar a estas alturas.

Keith se alejó de mí y se puso en frente de la cámara. Enrique y los guardias comenzaron a gritar que lo detuvieran pero, antes de que nadie lo hiciera, alcanzó a decir:

—Tom Howes. Marc Gonsalves. Keith Stansell. Somos los tres norteamericanos secuestrados. Estamos bien.

Keith regresó a mi lado y nos quedamos parados allí, sin saber qué hacer.

Mientras tanto, el cooperante con los anteojos de espejo caminó hacia nosotros dos y nos dijo en inglés:

—Mi nombre es Daniel. ¿Ven esto?

Cogió un carné laminado que llevaba colgando de un cordón alrededor de su cuello, y nos lo mostró.

—Esta es mi identificación. Yo soy australiano.

Antes de que yo pudiera responder, Keith agarró la identificación y la examinó.

—¡Mentiras! ¿Quién diablos es usted y qué está pasando? Usted no es australiano; ¡tiene el maldito acento colombiano! ¿Qué es lo que pasa? Usted no es quien dice ser.

Daniel mantuvo la calma y nos dijo, otra vez en inglés:

—Yo voy a sacarlos de aquí. ¿Quieren ir a casa?

—¡Claro que sí! —dijimos al unísono.

Keith se volvió hacia mí y me dijo:

—¡Al carajo con las esposas! Que nos las pongan. ¡Vamos a salir de aquí!

No estaba convencido por completo. Le pregunté a Daniel mientras se afanaba poniéndole las esposas a Keith:

—¿Esta es nuestra libertad?

Daniel no levantó la mirada. Estaba concentrado en terminar de atar a Keith. Jaló una de las puntas de la correa, se acomodó los anteojos por un segundo y dijo:

—Confíen en mí. Confíen en mí.

Se quedó parado y, como el motor del helicóptero comenzó a acelerarse, nos miró y nos dijo, lo suficientemente alto para que lo pudiéramos oír a pesar del ruido:

—¿Entienden lo que trato de decirles? ¡Confíen en mí!

Me quedé allí, con la adrenalina retumbando en mis venas, mientras ajustaba las bandas plásticas alrededor de mis muñecas. Keith estaba frente a mí y el resto de los secuestrados ya estaban ocupando sus asientos en la aeronave, en dos filas, una a cada lado del aparato. Noté que Keith ya había conseguido zafarse de sus ataduras. No podía creer que me hubiera dicho que me dejara poner las esposas y él ya se las hubiera quitado. Ponía las dos muñecas juntas para hacer ver que estaba atado, pero ya no tenía nada. Apreté mi paso y lo alcancé, intentando deducir de su expresión si había otra cosa que pudiéramos hacer aparte de abordar. Él dijo algo pero, en medio del ruido y la confusión, no entendí nada.

Mientras subía la escalerilla del helicóptero no sabía qué pensar. Vi un asiento libre y lo siguiente que supe es que alguien me había levantado y lanzado a él. Un tipo de piel oscura que llevaba una camiseta del Che me quitó las botas y las arrojó al otro lado del helicóptero. ¿Eso era lo que hacían los trabajadores humanitarios?

Estaba estupefacto y le grité:

—Cálmese. Párela.

Miré hacia la mitad del aparato y vi que Keith estaba a punto de sentarse al lado de Tom. Cuando me di cuenta, uno de los cooperantes lo había levantado y enviado a la parte de atrás del helicóptero. También lo despojó de sus botas y lo ató de los pies. Escuché cómo jalaban la correa de plástico mientras pasaba por la parte aserrada. Keith tenía un gesto de confusión en su cara y, cuando el trabajador humanitario se dio la vuelta, pude ver la razón. El tipo tenía una camiseta con una imagen del Che Guevara como la que les habíamos visto tantas veces a los guerrilleros. ¿Cuál era el trato? ¿Nos habían entregado a otro grupo guerrillero, a los venezolanos o a algún grupo colombiano de derecha?

Cuando el hombre se corrió para amarrar los pies del siguiente, Keith alzó los brazos y separó sus manos para mostrarme que se había liberado de las esposas. E hizo lo mismo con sus piernas. Logró zafarse de sus ataduras y extendía las piernas una y otra vez para mostrarme cómo liberarme de las mías. Me preguntaba si este era el momento para que los tres intentáramos una fuga. Había quince secuestrados y, sin contar los pilotos, sólo cinco de ellos. Antes de que pudiera descubrir lo que Keith trataba de decirme, vi a César subiendo al helicóptero.

Iba a sentarse en una silla al lado mío, cuando el de los anteojos Ray-Ban se interpuso.

—No, camarada. Siéntese aquí, camarada.

Le señaló una silla en la fila opuesta, hacia la parte de atrás. César se sentó y quedó justo frente a mí. La puerta del helicóptero no se había cerrado todavía cuando comenzamos a elevarnos. Miré para ver por la ventana y comprobé que estábamos en el aire por primera vez en más de cinco años. Sentí en la boca del estómago la sensación de que íbamos en un carro, acelerando para subir una cuesta.

Cuando me volteé de nuevo hacia los demás, el infierno se había desatado. Pude ver que Keith, Jhon Jairo y uno de los cooperantes luchaban con César. Él estaba en sus cincuenta pero era un hombre recio y pude ver que trataba de alcanzar su pistola. Nadie más, que yo supiera, tenía un arma. Keith le tiró un puñetazo a César en tanto Jhon Jairo lo sujetaba.

En los más de cinco años de cautiverio, casi nunca había alzado mi voz, pero ahora, con todo el mundo en la aeronave gritando, el ruido de los rotores y el motor revolucionado, grité tan duro que sentí que mi garganta se quemaba y que los músculos y tendones de mi cuello estaban en llamas. No tuve idea de si alguien pudo oírme.

Sobre el sonido de mi propia voz, oí que varios decían en español y en inglés:

—¡Ejército de Colombia! ¡Ejército de Colombia!

Sentí de pronto la misma sensación que cuando escuchaba un mensaje para mí en la radio: que una voz y una presencia me tocaban desde una gran distancia. En un instante, todos los sueños, fantasías y visiones que había tenido sobre cómo sería ser rescatado volaron hacia mí a velocidades supersónicas. Pasé de estar completamente vacío a estar completamente pleno.

La lucha continuaba. Quienes quieran que fueran los amigos que estaban a bordo, le estaban propinando a César una buena paliza. Uno de ellos le daba puños detrás de la oreja, y entonces escuché el chasquido de una pistola de aturdimiento. El que se nos había presentado como médico me miró y me dijo:

—¡La inyección! ¡Deme la inyección!

Me levanté, olvidándome de que mis pies estaban amarrados, y por poco me caigo. El "doctor" me señaló la silla al lado de la mía, donde

César había tratado de sentarse. Debajo de ella, encontré un maletín y una aguja hipodérmica. Se la pasé al doctor y él se la aplicó a César. En unos momentos, el comandante del Frente Primero estaba fuera de combate.

Keith rodó fuera de la pila de personas que había sobre César, y también lo hizo John Jairo. Tom se arrodilló junto a ellos, los abarcó con sus brazos, y dijo:

—¡Maldita sea, Keith! ¡Estamos libres!

Sentimos un ruido sordo detrás de nosotros. Habían tumbado a Enrique sobre el piso y uno de nuestros salvadores lo estaba amarrando. Él simplemente se había recostado en su asiento y observado mientras César peleaba como un tigre. Luego se rindió sin un solo quejido.

Tom lo vio y se levantó. Los rescatadores habían puesto a Enrique en una silla. Keith y yo nos miramos mientras Tom caminaba hacia él. Por todo el infierno que Enrique le había hecho pasar, esperábamos que le diera un puño, una patada, una cachetada, algo. Pero Tom sólo se inclinó sobre él, le dio una leve palmada sobre su pecho y le dijo:

—Buena suerte.

Keith y yo nos paramos y asentimos con la cabeza. No era necesario decir nada más. Ya habíamos ganado.

Me senté, me recliné en la silla y busqué a Tom con la mirada. Él se había vuelto a sentar y una inmensa sonrisa le cruzaba la cara. Yo me sentía igual. No tenía ni idea de quiénes eran esa gente, pero lo único cierto era que nos habían liberado. Todos en la aeronave estaban gritando y traté de llamar la atención de una mujer que estaba con los hombres que habían hecho esto por nosotros. Ella vino y cortó las ataduras que todavía tenía en los pies. Retrocedí hasta el puesto de Tom y un momento más tarde Keith se nos unió. Todos nos abrazamos. Keith tenía sangre en una de sus manos, y cuando yo se la señalé, él se rio:

—¡Sólo un golpe por la libertad, hermano!

—¡Dios mío! ¡No puedo creerlo! ¡Eso es! ¡Estamos libres!

—Yo tampoco puedo creerlo —dijo Tom, sin dejar de sonreír.

Uno de nuestros salvadores vino hasta nosotros y señaló el morral que Keith estaba sosteniendo.

—Guarde eso bien. Ahí hay cosas importantes.

Keith asintió y apretó el morral contra sí. Sonrió y nos dijo:

—Es de César. Yo lo agarré en medio de la pelea. Debe tener algo valioso.

—¿Saben? —les dije—. Cuando esta cosa despegó, lo único que esperaba era que esta caja de pernos rusa no se fuera a desbaratar.

El temor de un accidente había cruzado por nuestras mentes durante el rescate, que tomó tan solo unos pocos minutos y fue ejecutado de la forma más perfecta que hubiéramos podido imaginar. El ejército colombiano había diseñado una estratagema que debió haber implicado meses de planeación. En el poco tiempo que nos llevó despegar y estar en el aire, quince almas fueron sacadas de la selva y dos terroristas de las FARC estaban en camino a cualquier infierno que los esperara.

Keith nos miró a Tom y a mí, uno después de otro:

—¿Alguna vez se habían sentido tan ligeros, tan relajados? ¡Hombre, es como si hubiera estado cargando el mundo entero en mis hombros por cinco años, y de repente me lo quitaran! ¡Ya no está!

Se volvió para mirar por la ventana.

—¿Cuándo será que podremos hacer una llamada por celular? Quisiera llamar a Destiney. Tengo que oír la voz de mi niña y decirle que ya voy camino a casa.

Mi voz quedó atascada en mi garganta por un momento. Miré lo que pasaba en el helicóptero. Los quince que habíamos estado secuestrados ahora sonreíamos y reíamos, incluso algunos se limpiaban las lágrimas de alegría. Yo estaba con ellos, en espíritu y emoción, pero una parte de mí regresó a la selva sobre la que ahora estábamos volando, y pensé en los cientos y tal vez miles de secuestrados que las FARC todavía tenían en su poder. Nosotros estábamos a un paso de volver a casa, pero no nos sentiríamos del todo allí hasta que no nos reuniéramos con nuestros seres queridos.

TOM

La partida de ajedrez terminó, y nosotros ganamos. Parecía como si las FARC nunca antes hubieran jugado este juego. El montaje y ejecución habían sido tan perfectos y el remate tan limpio que no sentimos la necesidad de arrasar con las fichas del tablero en una exuberante demostración de triunfo. Teníamos suficiente con recostarnos en nuestras sillas y admirar la velocidad con que todo ocurrió. ¿Cómo era posible que cinco años y cuatro meses de agonía se terminaran tan rápido?

Pero no me demoré en esa pregunta; sólo quería saborear el momento. Todos bailaban y saltaban, y Jhon Jairo y yo nos agarramos de los antebrazos. Todo lo que podíamos hacer era reír y sonreír. Me sentía tan bien al verlo así. Él era un muchacho que había pasado la mayor parte de su juventud en cautiverio. No es que todos esos años se hubieran borrado de pronto de su rostro, pero una chispa vital había vuelto a encenderse en sus ojos, la misma que se había atenuado por un momento antes de que subiéramos al helicóptero.

—¡Te desquitaste con César, Jhon!

Él frunció el ceño y los labios.

—Sólo hice lo que tocaba para asegurarme de que no fuera a herir a nadie. Dios decidirá lo demás.

Tratamos de hablar un poco más, pero los colombianos empezaron a cantar una canción, una tonada patriótica que les había escuchado antes, aunque nunca le había puesto mucha atención. Les agradecimos a los héroes que nos habían rescatado, expresándoles nuestro reconocimiento y admiración, y ellos nos respondían que los héroes éramos nosotros. La verdad, yo no lo veía así. Nosotros éramos los vencedores y los sobrevivientes, pero hacer lo correcto en circunstancias difíciles no nos convertía en héroes, sólo nos garantizaba que al final saldríamos adelante.

En medio de todo, recordé algo que le escuché decir a Enrique muchas veces, y también a otros guerrilleros. Él decía que si veía que las cosas se ponían mal para ellos, no se iba a rendir tan fácilmente. Tenía la vieja mentalidad de "nunca me atraparán con vida". Viéndolo ahora sentado en el helicóptero, en ropa interior, atado de pies y manos, no pude evitar pensar en él como en un cerdo. Un cerdo es un animal inteligente y, a pesar de lo cobarde que al final demostró ser, Enrique había tomado una decisión inteligente. No podía pelear contra todos nosotros. Al final comprendió lo que ya todos sabíamos acerca de las FARC: que no es una causa por la que valga la pena perder la vida.

Después de unos veinte minutos de vuelo, aterrizamos en San José y, sin fanfarrias ni retraso alguno, nos embarcaron en un jet Fokker que alguna vez había servido como avión presidencial, equivalente al *Air Force One*. Nos sentaron en la parte delantera del avión, en las sillas de primera clase. El resto de los liberados quedó en la parte de atrás. Nos hundimos con placer en las abullonadas sillas de cuero. Jamás en toda mi vida —y puedo decir que he viajado en muchos aviones comerciales— me había sentido tan cómodo. Un pequeño grupo de estadounidenses —que trabajaban en cargos de alta responsabilidad dentro de nuestra embajada, y habían tenido alguna participación en el rescate— estaba en el avión con nosotros. Nos trataron estupendamente y nos contaron algunos detalles de la operación. Esencialmente, la guerrilla había colapsado por causa de su propia gente, y por su defectuoso y anticuado sistema de comunicaciones. Era bueno saber que algunos de sus miembros habían sido suficientemente corruptos para cooperar. Las FARC habían sido engañadas y les habían hecho creer que una misión humanitaria nos iba a visitar, cuando, en realidad, nuestros salvadores eran miembros altamente entrenados de un escuadrón élite del ejército colombiano. El médico sí era de verdad un médico, pero el periodista y el camarógrafo no eran más que militares que se habían ofrecido para esta peligrosa misión.

Bebimos agua pura embotellada por primera vez en años y nos volvimos a hundir en nuestras sillas. De pronto, oímos que había una celebración en la parte de atrás del avión y nos dirigimos allá para disfrutar el espectáculo. El general Montoya, comandante del ejército colombiano, estaba hablando a través de un megáfono:

—¡Paren! ¡Paren! ¡Silencio!

Todos se calmaron, y entonces el general gritó "¡Gloria al ejército de Colombia!", lo que hizo que todos volvieran a estallar en exclamaciones de júbilo. Cuando volvieron a callarse, anunció que íbamos a empezar el vuelo con una oración. Un sacerdote colombiano estaba a bordo y dirigió una plegaria de agradecimiento. Al final, me las arreglé para decir "amén".

Después de la oración, el general Montoya hizo que todos volvieran a cantar. Yo no me podía imaginar a un general de mi país dejándose llevar por las emociones como él lo hacía, pero me hacía muy feliz verlo reaccionar de esa manera. Tenía un buen motivo para estar exultante: acababa de propinarle uno de los más grandes golpes de la historia a las FARC, arrebatándoles sus más valiosos rehenes.

Después del despegue, Íngrid vino a la sección delantera del avión. Caminó hasta Marc y lo abrazó.

—¡Estoy tan feliz de que estemos libres!

Hizo una breve pausa y una sombra de remordimiento cruzó su cara como una nube oscura.

—Espero que sigamos en contacto en el futuro.

Se abrazaron otra vez y ella se devolvió a la cabina trasera.

Alguien dijo que íbamos a aterrizar en una base militar en Tolemaida, desde donde los colombianos tomarían su propio camino.

—Va a ser raro decirles adiós —dijo Marc.

—También va a ser una buena cosa —respondió Keith, y Marc y yo nos quedamos esperando la explicación.

Como no continuó, Marc dijo:

—Lo que pasó, pasó. Estoy listo para seguir adelante. Cuando escuché a esa gente diciendo "¡Ejército de Colombia! ¡Ejército de Colombia!" fue como si los últimos cinco años se hubieran convertido en unos pocos minutos. No guardo ningún resentimiento. Sólo estoy feliz de estar libre, y no tengo rencores contra nadie. Ahora quiero ir a casa.

Keith dijo:

—Eso es lo que quería decir. Ahora puedo olvidarme de todo, aunque no estoy seguro en el caso de Íngrid. ¿Perdonarla? Sí. ¿Seguir adelante? Sí. ¿Respetarla? No.

Preguntamos si podíamos ir atrás a despedirnos de los colombianos. Cuando aterrizamos, Keith se fue de inmediato hacia su buen amigo Juancho. Chocaron los puños, y Juancho le dijo:

—Llámeme. Voy a necesitar esa camioneta.

Alguna vez ellos habían hablado de que Keith le mandaría su vieja camioneta Toyota.

Los militares rescatados estaban tratando de salir y había también otro grupo de militares colombianos, distintos a los del equipo de rescate. Quería decirles adiós a todos pero sólo tuvimos unos pocos momentos, porque las cosas se apresuraron y se salieron de control. Logré encontrar a Jhon Jairo, tuvimos una breve despedida y nos deseamos buena suerte.

Cuando salimos del Fokker nos embarcaron de inmediato en un avión americano C-130, en el que tuvimos un rápido vuelo sobre las montañas hasta Bogotá. Cuando abordamos, nos saludó el embajador Brownfield. Él era de Texas, y me resultó extraño escuchar su acento. Estaba emocionado por el éxito de la misión de rescate y orgulloso del papel que había jugado para ayudar a sacarla adelante. Le agradecimos por sus esfuerzos y por las botellas de cerveza Lone Star que había subido al avión. Nuestras cabezas daban vueltas. Miré el ordinario reloj Cassio que había recogido en una de nuestras marchas. Me di cuenta de que hacía tan sólo un par de horas que habíamos visto aterrizar el helicóptero en la selva, y que ahora estábamos a punto de llegar a Bogotá. Había tenido sueños más largos que esta nueva realidad.

No sabíamos qué esperar cuando aterrizamos, 1.967 días después de que habíamos despegado. Cuando bajamos por la escalerilla, vimos el puesto de control de Eddie el Rápido frente a nosotros. Acordonada, fuera del área de parqueo donde normalmente estacionábamos nuestros aviones, había una gran multitud. Era un momento tan surrealista como cuando nos accidentamos y nos sentimos en *El planeta de los simios*.

Divisamos a algunos de la antigua tripulación de la compañía y de la embajada, y fuimos trotando hacia ellos. Nos desconcertó un poco lo emocionados que estaban. Nosotros estábamos felices, ¡pero esta gente sollozaba y reía! Brian Wilkins, que había empezado en la compañía al tiempo que Marc, gritaba:

—¡Nunca los abandonamos! ¡Nunca dejamos de trabajar para encontrarlos!

Ed Trinidad, el hombre que había escuchado nuestras llamadas de auxilio aquel día de febrero de 2003 estaba allí, y también Mike Villegas, otro compañero de trabajo. Ambos estaban llorando y sus voces se ahogaban por la emoción, mientras nos reiteraban lo que Brian había dicho.

—¡Nunca nos detuvimos! ¡Nunca nos detuvimos!

Nosotros estábamos abrumados por el sentimiento, y por ver cómo ellos habían sufrido también. No sólo habían tenido nuestro accidente, sino que habían perdido a otra tripulación. Aún así, nunca dejaron de volar, haciendo círculos, para buscarnos. En ese momento, pensé en algo que había bloqueado durante todos estos años: eran muchos, aparte de nosotros tres, los que habían sufrido por causa de las FARC. No había manera de estimar el daño que nos habían hecho.

Todo pasó en un abrir y cerrar de ojos. Apenas pudimos compartir unos minutos antes de que nos escoltaran a un C-17. Cuando estábamos en nuestras misiones y habíamos logrado volar con éxito sobre nuestros objetivos, Keith era el encargado de reportar a nuestra gente que estábamos RTB, es decir, regresando a la base.

Nuestros colegas seguían llorando a mares y, a través del apagado sonido de las lágrimas de alegría, escuché que decía:

—Todo está bien. Todo está bien. Estamos RTB. Un poco tarde, pero RTB.

XVIII
DE REGRESO A CASA

JULIO DE 2008 - OCTUBRE DE 2008

TOM

Desde el momento en que pisamos el avión c-17 de la Fuerza Aérea, quedamos en manos de nuestros compatriotas y en terreno familiar. La euforia había comenzado a desvanecerse y me sentí tan bien de estar otra vez en un avión, que solicité permiso para acompañar a la tripulación.

—Voy a verificar, señor —me dijo uno de los ingenieros de vuelo mientras regresaba a la cabina de mando.

—Tom ¿te acuerdas qué pasó la última vez que estuviste en una cabina de mando con nosotros dos en la parte de atrás?

Keith se rio y yo le di mi mejor mirada de "¿Quién? ¿Yo?". Era maravilloso reír y saber que estábamos en buenas manos en este vuelo. El ingeniero volvió desde la parte frontal del avión.

—Señor Howes, puede ir a la cabina de mando, señor. El piloto lo autoriza a que se una a la tripulación allí.

—¿Señor Howes? ¿Señor? ¡Casi se me había olvidado que tenía un apellido!

Keith y Marc sólo pudieron sacudir sus cabezas.

Yo había estado en varias aeronaves ese día, pero al sentarme en la cabina de vuelo de nuestro c-17 de transporte disfruté muchísimo contemplando su sofisticada aviónica. Me sentía bien de estar fuera de la Edad de Piedra y otra vez en mi mundo. Me recliné, me relajé y dejé que todo se fuera asimilando. No más escuchar los tranquilos intercambios de palabras de la tripulación en un vuelo de rutina, sin incidentes, me servía para borrar el recuerdo de aquel día de febrero de 2003. No me detuve en esos pensamientos; pasaron debajo de mí como el paisaje bajo la aeronave. Todo me resbalaba en ese momento. La embriagadora sensación de estar libre era tan grandiosa que nada me podía arrastrar hacia abajo. En todos estos años, los miembros de las FARC me habían causado un gran dolor, pero, al final de todo, ellos se habían quedado en la selva luchando por lo que pensaban que era la libertad, y yo *tenía* la mía. Habíamos ganado. Yo había ganado.

Tan pronto pasamos las oscuras aguas del golfo de México, mi expectativa creció. Hasta el 13 de febrero de 2003, nunca me había distinguido por ser un patriota muy entusiasta. Ahora, mi anhelo por ver de nuevo las costas de Estados Unidos era tan grande que no hay palabras suficientes para describirlo. A unas cincuenta millas náuticas de tierra americana, divisé los primeros destellos de luz de la Costa del Golfo de Texas difundiéndose frente a mí. En la medida en que nos acercamos y el brillo se hizo mayor, tuve que aquietar mi pierna, que brincaba en una combinación de impaciencia y fatiga.

Tocamos tierra en la Base Lackland de la Fuerza Aérea en San Antonio y nos transportaron en un Blackhawk hasta el Brooke Army Medical Center —BAMC— en Fort Sam Houston, sumándose a la cuenta de vuelos y aeronaves en que habíamos estado en un periodo de doce horas. Como el doctor que nos examinó en el vuelo en el C-17 no pudo descartar que tuviéramos enfermedades infecciosas, y además teníamos signos evidentes de lesiones —la leishmaniasis de Keith y mía era claramente visible—, el personal del BAMC acordonó un ala entera del hospital con anticipación a nuestra llegada.

Como parte de nuestro proceso de reintegración, los especialistas del ejército habían hecho arreglos para que los tres pasáramos juntos la primera noche. Pensaron que sería mejor así hasta que estuviéramos un poco más adaptados. Cuando nos instalamos en la habitación, me di cuenta de que mi energía había regresado con más fuerza de lo que esperaba. Después de un vuelo nunca me iba a dormir directamente; era como si mi mente arribara primero a mi destino y mi cuerpo llegara luego con retraso. Esa primera noche sentí exactamente lo mismo.

Estaba ansioso por llamar a Mariana pero no pude contactarla. Las primeras voces familiares que escuché fueron las de mi hermano Steve y mi hermana Sally. Hablamos por unos minutos, pero se estaba haciendo tarde y tenía otras llamadas que quería hacer. Antes de que me diera cuenta, el cansancio por todo lo que había vivido ese día me alcanzó y quedé noqueado.

El día siguiente comenzó con una batería de exámenes médicos y formularios de evaluación psicológica. Estábamos asombrados por la amabilidad y devoción del personal. Sin decirlo expresamente, dejaron claro que Marc, Keith y yo no seríamos separados por largos periodos de tiempo. Algunas sesiones de preguntas y respuestas eran individuales y otras en grupo. La idea era que sólo nosotros entendíamos realmente lo que nos había pasado, por lo que podía ser desconcertante para cada uno no tener cerca a los otros dos como apoyo.

Después de haber sido tratados a veces de forma indiferente, si nos iba bien, o inhumana, si nos iba mal, por los "doctores" de las FARC, era estupendo estar en manos de médicos, enfermeros, camilleros y técnicos sorprendentemente talentosos y compasivos. Nunca antes me había sentido tan a gusto de que me practicaran tantas pruebas y me hicieran tantas preguntas, ni de que tanta gente se preocupara por los fluidos y derivados que mi cuerpo producía. Casi me daba risa cuando alguien que me estaba atendiendo me decía "va a sentir un ligero pinchazo" o "puede que sienta una incomodidad". Yo sólo me sentía maravillado, vivo y bien.

Mi hijo Tommy estaba con unos parientes políticos en una apartada finca en el Perú, por lo que se demoró unos cuantos días en llegar. La madre de Mariana lo acompañó a la habitación y, a pesar de la consideración que le tenía, fue como si ella no existiera en esos primeros momentos. Los años de separación no habían disminuido el vínculo especial que Tommy y yo compartíamos desde su nacimiento. Nos abrazamos y el tiempo desapareció. Ninguno de nosotros podía hablar. Antes del accidente, cuando quería abrazarlo tenía que arrodillarme. Ese día, en julio, había crecido tanto que podía enterrar su cabeza contra mi pecho. Bajé mi cara y respiré el fresco olor de su cabello, recién bañado con champú. Después de unos momentos, nos separamos un poco para incluir a su abuela en el abrazo.

Al día siguiente, Mariana y yo nos vimos. Estuve nervioso las horas previas al encuentro y no tenía grandes esperanzas de que tuviéramos un saludo intensamente romántico o dramático. Sabía que ella estaba en Bruselas cuando me liberaron. Siendo como era, una mujer fría, más bien reservada, y refinada, no le gustaba hacer demostraciones públicas de emoción y afecto. Tener en los brazos a la mujer que amaba pero de la que había sido apartado por tanto tiempo era algo extraño. Anhelaba sentirme rápidamente en confianza y bien con ella, pero los psicólogos me habían preparado para que no esperara mucho y menos tan pronto. Mariana y yo fuimos cordiales el uno con el otro pero nuestras conversaciones no eran espontáneas sino más bien producto de la amabilidad forzada entre dos personas que quieren guardar las apariencias. Gradualmente, en la medida en que pasamos más tiempo juntos, la tensión bajó, pero sabíamos que todo iba a ser un poco extraño hasta que no regresáramos a nuestro propio terruño.

Como parte de nuestra reintegración, poco a poco nos fueron llevando a algunos escenarios sociales en breves salidas fuera de la base. La mejor para mí, sin duda, fue un viaje que hicimos al almacén local de motocicletas Harley-Davidson. Nunca habíamos dejado de hablar y de soñar con la Caravana de la Libertad. Caminando por la concesión, Marc parecía un adicto a las motocicletas en una tienda de artículos cromados. Había fila tras fila de relucientes motos y partes destellando bajo la luz de los reflectores.

—Muchachos —nos dijo Marc a Keith y a mí—, creo que estoy en el cielo de las motocicletas.

Yo inhalaba el aroma del caucho, del cuero y la apenas perceptible esencia del aceite de motor que surgía del almacén.

—¡Esto es irreal! ¡Miren! —Keith dio un giro de trescientos sesenta grados con su cabeza echada hacia atrás y los brazos abiertos—. ¡Dos pisos de lo mejor que produce la Harley-Davidson!

Me dirigí de inmediato hacia una Electra Glide y me senté en ella.

—Algún día —dije, con una resolución que incluso me sorprendió a mí mismo.

El personal del concesionario era en extremo amable. No teníamos claro si les habían avisado nuestra llegada ni qué tanto conocían de nosotros pero nos regalaron sombreros, camisetas e insignias para que recordáramos nuestra visita. No sé si dañamos nuestra bienvenida por habernos sentado en casi todas las motos en el lugar, pero por lo menos no lo pareció.

El 7 de julio estuvimos de acuerdo en que estábamos listos para conceder nuestra primera rueda de prensa formal, a la que el ejército llamó Ceremonia del Galón Amarillo. Nos pusimos una chaqueta deportiva azul. Nunca me había sentido cómodo vistiendo formalmente pero cuando los tres subimos al estrado en frente de unos algunos centenares de buenas personas que se habían reunido para darnos la bienvenida, fue fácil mantener el ánimo. Mariana, su madre, Tommy y mi hijastro Santiago estuvieron conmigo al frente del personal de la base y del público que se había reunido.

Posamos para las fotos junto a una gran bandera de Estados Unidos. No había sentido un nudo en la garganta viendo este potente símbolo desde los días siguientes al 11 de septiembre. Nunca me sentí más orgulloso de ser estadounidense y nunca más agradecido por lo que los gobiernos de Colombia y Estados Unidos habían hecho. Más tarde, cuando la caravana nos transportaba al jet que Northrop Grumman había dispuesto para llevarnos de regreso a diversos lugares de la Florida, deseé haberme quedado un tiempo más en Texas para conocer mejor a la gente que me había ayudado a regresar a casa. También estaba en deuda con los héroes del ejército de Colombia que, arriesgando sus propias vidas, lograron realizar una movida de ajedrez que ni siquiera yo podía haber hecho. La Operación Jaque debe su nombre a una jugada del ajedrez en que el rey está en peligro y tiene que moverse para evitar un ataque directo. Yo no podría haber jugado mejor que lo que ellos lo hicieron, y mantenía la confianza en que pronto se produciría un jaque mate contra las FARC.

Durante nuestro tiempo en cautiverio, Keith, Marc y yo nos habíamos convertido en hermanos y, así como en algunas familias los sentimientos no se verbalizan ni se demuestran públicamente, resultó normal que la despedida entre nosotros fuera de bajo perfil. En cada aeropuerto donde nos fueron dejando, nos abrazamos el uno al otro, nos palmoteamos en la espalda y nos dijimos un rápido "hasta luego". Con próximas visitas a la Casa Blanca, varios encuentros y reuniones con compañeros de trabajo, rendiciones de informes y conversaciones con personal militar que había estado relacionado con nuestra situación, nos íbamos a ver con mucha frecuencia. Nuestras despedidas fueron un poco parcas, pero algunos lazos no necesitan ser estimulados para mantenerse fuertes.

Cuando atravesé la puerta de mi casa, no pude evitar pensar que había pasado cinco años y medio pensando en este lugar pero que sólo había vivido realmente dos semanas allí. Los primeros días los pasé familiarizándome con ese espacio que había atravesado tantas veces en mi mente durante el cautiverio. Cerraba los ojos y me movía mentalmente de habitación en habitación, y, cuando los abría, me asombraba de estar mirando un cuarto real y no el verde de la selva. Al agotarse la novedad, reasumí una especie de rutina. Cuando el colegio empezó, fue un verdadero placer llevar a Tommy a la escuela, y levantarme en la mañana antes que él para preparar su desayuno y dejar su almuerzo listo.

En cuanto a Mariana y a mí, esa rutina fue más difícil de establecer. No es fácil para dos adultos con personalidades independientes tan fuertes como las nuestras, cerrar la brecha después de una separación de cinco años. Ambos habíamos madurado de diferente manera y, después de casi tres meses de intentar adaptarnos, llegamos a la conclusión, al finalizar septiembre, de que sería mejor para los tres si terminábamos nuestro matrimonio. En la selva, me había hecho el propósito de que, pasara lo que pasara, iba a hacer lo que estuviera a mi alcance para mantener mi familia unida. Pensaba que mi hijo merecía tener un hogar intacto y que, si me esforzaba lo suficiente, podría salvar el matrimonio. Pero la realidad no resultó tan fácil y, después de todo por lo que había pasado, estaba listo para asumirla. Sólo quería que mi hijo viviera en un ambiente positivo. Él y yo éramos especialmente unidos, y eso era lo que realmente importaba.

Fue un honor para mí poder conocer al presidente Bush y al presidente Uribe, y expresarles a ambos mi gratitud —en particular a este último— por su apoyo y por la asombrosa labor que había hecho el ejército colombiano para engañar a las FARC y rescatar a quince secuestrados sin disparar un solo tiro. Nadie quería que se perdieran más vidas, y estábamos enormemente impresionados y agradecidos por ese logro de la Operación Jaque.

Tal vez mi mayor alegría por esos días me la produjo mi motocicleta, pero no la que tenía sino una nueva. En una entrevista que nos hizo

CNN mencionamos la Caravana de la Libertad y alguien de la Harley-Davidson oyó nuestra historia y supo de nuestro deseo de recorrer el país en moto. Nos contactaron de la compañía y nos invitaron a Milwaukee, a la celebración de su 105 aniversario. Fue estupendo poder compartir con tantos amigos entusiastas; la generosidad de la gente de la Harley fue increíble, especialmente cuando nos dijeron que podíamos seleccionar el modelo que quisiéramos en nuestro concesionario local, y que eso sería un regalo.

Fue un gesto maravilloso. Cada tanto, saco mi nueva moto y voy por el café de la mañana a una tienda llamada Osorio. No es un lugar ostentoso en absoluto, pero ir allá a tomar un café en un vaso de cartón sólo porque puedo hacerlo es suficiente placer para mí. De alguna manera, Osorio me recuerda mis épocas de niño en Cape Cod. Chatham es un pequeño y agradable pueblo turístico, y Cocoa Village, en la Florida, me produce la misma sensación. Disfruto el ritmo apacible de la vida en ese lugar. Me puedo sentar bajo el sol y ver cómo los otros clientes vienen y van. Hoy por hoy, no se me ocurre un mejor lugar para estar, y me gusta eso.

Después de terminar el café, no me demoro mucho más. El viaje de regreso, sintiendo el aire tibio, es siempre refrescante, pero nada le gana al momento en que llego a mi casa. Una cosa que la experiencia del secuestro me dejó es el placer de estar en una hamaca. Tengo una al lado de la piscina y puedo ver los árboles de cítricos en mi patio. Las frutas eran un raro manjar durante el cautiverio, por lo que estar rodeado de naranjos, limoneros y mangos, descansando en mi hamaca perfumada por esas esencias, representa esa paz que anhelaba cuando estaba en manos de las FARC. Pasé casi toda mi vida adulta buscando aventuras y consolidándome financieramente, pero ahora todo lo que disfruto es tener las piernas sobre la hamaca, valorando el tiempo que tengo antes de dedicarme al mantenimiento de la casa.

No he vuelto a volar desde que regresamos y, aunque esa era una de las pasiones de mi vida, ahora sé que afanarme en una precipitada carrera para lograr lo que alguien puede definir como éxito, no es para mí. En mi mente, ya gané el juego que estaba jugando, y no hay mejor manera de probarlo que ejercitando mi habilidad para decidir si me balanceo o me quedo quieto, si atiendo el teléfono o dejo que responda el contestador. Nada es tan importante como para que interfiera con la cómoda burbuja que he encontrado en mi propio paraíso tropical.

KEITH

"Keith, bienvenido a casa y bienvenido a Fort Sam Houston"

Después de escuchar las primeras palabras del mayor general Keith Huber supe que estábamos siendo reincorporados a la gallardía y el servicio. Su firme apretón de manos y sus intensos ojos azules subrayaron el hecho de que la brutalidad que había marcado nuestras vidas por tanto tiempo, finalmente había terminado. El general Huber marcaba la pauta en Fort Sam Houston. El personal del BAMC excedió nuestras expectativas en todo sentido, y mucho de esto tuvo que ver con él. Desde el momento en que llegamos a la base hasta el día en que partimos, el general Huber estuvo allí ofreciéndonos sus sabios consejos o llevándonos de un lugar a otro. Era la primera vez que tenía un contacto prolongado con un hombre de su rango y debo decir que no se daba aires, ni siquiera por ser yo un subalterno ex marine.

Cuando nos instalamos en nuestro cuarto la primera noche, me comí una hamburguesa con queso que un coronel, que vino expresamente desde su casa, tuvo la amabilidad de prepararme. Entre mordidas, anticipaba lo que iba a ser el otro día. Gracias a un celular que un colega me dio en Bogotá, pude hablar con mis padres en la Florida. Fue una conversación breve, pero su emotividad y el alivio que mostraron al escuchar mi voz permanecieron conmigo el resto de la jornada. Me prometieron que vendrían a verme al día siguiente.

Llegaron en la mañana, junto con Lauren y Kyle. Los llevaron a un salón de conferencias donde yo los esperaba sentado frente a una mesa. Nos abrazamos formando un racimo humano, en medio de lágrimas. Kyle ahora tenía dieciséis años y medía un metro con noventa y siete centímetros de altura. No podía creer que mi muchacho se hubiera comido una de las habichuelas de Jack y se hubiera convertido él mismo en un tallo de habichuelas. Laureen tenía ahora diecinueve años y era una muchacha tan bonita como cualquier padre pudiera desear. Verlos al fin y constatar sus transformaciones era demasiado para mí y, después de que todos nos callamos, sentí la necesidad de decir algo:

—Escúchenme. No puedo agradecerles lo suficiente por los mensajes que me enviaron. No se imaginan lo que sus palabras significaban para mí, para todos nosotros. Ustedes estuvieron conmigo cuando los necesité y nunca, nunca seré capaz de agradecerles lo suficiente, pero les juro que voy a tratar de hacerlo.

Mi papá es un intelectual, la clase de persona que vive a través de los libros. Nunca lo había visto tan conmocionado, y mirar las lágrimas corriendo por sus mejillas me destrozaba.

—Papá, ya no estoy al otro lado. A partir de ahora soy a prueba de balas. Nada, nada puede dañarme nunca más.

Aferré su brazo al otro extremo de la mesa. Él puso su mano sobre la mía y dijo:

—Hay tantas cosas que quiero decir y que debí haber dicho antes…

Lo interrumpí:

—Todo está dicho en esos mensajes. Cuidaste de mi hijo y de mi hija, y te encargaste de mis cosas.

—Yo sé, pero…

Sólo en los días siguientes pude saber cuál era ese "pero". Desde el comienzo había sospechado que Malia había saltado del barco que naufragaba para salvarse ella misma, y no la culpaba. Mi papá estaba preocupado de que yo esperara que ella me estuviera aguardando con una docena de rosas y una botella de champaña, y no quería hacerme sentir mal. Pero no dijo ni una palabra. Hacía ya mucho tiempo que había conocido y confrontado la verdad en la selva, pues no había oído de ella por cuatro años. Marc, Tom y yo habíamos dicho que no esperábamos que nadie pusiera en suspenso su vida por causa nuestra. Desde antes del accidente, yo ya había puesto mi relación con Malia en peligro y no tenía ninguna ilusión sobre lo que pasaría ahora que estaba libre. Siempre dijimos que el cautiverio revelaría la verdad sobre nosotros mismos, y eso también se aplicaba para quienes habíamos dejado atrás. Cuando le dije a papá que ahora era a prueba de balas, lo sentía en realidad. Estaba listo para seguir adelante.

El segundo día de nuestro regreso, Patricia y los gemelos estaban programados para visitarme. Antes de que llegaran, el general Huber vino a nuestra habitación para verme.

—Keith, escucha. Yo soy un hombre de familia, bendecido con una adorable esposa, dos hijos maravillosos y mi primer nieto. Por eso quiero asegurarme de que estás preparado para esto. Encontrarte con esos dos niños puede ser difícil para ti ahora. Sólo quiero tener la certeza de que estás listo.

—Sí, señor, lo estoy. Soy el padre de esos niños y quiero verlos. Ellos necesitan saber quién soy.

Durante el cautiverio había pensado mucho en los gemelos. La confusión de la radio acerca de si los niños habían sobrevivido al parto me había hecho sufrir, y luego me había maravillado pensando en cómo serían sus vidas con Patricia. A través de Lucho, el mundo se había enterado de que ella y yo estábamos comprometidos, pero esto era algo real y yo lo sabía.

Sentía mi corazón en la garganta mientras salía de nuestra habitación para enfrentar a Patricia y los gemelos. El general Huber me detuvo en el momento en que me disponía a entrar.

—¿Estás seguro? —preguntó. Una genuina preocupación se traslucía en sus ojos.

Asentí; él me sonrió y abrió la puerta. Lo primero que vi fue a dos niños de espaldas, sentados en el piso, jugando con unos carros. Cuando volvieron sus cabezas por el ruido de la puerta, saltaron de donde estaban y corrieron hacia mí, gritando:

—¡Papá! ¡Papá!

Cada uno se abrazó a una pierna y puedo jurar que estuvieron a punto de derribarme. Me sentí tan falto de fuerzas que sólo quería derrumbarme allí mismo a llorar. En lugar de eso, puse una rodilla en tierra y dejé que los niños rodearan mi cuello con sus brazos. Entonces miré a Patricia y reafirmé lo que había estado pensando durante los últimos meses: que era una mujer que sabía cómo comportarse en los momentos difíciles. A pesar de todo el infierno que le había hecho pasar, de todos los muros que había levantado entre nosotros, del confuso caos que había sido mi vida en cautiverio, ella encontró una manera de superarlo y me abrazaba como nadie no la había hecho en mi vida.

Al ver a esta magnífica mujer sentada allí, con sus manos sobre la boca y los ojos inundados de lágrimas, concluí que una persona me había fallado pero que otra me había cumplido más allá de lo que se podía esperar. No me puse a considerar si me lo merecía o no. Lo único que quería era tener en mis brazos a una mujer que realmente sabía lo que era amar y perdonar.

—¿Cómo se enteraron? —fueron las únicas palabras que logré hacer pasar por mi garganta.

—Tenían una foto tuya en la pared de su habitación, en medio de su camas. Les conté todo acerca de ti. Les dije que unos hombres malos te tenían y que por eso no estabas con ellos.

Nos sentamos y tomé sus manos.

—Pero ¿tú cómo sabías?

Me refería al hecho de que no tenía manera de saber cuáles eran mis sentimientos hacia ella.

—Antes de que liberaran a Luis Eladio, yo no sabía. Sólo confiaba, y esperaba.

La primera noche que pasamos en el hospital había tomado mi primera ducha caliente en más de cinco años. No podía creer que con sólo girar una perilla iba a salir agua limpia de la regadera. Tenía por fin jabón real y champú, y no jabón de lavandería. Estar bajo ese relajante chorro de agua por horas era la mejor forma en que podía comenzar a borrar la mugre que había quedado de mi experiencia con las FARC.

Al estar sentado allí con Patricia y los niños, sentí que tenía una nueva oportunidad —que no iba a desaprovechar— de quedar limpio, de remover las capas de egoísmo y el ego que había ido acumulando desde mucho antes de que nos accidentáramos en Colombia. Si no hubiera aprendido que darme a los demás era algo benéfico y necesario que nos permitía sobrevivir al cautiverio, lo hubiera entendido ahora por la desinteresada devoción de Patricia. Este tonto y grandote hombre de campo no olvidará jamás esta lección.

Regresar a la Florida y comenzar a construir un hogar con Patricia y mi renovada familia fue una verdadera dicha para mí. Estar con Patricia y los niños me confirmó lo que por mucho tiempo sospeché en la selva: sentirse a salvo y seguro en una relación es mil veces mejor que andar por ahí como un loco tratando de probar cosas sin importancia a uno mismo o a otra gente. No es que me sentara a recitar la larga letanía de mis pecados para tratar de expiarlos —al fin y al cabo, el día sólo tiene veinticuatro horas—, pero el cautiverio me había dado tiempo para hacer algunas valoraciones. Yo no hablaba mucho de eso pero —al igual que Tom se sentaba a pensar en su casa y en cada una de sus habitaciones, y en todas las cosas que quería hacer en ellas— yo hacía lo mismo con mi propia casa, es decir, conmigo y mi vida. No creía que fuera necesario echar todo abajo y volver a construir desde cero, pero había unos importantes daños estructurales que necesitaban ser arreglados.

En la selva, había hecho una evaluación honesta sobre quién era yo y lo que había hecho con mi vida hasta ese punto. Para cuando llegamos al último año de secuestro, había llenado cuaderno tras cuaderno con toda clase de pensamientos y reflexiones. Un día decidí que, después de haberme devanado los sesos por tanto tiempo, había llegado la hora de dejar de pensar en el pasado para enfocarme en el presente. Quemé todos los cuadernos y, aunque no pensara que iba a renacer de mis cenizas como el ave fénix, fui consciente de que era un hombre afortunado al que el universo le había tocado en el hombro. Tal vez fue por eso que siempre dormí bien durante el cautiverio. Me sentía como un recién nacido con la conciencia limpia.

Con Patricia ha sido más fácil de lo que imaginé ser un devoto padre y compañero. Antes, sólo había sido capaz de lidiar con mi papel de padre. Creo que encontré algo de fortaleza en esa selva y entendí que llevar las cargas pesadas de otra persona puede ser benéfico para los dos.

Durante las primeras semanas en casa, pasé una considerable cantidad de tiempo enterándome de los detalles de la Operación Jaque. Me mantengo en contacto con Juancho e incluso nos hemos escrito correos electrónicos con Lucho; no puedo decir que quiera sacar a Colombia de mi mente por completo. Siempre he admirado a quienes hacen algo hábilmente, y los militares colombianos realmente lograron una hazaña. Es cierto que Estados Unidos los apoyó y les dio asistencia técnica, pero los hombres que ejecutaron la misión en el terreno, y sus superiores, responsables de dirigir y controlar la operación, tienen toda mi admiración.

La Operación Jaque se apoyó en gran parte en el trabajo de campo que el ejército colombiano ha venido desarrollando por años y en hechos imprevistos como los diversos errores de la guerrilla, la presión del embajador de Estados Unidos y la muerte de los líderes de las FARC. Todavía no sé cómo todas estas piezas encajaron tan bien, pero alguien arriba debía estar cuidándonos. La clave de todo el asunto fue que los colombianos lograron voltear a dos guerrilleros para el lado bueno. Sin ese nivel de inteligencia humana, seguramente estaríamos todavía en Colombia. El ejército había interceptado las comunicaciones de las FARC desde hacía un buen tiempo. Eso explica lo que ocurrió cuando estuvimos con Milton; una de las razones por las que pasamos tantas extenuantes jornadas vagando sin dirección fue que los guerrilleros se dieron cuenta de que la seguridad de sus comunicaciones había sido vulnerada. Por eso, la guerrilla tuvo que recurrir al uso de mensajeros humanos que llevaban razones de los comandantes de frente a sus hombres en el campo. No importaba si fueran del Mono Jojoy o de César, esas órdenes tardaban en llegar, lo que le daba un margen adicional al ejército.

A pesar de que nos dimos cuenta de que nos movían rápidamente de un lugar a otro y de que estábamos siendo rastreados, nunca supimos qué tan cerca habíamos llegado a estar de fuerzas amigas en el terreno. El encuentro de la cámara y el empaque de batería fueron un buen indicio, así como el sobrevuelo de los helicópteros, pero no fue sino hasta que estuve en una recepción que nos ofrecieron que me enteré de que hombres de las Fuerzas Especiales de Estados Unidos nos habían visto una vez mientras nos bañábamos en uno de los ríos. Otro me contó que había estado en el terreno y que la cosa más extraña del mundo le había pasado: de pronto sintió el olor de las palomitas de maíz. Casi no pude creer que los esfuerzos de Enrique para calmar a su gente se hubieran convertido en señales de humo para nuestros hombres. Aún ahora, saberlo me hace sentir bien.

Sin embargo, mientras las Fuerzas Especiales de Estados Unidos estuvieron detrás de la escena y en la sombra, los colombianos fueron el cerebro de la operación. Con gran astucia, hicieron pruebas para saber si sus espías/mensajeros serían efectivos. Inventaron órdenes falsas para comprobar si la guerrilla las cumplía, y algunos de nuestros movimientos de un lugar a otro fueron producto de esas supuestas órdenes a Milton y a Enrique. De hecho, fue el gobierno colombiano, y no el alto mando de las FARC, el que impartió la orden de que William Pérez e Íngrid Betancourt se nos unieran poco antes del rescate.

El ejército colombiano también se aprovechó de algo más. Sin tener nada que ver con su estrategia, una verdadera comisión humanitaria estaba en nuestra área, buscándonos a pie. Estas personas comprometidas con nuestra causa jugaron, sin darse cuenta, un importante papel en la artimaña que había creado el ejército para liberarnos. Nosotros mismos habíamos escuchado en los noticieros de radio que una comisión estaba tratando de encontrarnos. Fue así como, cuando los militares enviaron órdenes falsas para que nos llevaran a ese lugar y nos subieran a los helicópteros, no hicieron más que corroborar lo que los guerrilleros ya habían oído en las noticias acerca de la organización humanitaria. Enrique recibió las falsas órdenes, que él creía que venían de sus comandantes, y no tuvo más opción que hacer lo que le decían. Tan cansados como estábamos de escuchar siempre la misma pobre excusa de las órdenes de arriba, en este caso terminó por salvarnos.

Enrique y César están ahora presos y su "desorganización" parece estar más caótica que nunca. Quisiera pensar que nuestro secuestro y nuestro rescate contribuirán, así sea en una pequeña dosis, a su perdición. Sólo podemos esperar que de algún modo conduzcan a la liberación de los demás secuestrados. Ahora, la mayoría de mis pensamientos sobre la guerrilla giran en torno a la preocupación por que los rehenes que aún quedan en cautiverio no sean olvidados en este país. Nosotros tres seguimos comprometidos con ellos de la misma forma en que lo estábamos el día de nuestra liberación. No sé por qué, pero, por alguna razón, aquí en Estados Unidos, no se piensa mucho en nuestros vecinos del sur. Sólo ponemos atención cuando Chávez nos pellizca o nos amenaza con cortar el suministro de petróleo. Espero que lo que nos pasó sirva como una lección de que las decisiones de política tienen un impacto real sobre las personas y de que los problemas de derechos humanos ocurren más cerca de lo que pensamos.

En medio de todo, trato de no obsesionarme mucho con el tema de las FARC en estos días. Hace unas pocas semanas tuve la oportunidad de hacer algo que me encanta —además de manejar mi nueva motocicleta, por supuesto— en compañía de un buen amigo. Me gusta el otoño en la Florida y en el sur de Georgia. No tenemos el mismo clima ni los cambios en la vegetación que hay en el norte pero las temperaturas son moderadas y algunas mañanas son absolutamente frescas. En este día particular, yo estaba cazando venados, sentado en una torre de observación, sobre un cultivo de fríjol. Una ligera niebla, como copos de algodón, se posaba sobre el campo, y el sol de la mañana había encendido las gotas de rocío, haciendo que todo pareciera en llamas. Un par de hembras y un ciervo macho mordisqueaban la hierba junto al borde. Tenía el arma a mi lado, pero la dejé allí y seguí impregnándome del paisaje.

Mi compañero me codeó y me dijo:

—Estás a buen tiro de ese ciervo. ¿Le vas a disparar o no?

Sacudí la cabeza.

—No. Me siento bien con sólo estar aquí.

Levanté los brazos para abarcar el terreno donde había pasado una buena parte, digamos que la mejor parte, de mi vida.

—Te escucho —dijo.

—Tú sabes. Por primera vez creo que realmente puedo decir esto.

—¿Qué es?

—Que ya no estoy cargando ningún peso. Estoy de vuelta.

MARC

"Me siento como E.T.".

Cuando dije estas palabras me refería a muchas cosas. Para empezar, habíamos caminado a través de la entrada forrada de plástico del cuarto de cuarentena, y un personal con máscaras y batas nos aplaudió y nos hizo señales de saludo con las manos. Resultaba sobrecogedor estar en presencia de gente que estaba realmente interesada en nuestro bienestar, y eso era lo que más me hacía sentir como un extraterrestre. Después de haber estado en manos de un grupo que abusó de nosotros por tanto tiempo, cualquier gesto de bondad nos parecía fuera de toda proporción.

Cuando las cosas se calmaron y nos instalamos en nuestra habitación en el BAMC, traté de contactar a mi familia. Ya lo había intentado antes, sin éxito. Nadie me había contestado en el teléfono de mi mamá, y yo me moría por hablar con mis hijos. Tampoco contestaron donde Shane, y no pude dejar un mensaje. Finalmente, esa noche hablé con mi papá. Cuando escuché su voz en el teléfono, sentí como si alguna clase de líquido me llegara a través de la línea, se vaciara en mi oído y recorriera todas las partes de mi cuerpo. Decir que fue un alivio es poco para expresar lo que realmente sentí; era una sensación de calma y seguridad que no había experimentado en mucho tiempo.

Como era de esperarse, mi papá estuvo muy emotivo; me dijo lo feliz que estaba y cuánto me quería. No era un momento para elocuencias, sino para dejarnos sumergir en las emociones. Las personas a cargo del programa de reintegración me dijeron que hablara sólo por un rato; tenían experiencia con casos como el nuestro y un programa específicamente diseñado para evitar que la situación nos abrumara. Muy a mi pesar, me despedí de mi papá y, sin darme cuenta de lo extrañas que sonaban esas palabras, le dije que lo vería al día siguiente.

Me contó que mi madre estaba en Francia, pues había ido a participar en varias manifestaciones de paz y ceremonias para llamar la atención sobre la difícil situación que vivían los secuestrados en Colombia. Tenían planeado subir a la cima del Mont Blanc y plantar fotos de los rehenes en la cima más alta de Europa occidental. Ya le habían informado de nuestro rescate y, con la ayuda de Northrop, estaba en camino hacia Texas.

La primera vez que dormí en una cama de verdad fue maravilloso pero ni siquiera esa comodidad pudo evitar que tuviera una pesadilla. Durante todo el cautiverio soñé muchas veces que me rescataban. Aquella primera noche en el BAMC tuve una pesadilla en la que todo lo que acababa de pasar —el rescate, los vuelos, el regreso a Estados Unidos, la conversación con mi padre— era sólo un sueño, porque en realidad seguía secuestrado en medio de la selva. Tan cliché como puede parecer, esa vívida e inquietante pesadilla me hizo despertar y, en la oscuridad, me pregunté si todo lo que veía en ese cuarto de hospital no era más que un producto de mi imaginación.

Al segundo día de nuestro regreso, pude ver a mi madre y a mi padrastro, Mike, así como a mi padre, mi madrastra, mi hermanastra y mi hermano. Las visitas fueron cuidadosamente controladas y más bien breves. Cuando mi madre me estrechó entre sus brazos, sentí que, o me había vuelto muy frágil o ella muy fuerte, pues tuve la impresión de que me iba a romper las costillas. Y no me importaba.

—¡Estoy tan feliz de verte! Mis oraciones han sido escuchadas. ¡Te quiero tanto!

Ella siguió diciendo estas palabras y me apretaba cada vez más. Cuando finalmente fui capaz de separarme un poco me di cuenta de que los años que habían pasado no habían sido fáciles para ella. Me había preparado para el hecho de que habría cambios en las personas después de más de cinco años, pero la preocupación y la ansiedad que había sufrido mi madre ciertamente la habían castigado.

—Tú sabes, Marc, ahora estamos en San Antonio. ¡San Antonio! Uno le reza a él para que le ayude a recuperar los objetos perdidos, y ahora te hemos recuperado a ti.

Al día siguiente tuve mi largamente anhelada reunión con mis hijos. Tan pronto se abrió la puerta, Destiney corrió hacia mis brazos y mi corazón saltó dentro de mí. La pequeña niña que había dejado atrás había crecido tanto que apenas podía creerlo. Sin embargo, debajo de su nuevo peinado y su maquillaje estaba todavía la niña que había extrañado a su papá tanto como él a ella. Durante los veinte minutos que duró la visita, permaneció todo el tiempo aferrada a mí.

Destiney me contó cómo se había enterado de mi secuestro. Nuestros vínculos eran tan fuertes que Shane no había sido capaz de decirle, y le inventó la historia de que yo estaba trabajando durante todo el día y sólo podía llamar muy tarde en la noche —pues yo acostumbraba llamar a casa todos los días sin falta—. Al comienzo Destiney no entendía y, en la medida en que el tiempo iba pasando sin que nos habláramos, comenzó a extrañarme más y más. Entonces tenía tan sólo nueve años de edad. Como le habían dicho que yo llamaba al final de la noche, comenzó a quedarse despierta cada vez hasta más tarde esperando por mi llamada, hasta que llegó un día en que pasó la noche completamente en vela. Pero nunca llamé.

Escuchar su historia me llenó de un dolor intenso y agobiante que nada podía aliviar. Ni ponerme furioso y odiar a las FARC, ni arrepentirme de mi decisión de volar en Colombia, ni pensar en el futuro podrían borrar el sufrimiento por el que había pasado Destiney. Hubo muchas noches en mi cautiverio en las que recé y di gracias porque era yo el que estaba en esa selva y no nadie de mi familia, pero, ahora que escuchaba hablar a Destiney, comprendí que yo no fui el único que estuvo secuestrado; todos estaban allí —mi madre, mi padre, mi pequeña Destiney— sufriendo conmigo.

Cuando abracé a Cody me asombró que fuera casi tan alto como yo.

—Hey, bienvenido a casa —me dijo con una sonrisa.

Era la primera vez que escuchaba su voz de adolescente, y sentí que su sonido vibraba en mi clavícula. Joey me abrazó, y me sorprendió verlo muy parecido a como lo había dejado.

—Ustedes, hijos. Yo sólo puedo decirles… —hice una pausa y, en ese instante, un universo de emociones me inundó—. ¡Qué bueno verlos!

A través de mis lágrimas vi a Shane parada a un lado, doblando sus brazos nerviosamente y mirando alrededor de la habitación, evitando mi mirada. Cuando me acerqué a ella, sonrió lánguidamente y me dijo:

—Qué bueno verte. Me alegra que estés bien.

Por su tono y su postura rígida, por la forma en que se estremecía cuando ponía mis brazos a su alrededor, confirmé lo que por mucho tiempo había sospechado en la selva. Shane había seguido adelante con su vida, y yo no la culpaba, pero me entristecía pensar en lo enamorados que estuvimos alguna vez. Ya habría tiempo para enfrentar las consecuencias del fin de nuestro matrimonio, pero no sería ahora.

—Estoy feliz de verte también. Te extrañé mucho.

Ambos hablábamos como si apenas hubiera estado afuera por un par de días en un viaje de negocios, y no por sesenta y cinco meses. Me había preparado para este momento pero no dejó de sorprenderme lo mucho que dolía, sobre todo cuando veía a Shane y sentía que los años que había estado afuera no habían sido buenos para ella tampoco. Con Destiney aferrada a mi brazo, me preguntaba cómo habría sido la experiencia de Shane, cuánto dolor habría sufrido por mi ausencia.

Varios días después, cuando nos mudamos a un apartamento en los alojamientos destinados a los empleados casados, el abismo entre Shane y yo se hizo aún más evidente. Incluso en ese espacio relativamente pequeño, sentía como si yo aún estuviera en Colombia y ella en la Florida. Los incómodos silencios entre nosotros me recordaban las veces en que Tom, Keith y yo no teníamos radios o señal de radio. Al menos entonces el ruido de la estática nos daba alguna esperanza de que pudiéramos sintonizar una señal en el área; en cambio, entre Shane y yo sólo había un silencio mortal y la certeza, para mí, de que estaba regresando a una vida fracturada.

Infortunadamente, lo que se había roto en mi matrimonio no tenía forma de repararse, por lo que Shane y yo hoy estamos separados. Esto me entristeció pero, al igual que Keith y Tom, me había preparado por un largo tiempo. Los días que pasaron desde el último mensaje de Shane en la radio me habían dado a entender que nada volvería a ser igual, y me había alistado en el cautiverio para enfrentarlo. Aparte de esto, mis vínculos con Destiney, Cody y Joe son hoy más fuertes que nunca. Tenerlos en mi vida todos los días es un buen recordatorio de la razón que me hizo sobrevivir por más de cinco años. No pasa un solo día sin que le agradezca a Dios por dejarme ser parte de sus vidas otra vez.

De todas las cosas asombrosas que pasaron desde nuestro regreso, nuestro viaje a la Harley-Davidson y su generosidad se encuentran entre mis favoritas. Cuando me llegó el momento de ir a escoger la nueva moto que me habían obsequiado, no quise una llena de colores y de accesorios. Todo lo que quería era manejarla, sentarme en ella y sentir otra vez el viento en mi cara y el sonido distintivo de su motor doble cilindro impulsándome por una carretera serpenteante. Por mucho tiempo pensar en las motocicletas había sido un mecanismo de supervivencia. Ahora era nuestra realidad.

La euforia del rescate continuó por días y semanas, y gradualmente fue remplazada por un sentimiento de seguridad y satisfacción que nunca había conocido. Me mudé de regreso a Connecticut para estar cerca de mis padres y del resto de la familia. Me emocioné por mi mamá cuando le otorgaron la ciudadanía colombiana honoraria en reconocimiento a su trabajo, no sólo por nosotros tres sino por los demás que quedan en Colombia. Ellos han permanecido en mi mente hasta el día de hoy. Mientras tanto, Northrop Grumman ha hecho todo lo posible para facilitar mi transición, a pesar de que sólo había sido su empleado por un breve tiempo antes del accidente. En Tom y Keith he encontrado unos hermanos con los que tengo unos vínculos que van más allá de la sangre y los huesos, al nivel del espíritu y el alma. Seguimos hablándonos con frecuencia y cada día recuerdo que nuestra amistad fue la que hizo posible que sobreviviéramos.

Ahora soy una persona diferente. Todos cambiamos inevitablemente pero esos más de cinco años me afectaron positivamente. Miro de forma distinta y con más paciencia todo lo que hago. El otro día tuve que ir al hospital para una resonancia magnética —todavía tengo problemas con mi rodilla y mi espalda— y me dijeron que llegara a las nueve y media de la mañana para mi cita de las diez. Me senté a esperar que el tiempo transcurriera. Pasó una hora sin que me llamaran y, mientras otros pacientes se quejaban por el desperdicio de su tiempo, yo sonreía ante la idea de que cualquier momento pudiera considerarse un desperdicio. A las doce y media, finalmente me llamaron.

La técnica era una atractiva mujer latina que no parecía tener más de dieciocho años. Mientras me conducía por el corredor al cuarto de exámenes, se disculpaba por la tardanza en atenderme.

—No me importa. No necesita disculparse —le dije en español.

—Su español es muy bueno, y también su acento. ¿Usted es de Suramérica?

—No —le dije—, pero he pasado algún tiempo allá.

Ella comenzó a explicarme el procedimiento y cuando terminó me preguntó:

—¿Le importaría acostarse bien quieto? A algunas personas esta máquina les produce una sensación de encierro.

Sacudí mi cabeza y le dije:

—No, estaré bien.

Cuando regresé a casa después del examen, me subí a mi moto. No tenía un lugar particular adonde ir ni ningún destino en mente. Antes, cuando tenía mi motocicleta deportiva, mis viajes eran una prueba de valor y velocidad, y volaba por las autopistas interestatales siguiendo las líneas del asfalto de la Florida. Hace rato que dejé eso atrás; ya no necesito más adrenalina. Aquel día manejé por la Ruta Estatal 66, disfrutando el fresco y claro atardecer de Nueva Inglaterra. El color de los árboles de maple vibraba bajo la tenue luz de la tarde. Seguí en dirección al norte y pasé junto al Lago Columbia y, mientras me desplazaba de la sombra a la luz del sol, parecía como si los árboles en el Bosque Estatal Nathan Hale fueran fuegos artificiales que ardían en llamas y luego se extinguían.

Había escogido esta ruta al azar. Por eso, mientras manejaba a lo largo de la zigzagueante cinta de la carretera y disfrutaba los ascensos y descensos, me pareció una afortunada coincidencia que pasara por un área que debe su nombre a uno de los más grandes héroes de nuestro país, al que se considera como nuestro primer espía de inteligencia; un soldado y un mártir de la revolución que dio su vida por la patria. Gracias a él y a muchos otros, ahora podía recorrer el camino y disfrutar del día, valorando inmensamente mi libertad. Aceleré la moto y me incliné para tomar una serie de curvas cerradas. Entonces, saciadas ya mis ansias de emoción, enfilé hacia mi casa. Al fin estaba lejos del infierno.

AGRADECIMIENTOS

Si algo aprendimos en la selva fue a confiar el uno en el otro. En estos últimos meses, mientras trabajábamos en el proyecto de este libro, pusimos en práctica esta lección. Tuvimos la fortuna de contar con la orientación, el respaldo y el esfuerzo de un equipo que nos ayudó a concluirlo en un tiempo récord, que ha sido una de las épocas de mayor trabajo de nuestras vidas. Estamos profundamente en deuda con muchas personas, tantas que, si les diéramos las gracias de forma individual, este libro sería dos veces más largo que el que tiene en sus manos. Estamos inmensamente agradecidos con todos los que elevaron una oración, o nos tuvieron en sus pensamientos, para que volviéramos a casa; con los que tuvieron una palabra o un gesto amables con nuestras familias mientras permanecimos secuestrados, y con quienes, ahora que hemos vuelto, nos han acogido mientras nos adaptamos a la vida fuera de la selva. No podemos nombrarlos a todos y cada uno, pero queremos que sepan que estamos agradecidos con ustedes por su contribución a nuestra supervivencia.

Hay algunas personas y organizaciones a quienes debemos hacer un reconocimiento particular. Estamos profundamente agradecidos con el gobierno, el ejército y la gente de Colombia, en especial el general Mario Montoya, el ministro de Defensa Juan Manuel Santos, el presidente Álvaro Uribe Vélez, y los valientes hombres y la mujer que participaron en la planeación y ejecución de la Operación Jaque. Nuestra eterna gratitud con aquellos en el ejército y el gobierno de Estados Unidos que también contribuyeron a nuestra liberación. Cuando regresamos a nuestro país fuimos acogidos y cuidados cálidamente por el general Keith Huber y su equipo en el Brooke Army Medical Center en Fort Sam Houston. También el señor Doug Sanders fue particularmente amable con nosotros en esos primeros días. Estamos en deuda con todos los que participaron en nuestro proceso de reintegración. Su asombrosa compasión y preocupación por nosotros nos abrumaron e hicieron que nuestra transición a la vida después del cautiverio resultara mucho más fácil.

Los amigos del Northrop Grumman velaron por nuestras familias durante nuestra ausencia y nos han apoyado de manera increíble, pendientes siempre de nuestras necesidades, desde nuestro regreso. Especialmente queremos agradecerles a James Pitts, Ronald Sugar y Michele Magaletta Jr. por su aporte. A nuestros colegas en Colombia, que nunca perdieron la fe y siguieron buscándonos —Brian Wilks, Mike Villegas, Jim Pabón y Ed Trinidad— les rendimos un homenaje por su esfuerzo y porque jamás nos olvidaron.

También nuestro agradecimiento a todos en la Harley-Davidson, y a nuestros concesionarios locales, por su inmensa generosidad y su respaldo a nuestra Caravana de la Libertad. Esperamos verlos a todos en la carretera.

La ayuda de Wade Chapple y Doug Sanders fue decisiva para conseguir algunas de las estupendas imágenes que están en el inserto de fotografías. Gracias a ambos por enviarnos sus fotos y permitirnos usarlas.

Nuestros abogados Newt Porter y Tony Korvick nos guiaron en las etapas iniciales del proceso de publicación. A través de ellos, conocimos una buena cantidad de editores. Estamos muy contentos de haber encontrado un hogar en William Morrow/HarperCollins. Desde el momento en que hablamos con el equipo de William Morrow, sentimos que habíamos encontrado la opción apropiada y nuestro instinto resultó cierto. Recibimos mucha ayuda de nuestro editor, Matt Harper, cuya orientación y visión dieron forma a este libro. Sus oportunas y sabias sugerencias se plasmaron en una obra de la que nos sentimos orgullosos. También quisiéramos agradecer a Lisa Sharkey y a tantos otros en

HarperCollins que tuvieron que ver con la producción, promoción y venta del libro.

Finalmente, un especial reconocimiento a nuestro coautor Gary Brozek por el duro trabajo que realizó para llevar al papel nuestra historia de vida. Este ambicioso proyecto no hubiera sido posible sin su dedicación y su mágica habilidad para transportarse él mismo dentro de la selva, como si estuviera con nosotros, mientras contaba nuestra historia.

TOM

Es imposible expresar mi gratitud a todos los que me ofrecieron su apoyo y me dieron fuerzas durante el secuestro y el proceso de reintegración. Aunque no puedo agradecerles individualmente, quiero que sepan que nunca voy a olvidar su ayuda. Quiero hacer mención especial a mis hermanos, Sally y Steve; es fabuloso estar con ustedes otra vez. Sigo compartiendo un vínculo muy especial con mi hijo Tommy. Estoy muy orgulloso al ver la clase de muchacho en que te has convertido y ansioso de compartir mi vida contigo. Mi hijastro, Santiago Giraldo, hizo un magnífico trabajo velando por nuestra familia en mi ausencia, y probó una vez más el extraordinario ser humano que es.

KEITH

Si ha terminado de leer este libro, entonces sabe que hay una persona entre las miles —y es imposible nombrarlas a todas— a quien quiero agradecer por su apoyo y devoción infinitos. Patricia, gracias por tener tanta fe en mí y por ser "la mujer de mi vida". A mi hija Lauren y mi hijo Kyle, nunca podré decirles cuánto los amo y lo orgulloso que estoy al ver las personas en que se han convertido. Siempre supe que ustedes podían cuidarse solos, pero estoy muy contento de estar aquí para verlos hacer sus cosas. Mamá y papá, ustedes dos hicieron mucho por mi familia durante mi ausencia; jamás podré pagarles —y sé que lo hicieron sin esperar nada a cambio— por ayudarme a preservar mi vida y mi familia en Estados Unidos. Me asombran y me muestran cada día que tomar el camino correcto, así no sea fácil, tiene su propia recompensa. A Keith Jr. y a Nick: las circunstancias nunca fueron fáciles para ustedes, pero, como "los tigres" que son, han demostrado esa tenacidad que hace que el pecho de este antiguo marine se hinche de orgullo. De ahora en adelante, vamos a tener mucha diversión.

Tommy Janis, Ralph Ponticelli, Tommy Schmidt y Butch Oliver se han unido a la lista de héroes caídos, pero desconocidos, de nuestro país. Hombres como ustedes, que hicieron el máximo sacrificio, han hecho grande a Estados Unidos. Cumplieron sin aspavientos un trabajo peligroso, que la mayoría de nuestros compatriotas desconoce, y nos dan razones para sentirnos orgullosos. Dios los bendiga a ustedes y a sus familias. Siempre los llevaré en mi corazón y en mi mente.

Tom y Marc: ¡lo logramos!

MARC

Ya no es una fantasía; ahora estoy libre. Quiero agradecer a todos los que oraron, los que escribieron y los que nos recordaron. Los milagros ocurren. Si algo aprendí en la selva es el verdadero valor de la familia. Especialmente quiero agradecer a mi madre, Jo Rosano, mi campeona en el campo de batalla. Escuché tu voz, mamá; te escuché en medio de la jungla. A mi padre y mi madrastra, George y Monique, y a mi hermano y mis hermanas, Michael, Denise, Corina y Misty: los quiero. No más sufrimiento. A mis preciosos hijos Joey, Cody y Destiney: estoy muy agradecido con nuestro Señor por permitirme verlos otra vez. Hay mucho tiempo que recuperar, pero tenemos toda una vida por delante para hacerlo.

No le desearía lo que me pasó ni a mi peor enemigo. Pero dicho esto, debo reconocer algo: yo no habría sobrevivido solo. Tom, Keith: no los escogí como mis compañeros de cautiverio, pero estoy muy agradecido de haberlos tenido conmigo. Uno no puede escoger a sus familiares, porque se nace con ellos, y lo mismo ocurrió con ustedes. Ahora somos una familia. Y lo logramos juntos; sobrevivimos. Los quiero, mis hermanos. Montemos en nuestras motos, ¡y adelante!

Planeta

España
Av. Diagonal, 662-664
08034 Barcelona (España)
Tel. (34) 93 492 80 00
Fax (34) 93 492 85 65
Mail: info@planetaint.com
www.planeta.es

Paseo Recoletos, 4, 3.ª planta
28001 Madrid (España)
Tel. (34) 91 423 03 00
Fax (34) 91 423 03 25
Mail: info@planetaint.com
www.planeta.es

Argentina
Av. Independencia, 1668
C1100 Buenos Aires
(Argentina)
Tel. (5411) 4124 91 00
Fax (5411) 4124 91 90
www.editorialplaneta.com.ar

Brasil
Av. Francisco Matarazzo,
1500, 3.° andar, Conj. 32
Edificio New York
05001-100 São Paulo (Brasil)
Tel. (5511) 3087 88 88
Fax (5511) 3087 88 90
Mail: ventas@editoraplaneta.com.br
www.editoriaplaneta.com.br

Chile
Av. 11 de Septiembre, 2353, piso 16
Torre San Ramón, Providencia
Santiago (Chile)
Tel. Gerencia (562) 652 29 43
Fax (562) 652 29 12
www.planeta.cl

Colombia
Calle 73, 7-60, pisos 7 al 11
Bogotá, D.C. (Colombia)
Tel. (571) 607 99 97
Fax (571) 607 99 76
Mail: info@planeta.com.co
www.editorialplaneta.com.co

Ecuador
Whymper, N27-166,
y Francisco de Orellana
Quito (Ecuador)
Tel. (5932) 290 89 99
Fax (5932) 250 72 34
Mail: planeta@access.net.ec

México
Masaryk 111, piso 2.°
Colonia Chapultepec Morales
Delegación Miguel Hidalgo 11560
México, D.F. (México)
Tel. (52) 55 3000 62 00
Fax (52) 55 5002 91 54
Mail: info@planeta.com.mx
www.editorialplaneta.com.mx
www.planeta.com.mx

Perú
Av. Santa Cruz, 244
San Isidro, Lima (Perú)
Tel. (511) 440 98 98
Fax (511) 422 46 50
Mail: rrosales@eplaneta.com.pe

Portugal
Planeta Manuscrito
Rua do Loreto, 16-1.° Frte.
1200-242 Lisboa (Portugal)
Tel. (351) 21 370 43061
Fax (351) 21 370 43061

Uruguay
Cuareim, 1647
11100 Montevideo (Uruguay)
Tel. (5982) 901 40 26
Fax (5982) 902 25 50
Mail: info@planeta.com.uy
www.editorialplaneta.com.uy

Venezuela
Final Av. Libertador con calle Alameda,
Edificio Exa, piso 3.°, of. 301
El Rosal Chacao, Caracas (Venezuela)
Tel. (58212) 952 35 33
Fax (58212) 953 05 29
Mail: info@planeta.com.ve
www.editorialplaneta.com.ve

Grupo Planeta   Planeta es un sello editorial del Grupo Planeta www.planeta.es